#수능공략
#단기간 학습

수능전략
국어 영역

Chunjae
Makes
Chunjae

▼

[수능전략] 국어 영역 화법과 작문

개발총괄	김덕유
편집개발	고명선, 이현아, 우영은, 배은수, 이하은
디자인총괄	김희정
표지디자인	윤순미, 심지영
내지디자인	박희춘, 한유정
제작	황성진, 조규영
조판	한서기획

발행일	2022년 2월 1일 초판 2022년 2월 1일 1쇄
발행인	(주)천재교육
주소	서울시 금천구 가산로9길 54
신고번호	제2001-000018호
고객센터	1577-0902
교재 내용문의	(02)3282-1718

수능전략
국·어·영·역
화법과 작문

BOOK 1

이 책의 구성과 활용

BOOK 1
1주, 2주

BOOK 2
1주, 2주

BOOK 3
정답과 해설

본책인 **BOOK 1**과 **BOOK 2**의 구성은 아래와 같습니다.

주 도입

본격적인 학습에 앞서, 재미있는 만화를 살펴보며 이번 주에 학습할 내용을 확인해 봅니다.

1일

개념 돌파 전략

수능을 대비하기 위해 꼭 알아야 할 핵심 개념을 익힌 뒤, 간단한 문제를 풀며 개념을 잘 이해했는지 확인해 봅니다.

2일·3일

필수 체크 전략

기출문제에서 선별한 대표 유형 문제를 풀며 유형 해결 전략을 알아보고, 이를 적용하여 대표 유형을 변형한 문제를 해결해 봅니다. 그리고 대표 유형으로 구성한 새로운 지문과 문제를 풀어 보며 앞에서 배운 내용을 적용해 봅니다.

본책에서 다룬 대표 유형과 그 해결 전략을 집중적으로
연습할 수 있도록 권두 부록을 구성했습니다.
부록을 뜯으면 미니북으로 활용할 수 있습니다.

주 마무리 코너

누구나 합격 전략
수능 유형에 맞춘 기초 연습 문제를 풀며
학습 자신감을 높여 봅니다.

창의·융합·코딩 전략
수능에서 요구하는 융복합적 사고력을 평가하는
문제를 풀며 문제 해결 능력을 키워 봅니다.

권 마무리 코너

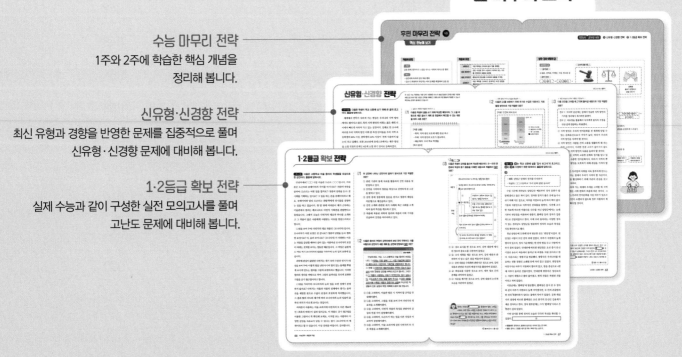

수능 마무리 전략
1주와 2주에 학습한 핵심 개념을
정리해 봅니다.

신유형·신경향 전략
최신 유형과 경향을 반영한 문제를 집중적으로 풀며
신유형·신경향 문제에 대비해 봅니다.

1·2등급 확보 전략
실제 수능과 같이 구성한 실전 모의고사를 풀며
고난도 문제에 대비해 봅니다.

이 책의 차례

BOOK 1

BOOK 2

파이팅!!

개념 돌파 전략 ①

개념 01 화법의 본질

○ **개념** ❶ [ ] (음성 언어)로 생각과 느낌을 나누고 의미를 구성하고 공유하는 사회적 의사소통 행위

○ **특성**
- 의사소통 문화(특정한 집단 혹은 사회에서 일반적으로 사용하는 공통적인 의사소통 양식이나 규범)를 형성함.
  📌 작은 선물이지만 기쁘게 받아 주시면 감사하겠습니다.
  → 겸양의 표현을 자주 사용하는 우리나라의 전통적인 의사소통 문화를 보여 줌.
- 사회적 담론(어떤 주제나 화제와 관련된 사회 구성원들의 공통적인 의견) 형성에 이바지함.
  📌 토의를 하며 지역 사회 문제 해결에 관한 구성원들의 공통적인 의견을 만들어 감.

○ **기능**
- 자아 개념(다른 사람이 보는 나의 모습에 관한 스스로의 생각)을 인식하고 긍정적인 방향으로 조정하여 ❷ [ ]를 성장시킬 수 있음.
  📌 칭찬과 감사의 말을 많이 들음. → 긍정적인 자아 개념 형성
- 다른 사람의 견해를 충분히 이해하고 수용하려는 자세를 갖추어 의사소통함으로써 공동체의 발전에 이바지할 수 있음.

답 ❶ 말 ❷ 자아

확인 01

화법과 관련된 설명으로 맞으면 ○, 틀리면 ×를 고르시오.
(1) 화법은 말을 통해 생각이나 느낌을 나누는 사회적 의사소통 행위이다. (○, ×)

(2) 화법 활동을 통해 형성된 의사소통 문화는 민족이나 국가와 상관없이 항상 동일하다. (○, ×)

(3) 화법은 사회적 담론을 형성하는 데 이바지한다. (○, ×)

(4) 다른 사람에게 긍정적인 표현을 많이 들으면 긍정적인 자아 개념이 형성된다. (○, ×)

개념 02 화법의 맥락

○ **개념**
- 사물과 사건 등의 요소가 서로 이어져 있는 관계로, 화법과 작문에서는 말과 글의 표현과 해석에 관여하는 여러 요소를 가리킴.
- 맥락은 말과 글의 의미를 이해하는 데 영향을 미치므로, 성공적인 의사소통을 위해서는 ❶ [ ]을 고려해야 함.

○ **화법의 상황 맥락과 사회·문화적 맥락**

상황 맥락	의사소통에 직접 영향을 미치는 맥락 📌 화자와 청자, 주제와 목적, 시간과 공간 등
사회·문화적 맥락	의사소통에 ❷ [ ]이고 거시적인 영향을 미치는 맥락 📌 역사적·사회적 상황, 공동체의 가치와 신념 등

답 ❶ 맥락 ❷ 간접적

확인 02

다음 중 〈보기〉의 상황과 가장 관련 깊은 화법의 맥락은?

> **보기**
> 지방이 고향인 지우는 서울에 있는 친구와 대화할 때에는 서울말을 쓰지만, 지방에 있는 친구와 대화할 때에는 방언을 쓴다.

① 시간　　② 청자　　③ 공동체의 신념

개념 03 상황에 맞는 표현 전략

◐ 언어적 표현
- 음성이나 문자로 생각이나 느낌을 표현하는 것
- 공식적 담화 상황에서 격식을 갖춘 어휘를 사용하는 등 상황에 맞는 적절한 어휘를 선정하여 이를 어법에 맞게 표현해야 함.

◐ 준언어적 표현
- 언어적 요소에 덧붙여 의미를 전달하는 것
- 어조, 강세(연속된 음성에서 어떤 부분을 강하게 발음하는 일), 말의 빠르기, 목소리 크기, 억양, 장단 등이 있음.
- 같은 언어적 표현이라도 ❶ [   ] 표현에 따라 의미가 다르게 전달될 수 있음.

  ⓔ (목소리를 높여) 여기를 봐 주세요.
  → 청중의 주의를 집중시키는 준언어적 표현

◐ 비언어적 표현
- 언어적·준언어적 표현 이외의 방법으로 의미를 표현하는 것
- 시선, 표정, 동작, 자세, 신체 접촉 등이 있음.
- 언어적 표현의 의미를 보완하고 ❷ [   ] 함.
- 말을 직접 하지 않더라도 비언어적 표현만으로도 의미를 전달할 수 있음.

  ⓔ (상대방과 눈을 맞추며) 너무 걱정하지 마.
  → 위로의 의미를 표현하는 비언어적 표현

답 ❶ 준언어적 ❷ 강화

확인 03

다음 상황과 관련 깊은 표현 전략을 찾아 바르게 연결하시오.

(1)	주제를 담고 있는 중요한 내용을 전달할 때에는 좀 더 천천히 말하며 특정 단어를 강하게 발음해야겠어.	㉠ 언어적 표현
(2)	발표나 연설과 같은 공적인 말하기 상황에서는 친구들 사이에서 쓰는 유행어를 사용하지 않아야겠어.	㉡ 준언어적 표현
(3)	청중을 대상으로 말할 때에는 청중과 눈을 맞추며 말하여 나의 진심을 전달하고 청중의 공감을 이끌어 내야겠어.	㉢ 비언어적 표현

개념 04 대화 ①_대화의 원리

◐ 대화 둘 이상의 참여자가 감정, 의견, 정보 등을 주고받으며 의사소통하는 행위

◐ 대화의 원리
- 순서 교대의 원리: 대화 참여자가 화자와 청자의 역할을 적절히 교대해 가면서 말을 주고받는 원리
- 협력의 원리: 대화 참여자가 대화의 목적이나 요구에 맞게 서로 도와 가며 대화하는 원리

양의 격률	필요한 만큼의 정보를 제공하기.
질의 격률	타당한 근거를 들어 진실한 정보를 제공하기.
관련성의 격률	대화의 목적, 주제, 내용과 ❶ [ ] 있는 것을 말하기.
태도의 격률	모호한 표현이나 중의적인 표현을 피하고, 간결하고 조리 있게 말하기.

- 공손성의 원리: 공손하고 예의 바른 태도로 대화하는 원리

요령의 격률	상대방에게 부담이 되는 표현은 최소화하고, 이익이 되는 표현은 최대화하기. ⓔ 혹시 남는 펜이 있다면 좀 빌려줄 수 있니? → 직접적인 요구가 아닌 질문의 형식을 활용하여 상대방의 부담을 최소화함.
관용의 격률	화자 입장에서 자신에게 혜택을 주는 표현은 최소화하고, 부담이 되는 표현은 최대화하기. ⓔ 잠시 다른 생각을 해서 그러는데, 한 번만 더 말씀해 주시겠어요? → 문제를 자신의 탓으로 돌려서 상대방이 관용을 베풀게끔 말함.
칭찬의 격률	다른 사람을 비난하는 표현은 최소화하고, 칭찬하거나 맞장구치는 표현은 최대화하기. ⓔ 친구들과 항상 사이좋게 지내는 네 모습이 정말 보기 좋더라. → 상대방의 태도를 칭찬함.
겸양의 격률	자신을 ❷ [ ] 하는 표현은 최소화하고, 비방하는 표현은 최대화하기. ⓔ 제가 아직 제대로 할 줄 아는 것이 없습니다. 잘 지도해 주십시오. → 스스로를 낮추어 겸손하게 말함.
동의의 격률	상대방과 불일치하는 표현은 최소화하고, 일치하는 표현은 최대화하기. ⓔ 네 말대로 그런 장점도 있겠네. 그런데 이렇게 생각해 보면 어떨까?

답 ❶ 관련 ❷ 칭찬

확인 04

공손성의 원리 중, 다음 상황과 관련 깊은 것은?

다울: 서하야, 나 부탁할 것이 하나 있는데……
서하: 뭔데? 이야기해 봐.
다울: 혹시 이따가 시간이 된다면 배드민턴 치는 법 좀 알려 주겠니?
서하: 응, 좋아.

① 요령의 격률 ② 관용의 격률 ③ 동의의 격률

개념 05 대화 ②_나-전달법

○ **개념** 문제 상황에서 다른 사람을 평가하고 해석하는 대신 자신이 느끼는 ❶ [　　　]과 바람에 집중하여 표현하는 의사소통 방법으로, 갈등을 증폭하지 않고 상대방이 자신의 감정을 이해할 수 있도록 도와 ❷ [　　　]을 해결하는 데 효과적임.

○ **구성 요소**

사건	자신이 문제로 인식한 상대방의 행동이나 상황
감정	사건에 대한 자신의 솔직한 감정
기대	자신이 바라는 상대방의 행동이나 상황

예 [사건] 네가 체육복을 제때 돌려주지 않아서
[감정] 체육 시간에 선생님께 혼나서 속상하고 화가 나.
[기대] 앞으로는 내 물건을 빌려 가면 바로 돌려주면 좋겠어.

답 ❶ 감정 ❷ 갈등

확인 05

괄호 안에서 알맞은 말을 고르시오.

'나-전달법'은 문제 상황에서 (자신 / 타인)이 느끼는 감정과 바람에 집중하여 표현하는 의사소통 방법이다.

개념 06 대화 ③_공감적 듣기

○ **개념** 화자의 입장에 ❶ [　　　]하면서 적절히 반응하며 듣는 것

○ **방법**

집중하기	상대방의 말에 관심을 가지고 있다는 반응을 보이며 상대방의 말을 집중해서 듣는 것 예 "그래?", "정말?", "맞아.", "그랬구나."
격려하기	화자가 하고 싶은 말을 더 많이 할 수 있도록 반응하며 듣거나, 대화 도중에 상대방이 침묵하더라도 차분히 기다려 주는 것 예 "계속 말해 봐.", "예를 들면?"
반영하기	상대방의 생각을 청자의 입장에서 이해한 대로 재진술하는 등 상대방의 생각을 직접 ❷ [　　　]해 주며 듣는 것 예 "그 말은 노력해 보겠다는 뜻이구나."

답 ❶ 공감 ❷ 반영

확인 06

다음 상황에서 '서하'의 발화에 나타난 공감적 듣기의 방법은?

다울: 어제 동생과 다툰 이후로 계속 기분이 좋지 않아.
서하: 어떻게 하다가 동생과 다투었는지 이야기해 줄래?

① 집중하기　　　② 격려하기　　　③ 반영하기

개념 07 발표

○ **발표** 여러 사람 앞에서 자신의 생각이나 의견 또는 어떤 사실에 대하여 진술하는 의사소통 행위

○ **구성 단계**

도입부	• 청중의 관심 유발 • 발표의 목적, 주제, 화제 소개 • 전체 내용 개관
전개부	• 중심 내용 제시 • 다양한 자료와 구체적인 사례 제시
정리부	• 중심 내용 ❶ [　　　] · 강조 • 제언(발표 내용과 관련된 의견이나 생각) 제시

○ **청자를 고려한 내용 구성 방법**

청자의 특성	내용 구성 방법	
내용에 대한 흥미	• 청자의 ❷ [　　　]나 요구 혹은 개인적 관심사를 분석하여 발표 내용을 선정함. • 청자가 발표 주제에 관심이 없을 때에는 관심을 유발할 수 있는 표현이나 행동으로 발표를 시작함. 예 • 여러분, 혹시 걷다가 유리문에 부딪친 적 있나요? 　　• 여러분, 앞의 화면을 잠시 봐 주세요. (로봇 영상을 보여 주며)	
내용에 대한 이해 정도	발표 내용과 관련된 청자의 사전 지식 정도를 점검하고 청자의 이해 수준을 고려하여 발표 내용을 구성함.	
주제에 대한 태도	주제와 관련하여 청자가 갖고 있는 태도를 고려하여 내용을 구성함.	
	태도가 부정적인 경우	주제에 대해 긍정적으로 생각할 수 있게 한 뒤 구체적인 내용을 전달함.
	태도가 긍정적인 경우	내용을 선명하게 드러내어 청자가 긍정적인 태도를 확신할 수 있게끔 유도함.
주제와 관련한 세부 관심사	발표 주제 중 청자가 관심을 지닌 세부 관심사를 파악하여 발표 내용에 반영함.	
정서적 상태	청자의 정서를 이해하고 공감하고 있음을 말과 행동으로 표현함.	

답 ❶ 요약 ❷ 흥미

확인 07

발표의 도입부에 대한 설명으로 적절하지 **않은** 것은?

① 발표의 목적과 주제를 소개한다.
② 발표의 중심 내용을 구체적으로 설명한다.
③ 발표 내용과 관련된 청중의 관심을 유발한다.

개념 08 연설 ①_화자의 공신력

● **연설** 공식적 상황에서 화자가 청중에게 자신의 주장이나 의견을 전달하는 의사소통 행위

● **화자의 공신력** 화자가 청자에게 공식적으로 신뢰를 받을 만한 능력으로, ❶ [   ]을 높임으로써 연설의 설득력을 높일 수 있음.

● **공신력의 구성 요소**

전문성	화자가 화제와 관련된 지식이나 경험을 충분히 갖추고 있는지의 여부
신뢰성	화자의 성품이 ❷ [ ]한지, 주변의 평판은 어떠한지와 관련된 것
침착성	화자가 위기나 돌발 상황에서 당황하지 않고 침착하게 대처하는 태도
외향성	화자가 역동적인 어조, 몸짓으로 신념과 열정 등을 표현하는 정도와 관련된 것
사회성	화자가 친근감을 주는 정도

🔑 ❶ 공신력 ❷ 믿음직

확인 08

공신력의 구성 요소 중, 다음 설명에 해당하는 것은?

> 화자가 화제를 충분히 이해하고 있음을 드러내어 연설의 설득력을 높일 수 있다.

① 전문성   ② 신뢰성   ③ 침착성

개념 09 연설 ②_설득 전략

● **인성적 설득 전략**
· 연설의 내용과 표현에서 화자가 믿을 만한 사람임을 드러내는 전략
· 화자의 공신력을 높일 수 있는 내용과 표현을 마련해야 함.

전문성	화제, 주제와 관련된 내용을 사전에 충분히 조사하고 이에 대하여 이해하고 있음을 드러냄.
신뢰성	말을 할 때 진심을 담아 표현함.
침착성	불안해하지 않고 의연한 태도로 말함.
외향성	자신 있는 태도로 신념과 열정을 드러냄.
사회성	· 청중과 공유할 수 있는 경험이나 청중의 상황에 공감하고 있음을 언급함. · 청중과 시선을 맞추고 청중에게 우호적인 태도를 갖고 있음을 언어적·준언어적·비언어적으로 표현함.

● **이성적 설득 전략**
· 타당한 근거를 들어 주장을 논리적으로 표현함으로써 청중이 화자의 주장을 수용하도록 하는 전략
· 청중의 요구나 수준을 고려해서 ❶ [   ]을 뒷받침하는 근거를 마련하고, 내용을 논리적으로 조직해야 함.

● **감성적 설득 전략**
· 청중의 ❷ [   ]에 호소하여 청중이 화자의 주장을 수용하도록 하는 전략
· 청중에게 유발하려는 감정에 어울리는 언어적·준언어적·비언어적 표현을 활용함.

🔑 ❶ 주장 ❷ 감정

확인 09

'금연을 해야 한다.'라는 주제로 연설을 한다고 할 때, 다음 상황과 관련 깊은 연설의 설득 전략을 찾아 바르게 연결하시오.

(1)	비흡연자보다 흡연자이 질병 발생률이 높음을 나타낸 통계 자료를 근거로 제시한다.	·	· ㉠	인성직 설득 전략
(2)	연설자가 흡연이 건강에 미치는 영향과 관련된 의학적 지식을 갖추고 있음을 드러낸다.	·	· ㉡	이성적 설득 전략
(3)	흡연자의 후회가 담긴 말이나 흡연자의 가족이 받는 고통을 제시하여 청중에게 공포심을 유발한다.	·	· ㉢	감성적 설득 전략

개념 돌파 전략 ②

01~02 다음은 학생들의 대화이다. 물음에 답하시오.

학생 1 이번 과제가 '공동체 문제의 해결을 위한 글을 써서 독자와 공유하기'잖아. 과제에 대해 생각 좀 해 봤어?

학생 2 의류 수거함에 대해 쓰려고 자료 찾아보고 있어. 너는?

┌ **학생 1** 나도 의류 수거함 생각했는데. 잘됐다. 찾은 자료 나한테 전자 우편으로 보내 줘.
│ **학생 2** 주는 건 어렵지 않은데 네가 당연하다는 듯이 말해서 좀 당황스러워.
[A] **학생 1** 미안해. 기분 상하게 하려던 건 아니었어. 나도 자료 준비되면 줄 테니까 공유 좀 부탁해도 될까?
└ **학생 2** 알겠어. 그렇게 하자.

학생 1 그런데 넌 왜 의류 수거함에 대해 쓰려고 해?

학생 2 평소에도 문제가 많다고 생각했는데, 우리 학교 친구들도 수거함이 관리될 필요가 있다고 하더라고. 의류 수거함 주변이 쓰레기장이 되고 있어. 수거함에 수거 대상이 아닌 물품과 쓰레기도 많고. 너는 그 원인이 뭐라고 생각해?

학생 1 얼마 전 신문 기사를 봤는데 ○○시에서도 비슷한 문제가 있었지만 시청이 적극 노력해서 잘 해결했다는 걸 보면 우리 시청의 대처가 미흡해서인 것 같아.

학생 2 ○○시청은 어떤 노력을 한 거야?

학생 1 파손된 수거함을 수리하고 올바른 수거함 사용법을 알리는 캠페인도 했대.

학생 2 그러니까 네 말은 우리 시청이 적극적으로 나서지 않은 게 원인이라는 거지?

학생 1 맞아. 공공의 문제 해결에는 시청의 영향력이 크니까.

학생 2 ㉠그 말도 맞지만 이용자의 탓이 더 크지 않을까? 아무리 시청이 관리를 잘 해도 이용자들이 함부로 사용하면 궁극적으로는 문제가 해결되지 않으니까.

---

01 [A]에서 '학생 1'은 자신의 일방적 요구에 당황한 '학생 2'에게 사과한 뒤 ☐☐의 방식으로 자료를 공유해 줄 것을 부탁하고 있다.

02 ㉠에 나타난 대화의 원리로 적절한 것은?

① 자신을 칭찬하는 표현은 최소화하고 비방하는 표현을 최대화하여 말한다.
② 상대방을 비난하는 표현은 최소화하고 칭찬하는 표현을 최대화하여 말한다.
③ 상대방과 불일치하는 표현은 최소화하고 일치하는 표현을 최대화하여 말한다.
④ 자신에게 혜택을 주는 표현은 최소화하고 부담을 주는 표현을 최대화하여 말한다.
⑤ 상대방에게 부담이 되는 표현은 최소화하고 이익이 되는 표현을 최대화하여 말한다.

● **담화 유형** 대화
● **담화 참여자** 학생 1, 학생 2
● **담화 상황** '공동체 문제의 **❶**☐을 위한 글을 써서 독자와 공유하기'라는 과제를 준비하는 과정에서, 공동체 문제인 의류 수거함의 문제점과 그 **❷**☐에 대해 대화함.

답 ❶ 해결 **❷** 원인

문제 해결 전략

학생 2는 의류 수거함 문제의 원인에 대한 학생 1의 의견을 들은 뒤, ㉠에서 그와 다른 자신의 의견을 제시하고 있어요. 이 상황에서 학생 2가 상대방의 의견에 대한 **❶**☐를 나타낸 뒤, 자신의 **❷**☐을 완곡하게 드러내고 있다는 점에 주목해 보세요.

답 ❶ 동의 **❷** 의견

03~04 다음은 학생의 발표이다. 물음에 답하시오.

안녕하세요. 저는 1학년 5반 ○○○입니다. 여러분은 중학교 때 어떤 동아리 활동을 하셨나요? 고등학교에 와서 무언가 새로운 것에 도전하고 싶지는 않으신가요? 여러분께 저와 제 친구들이 만든 정말 멋진 동아리 '직접 함께 오토마타'를 소개합니다.

오토마타가 뭐냐고요? (㉠모형 딱따구리를 꺼내 손잡이를 돌리며) 이렇게 손잡이를 돌리면 앞뒤로 움직이는 조형물을 만들어 본 적 있죠? 초등학교 과학 시간이나 만들기 시간에 대부분 공작 키트로 만들어 보셨을 텐데요. 이처럼 오토마타는 크랭크, 기어, 캠 같은 부품들로 이루어진 기계 장치를 통해 특정한 동작을 반복하도록 만들어진 조형물을 뜻합니다.

그런데 우리 동아리는 시중에서 판매하는 공작 키트를 구입해서 주어진 부품을 설명서대로 조립하는 동아리가 (두 팔을 교차해 가위표를 만들며) 아닙니다. 우리 동아리는 오토마타의 설계도를 그려서 부품을 만들어 조립하고, 아름다운 조형물로 완성하기까지의 모든 과정을 직접 해 보는 동아리입니다. 한발 더 나아가 코딩을 활용한 오토마타를 만들어 내는 것을 목표로 합니다. (동영상을 띄우고) 작년 □□시 오토마타 경진 대회에 나온 작품들입니다. 버튼을 누르니까 코딩된 내용에 따라 다양한 움직임을 보여 주죠? 멋진 오토마타를 여러분과 직접 함께 만들고 싶습니다.

우리는 3D 프린터를 활용하여 각종 부품을 직접 만들고, 메이커실에서 그 부품들을 조립할 계획입니다. 제가 벌써 담당 선생님께 매주 화요일과 목요일 방과 후에 3D 프린터와 메이커실을 사용할 수 있도록 허락을 받아 두었습니다. 게다가 담당 선생님께서 (엄지를 치켜들며) 코딩계의 전설이라 하십니다. (웃으며) 오토마타 동아리에 들어오면 코딩을 제대로 배울 수 있습니다.

'직접 함께 오토마타' 동아리에 가입하고 싶은 친구들은 다음 주 화요일까지 1학년 5반에서 저 ○○○을 찾아 가입 신청서를 내시면 됩니다. 각종 문의도 환영합니다. 많은 친구가 함께하면 좋겠습니다. 감사합니다.

03 위 발표에 대한 설명으로 적절하지 <u>않은</u> 것은?

① 용어의 뜻을 풀이하며 청중의 이해를 돕고 있다.
② 구체적인 정보를 제공하며 청중을 설득하고 있다.
③ 비언어적 표현을 사용하여 전달의 효과를 높이고 있다.
④ 질문을 던지는 방식으로 청중의 관심을 유발하고 있다.
⑤ 앞에서 설명한 내용을 요약하며 발표를 마무리하고 있다.

04 발표자는 ㉠을 활용하여 청중의 경험을 환기하고, 발표와 관련된 청중의 □□을 유발하고 있다.

● 담화 유형 **❶** [____]
● 담화 참여자

발표자	'직접 함께 오토마타' 동아리의 부원인 1학년 5반 ○○○
청중	고등학교 신입생

● 담화 상황 동아리 '직접 함께 오토마타'를 소개하고 **❷** [____]을 권유하는 발표를 함.

답 **❶** 발표 **❷** 가입

문제 해결 전략

발표할 때 주제와 관련된 적절한 **❶** [____]를 활용하면 청중의 관심과 흥미를 유발하고, 발표 내용에 관한 청중의 **❷** [____]를 높일 수 있어요.

답 **❶** 자료 **❷** 이해

필수 체크 전략 ①

✏️ 다음은 연설 의뢰서와 이에 따라 행한 연설이다. 물음에 답하시오.

[연설 의뢰서]

> 저는 □□시 의회 의원입니다. 이번에 우리 시에서는 □□ 동물원 폐쇄를 두고, 주민들의 의견이 나뉘어 주민 투표를 통해 이를 결정하려고 합니다. 평소 동물원을 폐쇄해야 한다고 주장해 오신 ○○○ 정책 국장님께 투표단을 대상으로 동물원 폐쇄를 지지하는 연설을 부탁드립니다. 투표단은 □□시의 주민들로, 동물원 폐쇄의 정당성을 따져 보고자 한다는 점을 고려해 주시기 바랍니다.

[연설]

여러분, 안녕하세요? 저는 동물 보호 연대 정책 국장으로 동물 보호 관련 연구를 하고 있는 ○○○입니다. 저는 그간 여러 학술 대회와 세미나에서 동물 보호와 관련된 논문을 다수 발표했습니다. 저도 여러분과 같은 □□시의 시민으로서 요즘 우리 시에서 논란이 되고 있는 동물원 폐쇄 문제에 대해 여러분처럼 고민을 많이 했습니다.

먼저, 여러분께 한 가지 질문을 드리겠습니다. (청중과 시선을 맞추며) 여러분은 동물원의 동물 쇼를 보며 혹시 동물들이 고통을 받고 있다고 생각해 본 적은 없으신가요? (청중의 반응을 보고) 실제로 동물 쇼를 하는 동물들이 다양한 고통에 시달린다는 연구 결과도 있습니다. 쇼를 하는 동물뿐 아니라 우리 안에 갇힌 동물이 받는 고통도 큰 문제입니다. 이와 같은 이유로 코스타리카는 세계 최초로 동물원 폐쇄를 결정했습니다. 코스타리카는 2014년부터 동물원을 식물원으로 전환하고, 동물원에 있던 동물들을 야생으로 돌려보내고 있습니다. 그리하여 10년 후엔 동물원이 없는 최초의 국가가 된다고 합니다. 이처럼 우리 시의 동물원도 폐쇄해야 한다고 봅니다.

동물원을 폐쇄하는 것에 반대하는 분들은 동물원이 멸종 보호종을 보호하기 위해서 필요하다거나 지역 경제 활성화를 위해 필요하다고 하십니다. 그런데 멸종 보호종을 보호하기 위해서라면 보호 센터를 운영하면 됩니다. 또한 동물원을 폐쇄하지 않고 계속 운영했을 때, 지역 경제 활성화에 도움이 된다고 볼 수 없습니다.

프린스턴 대학의 피터 싱어 교수의 책 《동물 해방》에는 '어떤 존재들이 쾌락과 고통을 느낀다는 점에서 인간과 같다면 그들은 인간과 동등한 도덕적 배려의 대상이 되어야 한다.'라는 말이 있습니다. 이는 생명의 주체인 동물 역시 고통받지 않고 살아갈 수 있는 권리를 보장받아야 한다는 것입니다. 이와 관련해 생각해 보았을 때, 동물은 구조나 보호가 필요한 경우가 아니라면, 어떤 방식으로든 가둬 두지 말아야 합니다. (목소리에 힘을 주며) 이런 의미에서 저는 우리 □□시의 동물원이 폐쇄되어야 한다고 생각합니다. 여러분, 동물이 고통받지 않고 살 수 있는 세상을 위해 여러분의 지지를 부탁드립니다. 감사합니다.

- 담화 유형 연설
- 담화 참여자

연설자	평소 동물원을 폐쇄해야 한다고 주장해 온 ○○○ 정책 국장
청중	동물원 폐쇄의 ❶ ☐☐☐☐ 을 따져 보고자 하는 □□시의 주민들

- 담화 상황 동물원 폐쇄와 관련된 주민 투표를 앞둔 상황에서 ○○○ 정책 국장이 해당 지역 주민으로 구성된 투표단을 대상으로 □□ 동물원 폐쇄를 지지하는 ❷ ☐☐ 을 펼침.

답 ❶ 정당성 ❷ 연설

대표 유형 1 말하기 계획의 적절성 평가하기

1 연설 의뢰서의 내용을 바탕으로 세운 계획 중 연설에 나타나지 <u>않은</u> 것은?

① □□시의 시민이라는 청중과의 공통점을 바탕으로 공감대를 형성해야겠어.

② 동물원을 폐쇄해야 한다는 입장을 일관성 있게 유지하여 주장의 설득력을 확보해야겠어.

③ 동물원 폐쇄를 위해 청중을 설득해야 하므로 동물원을 폐쇄해야 하는 이유를 밝혀야겠어.

④ 청중에게 신뢰감을 주어야 하므로 화제와 관련된 분야의 전문성을 갖추고 있음을 드러내야겠어.

⑤ 청중이 동물원 폐쇄의 정당성을 따져 보고자 하므로 동물원 폐쇄가 경제적 이익과 직결됨을 강조해야겠어.

유형 해결 전략

말하기를 위해 사전에 세운 **①** 의 실현 여부를 파악할 수 있는지 확인하는 유형입니다. 선지에 제시된 말하기 계획을 확인한 뒤 담화에서 그와 관련된 부분을 찾아보세요. 그리고 말하기 계획과 담화의 내용을 비교하며, 담화에 **②** 되어 있지 않거나 담화의 내용과 다른 말하기 계획을 찾아보세요.

🔑 **①** 계획 **②** 반영

1-1 다음은 연설자가 위 연설을 하기 위해 세운 계획이다. 연설에 반영되지 <u>않은</u> 것은?

① 전문가의 글을 인용하여 연설의 설득력을 높여야겠어.

② 준언어적 표현을 사용하여 연설의 내용을 강조해야겠어.

③ 동물원 폐쇄를 결정한 외국의 사례를 제시하여 주장을 뒷받침해야겠어.

④ 청중에게 질문을 던져 동물원에서 고통받는 동물에 대한 청중의 반응을 확인해야겠어.

⑤ 우리에 갇힌 채 고통받는 동물의 구체적 사례를 활용하여 청중의 동정심을 유발해야겠어.

도움말

'전문가의 글을 인용하여 / 연설의 설득력을 높여야겠어.'와 같이 선지를 두 부분으로 나누어 보면, 앞부분은 연설자가 계획한 말하기 전략, 뒷부분은 그를 통해 얻고자 한 **①** 임을 알 수 있습니다. 이를 고려하여, 연설자가 계획한 말하기 **②** 이 실제 연설에 반영되어 있는지 확인하며 그 효과가 적절한지 판단해 보세요.

🔑 **①** 효과 **②** 전략

✐ 다음은 비평문 쓰기 모둠 활동 중 학생들이 나눈 대화이다. 물음에 답하시오.

> [비평문 쓰기 모둠 활동]
> 모둠 활동을 통해 비평문에서 다룰 *현안과 관점 정하기.

학생 1 오늘은 내가 모둠장 할 차례니까 진행해 볼게. 지난번에 비평문에서 다룰 현안을 각자 찾아보기로 했잖아. 의견 나눠 볼까?

학생 2 그래. ㉠시사성이 있으면서도 우리 학교 학생들도 고민해 볼 만한 현안을 다루기로 했었지?

학생 3 맞아. 나는 우리 학교 학생들의 독서 실태 개선으로 하는 게 좋을 거 같은데.

학생 2 ㉡근데 그건 교지에서 다룬 적이 있어서 내용이 겹치지 않을까?

학생 3 그러네. 그럼 어떤 걸로 하지?

학생 1 얼마 전에 읽은 신문 기사 중에 장소의 획일화에 대한 내용이 인상적이었거든. 그건 어때?

학생 2 ㉢장소의 획일화에 대해 조금 더 얘기해 줄래?

학생 1 응. ⓐ장소가 본모습을 잃고 다른 장소와 유사하게 변한 것을 말해.

학생 3 그렇구나. 우리 학교 근처에 있던 골목길도 다른 지역과 비슷한 ○○거리로 변해 버렸잖아. 우리의 추억이 깃든 장소인데, ㉣이것도 장소의 획일화 아닐까?

학생 1 그래, 그게 장소 획일화의 사례 중 하나라고 볼 수 있을 것 같아.

학생 2 그러고 보니 우리 학교 학생들도 경험했을 만한 내용이네. 장소의 획일화를 현안으로 다뤄 보자.

학생 3 좋아. 근데 장소의 획일화가 나쁜 점만 있을까? 인기 있는 명소를 따라 해서 획일화되더라도 관광객이 늘어나면 이익이 될 수도 있잖아.

학생 1 물론 이익이 될 수도 있겠지. 근데 획일화된 장소는 금방 식상해져 관광객이 줄어들지 않을까? 그렇게 되면 이익 역시 줄어들게 될 거고.

학생 2 나도 그렇게 생각해. 그럼 장소의 획일화에 대해 부정적 관점으로 비평문 쓰기를 해 보자.

학생 3 응. ㉤그럼 장소의 획일화로 어떤 문제들이 생길 수 있는지 더 생각해 볼까?

학생 1 ⓑ아무래도 장소의 다양성이 줄어드니까 가 볼 만한 장소가 줄어들겠지. 다른 문제점도 있을 텐데, 내가 자료 수집하면서 더 조사해 볼게. 다른 역할도 나눠 볼까?

학생 2 초고는 내가 써 볼게. 초고 다 쓰면 검토 부탁해.

학생 3 나도 자료를 찾는 대로 정리해서 공유할게.

● 담화 유형 ❶ ☐
● 담화 참여자 학생 1, 학생 2, 학생 3
● 담화 상황 비평문에서 다룰 ❷ ☐ 과 관점을 정하기 위해 모둠 대화를 나눔.

📋 ❶ 대화 ❷ 현안

● **현안** 이전부터 의논하여 오면서도 아직 해결되지 않은 채 남아 있는 문제나 의안.
● **시사성** 그 당시에 일어난 여러 가지 사회적 사건이 내포하고 있는 시대적 성격 및 사회적 성격.

대표 유형 ② 말하기 의도와 목적 파악하기

2 대화의 흐름을 고려할 때, ㉠~㉤에 대한 이해로 적절하지 <u>않은</u> 것은?

① ㉠: 상대방이 언급한 내용을 구체화하여 확인하고 있다.

② ㉡: 상대방의 제안에 대한 자신의 견해를 밝히고 있다.

③ ㉢: 상대방의 의견에 대해 추가 정보를 요청하고 있다.

④ ㉣: 상대방에게 자신의 생각이 맞는지 확인하고 있다.

⑤ ㉤: 상대방의 의도를 정확히 파악했는지 확인하고 있다.

유형 해결 전략

담화 참여자의 발화에 나타난 말하기의 의도와 목적을 파악할 수 있는지 확인하는 유형입니다. 담화의 상황과 ❶ 을 고려하여, 화자가 제시된 발화를 통해 이루고자 한 의사소통의 ❷ 이나 제시된 발화의 기능이 무엇인지 생각해 보세요.

답 ❶ 맥락 ❷ 목적

2-1 ⓐ와 ⓑ의 말하기 목적이 같다고 할 때, ⓐ와 ⓑ에 대한 이해로 가장 적절한 것은?

① 상대방을 설득하기 위한 발화이다.

② 상대방이 요청한 정보를 제공하기 위한 발화이다.

③ 상대방의 의견이 지닌 문제점을 지적하기 위한 발화이다.

④ 상대방에게 자신이 이해한 내용이 맞는지 점검하기 위한 발화이다.

⑤ 상대방의 의견에 부분적으로 동의하고 있음을 드러내기 위한 발화이다.

도움말

ⓐ는 장소 획일화에 대해 더 이야기해 달라는 ❶ 에 대한 대답이고, ⓑ는 장소 획일화에 따른 ❷ 을 더 생각해 보자는 제안에 대한 대답입니다. ⓐ, ⓑ의 앞에 제시된 발화와 ⓐ, ⓑ의 내용을 고려하여 그 공통적인 말하기 목적이 무엇인지 생각해 보세요.

답 ❶ 요청 ❷ 문제점

01~02 다음은 연설이다. 물음에 답하시오.

여러분, 안녕하세요? 저는 비정부 기구 △△의 대표 ○○○입니다. 저는 오랫동안 국제 사회의 기아 문제를 해결하기 위해 활동해 왔습니다. 오늘은 여러분에게 최근 국제 사회의 기아 문제 현황과 원인을 말씀드리려고 합니다.

여러분, 세계 기아 지수가 무엇인지 아시나요? (청중의 답변을 들은 후) 많이들 알고 계시네요. 세계 기아 지수는 세계와 지역, 국가 단위에서 기아의 정도를 포괄적으로 측정하고 추적하는 도구로, 영양 결핍, 아동 저체중, 아동 발육 부진, 아동 사망률 등의 지표에 기초하여 측정합니다. (지도를 제시하며) 이것은 세계 기아 지수의 단계에 따라 기아의 심각도를 색으로 나타낸 지도인데, 색이 붉은 계열에 가까운 지역일수록 기아의 정도가 심각하다는 것을 의미합니다.

최근 기아 지수가 높게 나타난 나라들은 분쟁이나 기후 변화에 따른 자연재해로 큰 피해를 입었다는 공통점이 있습니다. 분쟁이 끊임없이 발생하는 중앙아프리카 공화국은 인구의 60%가량이 영양 결핍에 시달리고 있습니다. 그리고 잦은 가뭄과 홍수 등 기후 변화에 따른 자연재해는 농업 생산량에 직접적인 영향을 미치기 때문에 기아를 일으키는 심각한 원인으로 주목받고 있습니다.

기아 문제와 관련된 국제 사회의 관심과 노력 덕분에 전 세계 기아 지수는 2000년 이후 꾸준히 감소하고 있지만, 일부 국가는 분쟁과 빈곤, 기후 변화 등의 영향으로 그 개선 속도가 매우 느리거나 심지어 상황이 악화되고 있습니다.

(청중을 바라보며) 여러분! 기아는 어느 한 나라만의 문제가 아니라 우리 모두의 문제입니다. 우리 모두는 영양이 풍부한 음식을 충분히 섭취할 권리를 보장받아야 합니다. (목소리에 힘을 주어) 생명과 사람에 대한 존중을 바탕으로 하여 기아 문제에 관심을 가져 주실 것을 부탁드리며 연설을 마치겠습니다. 감사합니다.

● **기아** 먹을 것이 없어 배를 곯는 것.

| 말하기 계획의 적절성 평가하기 |

01 위 연설에 반영된 연설 계획으로 적절하지 <u>않은</u> 것은?

① 연설 순서를 안내하여 청중이 연설 내용을 예측하며 듣도록 해야겠어.

② 연설 주제와 관련된 용어의 개념을 정의하여 청중의 이해를 도와야겠어.

③ 준언어적 표현을 활용하여 연설 주제에 대한 청중의 관심을 촉구해야겠어.

④ 연설 중에 질문을 하여 연설 주제와 관련된 청중의 배경지식을 확인해야겠어.

⑤ 연설 주제와 관련된 분야에서 오랫동안 활동해 왔음을 언급하여 청중에게 신뢰감을 주어야겠어.

| 자료 활용 전략의 적절성 평가하기 |

02 <보기>는 위 연설을 준비하며 수집한 자료이다. <보기>를 위 연설에 활용한다고 할 때, 그 방안으로 가장 적절한 것은?

┌─ 보기 ─

ㄱ. 세계 기아 지수 단계

세계 기아 지수는 100점을 최댓값으로 한다. 0점은 기아가 없는 이상적인 점수이고, 100점은 가장 나쁜 점수이다. 각 국가의 세계 기아 지수는 다음과 같이 심각도에 따라 총 다섯 단계로 구분된다.

| ≤9.9 낮음 | 10.0~19.9 보통 | 20.0~34.9 심각 | 35.0~49.9 위험 | ≥50.0 극히 위험 |

ㄴ. 가뭄으로 말라 버린 경작지

① ㄱ을 활용하여 2문단에서 세계 기아 지수의 측정 방법을 설명한다.

② ㄱ을 활용하여 2문단에서 세계 기아 지수의 단계와 단계별 심각도를 설명한다.

③ ㄱ을 활용하여 4문단에서 지난 20년간 세계 기아 지수의 변화 추이를 설명한다.

④ ㄴ을 활용하여 3문단에서 가뭄의 원인을 제시한다.

⑤ ㄴ을 활용하여 4문단에서 기후 변화 문제를 해결하기 위한 방안을 제시한다.

03~04 다음은 친구 간의 대화이다. 물음에 답하시오.

은수 오늘 표정이 안 좋네. 무슨 일 있어?

민지 응? 아무것도 아니야. 신경 쓰지 않아도 돼.

은수 ㉠(부드러운 말투로) 그러지 말고 무슨 일인지 한번 이야기해 봐.

민지 사실은 얼마 전에 인터넷 중고 거래 사이트에서 운동화 한 켤레를 샀는데, 아무래도 사기를 당한 것 같아.

은수 ㉡그래?

민지 너도 알다시피 내가 △△ 운동화를 정말 갖고 싶어 했잖아. 그 운동화가 인기가 많다 보니 구매하기가 어려운데, 얼마 전에 인터넷 중고 거래 사이트에 그 운동화를 판매한다는 글이 올라온 거야. 그래서 판매자에게 바로 연락하고 판매자가 알려 준 계좌에 입금을 했지.

은수 ⓐ그래서 어떻게 됐는데?

민지 그런데 며칠이 지나도 운동화가 배송되지 않는 거야. 급한 마음에 판매자에게 연락해 봤는데 전화를 받지 않고 내가 보낸 문자 메시지에 답장도 없어. 아무래도 중고 거래 사기를 당한 것 같아서 너무 불안하고 걱정돼.

은수 ㉢운동화를 받지 못한 데다가 판매자까지 연락이 되지 않아서 많이 불안했겠구나. 경찰청 사이버 수사국 누리집에서 판매자 휴대 전화 번호나 계좌 번호로 사이버 사기 피해 신고 여부를 조회할 수 있다던데, 혹시 알고 있어?

민지 아니, 몰랐어. 중고 거래를 하면서 이런 것도 미리 확인하지 않았다니 내가 너무 한심해.

은수 한심하다니, 그렇지 않아. 나도 얼마 전에 알았는걸. (휴대 전화 화면을 보여 주며) 바로 여기야. 이렇게 판매자 휴대 전화 번호를 입력하면 해당 판매자에게 사기 피해를 당한 사람이 있는지 확인할 수 있대.

민지 조회해 봐야지. (잠시 후) 그 판매자에게 사이버 사기를 당한 사람이 나 말고도 많았네. 어떻게 하지?

은수 (민지의 손을 잡으며) 너무 걱정하지 마. 잘 해결될 거야. 우선 경찰서에 신고부터 하자. 경찰서에 가기 전에 간단한 증거 자료라도 챙겨 놓아. 판매자와 주고받은 문자 메시지 화면과 입금 확인증을 가져가는 것이 좋겠어.

민지 고마워. 네 말을 들으니 조금 안심이 된다.

| 말하기 의도와 목적 파악하기 |

03 ⓐ에 대한 이해로 가장 적절한 것은?

① 문제 상황과 관련하여 상대방의 잘못을 지적하기 위한 발화이다.
② 문제 상황의 원인에 대한 자신의 생각을 밝히기 위한 발화이다.
③ 문제 상황에 대한 상대방의 배경지식을 확인하기 위한 발화이다.
④ 문제 상황에 대한 상대방의 발언을 이끌어 내기 위한 발화이다.
⑤ 문제 상황에 대한 자신과 상대방의 입장 차이를 좁히기 위한 발화이다.

| 말하기 방식과 전략 파악하기 |

04 ㉠~㉢에 나타난 공감적 듣기의 방법을 다음 ㉮~㉰와 바르게 연결한 것은?

> ㉮ 집중하기: 상대방의 말을 집중해서 듣기.
> ㉯ 격려하기: 화자가 하고 싶은 말을 더 많이 할 수 있도록 반응하며 듣기.
> ㉰ 반영하기: 상대방의 생각을 직접 반영해 주며 듣기.

	㉠	㉡	㉢
①	㉮	㉯	㉰
②	㉮	㉰	㉯
③	㉯	㉮	㉰
④	㉯	㉰	㉮
⑤	㉰	㉮	㉯

도움말

㉠~㉢에는 화자의 입장에 공감하면서 적절히 반응하며 듣는 **❶** 듣기의 태도가 나타나 있습니다. 공감적 듣기의 방법인 집중하기, 격려하기, **❷** 와 관련된 설명을 바탕으로 하여, 은수가 ㉠~㉢에서 각각 어떤 방법을 활용하고 있는지 생각해 보세요.

답 ❶ 공감적 **❷** 반영하기

✏️ **다음은 학생의 발표이다. 물음에 답하시오.**

안녕하세요. 오늘 발표를 맡은 ○○ 모둠입니다. 여러분, '태백, 금강, 한라, 백두'는 무엇과 관련된 말일까요? 산 이름이라고 생각되시죠? 산 이름이기도 하지만 씨름의 체급을 의미하기도 합니다. (㉠자료를 제시하며) 오늘 저희 모둠은 씨름에 대해 발표하려고 합니다.

우리 고유의 민속놀이인 씨름은 남북 공동으로 유네스코 인류 문화유산으로 등재되었으며, 정식 명칭은 '한국의 전통 레슬링(씨름)'입니다. 아시다시피 씨름은 (손가락 두 개를 펼쳐 보이며) 두 사람이 샅바를 맞잡고 힘과 기술을 이용해 상대를 넘어뜨려 승부를 겨루는 경기입니다. 샅바는 씨름 경기에서 허리와 다리에 둘러 묶어 손잡이로 쓰는 천으로 씨름 경기를 구성하는 아주 중요하고 특징적인˚용구입니다.

아, 질문 있으시네요. (청중의 질문을 듣고) 현재는 샅바를 매고 씨름을 하는 것이 일반적이지만 처음에는 샅바 없이 하다가 허리에 띠를 매고 하는 허리씨름이 생겼어요. 그리고 나중에 두 다리 사이에 띠를 끼우고 하는 샅바 씨름이 생겨났고, 이때 두 다리 사이를 뜻하는 '샅'과 길게 늘어뜨린 줄을 뜻하는 '바'가 합해져 '샅바'라는 이름도 생기게 되었습니다. 그럼, 발표를 이어 가겠습니다.

씨름은 국가 무형 문화재 제131호로 지정되어 있습니다. 이것은 씨름의 형태가 오늘날까지 활발히 전승되고 있다는 점, 고대부터 근대에 이르기까지 명확한 역사성이 확인된다는 점 등에서 가치를 높이 평가받았기 때문입니다.

(㉡자료를 제시하며) 씨름은 김홍도의 풍속화에서도 (손가락으로 자료를 가리키며) 볼 수 있는˚세시 풍속 놀이로서 한민족 특유의 공동체 문화가 바탕이 되어 발전하였습니다. 씨름은 무엇보다 체구가 작은 사람이 큰 사람을 넘어뜨리는 것에서 재미를 느낄 수 있는데, 이때 중요한 것은 기술입니다. 몇 가지만 설명하면, 먼저 손 기술로는 (㉢자료를 제시하며) 보시는 것처럼 상대방을 당기면서 오른손으로 밀어 무릎 안쪽을 치면서 넘어뜨리는 앞무릎 치기 등이 있고, 다리 기술로는 상대방을 몸 쪽으로 끌어당기면서 오른쪽 다리로 상대방의 오른쪽 다리를 걸어 넘어뜨리는 밭다리 걸기 등이 있습니다. 또 허리 기술로는˚들배지기 등이 있습니다. 이 외에도 많은 기술이 있고, 이 기술들이 복합적으로 사용되면서 흥미진진하게 경기가 진행됩니다.

지금까지 우리의 소중한 문화유산인 씨름에 대해 말씀드렸습니다. 여러분, 이제 씨름이 좀 더 흥미롭게 느껴지시나요? (목소리를 크게 하며) 마침 내일 체육 시간에 씨름을 배운다고 하는데 열심히 참여하면서 우리 씨름에 대해 직접 이해해 보는 시간을 가지면 좋겠습니다. 이상으로 발표를 마치겠습니다.

💡

● 담화 유형 **❶**
● 담화 참여자

발표자	○○ 모둠에서 발표를 맡은 학생
청중	학급 학생들

● 담화 상황 우리 고유의 민속놀이인 '씨름'에 대해 **❷** 하는 발표를 진행함.

📖 ❶ 발표 ❷ 소개

● **용구** 무엇을 하거나 만드는 데 쓰는 여러 가지 도구.
● **세시 풍속** 한 해의 절기나 달, 계절에 따라 민간에서 전하여 온 풍속.
● **들배지기** 씨름에서, 상대편의 샅바를 잡고 배 높이까지 들어 올린 뒤 자기의 몸을 살짝 돌리면서 상대편을 넘어뜨리는 기술.

대표 유형 ③ 자료 활용 전략의 적절성 평가하기

3 다음은 위 발표에 사용된 매체 자료이다. 발표자의 자료 활용에 대한 설명으로 가장 적절한 것은?

[자료 1]　　　　[자료 2]　　　　[자료 3]

① 씨름의 체급 분류 기준을 설명하기 위해 ㉠에 [자료 1]을 사용하였다.
② 씨름의 경기 상황을 실감 나게 보여 주기 위해 ㉠에 [자료 3]을 사용하였다.
③ 씨름의 역사와 변천 과정을 설명하기 위해 ㉡에 [자료 2]를 사용하였다.
④ 씨름의 다양한 기술을 구체적으로 설명하기 위해 ㉢에 [자료 1]을 사용하였다.
⑤ 씨름의 기술이 사용되는 과정을 보여 주기 위해 ㉢에 [자료 3]을 사용하였다.

유형 해결 전략

담화의 내용을 효과적으로 전달하기 위한 자료 활용 방법과 그에 따른 효과의 적절성을 평가할 수 있는지 확인하는 유형입니다. 문제에 제시된 ❶[   ]의 내용을 파악한 뒤, 담화에서 해당 자료를 활용할 수 있는 부분을 찾아보세요. 그리고 그 부분에서 자료를 어떤 ❷[   ]과 방식으로 활용할 수 있을지 고려하여 선지의 적절성을 판단해 보세요.

답 ❶ 자료 ❷ 목적

3-1 다음은 위 발표를 준비하며 수집한 자료이다. 다음 자료를 위 발표에 활용한다고 할 때, 그 전략으로 가장 적절한 것은?

ⓐ　　　　　　ⓑ

① ⓐ를 활용하여 허리씨름과 샅바 씨름의 차이점을 구체적으로 설명한다.
② ⓑ를 활용하여 씨름의 체급인 '태백, 금강, 한라, 백두'를 나누는 기준을 설명한다.
③ ⓐ와 ⓑ를 활용하여 씨름이 국가 무형 문화재로 지정된 계기를 설명한다.
④ ⓐ와 ⓑ를 활용하여 씨름이 한민족의 공동체 문화 형성에 이바지했음을 설명한다.
⑤ ⓐ와 ⓑ를 활용하여 샅바가 씨름 경기를 구성하는 주요 용구라는 점을 구체적으로 설명한다.

도움말

ⓐ는 ❶[   ]의 모습을, ⓑ는 씨름 경기 장면을 보여 주는 자료입니다. 선지는 위 발표에서 활용하려는 ❷[   ]와 그를 통해 전달하려는 내용으로 구성되어 있습니다. 자료를 활용하여 설명하려는 내용이 적절한지, 그 내용이 위 발표에 나타나 있는지 확인하며 자료 활용 전략의 적절성을 판단해 보세요.

답 ❶ 샅바 ❷ 자료

✏️ 다음은 강연의 일부이다. 물음에 답하시오.

안녕하세요. 오늘 강연을 맡은 간호사 ○○○입니다. 여러분 주사 맞아 본 경험 있으시죠? 그런데 주사에도 여러 종류가 있다는 사실을 알고 계셨나요? (대답을 듣고) 오늘은 주사의 종류와 특징, 그리고 주사를 맞을 때의 유의 사항을 알려 드리도록 하겠습니다.

(화면을 가리키며) 주사는 일반적으로 약물의 투여 경로에 따라 세 가지 종류로 나눌 수 있는데요. 약물을 피부와 근육 사이에 있는 피하 조직에 투여하는 피하 주사, 피하 조직 아래에 있는 근육에 투여하는 근육 주사, 혈관에 직접 투여하는 정맥 주사가 있습니다.

우선 피하 주사는 적은 양의 약물을 몸속에 천천히 흡수시키고자 할 때 사용합니다. 어떤 약물들은 혈관으로 바로 들어가면 부작용을 초래할 수 있기 때문에 흡수 속도가 느린 피하 조직에 투여하는 것입니다. 근육 주사는 피하 주사보다 더 많은 양의 약물을 빠르게 흡수시키고자 할 때 사용합니다. 근육에는 피하 조직보다 혈관이 더 많이 분포되어 있기 때문인데요. 특히 피하 조직에 투여하면 잘 흡수가 되지 않아 통증을 유발할 수 있는 항생제 같은 약물들은 근육 주사를 사용해야 합니다. 근육 주사는 주로 엉덩이 윗부분이나 팔뚝에 주사하는데, 근육에 약물을 투여하려면 바늘을 깊숙이 찔러 넣어야 하기 때문에 90도 각도로 주사를 놓습니다. 정맥 주사는 약물의 농도와 용량을 일정하게 지속적으로 투여하고자 할 때 사용합니다. 약물을 혈관에 직접 투여하기 때문에 효과가 다른 주사들보다 빨리 나타나고, 통증 없이 다량의 약물을 주입할 수 있습니다. 그래서 주로 링거액을 투여할 때 사용합니다.

이러한 주사들은 주삿바늘의 길이와 모양에도 차이가 있는데요. 피하 주사는 0.9 ~ 1.6센티미터의 바늘을 사용하지만 근육 주사는 이보다 더 긴 바늘을 사용합니다. 그리고 정맥 주사는 주사를 맞는 동안 주삿바늘이 혈관벽을 손상시킬 우려가 있기 때문에, 피하 주사나 근육 주사에 비해 상대적으로 덜 날카로운 주삿바늘을 사용합니다.

그렇다면 주사를 맞을 때 유의해야 할 사항에는 어떤 것들이 있을까요? 피하 주사의 경우에는 피하 조직의 손상을 막고 약물을 천천히 흡수시켜야 하기 때문에 주사를 맞은 부위를 문지르면 안 됩니다. 반면, 근육 주사를 맞고 나서는 약물의 빠른 흡수를 돕기 위해 주사를 맞은 부위를 가볍게 문질러 주는 것이 좋습니다. 그리고 정맥 주사는 바늘이 삽입되어 있는 부위가 오염되지 않도록 청결을 유지해야 합니다.

오늘 강연 유익하셨나요? 경청해 주셔서 감사합니다.

● 담화 유형 강연
● 담화 참여자

| 강연자 | 주사에 대해 잘 알고 있는 간호사 ○○○ |
| 청중 | 학생들 |

● 담화 상황 주사의 ❶ [   ]와 특징, 주사 맞을 때의 유의 사항을 알려 주는 ❷ [   ]을 진행함.

🔑 ❶ 종류 ❷ 강연

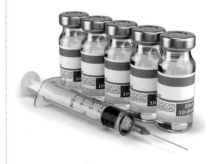

대표 유형 ④ 듣기 전략과 반응의 적절성 평가하기

4 다음은 학생들이 강연을 들으며 떠올린 생각이다. 이를 바탕으로 학생들의 듣기 활동을 이해한 내용으로 적절하지 <u>않은</u> 것은?

> 학생 1: 내가 알고 있던 것보다 주사의 종류가 다양하구나. 내가 어제 병원에서 맞은 주사는 어떤 주사였을까?
>
> 학생 2: 지금까지는 주사를 맞은 부위를 왜 문질러야 하는지 모르고 문질렀는데, 주사의 종류에 따라 주사를 맞은 후의 유의할 점이 다르구나. 주사 맞기 전에 유의할 점은 없을까? 강연이 끝난 후에 간호사 선생님께 여쭤봐야겠어.
>
> 학생 3: 주사의 종류에 따라 약물의 흡수 속도가 달라지고, 약물의 특성에 따라 주사도 달라질 수 있다는 말이구나. 그런데 피하 주사를 놓을 때도 주사 각도가 중요할까?

① '학생 1'은 새롭게 알게 된 정보를 기존에 자신이 알고 있던 사실과 비교하며 듣고 있다.

② '학생 2'는 강연을 들으며 생긴 의문점을 해결할 수 있는 방법을 생각하며 듣고 있다.

③ '학생 3'은 강연 내용에 대해 자신이 이해한 내용을 정리하며 듣고 있다.

④ '학생 1'과 '학생 2'는 모두 강연 내용과 관련된 자신의 경험을 떠올리며 듣고 있다.

⑤ '학생 2'와 '학생 3'은 강연에서 언급된 내용 중 실천할 수 있는 방법이 있는지 고민하며 듣고 있다.

유형 해결 전략

담화에 대한 청중의 **❶** 을 바탕으로 하여 청중의 듣기 활동을 분석하거나 듣기 전략의 적절성을 평가할 수 있는지 확인하는 유형입니다. 담화에서 문제에 제시된 청중의 반응과 관련된 내용을 찾고, 그 내용에 비추어 보아 **❷** 이 어떤 방법이나 태도로 담화를 수용하고 있는지, 담화에 적절하게 반응하고 있는지 판단해 보세요.

답 ❶ 반응 **❷** 청중

4-1 〈보기〉는 위 강연을 들은 학생의 반응이다. 학생의 반응을 분석한 내용으로 가장 적절한 것은?

> ┌ 보기 ┐
> 근육에 약물을 투여하려면 바늘을 깊숙이 찔러 넣어야 해서 90도 각도로 근육 주사를 놓는 것이구나. 지난번에 독감 예방 주사를 맞을 때 보니 의사 선생님께서 내 팔뚝에 90도 각도로 주사를 놓으셨어. 내가 맞은 독감 예방 주사가 근육 주사이고, 주삿바늘을 깊숙이 찔러 넣기 위해 그런 거였구나.

① 강연 내용을 사실과 의견으로 구분하고 있다.

② 강연 내용을 일상생활의 경험과 관련짓고 있다.

③ 강연 내용의 일부를 언급하며 그와 관련된 의문을 제기하고 있다.

④ 강연 내용을 통해 그동안 자신이 잘못 알고 있던 사실을 확인하고 있다.

⑤ 강연에서 내용을 효과적으로 전달하기 위해 사용한 표현 전략을 분석하고 있다.

••••• 도움말

〈보기〉의 학생이 강연을 듣고 독감 예방 주사를 맞은 자신의 **❶** 을 떠올리고 있다는 점에 주목하여, 학생의 **❷** 을 적절하게 분석한 선지를 찾아보세요.

답 ❶ 경험 **❷** 반응

1 3 필수 체크 전략 ②

01~02 다음은 수업 시간에 학생이 한 발표이다. 물음에 답하시오.

여러분, '메타버스'라는 말을 들어 보신 적 있나요? (청중의 반응을 살핀 후) 네, 저는 오늘 메타버스의 개념과 활용 사례, 메타버스 시대의 유망 직업을 말씀드리려고 합니다.

'메타버스'란 초월을 의미하는 '메타(meta)'와 세계를 의미하는 '유니버스(universe)'의 합성어로, 가상 현실에서 한 단계 더 나아가 사회·경제·문화적 활동을 할 수 있는 온라인 공간을 의미합니다. (자료 1을 제시하며) 지금 보시는 화면처럼 메타버스 사용자는 자신의 역할을 대신하는 아바타를 활용하여 가상으로 구현된 온라인 공간에서 활동합니다. (자료 2를 제시하며) 메타버스가 유명해진 것은 화면에 보이는 가상 현실 게임 '세컨드 라이프'가 인기를 끌게 된 2003년부터입니다.

오늘날 메타버스는 기업과 대학 등 다양한 분야에서 활용되고 있습니다. (자료 3을 제시하며) 화면에 보이는 것은 메타버스 사용자를 대신하는 아바타가 가상 현실에 구현된 사무실에 출근하여 동료와 회의하는 실제 모습입니다. 얼마 전에는 한 국내 대학에서 메타버스 입시 설명회를 개최한 사례도 있습니다. (자료 4를 제시하며) 보시는 것처럼 이 입시 설명회는 교내 운동장과 똑같이 구현된 가상 공간에 수험생과 학과 교수들이 아바타로 입장하여 입시 전형, 학과 등과 관련된 질의응답을 실시간으로 주고받는 방식으로 진행되었습니다.

앞으로는 메타버스의 발전과 함께 새로운 직업이 많은 인기를 끌 것으로 보입니다. (자료 5를 제시하며) 화면에 보이는 메타버스 건축가와 아바타 디자이너가 대표적인데, 메타버스 건축가는 가상 세계의 공간뿐만 아니라 가상 세계에서 사용자가 하게 될 경험까지 설계하는 일을 합니다. 또한 아바타 디자이너는 기업의 비전과 문화를 상징하는 아바타를 구현하고, 기업 아바타가 고객 아바타를 만났을 때 응대하는 방법을 설계하는 일을 합니다.

오늘 발표 내용이 유익하셨나요? 제 발표가 여러분이 메타버스를 이해하는 데 도움이 되었기를 바라며 발표를 마치겠습니다. 경청해 주셔서 감사합니다.

| 자료 활용 전략의 적절성 평가하기 |

01 위 발표에서 학생이 자료를 활용한 방식에 대한 설명으로 적절하지 <u>않은</u> 것은?

① '자료 1'을 활용하여 온라인 공간에서 메타버스 사용자를 대신하는 아바타의 모습을 보여 주고 있다.

② '자료 2'를 활용하여 메타버스가 널리 알려진 계기를 설명하고 있다.

③ '자료 3'을 활용하여 가상으로 구현된 공간에서 아바타가 작동하는 원리를 안내하고 있다.

④ '자료 4'를 활용하여 메타버스가 활용된 구체적 사례를 제시하고 있다.

⑤ '자료 5'를 활용하여 메타버스 시대의 유망 직업을 소개하고 있다.

| 듣기 전략과 반응의 적절성 평가하기 |

02 〈보기〉는 위 발표를 들은 학생이 떠올린 생각이다. 학생의 듣기 활동을 이해한 내용으로 가장 적절한 것은?

┌ 보기 ┐

얼마 전에 ○○시가 메타버스를 이용하여 해당 지역의 관광 명소를 관람하는 행사를 주최한다는 신문 기사를 봤어. 온라인상에서 어떤 방식으로 관광 명소를 관람하는 것인지 궁금했는데, 관광 명소와 똑같이 구현된 가상 공간에 개인이 아바타로 입장하여 관람한다는 것이었구나.

① 발표 내용을 유사한 항목끼리 묶어 정리하며 들었다.

② 발표 내용의 실현 가능성을 비판적으로 검토하며 들었다.

③ 발표 내용을 통해 알게 된 사실을 긍정적으로 평가하며 들었다.

④ 발표 내용을 통해 일상생활에서 지녔던 의문을 해결하며 들었다.

⑤ 발표에서 다루지 않은 부분을 더 자세히 알아보려는 계획을 세우며 들었다.

03~04 다음은 강연이다. 물음에 답하시오.

안녕하세요? 오늘 강연을 맡은 치과 의사 ○○○입니다. 충치 치료나 치아 교정을 위해 치과에 가 본 경험이 한 번쯤은 있으시죠? 오늘은 인간 치아의 진화 과정과 치아의 건강한 발달을 위한 방법을 설명드리려고 합니다.

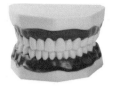

(㉠자료 제시) 이것은 인류가 발생하여 진화한 시기인 플라이스토세 전기에 주로 아프리카에서 생존했던 °화석 인류 파란트로푸스의 모습입니다. 파란트로푸스는 초식성이었던 것으로 추정되는데, 그 이유는 큰 턱과 거대한 치아를 가지고 있었기 때문입니다. (㉡자료 제시) 보시는 것처럼 파란트로푸스는 어금니가 아주 크고 튼튼했는데요. 익히지 않은 풀과 콩 등을 소화하기 위해 턱과 치아를 끊임없이 사용하여 음식을 아주 잘게 부수어야 했기 때문이죠. 하지만 불을 사용하여 음식을 조리하고 육류를 섭취하면서 인간의 치아는 아주 작아졌습니다. 영양가 높은 음식을 조리하여 부드럽게 먹기 시작하면서 치아의 쓸모가 적어진 것이죠. (㉢자료 제시) 파란트로푸스와 현대인의 어금니를 나란히 두고 비교하니 크기 차이가 확연하게 느껴지시죠?

그런데 이러한 과정에서 인간의 얼굴도 함께 작아졌습니다. 진화학자 다니엘 리버먼에 따르면, 조리 기술의 발달이 얼굴의 성장을 억제했다고 합니다. (㉣자료 제시) 얼굴이 작아지면서 턱도 작아지게 되었고, 좁은 공간에서 치아가 비집고 나오려다 보니 보시는 것과 같은 부정 교합이 늘어나게 되었습니다. 인간의 얼굴과 턱은 외부 자극에 많은 영향을 받습니다. 유년기부터 단단하고 질긴 음식을 꼭꼭 씹어 먹어야 얼굴과 턱이 정상적으로 발달할 수 있는데, 부드러운 음식을 주로 먹는 현대인에게는 이러한 자극이 부족한 경우가 많습니다. 그러다 보니 결국 턱이 정상적으로 발달하지 않아 부정 교합이 많아지고 치아도 잘 썩게 되는 것이죠.

이처럼 우리의 식습관은 턱의 발달과 치아 건강에 많은 영향을 끼칩니다. (㉤자료 제시) 그러므로 지금부터라도 치아의 건강한 발달을 위해 이와 같은 채소와 견과류를 많이 먹는 것이 어떨까요? 이상으로 강연을 마치겠습니다.

● **화석 인류** 화석으로 그 존재가 알려져 있는 과거의 인류.

| 자료 활용 전략의 적절성 평가하기 |

03 강연자가 ㉠~㉤의 자료를 활용한 방식에 대한 설명으로 적절하지 **않은** 것은?

① ㉠을 활용하여 강연 주제와 관련된 과거 인류의 모습을 소개하고 있다.

② ㉡을 활용하여 과거 인류가 지닌 치아의 특징을 설명하고 있다.

③ ㉢을 활용하여 과거 인류와 현대인의 치아를 비교하고 그 차이를 강조하고 있다.

④ ㉣을 활용하여 인간의 진화에 따라 나타난 치아 문제의 구체적 사례를 보여 주고 있다.

⑤ ㉤을 활용하여 식습관이 치아의 건강한 발달에 영향을 미치는 이유를 설명하고 있다.

> **🔍도움말**
> ㉠~㉤을 제시한 뒤 이어지는 강연 내용에 주목하여 각 **❶** 의 내용을 파악하고, 강연자가 이러한 자료를 활용한 **❷** 을 생각해 보세요.
>
> 답 ❶ 자료 ❷ 목적

| 듣기 전략과 반응의 적절성 평가하기 |

04 〈보기〉는 위 강연을 들은 학생들의 반응이다. 이를 분석한 내용으로 적절하지 **않은** 것은?

> ┌─ 보기 ─
> 학생 1: 동생이 부정 교합을 교정하고 있는데, 인간의 진화 과정에서 얼굴과 턱이 작아진 것이 이러한 부정 교합에 영향을 미친 것이었구나.
> 학생 2: 진화 과정을 중심으로 인간의 치아를 설명한 점이 흥미로웠어. '사랑니'와 관련하여 궁금한 점이 있는데 강연이 끝나면 강연자에게 물어봐야지.
> 학생 3: 치아 건강에 도움이 되는 음식을 알게 되어 유익했어. 치아 건강에 도움을 주는 다른 음식으로는 무엇이 있을까? 좀 더 알아봐야겠어.

① '학생 1'은 강연 내용을 주변의 사례와 관련지어 이해하고 있다.

② '학생 2'는 강연자가 대상을 설명한 방법을 긍정적으로 평가하고 있다.

③ '학생 2'는 강연이 끝난 뒤 강연자에게 질문하고 싶은 내용을 떠올리고 있다.

④ '학생 3'은 강연에 구체적 방안이 누락된 것을 문제점으로 지적하고 있다.

⑤ '학생 3'은 강연 내용과 관련하여 추가 정보를 수집할 것을 계획하고 있다.

01~03 다음은 학생의 발표이다. 물음에 답하시오.

안녕하세요? 저는 수행 평가 과제인 '생활 속 기호 찾기' 중 '도로 표지판'에 대해 발표를 하겠습니다. 차를 타고 도로를 지나면서 도로 표지판을 본 적이 있으시죠? 도로에는 이렇게 도로의 종류, 속도 제한, 주의 사항 등을 알려 주는 다양한 종류의 표지판이 있는데요, 그중에서도 도로에 대한 정보가 담겨 있는 대표적인 세 개의 표지판을 보며, 표지판의 모양과 번호의 의미에 대해 설명해 보겠습니다.

(㉠자료 1을 보여 주며) 첫 번째 자료는 고속 도로 표지판입니다. 고속 도로란 주요 도시와 거점 지역을 빠르게 통행할 수 있게 만든 자동차 전용 도로입니다. 보시는 것처럼 전체적으로 방패 모양과 비슷하게 생겼으며 중앙에 적힌 번호에는 고속 도로에 대한 정보가 담겨 있습니다. 우선 홀수는 고속 도로가 남북으로 연결되어 있음을, 짝수는 동서로 연결되어 있음을 의미합니다. 그리고 남북으로 연결된 고속 도로는 국토를 기준으로 왼쪽에서 오른쪽으로 갈수록, 동서로 연결된 고속 도로는 아래쪽에서 위쪽으로 갈수록 큰 번호가 부여됩니다. 자료처럼 60번인 서울 양양 고속 도로와 10번인 남해 고속 도로는 모두 짝수이기 때문에 동서로 연결되어 있고, 번호가 더 큰 서울 양양 고속 도로가 남해 고속 도로보다 더 위쪽에 있음을 알 수 있습니다.

(㉡자료 2를 보여 주며) 두 번째로 보여 드리는 표지판은 타원 모양을 하고 있는데요, 일반 국도를 가리킵니다. 일반 국도란 전국의 주요 도시와 공항, 관광지 등을 연결하는 도로로, 번호는 고속 도로와 마찬가지로 홀수는 남북으로 연결된 도로를, 짝수는 동서로 연결된 도로를 의미합니다. 다만 일반 국도 중 자료처럼 한 자리 번호가 적힌 경우는 두 자리 이상의 번호가 부여된 일반 국도보다 중심적인 역할을 담당합니다.

(㉢자료 3을 보여 주며) 마지막으로 보여 드리는 직사각형 모양의 표지판은 지방도를 가리킵니다. 지방도는 도내의 시·군청 소재지들을 연결하고 있는 도로로, 앞의 두 도로와 달리 도지사가 직접 관리합니다. 지방도의 번호 중 백의 자리와 천의 자리 숫자는 각 도의 고유 번호를 나타내는데요, 자료처럼

백의 자리가 3인 경우는 경기도를 의미합니다. 참고로 4××는 강원도, 5××는 충청남도, 8××는 전라남도, 10××는 경상남도를 의미하며, 뒷자리의 ××는 앞서 언급한 도로들처럼 홀수는 남북 방향을, 짝수는 동서 방향을 의미합니다.

지금까지 도로 표지판에 대해 알아보았습니다. 앞으로는 차를 타고 가다 도로 표지판을 보면 어떤 종류의 도로를 지나가고 있는지 알 수 있겠죠? 이상 발표를 마치겠습니다.

─────────────────

| 말하기 계획의 적절성 평가하기 |

01 다음은 학생이 위 발표를 하기 위해 세운 계획이다. 발표에 반영되지 <u>않은</u> 것은?

① 발표의 앞부분에서 발표할 내용을 안내해야겠다.
② 발표 대상과 관련된 용어의 개념을 설명해야겠다.
③ 발표 내용의 유용성을 드러내며 발표를 마무리해야겠다.
④ 발표 대상의 발전 과정을 시간 순서에 따라 제시해야겠다.
⑤ 질문을 던져 발표 대상과 관련된 청중의 경험을 환기해야겠다.

| 자료 활용 전략의 적절성 평가하기 |

02 위 발표에서 학생이 ㉠~㉢을 활용한 방식에 대한 설명으로 가장 적절한 것은?

① ㉠을 활용하여 고속 도로의 종류를 설명하고 있다.
② ㉡을 활용하여 도로 표지판을 볼 때 주의해야 할 사항을 안내하고 있다.
③ ㉢을 활용하여 지방도의 구체적인 모습을 보여 주고 있다.
④ ㉠~㉢을 활용하여 각 도로 표지판의 사례를 시각적으로 제시하고 있다.
⑤ ㉠~㉢을 활용하여 도로의 종류마다 도로 표지판의 모양이 다른 이유를 설명하고 있다.

| 듣기 전략과 반응의 적절성 평가하기 |

03 위 발표를 들은 학생이 다음 ⓐ~ⓒ를 보고 보인 반응으로 적절하지 <u>않은</u> 것은?

① ⓐ가 가리키는 도로는 자동차 전용 도로겠군.
② ⓑ가 가리키는 도로는 한 자리 번호가 부여된 일반 국도보다 중심적인 역할을 하겠군.
③ ⓒ가 가리키는 도로는 백의 자리 숫자가 4이므로 강원도에 위치하겠군.
④ ⓐ와 ⓑ가 가리키는 도로와 달리 ⓒ가 가리키는 도로는 도지사가 직접 관리하겠군.
⑤ ⓐ와 ⓒ가 가리키는 도로는 동서로, ⓑ가 가리키는 도로는 남북으로 연결되어 있겠군.

04~06 다음은 강연의 일부이다. 물음에 답하시오.

안녕하세요. 강연을 맡은 ○○○입니다. 오늘은 영화 포스터의 디자인을 구성하는 글자, 이미지, 색에 대해 말씀드리고자 합니다.

먼저 영화 포스터에서 글자는 서체와 기울기로 표현되는데요, 서체부터 살펴볼까요? (㉠자료 제시) 여기 역동적인 액션 장르의 포스터와 가족 이야기를 다룬 드라마 장르의 포스터가 있습니다. 액션 장르 포스터에 쓰인 고딕체는 굵은 직선으로 되어 있어 격렬한 액션 장르의 강인함을 부각합니다. 반면 드라마 장르 포스터에 쓰인 손 글씨체는 부드러운 곡선으로 되어 있어 드라마 장르의 감성적인 특징을 시각적으로 나타내지요. 또한 액션 장르 포스터의 글자가 15도 정도 기울어져 있는 게 보이실 텐데요, 일반적으로 글자를 기울여 쓰면 역동성을 표현할 수 있어 박력 있는 내용의 활극인 액션 장르에서는 포스터의 글자를 기울여 쓰는 경우가 많습니다.

다음으로 이미지를 살펴봅시다. 영화 포스터에서 이미지는 사진과 그림으로 표현되는데요, 사진을 활용하면 대상을 사실적으로 표현할 수 있고 그림을 활용하면 대상을 인상적으로 강조할 수 있습니다. (㉡자료 제시) 여기 두 포스터를 보시죠. 코미디 장르에서는 인물의 얼굴은 사진으로, 몸은 그림으로 표현하고 있어요. 이때 그림으로 대상의 몸을 크게 그려 과장되게 표현한 것은 웃음을 자아내는 코미디 장르의 특징을 효과적으로 드러내고 있지요. 반면 액션 장르에서는 인물이 뛰고 있는 모습의 사진을 활용해 긴박한 상황에 처한 인물을 사실적으로 드러내고 있습니다.

마지막으로 색은 영화 포스터의 전체적인 분위기를 좌우하는 요소입니다. (㉢자료 제시) 왼쪽에 제시된 공포 장르에서는 검은색과 선명한 빨간색이 대비를 이뤄 영화의 섬뜩한 분위기를 표현하고 있습니다. 이에 비해 오른쪽에 제시된 드라마 장르에서는 명도와 채도가 낮은 색들이 어우러져 잔잔한 분위기를 연출하고 있어요.

혹시 궁금한 점이 있다면 질문해 주세요. (청중의 질문을 듣고) 공포 장르 포스터의 디자인 요소에 대해 더 알고 싶으신가 보군요. 공포 장르의 영화 포스터는 보는 사람들이 공포감을 느낄 수 있도록 만드는 것이 중요해요. 그래서 글자의 서체는 불안감을 느낄 수 있도록 획의 끝이 뾰족한 명조체를 사용합니다. 그리고 어떤 서체라도 제목의 글자 끝에 날카로운 장식을 더하면 긴장감을 극대화할 수 있어요. 또한 적막하고 정적인 느낌을 주기 위해 글자는 기울여 쓰지 않는 경우가 많아요. 한편 이미지는 영화 내용과 관련된 사진을 주로 사용하는데, 이때 핵심 소재를 클로즈업해 시선 집중을 유도할 수 있습니다.

| 말하기 계획의 적절성 평가하기 |

04 다음은 강연자가 위 강연을 하기 위해 세운 계획이다. 강연에 반영된 것은?

① 강연 순서를 안내하여 청중이 강연 내용을 예측할 수 있도록 해야지.
② 강연 주제와 관련된 개인적 일화를 소개하여 청중의 관심을 유도해야지.
③ 강연에서 활용한 자료의 출처를 밝혀 강연 내용의 신뢰성을 높여야지.
④ 청중의 요구를 파악하여 강연 내용과 관련된 정보를 추가로 설명해야지.
⑤ 강연 중에 청중에게 질문하여 강연 내용에 대한 청중의 이해를 확인해야지.

| 자료 활용 전략의 적절성 평가하기 |

05 위 강연에서 강연자가 ㉠~㉢을 활용한 방식에 대한 설명으로 적절하지 <u>않은</u> 것은?

① ㉠을 활용하여 포스터에서 글자의 기울기가 주는 효과를 설명하고 있다.

② ㉡을 활용하여 포스터에서 사진과 그림을 효과적으로 활용한 사례를 보여 주고 있다.

③ ㉢을 활용하여 포스터에서 색을 사용한 방식과 그에 따라 연출되는 분위기를 언급하고 있다.

④ ㉠과 ㉡을 활용하여 포스터에서 이미지가 글자보다 중요한 요소라는 점을 강조하고 있다.

⑤ ㉠~㉢을 활용하여 영화 장르에 따라 포스터 디자인의 구성 요소를 활용하는 방법이 다름을 보여 주고 있다.

| 듣기 전략과 반응의 적절성 평가하기 |

06 다음은 공포 영화 포스터의 초안이다. 위 강연을 들은 청중이 이 포스터를 수정하기 위해 제시한 의견으로 적절하지 <u>않은</u> 것은?

① 공포감을 유발하기 위해 글자를 모두 기울여 쓰는 것이 좋겠어.

② 시선 집중을 유도하기 위해 핵심 소재인 까마귀를 클로즈업하는 것이 좋겠어.

③ 긴장감을 극대화하기 위해 제목의 글자 끝에 날카로운 장식을 더하는 것이 좋겠어.

④ 불안감을 조성하기 위해 글자의 서체를 획의 끝이 뾰족한 명조체로 바꾸는 것이 좋겠어.

⑤ 섬뜩한 분위기를 연출하기 위해 까마귀는 검은색으로, 글자는 빨간색으로 표현하여 색을 대비하는 것이 좋겠어.

07~09 다음은 라디오 대담이다. 물음에 답하시오.

진행자 얼마 전 폐사한 거북이의 코에서 플라스틱 빨대가 발견된 소식이 많은 사람에게 충격을 준 이후, 플라스틱 쓰레기 문제에 대한 관심이 높아졌습니다. 오늘은 한국 해양 과학 기술원 서○○ 연구원과 함께 플라스틱 쓰레기에 따른 해양 오염에 대해 알아보겠습니다. 반갑습니다.

연구원 네, 반갑습니다.

진행자 얼마 전에도 고래상어 뱃속에서 엄청난 양의 플라스틱 쓰레기가 나온 사건이 있었는데요. ㉠<u>바다에 있는 플라스틱 쓰레기양이 어느 정도인지 궁금합니다.</u>

연구원 현재 전 세계 바다에 1억 6천만 톤 이상의 플라스틱이 떠 있는 상태인데 거기에 매년 약 800만 톤이 새로 유입되고 있습니다.

진행자 800만 톤이 워낙 큰 수치이다 보니 실감이 나지 않는데요.

연구원 1분마다 쓰레기 트럭 한 대 분량의 플라스틱이 바다에 버려지고 있다고 보시면 됩니다. 이 플라스틱 쓰레기의 대다수는 육지나 강에 아무렇게나 버려진 것으로 바람이나 물살에 쓸려 바다로 흘러 들어간 것입니다. 우리나라에서도 집중 호우와 태풍으로 해마다 10만 9400톤가량의 쓰레기가 육지에서 바다로 유입되는데 이 가운데 70% 이상이 플라스틱입니다.

진행자 육지에 버려져 있던 쓰레기 가운데 바다로 쓸려 들어간 플라스틱의 양이 꽤 많았네요.

연구원 집중 호우와 태풍에 휩쓸려 들어가는 것 외에도 분리 수거 후 저개발 국가로 수출된 플라스틱 쓰레기 중 재활용 처리 비용이 높다는 이유로 바다에 폐기되는 양이 많은 것으로 드러났고요. 도로변 미세 플라스틱, 하수 처리 시설 방류수에 포함된 미세 플라스틱이 일상적으로 바다에 유입되고 있습니다.

진행자 상황이 심각하군요. ㉡<u>플라스틱 쓰레기의 규모를 보니 해양 오염도 심각할 것 같은데요?</u>

연구원 그렇습니다. 지난해 저희가 인근 해역의 굴, 담치, 게 등의 어패류를 채집해 내장과 배설물을 분석한 결과 139개체 중 97%에서 5㎜ 미만 크기의 미세 플라스틱이 검출되었습니다.

진행자 그러니까 어패류 체내에 플라스틱이 쌓이고 있다는 말씀인가요?

연구원 네, 현재 바다에는 여러 형태의 미세 플라스틱이 쌓여 있어 플랑크톤을 비롯한 해양 생물의 먹이가 되고 있습니다. 그 결과, 미세 플라스틱 알갱이는 물론 플라스틱에서 발생하는 유해 물질이 먹이 사슬 과정에서 농축되고 있는 상황입니다.

진행자 그렇다면 우리 청취자들이 해양 오염 개선을 위해 일상에서 실천할 수 있는 방법에는 어떤 것이 있을까요?

연구원 해양 오염을 개선하는 데 중요한 것은 무엇보다도 플라스틱 쓰레기양을 줄이는 것입니다. 플라스틱 제품을 하나라도 덜 쓰기를 당부드리고, 사용한 플라스틱은 재활용될 수 있도록 부착물을 제거하신 후 세척해서 배출해 주시기를 부탁드립니다.

진행자 이제 플라스틱 빨대 하나라도 덜 쓰려는 노력이 필요한 때입니다. 오늘 말씀 잘 들었습니다.

| 말하기 계획의 적절성 평가하기 |

07 다음은 위 라디오 대담을 진행하기 위해 진행자가 세운 계획이다. 대담에 반영되지 <u>않은</u> 것은?

> [오프닝]
> • 대담 내용과 관련된 최근의 사례 언급하기. ───── ①
> • 대담자의 이력을 구체적으로 밝혀 대담 내용의 설득력 높이기. ───── ②
>
> [대담 진행]
> • 대담 내용과 관련된 나의 이해가 정확한지 확인하기. ───── ③
> • 청취자들이 문제 해결에 참여할 수 있는 방법 질문하기. ───── ④
>
> [클로징]
> • 문제 해결을 위한 실천을 촉구하며 마무리하기. ───── ⑤

| 말하기 의도와 목적 파악하기 |

08 위 라디오 대담의 맥락을 고려할 때, ㉠과 ㉡의 공통점으로 가장 적절한 것은?

① 대담의 화제를 전환하기 위한 발화이다.
② 상대방의 태도 변화를 촉구하기 위한 발화이다.
③ 상대방과의 의견 차이를 조율하기 위한 발화이다.
④ 상대방의 의견에 공감을 표현하기 위한 발화이다.
⑤ 상대방의 구체적인 설명을 이끌어 내기 위한 발화이다.

| 듣기 전략과 반응의 적절성 평가하기 |

09 다음은 라디오 대담을 들은 청취자가 보낸 문자 메시지이다. 청취자의 반응을 분석한 내용으로 적절하지 <u>않은</u> 것은?

 청취자 1 1분마다 쓰레기 트럭 한 대 분량의 플라스틱이 바다에 버려진다고 하니, 그 규모를 쉽게 짐작할 수 있네요.

 청취자 2 얼마 전 바다 위에 떠다니는 플라스틱 쓰레기를 본 기억이 떠오르네요. 그 쓰레기가 어패류의 몸속에 쌓이고 있군요.

 청취자 3 바다 생물의 몸속에 쌓인 미세 플라스틱은 결국 먹이 사슬의 꼭대기에 있는 인간에게까지 영향을 미치겠군요.

 청취자 4 그동안 부착물을 제거하지 않고 플라스틱을 버린 것이 후회되네요. 앞으로는 부착물을 제거하고 깨끗하게 세척하여 배출해야겠어요.

 청취자 5 연구원님께서 말씀해 주신 것 외에 일상생활에서 쉽게 실천할 수 있는 방법을 좀 더 알려 주시면 좋겠어요.

① '청취자 1'은 연구원의 설명 방식을 긍정적으로 평가하고 있다.
② '청취자 2'는 대담 내용과 관련된 자신의 경험을 떠올리고 있다.
③ '청취자 3'은 대담 내용을 통해 기존에 잘못 알고 있던 정보를 바로잡고 있다.
④ '청취자 4'는 연구원이 제안한 내용을 실천할 것을 다짐하고 있다.
⑤ '청취자 5'는 대담 내용과 관련된 추가 정보를 요청하고 있다.

01~02 **가**는 한 학생이 학교 홈페이지 자유 게시판에 올린 글이고, **나**는 이를 바탕으로 학생회 학생들이 나눈 대화이며, **다**는 학생회 학생들이 작성한 건의문이다. 물음에 답하시오.

가

○○고등학교에 오신 것을 환영합니다.　□ □ ✕

어떻게 생각하세요?　　　　　　　　자유 게시판

저는 버스를 타고 등교하는데요, 아침마다 교문 앞 도로에 학생들을 내려 주는 자가용이 많다 보니 버스에서 내릴 때 되게 위험해요. 심지어 오늘은 친구하고 수다 떨며 등교하다가 다가오는 자가용을 뒤늦게 발견하는 바람에 부딪힐 뻔해서 무지 놀랐어요(ㅠㅠ). 무슨 해결 방법이 없을까요?

💬 댓글 128개

나 **학생 1** 어제 학교 홈피 '자유 게시판'에 올라온 글 봤어?

학생 2 아, 등굣길 문제?

학생 3 나도 봤어. 조회 수도 엄청나고, 댓글을 보니 공감하는 애들이 되게 많더라.

학생 1 그래서 말인데, 안전한 등굣길을 만들기 위해 학생회 차원에서 건의문을 써서 게시하는 건 어때?

학생 3 (고개를 끄덕이며) 좋은 생각이야.

학생 1 내 생각엔 첫째로, 일단 학생들이 학교에 올 때 자가용 이용은 자제하자고 제안하면 좋겠어.

학생 2 그런데, 자가용 등교는 대부분 사정이 있는 거 아닐까? 다리를 다쳤거나 집이 너무 멀거나 하는.

학생 1 내 기억에 차에서 내리는 애들 중 다리가 불편해 보이는 경우는 별로 없던데? 집도 멀지 않은데 차 타고 오는 애들도 많이 봤고.

학생 3 어떤 방법으로 학교에 오든 그건 개인의 선택에 맡겨야 할 문제 아닐까?

학생 1 그렇다 해도 댓글을 보면 많은 애들이 자가용 등교 때문에 등굣길이 안전하지 않다고 여기는 건 분명해 보여. 누군가의 선택이 다른 많은 사람을 불편하게 한다면 그건 문제가 있다고 봐야지.

학생 2 그렇다고 특별한 사정이 있는 애들까지 자가용 등교를 미안하게 만들 필요는 없잖아?

학생 3 그럼 글 쓸 때 이런 경우는 이해해 주자고 따로 언급하는 건 어때?

학생 1 그 정도면 괜찮겠다. 자가용을 이용하지 않았을 때 남은 물론 자기한테도 좋은 점이 있다는 것도 알려 주면 좋겠어.

학생 3 응. 그리고 다른 사람의 자가용 등교 때문에 위험했던 적이 있는 학생들은 그 기억을 떠올리게 해 주자.

학생 2 그래. 그럼 이제 등굣길 안전을 위해 추가로 제안할 게 뭐가 있을지 생각해 보자. 아, 등굣길에 주변을 살피며 걸어야 한다는 건 어때?

학생 1 좋은 생각이야. 그럼 지금까지 이야기한 내용을 정리해서 학교 게시판에 올려 보자.

다 학생 여러분, 안녕하세요? 제28대 학생회입니다.

오늘 아침 여러분의 등굣길은 어떤 모습이었나요? 안전했나요?

최근 학교 **홈페이지**에 올라온 글처럼, 여러분도 학교에 올 때 누군가 등교에 이용한 자가용 때문에 놀라거나 위험에 처한 적이 있을 것입니다. 자가용 등교는 자신의 등굣길은 편하게 해 주지만 다른 학생들의 등굣길을 혼잡하고 위험하게 만들기도 합니다. □□경찰서의 자료에 따르면, 우리 지역 학교 앞 교통사고 발생률은 일과 시간과 대비하여 등교 시간에 67% 정도 높다고 합니다. 여러분이 타고 온 차도 다른 학생들에게 해가 될 수 있습니다. 특히 우리 학교 앞 도로는 유난히 좁다 보니 횡단보도에 정차하는 경우도 많아 몹시 위험합니다.

물론 걷기가 불편하거나 집이 많이 먼 경우는 자가용 등교가 불가피할 수 있습니다. 그러나 이런 경우가 아니라면, 안전한 등굣길을 위해 우선 자가용 이용을 자제하는 것이 필요합니다.

또한 안전한 등굣길을 만들려면 주변을 살피며 걷는 습관도 필요합니다. 휴대 전화를 보거나 이어폰을 꽂고 걷다 보면 차가 오는 것을 보지 못해 위험해질 수 있기 때문입니다.

우리가 조금만 노력하면, 차에 놀라며 걷는 대신 친구와 함께 여유로운 발걸음으로 교문을 들어서는 아침 풍경을 만들 수 있습니다. 또, 자가용을 이용할 필요가 없게 부지런히 등교 준비를 하다 보면 규칙적인 생활 습관도 갖게 될 것입니다.

여러분은 안전한 등굣길을 만들고 싶지 않으신가요? 그러려면 자가용 이용은 자제하고 주변을 살피며 걸어 주세요. 다 함께, 평화로운 등교 장면을 상상이 아닌 현실로 만듭시다. 긴 글 읽어 주셔서 감사합니다.

20△△년 △월 △일
○○고등학교 학생회

---

01 다음은 학생들이 **가**~**다**를 읽고 나눈 대화이다. **가**~**다**를 비교하여 이해한 내용으로 적절하지 **않은** 것은?

> **가**는 **다**와 달리 특정한 예상 독자를 대상으로 작성한 글이야. ── ①

> **나**는 **다**와 달리 언어적 표현과 비언어적 표현이 함께 나타나. ── ②

> **나**는 **다**와 달리 의사소통 참여자들이 시간과 공간을 모두 공유하고 있어. ── ③

> **다**는 개인의 경험을 이야기하는 **가**에 비해 공식적인 성격이 강하게 나타나. ── ④

> **나**의 '홈피'와 **다**의 '홈페이지'를 비교할 때, **다**에서는 줄인 말을 되도록 쓰지 않는 문어적 특징을 확인할 수 있어. ── ⑤

---

02 **나**를 반영하여 다음과 같은 내용 전개에 따라 **다**를 썼다고 할 때, **나**와 관련지어 **다**를 이해한 내용으로 적절하지 **않은** 것은?

주의 환기	**나**에서 안전한 등굣길 만들기를 화제로 삼았던 것을 반영하여, 독자에게 이와 관련된 일상을 떠올려 보게 하고 있다. ── ①

↓

문제 상황 제시	**나**에서 자가용 등교 때문에 등굣길이 위험하다는 인식을 드러낸 것을 반영하여, 자가용 등교의 위험성을 제시하고 있다. ── ②

↓

해결 방안 제시	**나**에서 자가용 이용이 불가피한 학생이 있음을 언급한 것을 반영하여, 집이 먼 학생은 등교 준비를 부지런히 해야 한다는 해결 방안을 제시하고 있다. ── ③

↓

예상 효과 구체화	**나**에서 자가용 등교 자제가 자신에게도 좋은 점이 있음을 알려 주자고 한 의견을 반영하여, 자가용 이용 자제의 장점을 구체화하고 있다. ── ④

↓

행동 촉구	**나**에서 등굣길 안전을 위한 방법으로 언급한 제안들을 반영하여, 등교할 때의 행동 방향을 제시하고 독자가 이를 실천하도록 촉구하고 있다. ── ⑤

03~04 **가**는 학생의 발표이고, **나**는 발표를 들은 학생이 쓴 소감문의 초고이다. 물음에 답하시오.

가 오늘 제가 소개할 좌우명은 '실패는 성공의 어머니'라는 말입니다. 누구나 알고 있는 말이지만 저에게 이 명언이 특별한 이유는 인식의 전환이 없다면 모든 실패가 성공으로 이어지는 것이 아님을 최근에 깨달았기 때문입니다. 그래서 ㉠저는 '실패작 박물관'과, 실패를 대하는 자세를 담은 책의 내용을 바탕으로 실패 극복 방법을 소개하고자 합니다.

우리는 일반적으로 성공 사례는 널리 알리지만 실패는 숨기려 합니다. 그러나 이런 우리의 생각과 달리 실패한 제품을 전시하는 박물관이 있습니다. 해외에 있는 실패작 박물관의 모습을 담은 동영상을 보여 드리겠습니다. (영상을 보여 준 후) 정말 많은 전시품이 있지요? ㉡어떤 전시품이 가장 인상적이었나요? (청중의 대답을 듣고) 예, 그렇군요. 아쉽게도 이 제품들은 이제 더 이상 시중에서 볼 수 없는 것들입니다.

그런데 이곳의 원래 명칭은 신제품 작업소였습니다. 설립자는 우리가 태어나기 훨씬 전부터 신제품을 모아 이곳을 세웠는데, 모은 제품의 80% 이상이 시장에서 실패해 버린 겁니다. 결국 이곳은 처음 기획했던 것과는 달리 실패작 박물관이 되었습니다. 그렇게 현재는 10만여 점의 제품이 전시되어 있고 그 실패 이야기에 주목하여 많은 사람이 이곳을 찾고 있습니다. ㉢이 영상은 박물관을 찾은 관람객과의 인터뷰입니다. (영상을 보여 준 후) 보셨듯이 관람객들은 단순히 실패작만 구경하는 것이 아니라 전시물 소개 자료에 실려 있는 실패 이야기를 읽고 새로운 도전의 아이디어를 얻을 수 있다고 합니다.

실패작 박물관은 시장에서 성공하지 못한 수많은 제품을 통해 실패가 우리 주위에서 얼마나 흔하게 발생하고 있는지를 일깨워 주고, 실패에서 배움을 얻을 수 있게 합니다. ㉣(목소리에 힘을 주어) 이를 통해 우리도 실패를 창피하게 생각하여 숨기거나 외면하지 않고 정면으로 바라보는 것이 실패 극복의 중요한 방법임을 알 수 있습니다.

그러면 실패를 긍정적으로 인식하기 위한 방법은 무엇인지 제가 책에서 찾은 내용을 알려 드리겠습니다. 우선, 실패의 상황을 구체적으로 적어 봅니다. 이때 주의할 점은 자기 비난과 같은 감정적 판단을 넣지 않고 객관적인 사실만을 기록하는 것입니다. 다음으로는 실패의 상황을 긍정적으로 재해석해야 합니다. 여기에는 자기 인정이 필요한데요, 결과적으로는 실패했지만 과정 속에서 나의 긍정적인 면을 찾아보고 나를 인정해 주는 겁니다. 마지막으로 왜 목표를 이루지 못했는지 신중하고 냉철하게 실패의 원인을 찾는 노력이 필요합니다.

㉤여러분, 실패 속에 숨어 있는 긍정적인 의미를 발견하는 것이 실패를 성공의 어머니로 만드는 열쇠입니다. 오늘 저의 발표가 여러분의 새로운 도전에 도움이 되었으면 좋겠습니다. 그럼 이것으로 발표를 마치겠습니다.

나 오늘 친구의 발표를 듣고 실패에 대해 다시 생각해 보았다. 특히 실패의 경험을 성공으로 이끌기 위해서는 실패에 대한 인식을 전환해야 한다는 내용이 인상적이었는데, 이것을 나의 경험에 적용해 보았다.

1학기 때 나는 친한 친구들과 '책사랑' 동아리를 결성하여 활동했다. 우리는 읽을 책의 목록을 정한 후 각자 책을 읽고, 토론하기로 했다. 그리고 활동 일지를 바탕으로 학기말에 최종 활동 보고서를 제출하기로 했다. 처음에는 계획대로 진행되었지만 갈수록 책을 끝까지 읽지 못하는 친구들이 늘어났다. 한 달에 두 번으로 계획했던 토론 모임도 점점 횟수가 줄어들었고 결국 활동 보고서 작성도 흐지부지되고 말았다.

하지만 한 학기 동안 동아리 부장으로서 내가 한 일을 돌아보니 긍정적으로 해석할 수 있는 부분이 있었다. 모임 장소를 구하려고 동분서주하며 노력했고, 토론 모임에 자주 빠진 친구들을 찾아가 끝까지 함께하자고 설득했다.

그럼에도 불구하고 왜 결과가 좋지 못했을까? 친구들의 관심을 고려하기보다는 유명한 책 위주로 목록을 선정하다 보니 흥미를 갖고 책을 끝까지 읽기가 어려웠던 것이다. 그리고 바뀐 모임 장소와 시간을 제때에 공지해 주지 못해서 토론 모임에 참여하지 못한 친구도 많을 수밖에 없었다.

이렇게 실패의 경험을 돌아보고 나니 내년에는 동아리를

잘 운영할 수 있을 것이라는 생각이 든다. 앞으로도 내 마음 속 실패작 박물관에는 더 많은 전시물이 생기겠지만, 그때마다 나 자신의 힘으로 '실패는 성공의 어머니'가 될 수 있음을 보여 줄 것이다.

03 **가**의 ㉠~㉤에 대한 이해로 적절하지 <u>않은</u> 것은?

① ㉠에서는 발표 내용을 간단히 제시하여 청중이 내용을 예측하며 듣도록 하고 있군.

② ㉡에서는 질문을 던지고 그 반응을 확인하여 청중과의 상호 작용을 강화하고 있군.

③ ㉢에서는 매체 자료를 활용하여 발표 대상에 대한 청중의 이해를 돕고 있군.

④ ㉣에서는 준언어적 표현을 사용하여 발표 내용을 효과적으로 강조하고 있군.

⑤ ㉤에서는 요약된 내용을 나열하여 청중이 핵심 내용을 잘 기억할 수 있도록 돕고 있군.

04 다음은 **가**를 들은 학생이 **나**를 쓰는 과정에서 작성한 메모이다. **가**를 바탕으로 할 때, 다음 ⓐ~ⓔ 중 **나**에 반영되지 <u>않은</u> 것은?

〈실패를 극복하는 중요한 방법〉
• 실패를 정면으로 바라보기.
→ 나도 실패를 숨기려고 했던 나의 인식이 전환된 경험에 대해 언급해야겠어. ⓐ

〈실패를 긍정적으로 인식하기 위한 방법〉
• 실패의 상황을 구체적으로 적어 보기.
→ 나도 동아리를 잘 운영하지 못했던 경험을 자세하게 언급해야겠어. ⓑ
• 실패 상황을 재해석할 때 자기 인정하기.
→ 결과가 좋지 않았지만 동아리 부장으로서 긍정적인 의미가 있었던 부분을 제시해야겠어. ⓒ
• 실패의 원인 분석하기.
→ 나도 실패의 원인을 나에게서 찾아 분석하여 제시해야겠어. ⓓ

〈실패의 긍정적인 의미를 발견하는 것의 가치〉
• 실패의 긍정적인 의미를 발견해야 성공에 이를 수 있음.
→ 나도 실패의 경험이 미래의 성공으로 이어질 수 있을 것이라는 기대를 언급해야겠어. ⓔ

① ⓐ   ② ⓑ   ③ ⓒ   ④ ⓓ   ⑤ ⓔ

●●●●도움말
화자가 사용한 말하기 방식과 전략, 그에 따른 효과를 파악할 수 있는지 평가하는 문제입니다. '㉠에서는 발표 내용을 간단히 제시하여 / 청중이 내용을 예측하며 듣도록 하고 있군.'과 같이 선지를 두 부분으로 나누어 보면 앞부분은 말하기 **❶**   과 전략을, 뒷부분은 그에 따른 효과를 서술하고 있습니다. 발표자가 ㉠~㉤에서 선지에 나타난 말하기 방식이나 전략을 사용하고 있는지, 그리고 선지에서 그에 따른 **❷**   를 적절하게 설명하고 있는지 판단해 보세요.

🔑 ❶ 방식 ❷ 효과

●●●●도움말
문제에 제시된 메모는 (나)의 글쓴이가 소감문 초고를 쓰기 위해 구상한 내용으로, (가)를 들으며 정리한 발표의 **❶**   과 이를 자신의 경험에 적용한 내용으로 이루어져 있습니다. (나)의 글쓴이가 정리한 (가)의 내용이 적절한지 확인한 뒤, 이와 관련하여 글쓴이가 **❷**   한 내용이 (나)에 반영되어 있는지 점검해 보세요.

🔑 ❶ 중심 내용 ❷ 구상

개념 돌파 전략 ①

개념 **01** 토론 ①_개념과 용어

○ **토론** 어떤 공동의 문제에 대해 서로 다른 의견을 지니고 있는 개인이나 집단이 논리적 근거(논거)를 들어 자신의 주장이 옳음을 내세우는 의사소통 행위

○ **토론과 관련된 주요 용어**

논제	토론의 **①**
논증	옳고 그름을 이유와 근거를 들어 밝히는 것
쟁점	찬성 측과 반대 측이 다투는 내용

○ **토론에서 하는 발언의 종류**

입론	찬성 측과 반대 측에서 자기 측의 주장이 타당함을 논리적으로 입증하는 말하기
반론	• 상대측 주장이 타당하지 않음을 증명하기 위해 반박하는 말하기 • 근거의 불충분함, 부정확함, 부적절함, 이유와 근거의 비연관성 등을 지적할 수 있음.
반대 신문 (교차 조사)	상대측 발언에 논리적 문제가 있음을 **②** 으로 드러내는 말하기

답 ❶ 주제 ❷ 질문

확인 **01**

다음 용어에 해당하는 설명을 찾아 바르게 연결하시오.

(1) 논제 · · ㉠ 찬성 측과 반대 측이 다투는 내용

(2) 쟁점 · · ㉡ 토론의 주제

(3) 입론 · · ㉢ 상대측 주장이 타당하지 않음을 증명하기 위해 반박하는 말하기

(4) 반론 · · ㉣ 찬성 측과 반대 측에서 자기 측의 주장이 타당함을 논리적으로 입증하는 말하기

(5) 반대 신문 · · ㉤ 상대측 발언에 논리적 문제가 있음을 질문으로 드러내는 말하기

개념 **02** 토론 ②_반대 신문식 토론

○ **개념** 찬성 측과 반대 측이 반대 신문을 통해 상대방의 논지를 **①** 함으로써 자신의 주장을 펴는 토론

○ **진행 순서**

	찬성 측		반대 측	
	제1 찬성자	제2 찬성자	제1 반대자	제2 반대자
입론 단계	① 입론			② 반대 신문
	④ 반대 신문		③ **②**	
		⑤ 입론	⑥ 반대 신문	
		⑧ 반대 신문		⑦ 입론
반론 단계	⑩ 반론		⑨ 반론	
		⑫ 반론		⑪ 반론

답 ❶ 반박 ❷ 입론

확인 **02**

반대 신문식 토론에 대한 설명으로 적절하지 <u>않은</u> 것은?

① 찬성 측은 입론만, 반대 측은 반론만 한다.
② 반대 신문을 통해 상대측의 논지를 반박한다.
③ 찬성 측과 반대 측이 각각 두 사람으로 구성된다.

개념 **03** 토론 ③_반대 신문 방법

○ **반대 신문 단계에서의 질문 방법**

• 상대측 논증의 공정성, **①** , 타당성 검증하기.

공정성	발언 내용이 어느 한쪽에 치우치지 않고 공평하고 정의로운가?
신뢰성	인용된 정보의 내용과 그 출처가 정확하고 믿을 만한가?
타당성	• 주장과 근거가 이치에 맞는가? • 근거로부터 결론을 이끌어 낸 방식이 합리적인가?

• 자신이 정답을 정확하게 아는 것에 대해 질문하기.
• 제한된 범위의 단어로 답하도록 **②** 으로 질문하기.

답 ❶ 신뢰성 ❷ 폐쇄형

확인 **03**

반대 신문 단계에서의 질문 방법으로 적절하지 <u>않은</u> 것은?

① 자신이 정답을 정확하게 아는 것에 대해 질문한다.
② 상대측 논증의 공정성, 신뢰성, 타당성을 비판한다.
③ 상대측이 장황하게 대답할 수 있도록 개방형으로 질문한다.

개념 04 토의

○ **토의** 두 명 이상의 참여자가 모여 공동의 ❶⬚를 해결하기 위해 의견을 모으는 협력적인 의사소통 행위

○ **토의의 의사 결정 과정**

토의 주제 확정과 분석	→	해결 방안 제안과 평가	→	구체적인 실천 방법 모색

○ **사회자의 역할**

- 토의를 시작할 때 토의 주제를 제시하고 토의 절차를 안내함.
- 토의 참여자에게 발언권을 부여함.
- 적절한 시기에 토의 내용을 ❷⬚·정리함.
- 참여자들 사이에 갈등이나 의견 충돌이 생겼을 때 이를 조정하고 해결함.
- 토의 마무리 단계에서 토의 전체 내용을 종합·정리함.

답 ❶문제 ❷요약

확인 04

토의에서 사회자의 역할로 적절한 것은?

① 토의의 절차를 안내하고 토의를 진행한다.
② 토의 주제와 관련된 자신의 의견을 제시한다.
③ 토의 내용과 관련된 청중의 질문에 답변한다.

개념 05 협상 ①_개념과 용어

○ **협상** 개인이나 집단 사이에서 이익과 주장이 달라 갈등이 생길 때 서로 타협하고 조정하면서 문제 해결 방법을 찾아가는 의사소통 행위

○ **협상과 관련된 주요 용어**

의제	협상에서 합의가 필요한 사안
입장	❶⬚에 대한 협상 참여자의 태도
제안	자기 측의 안이나 의견을 내놓는 것. 또는 그 안이나 의견
❷⬚	의제에 대하여 대처할 방안 또는 어떤 안을 대신하는 안
합의안	양측의 제안이나 대안들에 대해 논의하여 의견을 종합한 것

답 ❶의제 ❷대안

확인 05

괄호 안에서 알맞은 말을 고르시오.

> 협상에 참여하는 주체들 간에 합의가 필요한 사안을 (의제 / 합의안)(이)라고 한다.

개념 06 협상 ②_절차

시작 단계	• ❶⬚ 확인 • 협상 참여자들의 입장 차이 확인 • 갈등의 원인 분석 • 문제 해결의 가능성 확인
↓	
조정 단계	• 상대방의 처지와 관점 이해 • 제안이나 대안 상호 검토
↓	
해결 단계	• 양측 모두에게 이득이 될 수 있는 최선의 해결책 제시 • 합의와 문제 해결 • ❷⬚ 이행

답 ❶의제 ❷합의

확인 06

다음 협상 단계에 해당하는 설명을 찾아 바르게 연결하시오.

(1) 시작 단계 · · ㉠ 합의와 문제 해결
(2) 조정 단계 · · ㉡ 제안이나 대안 상호 검토
(3) 해결 단계 · · ㉢ 협상 의제 확인

개념 07 면접

○ **면접** 일정한 목적을 위해 질문과 응답을 주고받으며 정보를 수집하거나 상대를 평가하는 공적 대화. 상대의 지식, 능력, 성품, 잠재력 등을 파악하는 것을 목적으로 함.

○ **효과적인 답변 전략**

- 면접관의 질문을 끝까지 경청한 뒤, 질문의 내용과 질문에 담긴 ❶⬚를 충분히 파악하여 그 의도를 충족할 수 있는 내용으로 답변함.
- 면접관이 요구하는 답변 내용에 따라 답변을 달리함.

사실과 관련된 답변	구체적이고 객관적인 정보를 바탕으로 말함.
의견과 관련된 답변	자신의 의견을 논리적으로 밝히며 소신 있게 말함.

- ❷⬚부터 분명히 밝힌 뒤 근거를 제시함.

답 ❶의도 ❷결론

확인 07

면접에서 효과적인 답변 전략으로 맞으면 ○, 틀리면 ✕를 고르시오.

(1) 면접관의 질문이 끝난 즉시 빠르게 대답해야 한다. (○ , ✕)

(2) 의견을 묻는 질문을 받았을 때에는 자신의 의견을 밝힌 뒤 그 이유나 근거를 제시하는 것이 효과적이다. (○ , ✕)

개념 돌파 전략 ②

01~02 다음은 토론의 일부이다. 물음에 답하시오.

사회자 지금부터 '청소년의 팬덤 활동은 청소년에게 긍정적 영향을 준다.'라는 논제로 토론을 시작하겠습니다. 먼저 찬성 측에서 입론을 하신 후 반대 측에서 반대 신문을 해 주십시오.

찬성 1 저희는 팬덤 활동이 청소년에게 긍정적 영향을 준다고 생각합니다. '팬덤'은 특정 인물이나 분야를 열정적으로 좋아하는 집단을 말합니다. 팬덤 활동을 통해 청소년들은 친구와 관심사를 공유하고 인간관계를 확장할 수 있습니다. 그리고 일상의 답답함에서 벗어나 공연장이나 경기장에서 스타를 응원하며 삶의 만족감을 얻을 수 있습니다. 최근의 한 조사에 따르면 팬덤 활동을 하는 청소년들과 하지 않는 청소년들의 삶의 만족도를 비교한 결과 팬덤 활동을 하는 청소년들의 만족도가 두 배 이상 높게 나타났습니다. 또 요즘 팬덤은 대중문화의 문제점을 지적하고 다양한 문화 운동을 하고 있어 청소년들은 팬덤 활동을 하며 문화 실천의 주체로 발전할 수도 있습니다. ㉠자신이 좋아하는 것을 좋다고 솔직하게 표현하며 건강하게 성장하는 청소년의 모습, 바람직하지 않습니까? 이상으로 입론을 마치겠습니다.

반대 2 방금 조사 결과를 말씀하셨는데, 그 자료의 출처가 어딘가요?

찬성 1 국내 유명 팬덤인 햇살 팬클럽에서 조사한 자료입니다.

반대 2 ㉡팬덤 활동을 하는 단체에서 조사한 것이라면 그 자료가 공정하다고 할 수 있을까요?

찬성 1 저희는 자료에 문제가 없다고 생각합니다.

---

01 토론의 맥락을 고려할 때, ㉠에 대한 이해로 가장 적절한 것은?

① 물음의 형식을 통해 자신의 주장이 옳음을 강조하고 있다.
② 실제 사례를 근거로 들어 자신의 주장이 정당함을 입증하고 있다.
③ 자신이 사용한 용어의 적절성에 대해 상대방의 의견을 묻고 있다.
④ 상대방의 견해를 일부 인정하면서도 자신의 입장을 재확인하고 있다.
⑤ 논의의 범위를 한정하기 위해 상대방에게 질문한 뒤 답을 요구하고 있다.

02 ㉡에서 '반대 2'는 '찬성 1'이 제시한 자료의 ☐☐☐에 의문을 제기하며 찬성 측의 논증에 문제가 있음을 지적하고 있다.

03~04 다음은 토의의 일부이다. 물음에 답하시오.

학생회장 우리 학교 축제에 대해 설문한 결과, 축제 프로그램이 다양하지 않았다는 점이 우리가 함께 해결해야 할 가장 큰 문제로 나타났습니다. 이에 축제 프로그램이 다양하지 못한 원인과 개선 방안에 대해 토의하겠습니다. 먼저 원인부터 말씀해 주십시오.

문화부장 가장 큰 원인은 준비 기간이 짧았다는 것입니다. 축제를 한 달 앞두고 기획했기 때문에 다양한 프로그램을 체계적으로 준비하지 못했습니다. 동아리별 축제 계획서를 받은 후에 장소 협의만 한 번 했고, 공연 섭외, 홍보, 물품 준비 등을 한꺼번에 급히 추진하느라 새로운 프로그램을 구상하기 어려웠습니다.

총무부장 동아리들이 수익 사업에만 치중한 것도 프로그램이 다양하지 못한 원인으로 보입니다. 수익금 전액을 동아리 활동비로 사용할 수 있도록 승인해 주다 보니 대부분의 동아리가 먹거리 판매나 게임 등의 수익성 프로그램에 치중했습니다.

[A] ┌ **학생회장** 축제 준비 기간의 부족과 동아리들이 수익 사업에만 치중했다는 점이 원인으로 지적되었습니다. 이 문제를 어떻게 개선하면 좋을까요?

문화부장 우선 충분한 축제 준비 기간을 확보해야 다양한 프로그램에 대한 체계적인 기획이 가능합니다. 축제 3개월 전부터 공연팀과 전시팀 등으로 구성된 기획팀을 꾸려 프로그램을 다채롭게 준비하면 좋겠습니다.

총무부장 패션쇼, 창작 가요제 등 새로운 프로그램도 기획하려면 그 정도의 준비 기간이 필요합니다. 그리고 수익 사업과 관련된 프로그램은 별도의 판매 행사팀을 신설하여 관리했으면 합니다.

03 위 토의에 대한 설명으로 적절하지 <u>않은</u> 것은?

① 토의의 의제는 축제 프로그램이 다양하지 못한 원인과 개선 방안이다.

② '문화부장'은 축제 프로그램 준비 기간이 짧았던 것을 문제의 원인으로 제시하고 있다.

③ '총무부장'은 동아리들이 승인 없이 수익금 전액을 동아리 활동비로 사용했던 것을 문제의 원인으로 제시하고 있다.

④ '문화부장'은 충분한 준비 기간을 확보하고, 축제 기획팀을 중심으로 다양한 프로그램을 추진할 것을 제안하고 있다.

⑤ '총무부장'은 수익 사업과 관련된 프로그램 관리를 위해 판매 행사팀을 신설할 것을 제안하고 있다.

04 [A]에서 학생회장은 토의 내용을 □□한 뒤 다음으로 논의할 내용을 제시하고 있다.

● 담화 유형 토의
● 담화 참여자

사회자	❶
토의 참여자	문화부장, 총무부장

● 담화 상황 학교 축제 프로그램이 다양하지 못했다는 문제의 ❷ 을 파악하고 개선 방안을 마련하기 위해 토의함.

📋 ❶ 학생회장 ❷ 원인

문제 해결 전략

사회자는 토의에서 논의해야 할 안건과 토의 ❶ 를 안내하고, 토의 참여자들의 발언 내용을 요약·정리하는 등 토의를 진행하는 역할을 합니다. [A]는 위 토의의 ❷ 인 학생회장의 발언입니다. 토의의 흐름을 바탕으로 하여 [A]의 발언이 어떤 기능을 하는지 생각해 보세요.

📋 ❶ 절차/진행 순서 ❷ 사회자

05~06 다음은 지역 사회에서 개최된 협상의 일부이다. 물음에 답하시오.

시청 측 솔빛마을의 한옥 관광지 조성 사업의 성공적인 진행을 위해 주민들의 적극적인 협조가 필요합니다. 우선 솔빛마을 주민들의 한옥을 관광객에게 개방해 주시기 바랍니다. ㉠관광객에게 한옥 내부를 직접 관람하는 기회를 제공하면 관광객의 만족도를 높일 수 있지 않겠습니까?

주민 측 한옥 내부를 개방하면 주민들의 사생활이 침해받아 삶의 질이 저하될 것입니다. 결국 ○○마을처럼 오랫동안 거주했던 주민들이 떠난 자리가 관광업에 종사하는 외지인들로 채워져, 전통 마을로서의 모습도 퇴색될 것입니다.

시청 측 이해합니다. 저희도 모든 한옥을 개방해 달라는 것은 아닙니다. 희망하는 주민들에 한하여 한옥을 개방하되 가능하면 많이 동참해 주십사 하는 것입니다. 개방을 허락하실 경우에도 예약한 관광객에게만 관람을 허용하고, 한옥 관광 도우미가 동행하여 미개방 영역이 침해되지 않도록 관리하겠습니다.

주민 측 골목길 관람만 한다 해도 많은 관광객이 한곳에 몰리면 개방 여부와 상관없이 주민들의 삶이 침해될 것입니다. 많은 관광객이 다닐 만큼 길이 넓지도 않고요, 결국 지역 주민의 삶의 질과 관광객의 여행 경험의 질이 동시에 악화될 것입니다.

시청 측 한옥 내부 관람 인원은 매일 일정 수 이하로 제한하고, 단체 관광은 마을 관광 에티켓 교육을 이수한 경우에만 실시하도록 하겠습니다. 또한 실시간 정보 안내판을 설치하여 관광객의 동선이 분산되도록 유도하겠습니다. ㉡이 방법으로 특정 장소에 관광객이 몰리는 것을 방지할 수 있지 않겠습니까?

[A] **주민 측** 그 정도 계획은 마을의 여건을 고려할 때 받아들일 수 있는 현실적인 방안이라 봅니다. 그러면 한옥 개방 시간은 오후 5시까지로 제한해 주십시오. 또한 한옥 관광 도우미로 지역 어르신들을 우선 채용해 주십시오.

05 ㉠과 ㉡의 공통점으로 가장 적절한 것은?

① 상대방의 제안을 수용할 때 예상되는 부작용을 언급하는 발화이다.

② 논의할 대상을 제한하여 상대방에게 선택할 것을 권유하는 발화이다.

③ 상대방이 제시한 문제점에 대한 추가적인 설명을 요구하는 발화이다.

④ 예상되는 효과를 언급하며 상대방에게 자신의 의도를 전달하는 발화이다.

⑤ 상대방이 제시할 수 있는 의견을 가정하며 그 의견의 타당성 여부를 묻는 발화이다.

06 [A]에서 주민 측은 시청 측 계획에 대한 수용 가능성을 언급하면서 추가적인 ☐☐☐☐을 제시하고 있다.

07~08 다음은 면접의 일부이다. 물음에 답하시오.

면접 대상자 안녕하십니까? 저는 '또래 상담 요원 모집'에 지원한 김○○입니다.

면접관 안녕하세요? 긴장한 것 같은데요, 편안한 마음으로 답변하면 됩니다.

면접 대상자 네. 잘 알겠습니다.

[A]
　　면접관 청소년들에게 또래 상담이 왜 필요하다고 생각하나요?

　　면접 대상자 네. 요즘 청소년들은 많은 고민을 안고 있는데요, 제가 본 설문 조사 결과에 따르면 청소년이 고민을 이야기하고 싶은 대상 1순위가 친구였습니다. 또래 상담은 생각의 눈높이가 맞는 또래 친구와 함께 고민을 나눌 수 있다는 점에서 청소년들에게 꼭 필요한 상담이라고 생각합니다.

면접관 평소 또래 상담에 대해 많은 생각을 했군요. 인간 중심적 상담 이론에서 제시한 상담자의 태도에 대해 좀 더 자세히 설명해 줄 수 있을까요?

면접 대상자 네. 《상담 심리학의 기초》란 책을 보면 인간 중심적 상담 이론에서의 상담자의 태도가 세 가지로 제시되어 있는데요, 공감적 이해의 태도 외에도 상담자는 피상담자를 진정성 있게 대해야 하며 피상담자에 대한 긍정적 존중의 태도를 지녀야 한다고 했습니다.

면접관 잘 알고 있네요. 혹시 상담에서 말하는 '래포'가 무엇인지 알고 있나요?

면접 대상자 래포의 개념을 말씀하시는 건가요? / **면접관** 네. 맞습니다.

면접 대상자 래포란 상호 간에 신뢰하며 감정적으로 친근감을 느끼는 인간관계를 말합니다. 상담은 마음을 열고 진솔하게 이야기를 나눌 수 있어야 하는 활동이므로 래포는 상담이 이뤄지기 위한 중요한 요소라고 생각합니다.

면접관 신뢰와 친근감을 뜻하는 래포는 진솔하게 이야기를 나눌 수 있게 하는 상담의 중요한 요소라는 말이군요.

- 담화 유형 **❶**
- 담화 참여자 면접 대상자 김○○, 면접관
- 담화 상황 면접관이 '또래 상담 요원 모집'에 지원한 면접 대상자의 지식과 능력, 자질을 **❷** 하기 위해 질문하고, 면접 대상자는 이에 답변함.

🔑 ❶ 면접 ❷ 평가/파악

07 위 면접에 나타난 면접 참여자들의 의사소통 방식에 대한 설명으로 적절하지 <u>않은</u> 것은?

① '면접관'은 '면접 대상자'의 긴장을 풀어 주는 말을 하고 있다.
② '면접관'은 '면접 대상자'의 답변에 긍정적으로 반응하고 있다.
③ '면접관'은 '면접 대상자'의 답변 내용을 요약하며 재진술하고 있다.
④ '면접 대상자'는 '면접관'과의 견해 차이를 인정하고 있다.
⑤ '면접 대상자'는 '면접관'에게 되묻는 방식으로 질문 내용을 확인하고 있다.

08 [A]에 나타난 면접 대상자의 사고 과정을 다음과 같이 정리할 때 빈칸에 들어갈 알맞은 말을 쓰시오.

질문 분석		답변 전략
지원 분야의 필요성을 근거를 들어 답할 것을 요구하는군.	→	▢▢ ▢▢ 결과를 근거로 들어 지원 분야의 필요성에 대해 답변해야겠군.

문제 해결 전략

[A]에서 면접 대상자는 면접관의 질문에 대한 답변으로 또래 친구와 함께 고민을 나눌 수 있다는 점에서 **❶** 이 청소년들에게 꼭 필요하다는 의견을 제시하고 있어요. 이때 그 **❷** 로 활용한 자료가 무엇인지 면접 대상자의 답변에서 확인해 보세요.

🔑 ❶ 또래 상담 ❷ 근거

필수 체크 전략 ①

✏️ 다음은 두 마을 간의 협상이다. 물음에 답하시오.

> ○○군의 A 마을과 B 마을은 전국적 규모의 축제를 공동 개최하는 데 합의하였다. 이에 따라 A 마을의 대표 A와 B 마을의 대표 B가 후속 협상을 하게 되었다.

A 오늘은 우리가 지난번 협상에서 다루지 못한 축제 공식 명칭에 대하여 논의를 했으면 하는데, 어떠세요? / B 좋습니다. 저희도 같은 생각입니다.

A 그러면 저희의 입장부터 말씀드리겠습니다. 축제 공식 명칭은 두 마을의 이름을 병기하되 저희 마을 이름을 먼저 표기했으면 합니다.

B 글쎄요. 저희도 저희 마을 이름이 앞섰으면 하는 생각이 있습니다. 개최지로 저희가 유력했던 상황에서 사실상 저희의 양보로 공동 개최가 가능했습니다. 따라서 명칭과 관련해서는 저희의 의견을 수용해 주십시오.

A B 마을도 공동 개최가 이익이 된다고 판단하여 합의한 것 아닙니까? 그러니 축제 명칭은 각자의 축제 유치 의도를 고려하되 세부 조건을 조율해서 정하는 것이 옳다고 봅니다. 저희가 알아본 바로는 B 마을은 축제 유치를 통한 경제 활성화에 관심이 있다고 알고 있는데, 맞죠? / B 그렇습니다.

A 그런데 이미 유명한 B 마을과는 달리 저희는 저희 마을을 전국에 알리는 것이 일차적 목표입니다. 그러니 축제 명칭은 저희가 원하는 대로 하면서 경제적인 면에서는 B 마을에 유리하도록 협상의 세부 조건을 구성하자는 것입니다.

B 말씀하신 대로 저희는 경제적 이득이 중요합니다. 따라서 첫째, 명칭보다는 홍보 효과가 적지만 저희 마을 특산품을 축제 캐릭터로 만들겠습니다. 둘째, 저희가 전체 행사 중 60%를 가져가겠습니다. 이 조건들이 충족되지 않는다면 축제 공식 명칭과 관련하여 합의할 수 없습니다.

A B 마을 특산품을 캐릭터로 만들면서 행사를 60%까지 가져간다는 것은 지나친 요구라고 생각합니다. 행사 배분 비율은 공동 개최에 걸맞게 50%를 원칙으로 합시다.

B 그 제안은 저희 마을 주민들의 동의를 얻기 어려울 것입니다. 차라리 저희 마을이 유치하지 못하게 되더라도 단독 개최를 다시 추진하겠습니다.

A 지난번 합의를 일방적으로 파기하는 것은 같은 ○○군 마을끼리 온당치 않습니다. 단독 개최를 하더라도 저희 마을의 도움이 필요하지 않겠습니까? 행사 배분 비율은 양보하기 어렵습니다. 그 대신에 B 마을이 원하는 다른 조건을 추가하시는 게 어떨까요?

B 좋습니다. 이렇게 하죠. 행사 배분은 동일하게 50%씩 하고, 행사 선택은 하나씩 교대로 하되, 저희 마을부터 선택을 시작하는 것으로 하는 겁니다. 그래야 수익성이 높은 행사를 저희 마을에서 가져갈 수 있으니까요.

A 음. 저희 마을 이름을 먼저 표기하는 것으로 하고 그 정도 조건이면 받아들일 수 있겠네요. 그렇게 합시다.

- 담화 유형 협상
- 담화 참여자 A 마을 대표, B 마을 대표
- 담화 상황 두 마을의 대표가 ❶ _____ 공식 명칭과 축제 진행의 세부 조건을 두고 타협하여 ❷ _____ 을 이끌어 냄.

답 ❶ 축제 ❷ 합의안

대표 유형 ❺ 담화의 내용과 특징 파악하기

5 위 협상에 대한 이해로 적절하지 <u>않은</u> 것은?

① A는 지난 협상에서 논의하지 못한 사안을 언급함으로써 의제를 제시하였군.

② A는 의견을 조율하는 과정에서 협상 전에 알아본 B 마을에 대한 정보를 활용하고 있군.

③ B는 A가 제안한 세부 조건이 협상 결렬을 초래할 수 있음을 내비치며 A의 새로운 제안을 이끌어 내었군.

④ B는 A의 양보할 수 없는 지점을 고려하여 자신이 제안한 세부 조건을 수정하여 제시하였군.

⑤ A와 B가 의견을 조율하는 과정에서 지난 협상에서 합의된 사안이 수정되었군.

유형 해결 전략

지문으로 제시된 담화의 내용과 담화 유형에 따른 특징을 파악할 수 있는지 확인하는 유형입니다. 지문에서 선지의 내용과 관련된 부분을 찾아, 선지에 나타난 지문의 세부 **❶** 이나 특징이 적절한지 확인해 봐야 합니다. 이때 **❷** 담화에 자주 등장하는 용어인 '의제'처럼 담화 유형별로 알아 두어야 할 용어를 숙지해 두면 선지에 제시된 정보를 더욱 빠르고 정확하게 파악할 수 있답니다.

🔑 ❶ 내용 ❷ 협상

5-1 위 협상을 다음과 같이 정리할 때, 그 내용으로 적절하지 <u>않은</u> 것은?

	A 마을	B 마을
축제 유치 의도	• 마을 홍보 ———— ①	• 경제 활성화 ———— ②
축제 공식 명칭과 관련된 입장	• 두 마을의 이름을 병기하되 자기 마을의 이름을 먼저 표기했으면 함.	
행사 배분 비율과 관련된 입장	• A 마을은 전체 행사의 60%, B 마을은 전체 행사의 40%를 가져감. ———— ③	• B 마을은 전체 행사의 60%, A 마을은 전체 행사의 40%를 가져감.

↓

합의안	• 축제 공식 명칭은 두 마을의 이름을 병기하되, A 마을의 이름을 먼저 표기함. ———— ④ • 행사 배분 비율은 동일하게 50%씩 함. • 행사는 하나씩 교대로 선택하되, B 마을부터 선택하기 시작함. ———— ⑤

도움말

제시된 표는 지문에 나타난 A 마을과 B 마을의 **❶** , 양측이 합의한 내용 등을 항목별로 정리하여 제시하고 있습니다. 각 항목과 관련된 A와 **❷** 의 발언을 찾고, 그 내용을 근거로 하여 위 협상의 내용과 선지에서 진술한 내용이 일치하는지 확인해 보세요.

🔑 ❶ 입장 ❷ B

✎ 다음은 '학생들의 안전한 자전거 통학을 위한 방안은 무엇인가'라는 주제로 실시한 토의의 일부이다. 물음에 답하시오.

사회자 지금까지 자전거 통학 과정에서 발생하는 문제들에 대해 의견을 들어 보았습니다. 이제부터는 이러한 문제가 발생한 원인에 대해서 이야기를 나누어 보겠습니다. 김○○ 학생, 손△△ 학생, 전□□ 학생의 순서로 의견을 말씀해 주십시오.

김○○ 우리 학교 앞은 자동차와 자전거, 그리고 학생들이 들어오는 길이 구분되어 있지 않습니다. 그래서 등교 시간만 되면 서로 뒤엉켜 자전거 사고의 위험성이 큽니다.

손△△ 학생들의 자전거 운전 습관도 원인 중 하나라고 생각합니다. 예를 들어 골목에서도 속도를 줄이지 않고 거칠게 운전하거나 자전거를 타면서 스마트폰을 보는 학생들이 있습니다. 게다가 이어폰을 귀에 꽂은 채 자전거를 타다가 자동차 경적을 듣지 못하는 경우도 있습니다.

전□□ 두 분의 말씀에 동의합니다. 그 외에도 학생들이 자전거 관리를 소홀히 하는 것도 사고를 유발할 수 있다고 생각합니다.

사회자 자전거 관리 소홀에는 구체적으로 어떤 경우가 있을까요?

전□□ 타이어나 브레이크 상태를 확인하지 않거나 라이트가 제대로 켜지는지 점검하지 않은 채 야간에 자전거를 타고 다니는 학생도 꽤 있습니다. 이런 경우 큰 사고로 이어질 수도 있습니다.

사회자 그럴 수도 있겠네요. 이번에는 문제의 원인에 대한 해결 방안을 말씀해 주십시오.

김○○ 저는 관련 행정 기관에 학교 진입 골목에 자전거 전용 도로를 만들어 달라고 요청하는 것도 한 방안이라고 생각합니다.

손△△ 학생들의 올바른 자전거 운전 습관을 기르기 위해 안전 교육을 강화해야 한다고 생각합니다. 지금까지는 동영상을 시청하는 것을 위주로 안전 교육을 했는데, 거기에 더해서 안전 교육 전문가를 초빙해 실습도 해 보면 좋을 것 같습니다.

전□□ 학생회에서 자전거 점검의 날을 지정해서 학생들이 자신의 자전거를 정기적으로 점검하게 하고, 또 캠페인 활동을 실시하는 것도 좋지 않을까요?

사회자 지금 전□□ 학생은 자전거 점검의 날을 지정하고 캠페인 활동을 실시할 것을 제안했고, 앞서 두 분은 자전거 전용 도로 설치 요구와 안전 교육 강화를 대안으로 제시하였습니다. 이제는 이들 대안이 적절한지 논의해 보겠습니다.

전□□ 학교 앞 진입 골목은 차량 한 대도 간신히 지나갈 정도로 좁은데, 거기에 자전거 전용 도로를 설치하는 것이 현실적으로 가능할까요?

김○○ 자전거 전용 도로 설치가 현실적으로 무리라면, 안전 교육을 하면서 자전거 관리에 관한 캠페인도 함께하면 안전 교육만 할 때보다 자전거 사고를 더 효과적으로 예방할 수 있겠네요.

손△△ 두 분 말씀에 동의합니다. 특히 자전거 점검은 학생들의 안전 문제와 직결되는 것이니까 자전거 점검의 날을 지정하는 것은 꼭 필요하다고 생각합니다.

사회자 오늘 논의된 내용들을 학생들에게 알리고 의견을 좀 더 수렴한 후 다음 토의 시간에 구체적인 실천 계획을 논의하도록 하겠습니다. 이상 토의를 마치겠습니다.

● 담화 유형 ❶
● 담화 참여자 사회자, 김○○, 손△△, 전□□
● 담화 상황 자전거 통학 과정에서 발생하는 안전 문제의 원인과 해결 방안을 논의한 뒤, ❷ 의 적절성을 평가함.

　답 ❶토의 ❷방안/대안

대표 유형 6 말하기 과정 분석하기

6 토의 절차에 따라 위 토의를 분석한 내용으로 적절하지 <u>않은</u> 것은?

문제의 원인 분석	• 김○○: 문제의 원인을 학교 앞 도로 환경의 측면에서 분석하고 있다. ─────── ①
	• 손△△: 문제의 원인을 제시한 후, 구체적인 예를 들고 있다. ─────── ②
	• 전□□: 다른 참가자들의 의견에 동의한 후, 다른 측면에서 문제 의 원인을 제시하고 있다.

↓

방안 제시	• 김○○: 자신이 제기한 문제의 원인에 대해 해결 방안을 제시하 고 있다.
	• 손△△: 이미 시행 중인 방법을 보완한 해결 방안을 제시하고 있다. ─────── ③
	• 전□□: 학생 차원에서 실천할 수 있는 해결 방안을 제시하고 있다. ─────── ④

↓

방안 분석	• 전□□: 실현 가능성을 기준으로 대안을 분석하고 있다.
	• 김○○: 대안 실행으로 인한 부작용을 기준으로 대안을 분석하 고 있다. ─────── ⑤
	• 손△△: 사안과 관련한 대안의 중요성을 기준으로 대안을 분 석하고 있다.

유형 해결 전략

말하기 과정을 파악하고 그에 따라 담화의 내용을 분석할 수 있는지 확인하는 유형입니다. 담화의 유형에 따른 말하기 **❶** 을 바탕으로 하여 각 과정에서 담화 참여자가 한 **❷** 의 주요 내용을 정리해 보세요.

답 ❶ 과정 ❷ 발언

6-1 다음 토의 과정에 따라 위 토의를 분석한 내용으로 적절하지 <u>않은</u> 것은?

㉠	→	㉡	→	㉢
문제의 원인 분석		해결 방안 제시		방안 분석

① ㉠에서 손△△은 학생들의 자전거 운전 습관을 문제의 원인으로 제시하고 있다.

② ㉠에서 전□□은 문제의 원인을 학교의 안전 관리 측면에서 분석하고 있다.

③ ㉡에서 김○○은 도로 환경 측면에서의 해결 방안을 제시하고 있다.

④ ㉢에서 전□□은 김○○이 제시한 해결 방안의 실현 가능성을 문제 삼고 있다.

⑤ ㉢에서 손△△은 안전 문제와의 관련성을 언급하며 자전거 점검의 날 지정의 필요성을 강조하고 있다.

도움말

위 토의는 사회자의 발언을 중심으로 '문제의 **❶** 분석(㉠) → 해결 방안 제시(㉡) → 방안 분석(㉢)'의 과정에 따라 내용이 전개되고 있습니다. 각 과정에 나타난 토의 참여자의 **❷** 내용을 바탕으로 하여 선지의 적절성을 판단해 보세요.

답 ❶ 원인 ❷ 발언

01~02 다음은 두 동아리 간의 협상이다. 물음에 답하시오.

> 학교 축제 일정을 정하면서 체육부와 공연부가 모두 축제 마지막 날 오후에 운동장을 사용하고자 하여 의견이 대립되었다. 이에 체육부장과 공연부장이 협상을 하게 되었다.

체육부장 저희 입장을 먼저 말씀드리겠습니다. 저희는 축제 마지막 날 오후에 운동장에서 축구 경기를 진행하고 싶습니다. 축구는 우리 학교를 대표하는 운동 경기로, 많은 학생이 함께 즐길 수 있는 종목이며 운동장 외의 다른 공간에서 진행하기가 어렵습니다.

공연부장 저희 역시 축제 마지막 날 오후에 운동장에서 버스킹 공연을 진행하기를 원합니다. 버스킹 공연은 많은 학생이 함께할 수 있다는 점에서 축제를 마무리하는 행사로 큰 의미가 있다고 생각합니다.

체육부장 버스킹 공연은 축구 경기와 달리 꼭 운동장에서 진행할 필요가 없지 않나요? 시청각실이나 강당에서 버스킹 공연을 진행하는 것이 어떨까요?

공연부장 버스킹 공연은 길거리에서 여는 공연을 의미하며 다양한 관객의 자유로운 관람에 취지가 있습니다. 따라서 시청각실이나 강당에서 일부 관객만을 대상으로 공연하는 것은 그 취지에 맞지 않습니다. 운동장을 반으로 나누어 각 동아리의 행사를 동시에 진행하는 것은 어떨까요?

체육부장 축구 경기와 버스킹 공연을 동시에 진행하면, 운동장에 많은 학생이 몰리면서 안전사고가 발생할 수 있습니다.

공연부장 그렇다면 둘 중 한 행사를 방과 후에 진행하는 것은 어떨까요?

체육부장 축구 경기는 선수들의 일정을 맞추기 어려워 방과 후에 진행하기가 어렵습니다. 요즘 유명 가수들은 온라인으로도 공연하던데, 축구 경기가 끝난 뒤에 버스킹 공연을 진행하면서 동시에 온라인으로 중개하면 어떨까요? 온라인 공연은 방과 후에도 자유롭게 관람할 수 있고, 재학생을 포함하여 더 많은 사람이 관람할 수 있다는 점에서 버스킹 공연의 취지와도 부합할 것 같습니다. 온라인 공연 준비와 진행은 저희가 적극 돕겠습니다.

공연부장 좋습니다. 대신 축구 경기 개회식에서 버스킹 공연을 신청한 팀 중 한 팀이 공연할 수 있게 해 주십시오.

체육부장 네, 그렇게 합시다.

| 담화의 내용과 특징 파악하기 |

01 위 협상에서 양측이 합의한 내용으로 적절하지 <u>않은</u> 것은?

> 〈합의안〉
> • 체육부는 축제 마지막 날 오후에 운동장에서 축구 경기를 진행한다. ·········· ①
> • 공연부는 축구 경기가 끝난 뒤 버스킹 공연을 진행하며 온라인으로 동시에 중개한다. ·········· ②
> • 버스킹 공연을 신청한 팀 중 한 팀이 축구 경기 개회식에서 공연을 한다. ·········· ③
> • 체육부는 공연부의 온라인 공연 준비와 진행을 적극 돕는다. ·········· ④
> • 체육부는 공연부가 주관하는 버스킹 공연을 온라인으로 홍보한다. ·········· ⑤

| 말하기 과정 분석하기 |

02 다음은 협상의 일반적인 절차이다. 이를 바탕으로 하여 위 협상을 이해한 내용으로 적절하지 <u>않은</u> 것은?

시작 단계		조정 단계		해결 단계
• 입장 차이 확인 • 문제 해결 가능성 확인	→	• 상대방의 처지와 관점 이해 • 제안이나 대안 상호 검토	→	• 합의와 문제 해결 • 합의 이행

① '시작 단계'에서 체육부장과 공연부장은 협상 의제에 관한 입장 차이를 확인하고 있다.

② '조정 단계'에서 공연부장은 공연부와 체육부가 운동장을 동시에 사용할 것을 제안하고 있다.

③ '조정 단계'에서 체육부장은 상대방의 제안에 따른 문제점을 언급하며 상대방의 양보를 촉구하고 있다.

④ '조정 단계'에서 체육부장은 버스킹 공연과 관련된 상대방의 관점을 고려하여 대안을 제시하고 있다.

⑤ '해결 단계'에서 체육부장과 공연부장은 상대방의 제안을 수용하여 합의를 이끌어 내고 있다.

03~04 다음은 학생들의 토의이다. 물음에 답하시오.

사회자 오늘은 '학교 폭력을 근절할 대책은 무엇인가?'라는 주제로 토의를 진행하겠습니다. 먼저 학교 폭력이 지속적으로 발생하는 원인에 대해 말씀해 주시기 바랍니다.

학생 1 저는 가해 학생에 대한 *미온적 징계에 원인이 있다고 생각합니다. 피해 학생에 대한 사과나 교내 봉사 활동 정도의 가벼운 징계로는 가해 학생의 반성을 이끌어 낼 수 없으며, 학교 폭력 역시 근절할 수 없습니다.

학생 2 저는 가해 학생에 대한 인성 교육과 관리가 지속적으로 이루어지지 않는 것이 근본적인 원인이라고 생각합니다.

사회자 네, 가해 학생에 대한 징계와 교육·관리 측면에서 문제의 원인을 말씀해 주셨는데요. 지금부터는 이와 관련된 대안을 말씀해 주시기 바랍니다.

학생 1 우선 가해 학생에 대한 적절한 징계가 필요합니다. 사안의 심각성에 따라 출석 정지와 학급 교체, 전학과 같은 강경한 처벌도 적용해야 합니다. 학교 폭력을 저질렀을 때 강경한 징계와 처벌이 따른다는 것을 알게 된다면 학교 폭력이 줄어들 것입니다.

학생 2 저는 가해 학생의 인성 교육과 관리를 담당하는 전담 교사가 필요하다고 생각합니다. 인근 학교에서도 학교 폭력 전담 상담 교사를 배치한 뒤, 실제로 학교 폭력 사례가 감소했다고 합니다.

사회자 네, 잘 들었습니다. 지금부터는 앞에서 말씀해 주신 대안을 평가해 보도록 하겠습니다.

┌ **학생 2** 저 역시 가해 학생에 대한 적절한 징계 조치는 필요하다고 생각합니다. 다만 그에 앞서 징계와 처벌의 기준을 명확히 마련해 두어야 한다고 봅니다.

[A] **학생 1** 저도 가해 학생에 대한 인성 교육과 관리가 필요하다고 봅니다. 더 나아가 모든 학생을 대상으로 하여 학교 폭력의 의미와 심각성과 관련된 교육을 정기적으로 └ 로 진행하면 좋겠습니다.

사회자 좋은 의견을 제시해 주셔서 감사합니다. 오늘 나온 의견을 바탕으로 하여 학교 폭력을 근절할 대책을 구체화할 수 있는 논의가 필요할 것 같습니다. 이와 관련된 논의는 다음 토의 시간에 진행하겠습니다.

● **미온적** 태도가 미적지근한.

| 말하기 과정 분석하기 |

03 위 토의의 과정을 분석한 내용으로 적절하지 **않은** 것은?

발언 순서	분석
사회자	토의의 주제를 제시하며 논의할 안건을 안내하고 있다.
↓	
학생 1	징계 측면에서 문제의 원인을 분석하고 있다. ──────── ①
학생 2	교육과 관리 측면에서 문제의 원인을 분석하고 있다. ──── ②
↓	
사회자	구체적인 대안 마련의 필요성을 제시하고 있다. ──────── ③
↓	
학생 1	예상 효과를 근거로 들어 대안을 제시하고 있다. ──────── ④
학생 2	인근 학교의 실제 사례를 근거로 들어 대안을 제시하고 있다. ── ⑤

도움말

> 위 토의는 '문제의 원인 분석 – 대안 도출 – 대안 평가'의 과정에 따라 전개되고 있습니다. 03번은 그중 '문제의 원인 분석 – ❶ □□ 도출' 과정에 나타난 담화 참여자의 ❷ □□ 내용을 파악할 수 있는지 묻고 있습니다. 각 과정에서 사회자, 학생 1, 학생 2가 발언한 내용을 확인하고, 이를 선지와 비교해 보세요.
>
> 📋 ❶ 대안 ❷ 발언

| 담화의 내용과 특징 파악하기 |

04 [A]에 대한 이해로 가장 적절한 것은?

① '학생 1'은 '학생 2'가 제시한 대안의 실현 가능성을 지적하며 새로운 대안을 제시하고 있다.

② '학생 1'은 자신의 경험을 바탕으로 징계와 처벌 강화에 대한 새로운 의견을 제시하고 있다.

③ '학생 2'는 '학생 1'이 제시한 대안을 실행할 때 선행되어야 할 조건을 언급하고 있다.

④ '학생 2'는 가해 학생에 대한 징계 조치가 필요하다는 새로운 해결책을 제안하고 있다.

⑤ '학생 2'는 가해 학생 징계에 따른 문제점을 언급하며 '학생 1'의 의견을 반박하고 있다.

필수 체크 전략 ①

✎ 다음은 '사회자 모집 공고'에 따라 실시한 면접의 일부이다. 물음에 답하시오.

사회자 모집 공고

'문학으로 소통하는 영화감독과의 만남' 행사를 진행할 사회자를 모집합니다.

• 면접일: 20○○. ○. ○.
• 영화 작품명: 동백꽃(박진 감독, 김유정 원작)

학생 안녕하세요? '문학이 좋다, 영화가 좋다'의 사회를 맡고 싶은 1학년 최지영입니다.

교사 네, 반갑습니다. 정식 행사명을 바꿔 말씀하셨네요. 이유가 무엇인가요?

학생 행사 제목을 재미있게 만들면 학생들의 많은 참여를 이끌어 낼 수 있을 거라는 생각에 이름을 바꿔 보았습니다. 지난 학기에 '교내 인문학 특강'이라는 제목만 보고 지루할까 봐 신청을 주저했던 적이 있었는데, 막상 강연을 들어 보니 재미 있었고, 도움도 많이 되었기 때문입니다.

교사 학생들에게 흥미를 불러일으키기 위해 행사 이름을 새롭게 지었다는 것이군요. 좋은 생각입니다. 지원 동기를 간단하게 말씀해 주세요.

학생 저의 장래 희망은 문화부 기자입니다. 그래서 신문 기사를 읽거나 인터뷰 영상 을 보며 혼자 취재 연습을 하곤 했습니다. 그러던 중 이번 모집 공고를 보고 실제 로 문화계 인사를 만나 인터뷰를 할 수 있는 좋은 기회라는 생각이 들어 지원했 습니다.

교사 그렇다면 이번 행사의 사회를 맡기 위해 무엇을 준비했나요?

학생 저는 감독님의 작품 세계를 이해하기 위해 감독님에 대한 다큐멘터리를 보기도 하고, 감독님의 영화를 소개한 기사를 찾아 읽기도 했습니다.

교사 감독님과 인터뷰를 하게 된다면 무엇을 질문하고 싶습니까?

학생 주로 1930년대 소설을 영화로 만드신 이유에 대해 질문하고 싶습니다. 그리고 우리의 공감을 이끌어 내기 위해 문학 속 인물들을 영화 속에서 어떻게 재탄생시 키셨는지 질문할 예정입니다.

교사 혹시 행사 진행을 위해 추가적으로 계획한 것이 있나요?

학생 메모판을 만들어 학생들의 질문을 받은 후, 그 내용도 인터뷰 대본에 넣을 생각 입니다. 그렇게 하면 행사 홍보도 되고, 참가 학생들이 자기가 한 질문이 나온다 는 기대로 행사에 더 집중할 수 있을 것 같습니다.

교사 인터뷰 내용 준비와 행사 홍보를 한꺼번에 할 계획이란 말씀이군요. 행사를 위해 고민한 점이 돋보이네요. 수고하셨습니다.

● **담화 유형** 면접
● **담화 참여자**

면접관	교사
면접 대상자	**❶** □□□□ 이 문화부 기자인 학생

● **담화 상황** '문학으로 소통하는 영화감독과 의 만남' 행사를 진행할 사회자를 선발하기 위해 **❷** □□을 진행함.

🔑 ❶ 장래 희망 ❷ 면접

● **인사** 사회적 지위가 높거나 사회적 활동이 많은 사람.

대표 유형 ⑦ 말하기 방식과 전략 파악하기

7 위 면접에 나타난 교사의 말하기 방식에 대한 설명으로 가장 적절한 것은?

① 학생의 답변을 요약하며 긍정적으로 평가하고 있다.
② 학생이 답변한 내용의 논리적 오류를 지적하고 있다.
③ 학생의 요청에 따라 면접 진행 순서를 안내하고 있다.
④ 학생의 답변에 대한 자신의 이해가 맞는지 질문하고 있다.
⑤ 학생의 답변 중 모호한 내용에 대해 설명을 요구하고 있다.

유형 해결 전략

담화 참여자가 사용하고 있는 말하기 방식과 전략을 파악할 수 있는지 확인하는 유형입니다. 담화 상황과 목적 등의 **①**을 고려하여 담화에 나타난 화자의 말하기 방식과 **②**을 파악하고, 선지의 적절성을 판단해 보세요.

답 ❶ 맥락 **❷** 전략

7-1 위 면접에 나타난 학생의 말하기 방식에 대한 설명으로 적절하지 <u>않은</u> 것은?

① 면접 지원 동기를 자신의 진로와 연관 지어 말하고 있다.
② 청중의 집중도를 높일 수 있는 행사 진행 계획을 밝히고 있다.
③ 수집한 자료의 장단점을 언급하며 자신의 견해를 드러내고 있다.
④ 행사의 사회를 맡기 위해 준비한 바를 구체적으로 제시하고 있다.
⑤ 자신의 경험을 바탕으로 하여 행사 이름을 바꾸어 말한 이유를 설명하고 있다.

도움말

면접 상황에서는 면접관의 질문 **①**과 의도를 정확하게 파악하여 답변해야 합니다. 학생의 답변을 중심으로 하여, 학생이 교사의 질문에 효과적으로 답하기 위해 어떤 말하기 **②**이나 전략을 활용하고 있는지 파악해 보세요. 그리고 선지 중 학생의 답변에서 확인할 수 없는 말하기 방식을 찾아보세요.

답 ❶ 내용 **❷** 방식

✎ 다음은 반대 신문식 토론의 일부이다. 물음에 답하시오.

사회자 우리 학교의 학생회장 선거 운동은 포스터 부착, 교문 앞 유세 등의 방식으로 실시해 왔습니다. 그런데 기존 방식과 병행하여 공식적으로 SNS 선거 운동을 실시하자는 의견이 제기되고 있어, 학생회에서는 'SNS를 활용한 선거 운동을 도입해야 한다.'를 논제로 토론을 실시하고자 합니다. 먼저 찬성 측에서 입론해 주십시오.

찬성 1 학생회장 선거에 대한 관심을 확대할 수 있도록 SNS를 활용한 선거 운동을 도입해야 합니다. SNS는 학생들이 간편하게 이용할 수 있는 친숙한 매체이므로 이를 활용한 선거 운동을 도입하면 학생들의 관심을 유도하는 데 효과적일 것입니다.

사회자 이번에는 반대 측 반대 신문해 주십시오.

반대 2 SNS를 사용하지 않는 학생들이 상대적으로 소외감을 느끼지 않을까요?

찬성 1 물론 SNS를 사용하지 않는 학생들은 참여가 어려울 수 있지만 많은 학생이 SNS를 사용하므로 전체적으로는 학생들의 관심도를 높일 수 있을 것입니다.

사회자 이어서 반대 측 입론해 주시기 바랍니다.

반대 1 SNS를 활용한 선거 운동을 도입하면 이를 기존의 선거 운동과 함께 준비해야 하기 때문에 시간과 노력이 더 많이 듭니다. 게다가 SNS상에서 학생들의 반응을 실시간으로 확인하고 댓글을 달아야 한다면 부담이 될 수 있습니다.

사회자 이번에는 찬성 측 반대 신문해 주십시오.

찬성 1 SNS상에서는 간단한 소통을 위주로 하는데 그렇게 많은 부담이 될까요?

반대 1 SNS상에서의 소통이 간단한 것은 맞지만 질문과 답변이 연속적으로 오가기도 하고 실시간으로 댓글을 달아야 할 때가 많아 부담이 될 수 있다고 생각합니다.

사회자 네, 잘 들었습니다. 이번에는 찬성 측 두 번째 입론해 주십시오.

찬성 2 학생회장 선거에 SNS를 활용한다면 후보자와 학생들 간의 소통이 더욱 활발해질 수 있습니다. 기존 선거 운동 방식은 후보자가 학생들의 의견을 지속적으로 확인하기가 어려웠지만, SNS를 활용하면 이를 보완할 수 있습니다.

사회자 이번에는 반대 측에서 반대 신문해 주십시오.

반대 1 SNS상에서는 주로 자신의 견해를 짧게 표현하는 경우가 많은데 이런 과정에서 학생들이 공약에 대한 질 높은 의사소통을 할 수 있을까요?

찬성 2 견해를 짧게 표현하는 경우가 많다고 해서 의사소통의 질이 낮다고 할 수 없습니다. 하나의 의견에 여러 명이 댓글을 달 수도 있고, 서로 질문과 대답을 올리는 과정에서 다양한 의견과 정보를 확인할 수 있어 소통의 질을 높일 수 있습니다.

사회자 이어서 반대 측 토론자가 두 번째 입론을 해 주시기 바랍니다.

반대 2 선거 운동에 SNS를 활용하면 자유롭고 활발한 의사소통을 할 수 있게 된다는 점은 인정합니다. 하지만 자칫 후보 간의 과열 경쟁을 불러일으킬 수 있고 비방과 거짓 정보가 확산되는 등 역기능이 나타날 수 있습니다. 게다가 이에 대한 학교 차원에서의 규제가 현실적으로 쉽지 않습니다.

사회자 이번에는 찬성 측에서 반대 신문해 주십시오.

찬성 2 [㉠]

• **담화 유형** 토론
• **담화 참여자** 사회자, 찬성 측 토론자 1·2, 반대 측 토론자 1·2
• **담화 상황** '❶ [ ]를 활용한 선거 운동을 도입해야 한다.'를 논제로 하여 찬성 측과 반대 측이 자신의 ❷ [ ]을 펼침.

📋 ❶ SNS ❷ 주장

기호 1번 김○○
@no1_kim

제가 학생회장이 된다면……

♡112 ↻56 ♡130 ⤴

대표 유형 ❽ 말하기 내용 추론·생성하기

8 '반대 2'의 입론을 고려할 때, ㉠에 들어갈 발언으로 가장 적절한 것은?

① SNS에서의 비방과 거짓 정보가 확산되는 것을 규제하기 어렵지 않을까요?

② 비방과 거짓 정보에 대한 규제와 SNS에 의한 과열 경쟁 규제 모두 필요한 것은 아닐까요?

③ 기존 선거 운동 방식에서보다 SNS에서 거짓 정보의 파급력이 더 크다는 사실을 알고 계십니까?

④ 상대 후보에 대한 비방과 거짓 정보 확산이라는 역기능이 SNS만의 문제라고 말할 수 있을까요?

⑤ 학생 스스로 비방이나 거짓 정보에 대한 의식을 개선하면 SNS를 통한 자유로운 의사소통이 불가능하지 않을까요?

유형 해결 전략

담화 내용을 바탕으로 하여 담화에 생략된 내용을 **❶** 하고, 새로운 내용을 생성할 수 있는지 확인하는 유형입니다. 생략된 내용의 앞뒤에 있는 담화 참여자의 **❷** 과 담화 맥락을 고려하여 선지 내용이 적절한지 판단해 보세요.

탑 ❶ 추론 **❷** 발언

8-1 '찬성 2'의 입론에 대하여 '반대 1'이 〈보기〉와 같이 반대 신문을 했다고 할 때, 이에 대한 '찬성 2'의 답변으로 가장 적절한 것은?

┌─ 보기 ─────────────────────────
반대 1: SNS를 활용하지 않은 기존 선거 운동에서도 교문 앞 유세나 정책 토론회 등을 통해 후보자와 학생들이 자유롭고 활발하게 소통할 수 있었습니다. 그럼에도 군이 SNS를 활용한 선거 운동을 도입할 필요가 있을까요?
└──────────────────────────────

① 학생들의 의식 개선을 통해 SNS의 부작용을 예방할 수 있습니다.

② SNS를 사용하지 않는 학생들의 상대적 박탈감은 해결할 수 없습니다.

③ 시간과 공간의 제약이 적은 SNS를 활용하면 후보자와 학생들이 더 자유롭게 소통할 수 있습니다.

④ SNS상에서는 자신의 견해를 짧게 표현하여 소통하므로 후보자와 학생들이 느끼는 부담이 적습니다.

⑤ SNS를 활용하면 후보자와 학생들이 다양한 의견과 정보를 확인할 수 있으므로, 의사소통의 질이 낮아지는 것은 큰 문제가 되지 않습니다.

도움말

〈보기〉에서 반대 1은 SNS를 활용하지 않은 기존 선거 운동에서도 후보자와 학생들 간의 소통이 활발했음을 언급하며 찬성 2의 주장을 **❶** 하고 있습니다. 반대 신문 단계에서는 앞서 **❷** 했던 내용과 다르지 않게 답변해야 하므로, 선지 중에서 찬성 2의 주장과 일치하고 반대 1의 반대 신문에 적절하게 답변한 내용을 찾아보세요.

탑 ❶ 반박 **❷** 주장

01~02 다음은 모의 면접이다. 물음에 답하시오.

선생님 국어국문학과에 지원한 동기가 무엇인가요?

학생 저는 고등학교 문학 시간에 우리나라 무속 신화에 대한 발표를 준비하면서 신화의 내용과 신화 속 주인공에게 큰 매력을 느꼈습니다. 그래서 한국 무속 신화를 깊이 있게 공부해 보고 싶어 국어국문학과에 지원했습니다.

선생님 한국 무속 신화에 매력을 느꼈다고 했는데, 고등학교 때 이와 관련하여 수행한 활동이 있나요?

학생 저는 한국 무속 신화를 탐구하는 동아리를 만들었습니다. 동아리에서는 각 지역의 신화를 수집하여 발표하고, 이에 대해 토의하는 활동을 했습니다. 특히 저는 제주도의 무속 신화에 관심이 많아 그중 하나인 〈천지왕본풀이〉에 대해 발표하고 토의를 진행했습니다.

선생님 그렇군요. 생활 기록부를 보니 학급 반장으로 활동했던데, 기억에 남는 일이 있나요?

학생 합창 대회를 준비할 때 학급 친구들의 방과 후 일정이 서로 달라 연습에 어려움을 겪었던 일이 떠오릅니다. 저는 학급 회의를 통해 서로의 일정을 조율했고, 일정을 맞추기 어려운 친구에게는 연습 영상을 전송하여 따로 연습할 수 있게 도와주었습니다. 그 결과 모든 학생이 합창 대회에 참여하였고, 대회에서 좋은 결과를 얻을 수 있었습니다.

선생님 보육원에서 봉사 활동을 꾸준히 한 기록도 있네요. 봉사 활동을 하며 느낀 점은 무엇인가요?

학생 ㉠취학 전 아이들을 돌보는 활동을 하는 과정에서 많은 보람을 느꼈습니다.

선생님 전공과 관련하여 앞으로 어떤 일을 하고 싶나요?

학생 최근 인기를 끌고 있는 영화 중에는 북유럽 신화를 바탕으로 한 작품이 많습니다. 이는 신화가 오늘날의 문화에도 지속적으로 영향을 미치고 있음을 보여 주는 사례라고 생각합니다. 저는 한국 무속 신화에 매력적인 인물이 많이 등장한다고 생각합니다. 그래서 이들을 캐릭터로 삼아 전 세계인의 마음을 사로잡을 수 있는 새로운 문화 콘텐츠를 만들고 싶습니다. 한국 신화 속 캐릭터들이 별처럼 빛나는 그날을 제가 꼭 만들겠습니다.

| 말하기 방식과 전략 파악하기 |

01 위 모의 면접에 나타난 학생의 말하기 방식으로 적절하지 **않은** 것은?

① 자신의 흥미와 관련지어 지원 동기를 제시하고 있다.

② 비유적 표현을 활용하여 자신의 미래 계획을 드러내고 있다.

③ 구체적인 경험을 중심으로 하여 자신이 수행한 활동을 밝히고 있다.

④ 최근의 경향을 언급하며 화제와 관련된 자신의 견해를 제시하고 있다.

⑤ 선생님이 질문한 내용을 요약하며 자신이 질문을 제대로 이해했는지 확인하고 있다.

••••도움말

❶ ☐☐☐ 표현이란 어떤 대상을 직접 설명하지 않고 그와 비슷한 다른 대상에 빗대어 표현하는 방법입니다. 위 모의 면접에서 학생은 '한국 신화 속 캐릭터'를 ❷ ☐ 에 빗대어 표현하고 있어요.

답 ❶ 비유적 ❷ 별

| 말하기 내용 추론·생성하기 |

02 위 모의 면접이 끝난 뒤 선생님의 조언에 따라 ㉠을 〈보기〉와 같이 수정했다고 할 때, 선생님의 조언으로 가장 적절한 것은?

┌ 보기 ┐

저는 보육원에서 취학 전 아이들을 돌보는 일을 했습니다. 아이들을 돌보는 일이 생각처럼 쉽지는 않았지만, 저와 함께 놀며 즐거워하는 아이들의 모습에 저 또한 즐거움을 느꼈습니다. 특히 제가 부모님께 받은 사랑을 아이들에게 조금이나마 나누어 줄 수 있어 매우 보람 있었습니다.

① 봉사 활동과 관련된 향후 계획을 추가하는 것이 좋겠어요.

② 봉사 활동을 하게 된 이유를 분명하게 밝히는 것이 좋겠어요.

③ 봉사 활동 전후로 달라진 자신의 모습을 강조하는 것이 좋겠어요.

④ 봉사 활동을 통해 느낀 점을 구체적으로 설명하는 것이 좋겠어요.

⑤ 봉사 활동의 가치를 개인적 차원과 사회적 차원으로 나누어 제시하는 것이 좋겠어요.

03~04 다음은 토론의 일부이다. 물음에 답하시오.

사회자 수술실 내 시시 티브이 설치 의무화 법안이 국회를 통과했지만, 여전히 이를 두고 날선 공방이 이어지고 있습니다. 그래서 이번 시간에는 '수술실 내 시시 티브이 설치는 필요하다.' 라는 논제로 토론을 진행하겠습니다. 먼저 찬성 측에서 입론하신 후 반대 측에서 반대 신문해 주십시오.

찬성 1 저희는 수술실 내 시시 티브이 설치가 반드시 필요하다고 생각합니다. 수술실에 시시 티브이를 설치하면 의사 면허가 없는 사람이 의사를 대신해 마취 상태의 환자를 수술하는 대리 수술이나 수술실 내 성범죄 등을 예방할 수 있습니다. 시시 티브이를 통해 수술 장면을 촬영하여 불법 행위를 감시할 수 있기 때문입니다. 실제로 2018년에 한 정형외과에서 수술을 받던 환자가 뇌사 판정을 받은 사건을 조사한 결과 의료 기기 판매 사원이 대리 수술을 한 것으로 확인되었습니다. 수술실에 시시 티브이가 설치되어 있었다면 대리 수술을 감시하고 예방할 수 있었을 것입니다. 또한 수술실 내 시시 티브이를 설치하면 의료 사고에 따른 분쟁 발생 시 환자의 권익을 보호할 수 있습니다. 현재는 의료진과 환자 사이에 정보 불균형이 존재하여 의료 사고가 일어나도 환자가 억울함을 호소할 방법이 없습니다. 하지만 수술실 내 시시 티브이를 설치한다면 의료 사고의 원인과 책임 소재를 밝히는 데 큰 도움이 될 것입니다. 따라서 대리 수술과 성범죄 예방, 환자의 권익 보호를 위해 수술실 내 시시 티브이 설치는 꼭 필요하다고 생각합니다.

반대 2 의사 협회에 따르면 2013년부터 2018년까지 적발된 대리 수술 건수는 총 112건으로, 발생률은 0.001%에 불과합니다. 극히 일부의 사건을 막기 위해 더 많은 역기능을 감수하면서까지 수술실에 시시 티브이를 설치할 필요가 있을까요?

찬성 1 특별한 사고가 없는 한 대리 수술은 쉽게 적발되지 않기 때문에 실제 대리 수술 사례는 훨씬 많을 것입니다. 또한 대리 수술 발생 빈도가 적다 하더라도 환자의 생명과 권리를 생각한다면 이는 매우 중대한 문제입니다.

반대 2 〔　　　　　　　　　　　㉠　　　　　　　　　　　〕

찬성 1 시시 티브이로 감시받는 상황 때문에 부담을 느낀 의사가 의료 행위에 소극적으로 임할 수 있다는 점은 어느 정도 인정합니다. 하지만 수술실 내에 시시 티브이를 설치하면 오히려 불필요한 의료 분쟁에 휘말리지 않도록 고위험 수술을 하는 외과 의사들을 보호할 수 있으며, 또한 환자들이 의사를 폭행하는 상황도 예방할 수 있습니다.

| 말하기 방식과 전략 파악하기 |

03 위 토론에 나타난 말하기 방식에 대한 설명으로 적절하지 않은 것은?

① '사회자'는 토론 논제와 발언 순서를 제시하며 토론을 시작하고 있다.

② '사회자'는 토론 주제와 관련된 최근의 상황을 제시하며 토론의 배경을 밝히고 있다.

③ '찬성 1'은 실제 사례를 제시하며 자신의 주장을 뒷받침하고 있다.

④ '찬성 1'은 입론의 주요 내용을 정리하며 입론을 마무리하고 있다.

⑤ '반대 2'는 통계 자료를 활용하여 '찬성 1'이 제시한 근거가 사실과 일치하지 않음을 지적하고 있다.

> **💬도움말**
> 반대 2가 ❶〔　　　　　〕을 할 때 대리 수술 건수와 관련된 ❷〔　　　　　〕를 제시한 목적이 무엇일지 생각해 보세요.
> 답 ❶ 반대 신문 ❷ 통계 자료

| 말하기 내용 추론·생성하기 |

04 ㉠에 대한 '찬성 1'의 답변을 참고할 때, ㉠의 내용으로 가장 적절한 것은?

① 모든 수술실에 시시 티브이를 설치하려면 많은 비용이 발생할 텐데, 그 비용은 누가 부담하나요?

② 수술실 내 시시 티브이 설치를 병원 측에서 자율적으로 선택할 수 있게 하는 것이 좋지 않을까요?

③ 대리 수술 문제는 수술실에 시시 티브이를 설치하지 않아도 의료법을 통해 해결할 수 있지 않을까요?

④ 수술실에 시시 티브이를 설치하면 환자들이 의사를 폭행하는 사건을 미연에 방지할 수 있지 않을까요?

⑤ 수술실에 시시 티브이를 설치하여 의료 행위를 감시하면 의사가 수술에 적극적으로 임할 수 없고, 그에 따른 피해가 환자에게 고스란히 돌아가지 않을까요?

누구나 합격 전략

01~03 다음은 학생이 실시한 인터뷰이다. 물음에 답하시오.

학생 안녕하세요. ㉠사운드 디자이너라는 직업에 대해 소개하고자 이렇게 선배님을 인터뷰하게 되었습니다. 사운드 디자이너라는 직업이 저희에게는 무척 낯선데요, 어떤 일을 하시는 건가요?

선배 네, 우리가 일상에서 각종 기기를 쓰게 되는데, 기기가 작동할 때 특유의 소리가 나잖아요? 기기에서 나는 그런 인위적인 소리를 만드는 사람이 바로 사운드 디자이너입니다. 그럼 사운드 디자이너들이 만든 소리 한번 들어 볼까요? (들려준다.)

학생 이거 많이 듣던 소리인데요. ㉡컴퓨터를 켰을 때 나는 소리 같아요.

선배 네, 맞습니다. 방금 전에 소리를 들었을 때 뭐가 제일 먼저 떠올랐나요? 그 소리가 나는 제품이 자연스럽게 떠오르지 않았나요? 우리가 제품을 사용하면서 특정 소리를 반복해서 듣다 보면 어느새 기억 속에 소리가 각인돼 해당 제품의 이미지로 남게 됩니다. 그때 각인된 소리가 어떤 이미지를 자아내느냐에 따라 제품의 이미지가 결정되는 것이죠. 그래서 제조사에서는 사운드 디자인을 중요하게 인식하고 있습니다. [A]

학생 ㉢결국 제품의 소리가 제품의 이미지를 형성하기 때문에 사운드 디자인이 중요한 것이군요. 제 말이 맞나요?

선배 네, 맞아요.

학생 그럼, 사운드 디자이너들은 소리를 어떻게 만드시나요?

선배 몇 가지 방법이 있어요. (소리를 들려주며) 자, 이 소리는 자동차의 안전을 위한 각종 경보음이죠. 이런 소리는 여기 있는 디지털 음향 기기로 직접 만듭니다. (다른 소리를 들려주며) 이 소리는 가짜 엔진 소리인데, 실제 자동차의 엔진 소리를 녹음하여 만든 겁니다.

학생 ㉣가짜 엔진 소리요? 그건 왜 필요한지 말씀해 주세요.

선배 요즘 전기 차나 하이브리드 차가 저속 운행을 할 때, 엔진 소리가 나지 않아서 보행자의 안전을 위협할 수도 있는데요, 그래서 가짜 엔진 소리가 필요합니다.

학생 듣고 보니 사운드 디자이너가 하는 일이 흥미롭기도 하고 제품을 위해 필요한 일인 것 같아요. 그럼 ⓐ

선배 사운드 디자이너는 소리를 만드는 일을 하기 때문에 공학적인 지식과 함께 음향이나 음악에 대해 잘 알고 있어야 합니다.

학생 네, 그렇군요. ㉤끝으로 사운드 디자이너라는 직업의 전망을 말씀해 주실 수 있을까요?

선배 우리나라의 전자 제품이 세계적으로 인정받고 있고 우리 영화나 게임의 위상이 점점 높아지는 현실을 고려할 때, 사운드 디자인 시장은 앞으로 더욱 커지리라 전망합니다.

| 말하기 방식 파악하기 |

01 ㉠~㉤의 말하기 방식으로 적절하지 **않은** 것은?

① ㉠: 인터뷰 목적을 밝히며 인터뷰를 시작하고 있다.

② ㉡: 상대방이 언급한 정보를 바탕으로 다음 내용을 예측하고 있다.

③ ㉢: 상대방의 말을 요약한 뒤 자신의 이해를 점검하고 있다.

④ ㉣: 상대방의 말 중 의문이 드는 점에 대해 설명을 요청하고 있다.

⑤ ㉤: 물음의 형식으로 자신의 요구를 상대방에게 전하고 있다.

| 말하기 내용 추론·생성하기 |

02 선배의 답변을 참고할 때, ⓐ에 들어갈 학생의 질문으로 가장 적절한 것은?

① 사운드 디자이너의 매력은 무엇일까요?

② 사운드 디자이너의 고충에는 무엇이 있을까요?

③ 사운드 디자이너가 주로 하는 일은 무엇인가요?

④ 사운드 디자이너에 대한 사회적 인식은 어떤가요?

⑤ 사운드 디자이너가 되려면 어떤 준비를 해야 하나요?

| 말하기 전략 파악하기 |

03 [A]에 나타난 말하기 전략에 대한 설명으로 가장 적절한 것은?

① 전문가의 견해를 인용하여 내용의 신뢰성을 높이고 있다.

② 청자의 경험을 환기하여 대상과 관련된 이해를 돕고 있다.

③ 비언어적 표현을 사용하여 청자와 원활하게 소통하고 있다.

④ 대상과 관련된 일화를 소개하여 청자의 흥미를 유발하고 있다.

⑤ 청자에게 기대하는 바를 언급하여 청자의 반응을 이끌어 내고 있다.

04~06 다음은 학생 토론의 일부이다. 물음에 답하시오.

사회자 최근 학생들이 학교 산책로에 쓰레기를 함부로 버려 문제가 되고 있습니다. 이에 '학교 산책로에 쓰레기통을 설치해야 한다.'라는 의견이 제기되고 있어, 오늘은 이 논제로 토론을 하고자 합니다. 먼저 찬성 측부터 입론해 주시기 바랍니다.

찬성 1 학교 산책로에 쓰레기통을 설치해야 한다고 생각합니다. 학교 산책로 이용에 관한 교내 설문 조사에 따르면 산책로에 쓰레기를 버릴 곳이 없어 불편하다는 의견이 많았습니다. 또한 산책로를 잘 이용하지 않는다는 학생도 많았는데, 이 중 80% 정도는 쓰레기가 지저분하게 버려져 있기 때문이라고 응답했습니다. 따라서 학생들의 불편을 해소하고 깨끗한 산책로 조성을 위해 쓰레기통을 설치해야 합니다.

반대 1 제가 조사한 바에 따르면 인근 ○○고등학교의 경우 학생 쉼터에 쓰레기통을 설치했음에도 불구하고, 학생들이 함부로 버린 쓰레기가 분리배출도 되지 않은 채 마구 뒤섞여 있고, 쓰레기통 주위도 지저분해져서 악취와 벌레 때문에 문제가 되고 있다고 합니다. 그래서 저는 쓰레기통 설치에 반대합니다. 게다가 산책로에 쓰레기통을 설치한다면 누가 관리하느냐에 대한 문제도 발생할 수 있습니다.

교실 청소도 벅찬 상황에서 산책로 쓰레기통까지 관리해야 한다면 그것을 담당할 학생들에게 부담이 될 것입니다.

사회자 두 분의 말씀 잘 들었습니다. 이어서 양측의 반론을 듣겠습니다. 반대 측부터 반론해 주시기 바랍니다.

반대 2 단순히 불편하다는 이유만으로 산책로에 쓰레기통을 설치할 필요는 없다고 생각합니다. 쓰레기통은 산책로 바로 옆 매점에도 있으니 산책로를 이용하는 학생들은 그 쓰레기통을 사용하면 됩니다. 또한 편의를 위해 쓰레기통을 설치한다고 해도 산책로가 깨끗해질 것이라고는 생각하지 않습니다. 왜냐하면 쓰레기통이 없어서라기보다는 근본적으로 학생들의 잘못된 인식과 습관이 문제이기 때문입니다. 따라서 쓰레기 되가져 가기 캠페인 등을 실시하여 책임 의식을 높이고 학생들이 자발적으로 쓰레기를 정해진 곳에 버리는 습관을 형성하는 것이 필요합니다.

찬성 2 ○○고등학교에서 쓰레기통 설치로 문제가 생겼다고 해서 우리 학교에서도 동일한 상황이 벌어진다고 볼 수 있을까요? ○○고등학교의 경우에는 일반 쓰레기통만을 설치해서 문제가 된 것으로 알고 있습니다. 이 사례를 거울삼아 분리배출을 할 수 있도록 재활용 쓰레기통을 함께 설치한다면 부작용을 최소화할 수 있다고 생각합니다. 그리고 학급별 순번제 관리 시스템을 도입한다면 관리에 대한 부담을 줄일 수 있고, 이를 통해 학생들이 주인 의식을 기를 수 있어 교육적으로도 가치가 있다고 생각합니다.

| 담화의 내용과 특징 파악하기 |

04 위 토론에서 '반대 1'과 '찬성 2'가 공통으로 인정하고 있는 것은?

① 인근 고등학교의 쓰레기통 관리 시스템을 도입해야 한다.

② 쓰레기통 관리의 문제로 학생들이 부담을 느낄 수 있다.

③ 쓰레기통 관리 시스템을 도입하면 학생들의 주인 의식을 기를 수 있다.

④ 학교 산책로에 일반 쓰레기통과 재활용 쓰레기통을 함께 설치해야 한다.

⑤ 학교 산책로를 이용하는 학생들은 매점에 있는 쓰레기통을 사용해야 한다.

| 말하기 과정 분석하기 |

05 위 토론 과정을 분석한 내용으로 적절하지 <u>않은</u> 것은?

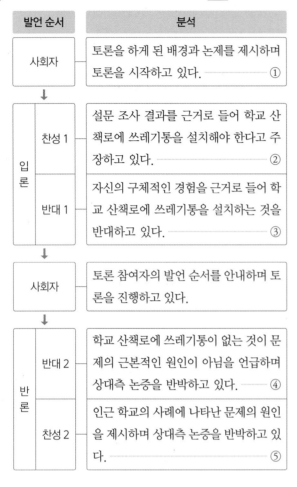

발언 순서	분석
사회자	토론을 하게 된 배경과 논제를 제시하며 토론을 시작하고 있다. ———————— ①
입론 · 찬성 1	설문 조사 결과를 근거로 들어 학교 산책로에 쓰레기통을 설치해야 한다고 주장하고 있다. ———————— ②
입론 · 반대 1	자신의 구체적인 경험을 근거로 들어 학교 산책로에 쓰레기통을 설치하는 것을 반대하고 있다. ———————— ③
사회자	토론 참여자의 발언 순서를 안내하며 토론을 진행하고 있다.
반론 · 반대 2	학교 산책로에 쓰레기통이 없는 것이 문제의 근본적인 원인이 아님을 언급하며 상대측 논증을 반박하고 있다. ———— ④
반론 · 찬성 2	인근 학교의 사례에 나타난 문제의 원인을 제시하며 상대측 논증을 반박하고 있다. ———————— ⑤

| 말하기 방식과 전략 파악하기 |

06 '반대 2'와 '찬성 2'의 말하기 방식에 대한 설명으로 가장 적절한 것은?

① '반대 2'는 문제 상황의 원인을 다양한 관점에서 분석하고 있다.
② '찬성 2'는 상대측 주장이 받아들여질 때 예상되는 문제점을 지적하고 있다.
③ '반대 2'와 '찬성 2'는 모두 논제와 관련된 전문가의 견해를 인용하고 있다.
④ '반대 2'와 '찬성 2'는 모두 문제를 해결하기 위한 구체적 대안을 제시하고 있다.
⑤ '반대 2'와 '찬성 2'는 모두 물음의 형식으로 상대방 발언의 의도를 확인하고 있다.

07~09 다음은 토의의 일부이다. 물음에 답하시오.

부장 우리 '자연 사랑' 환경 동아리는 매년 동아리 첫 시간에 그해 어떤 활동을 할지 토의합니다. 작년에는 하천 정화 활동을 했었는데, 올해는 어떤 활동이 좋을지에 대해 논의해 봅시다. 먼저 활동에 대한 제안을 들은 후 부원들의 질의를 받고, 투표를 통해 활동을 정하도록 하겠습니다. 이제 의견을 말씀해 주시기 바랍니다.

부원 1 [A] 작년 활동이 의미는 있었지만, 학교 밖으로 나가서 활동하는 것이 부담스러웠습니다. 거리도 멀었고, 그만큼 실제로 활동할 수 있었던 시간도 부족했습니다. 그래서 저는 올해는 학교 안에서의 활동이 좋다고 생각해서 동아리 시간마다 한 권씩 책을 읽을 것을 제안합니다. 독서를 통해 환경 관련 공부를 하면 좋겠습니다.

부원 2 [B] 저도 학교 안에서의 활동에 동의합니다. 그래서 현재 쓰레기장처럼 쓰이고 있는 학교 운동장 옆 공터를 텃밭으로 가꾸면 좋겠습니다. 화학 비료 대신 천연 비료를 만들어 사용한다면 환경 문제에 대한 관심을 높일 수 있습니다. 학교도 깨끗해질 수 있고요.

부장 독서를 통해 환경 관련 공부를 하자는 의견과 운동장 옆 공터를 텃밭으로 가꾸자는 의견이 나왔습니다. 다른 의견 없으십니까? 그럼 독서 활동부터 질문을 받도록 하겠습니다.

부원 3 [C] 우리 동아리는 우리가 직접 참여하고, 실천하는 환경 관련 활동을 목적으로 만들어졌습니다. 독서가 이러한 우리 동아리의 목적에 적합할까요?

부원 1 [D] 독서가 동아리의 목적과 다소 거리가 있다는 점은 저도 인정합니다. 하지만 직접 체험하는 환경 관련 활동만큼 독서를 통해 환경에 대해 아는 것도 의미 있다고 생각합니다.

부원 3 저도 환경에 대해 아는 것이 중요하다고 생각합니다. 하지만 우리 동아리의 목적을 생각한다면 독서는 적절하지 않으며, 쓰레기 줍기 같은 활동을 하는 것이 좋다고 봅니다.

부원 4 [E] 저는 독서 활동 방법에 대해 묻고 싶습니다. 부원마다 읽고 싶은 책도 다르고 읽는 속도도 달라서 같은 책을 동시에 읽기 어려운데, 이를 해결할 좋은 방법이 있나요?

부원 1 각자 원하는 책을 정해서 동아리 시간에 자율적으로 읽으면 됩니다.

부원 4 그렇다면 독서는 동아리 활동보다는 개인이 자율적으로 하는 것이 더 낫다고 봅니다.

부장 다음은 텃밭 가꾸기에 대해 질문을 받도록 하겠습니다.

부원 3 공터를 텃밭으로 가꾸려면 먼저 무엇을 해야 하나요?

부원 2 우선 교장 선생님께 허락을 받아서 공터를 텃밭으로 조성해야 합니다.

부원 4 텃밭을 가꾸기 위해서는 많은 노력이 필요할 텐데, 그래도 우리가 꼭 텃밭을 가꾸어야 하나요? 텃밭 가꾸기 활동을 하며 우리가 배울 수 있는 것은 무엇인가요?

부원 2 [　　　　　　　⊙　　　　　　　]

| 말하기 과정 분석하기 |

07 다음은 '부장'이 위 토의를 진행하기 위해 참고한 자료이다. 위 토의에 반영되지 <u>않은</u> 것은?

> 토의의 사회자는 ⓐ토의를 시작하면서 토의를 하게 된 배경을 밝히거나 토의에서 논의할 주제를 제시하는데, 이때 ⓑ토의의 절차를 안내하기도 합니다.
> 토의 진행 과정에서 사회자는 ⓒ토의 참여자의 발언 내용을 정리하고, ⓓ앞에서 논의된 내용 외에 새롭게 제안할 내용이 있는지 확인하기도 합니다. 또한 ⓔ참여자들이 토의 주제에서 벗어난 발언을 할 때에는 이를 바로잡아 주는 역할을 합니다.
> 토의의 마무리 단계에서 사회자는 토의 참여자의 제안을 표결에 부치고, 투표 결과를 통해 최종안을 확정합니다.

① ⓐ ② ⓑ ③ ⓒ ④ ⓓ ⑤ ⓔ

| 담화의 내용과 특징 파악하기 |

08 [A]~[E]에 대한 이해로 적절하지 <u>않은</u> 것은?

① [A]: '부원 1'은 작년 동아리 활동의 문제점을 제기하며 올해에는 교내에서 독서 활동을 할 것을 제안하고 있다.

② [B]: '부원 2'는 예상되는 긍정적 효과를 근거로 들어 텃밭 가꾸기 활동을 제안하고 있다.

③ [C]: '부원 3'은 동아리의 목적을 근거로 하여 '부원 1'의 제안에 의문을 제기하고 있다.

④ [D]: '부원 1'은 '부원 3'의 의견을 일부 인정하며 자신의 제안을 수정하고 있다.

⑤ [E]: '부원 4'는 '부원 1'이 제안한 활동을 할 때 발생할 수 있는 문제의 해결 방법을 묻고 있다.

| 말하기 내용 추론·생성하기 |

09 다음은 '부원 2'가 토의를 준비하면서 찾은 자료이다. 이를 활용하여 ⊙에서 할 수 있는 답변으로 가장 적절한 것은?

> 환경 운동가 김○○ 씨는 학교 텃밭을 가꾸는 활동과 관련하여 "텃밭을 가꾸기 위해서는 자신이 맡은 작물이 죽지 않도록 책임감 있게 행동해야 하며, 텃밭 환경 구축과 유지를 위해 다른 친구들과 협력해야 합니다. 그리고 이 과정에서 학생들은 많은 것을 배울 수 있습니다."라고 말했다.

① 텃밭에 작물을 심어 키우는 과정에서 독립심을 배울 수 있습니다.

② 교장 선생님께 허락을 받는 과정에서 책임감을 배울 수 있습니다.

③ 천연 비료를 만드는 과정에서 천연 비료의 효과를 배울 수 있습니다.

④ 동아리 부원들과 함께 텃밭을 가꾸는 과정에서 협동심을 배울 수 있습니다.

⑤ 공터를 텃밭으로 조성하는 과정에서 주변 환경의 중요성을 배울 수 있습니다.

창의·융합·코딩 전략 ①

01~02 가는 학생들이 실시한 토론의 일부이고, 나는 가에 청중으로 참여한 학생이 작성한 초고이다. 물음에 답하시오.

가 사회자 오늘은 '질병 치료를 목적으로 하는 인간 배아의 유전자 편집 기술은 허용해야 한다.'라는 논제로 토론을 진행하겠습니다. 찬성 측이 먼저 입론해 주신 후 반대 측에서 반대 신문을 해 주십시오.

찬성 1 저희는 질병 치료를 목적으로 하는 인간 배아의 유전자 편집 기술은 허용해야 한다고 생각합니다. 첫째, 유전자로 인한 질병으로부터 해방될 것입니다. 배아 상태의 유전자를 편집하여 유전자 정보 전체를 교정할 수 있다면 현재 이루어지고 있는 유전자 치료의 한계를 극복할 수 있을 것입니다. 둘째, 질병으로 인한 사회 경제적 비용을 감소시켜 사회 전체의 이익을 증진할 수 있습니다. 국민 건강 보험 공단에 따르면 질병으로 인해 발생하는 사회 경제적 비용이 140조 원을 넘는다고 합니다. 유전자 편집 기술을 사용하여 질병 발생 확률을 줄인다면 이와 같은 비용을 다른 분야에 투자할 수 있을 것입니다. 셋째, 이 기술은 생명 과학 연구를 더욱 발전시키는 토대가 될 것입니다. 인간 배아를 대상으로 하는 유전자 편집 기술이 허용되면 관련 분야에 대한 투자가 활발해질 것이고, 이 기술과 관련된 연구는 더욱 활성화될 것입니다.

반대 2 질병으로 인해 발생하는 사회 경제적 비용이 140조 원을 넘는다고 하셨는데요, 모두 유전자와 관련된 질병으로 인해 발생한 비용이라고 할 수 있나요? 그렇지 않다면 이 자료는 근거로 적합하지 않다고 생각합니다.

찬성 1 저희가 조사한 바로는, 공단의 발표 자료에 포함된 대다수의 질병이 유전자와 관련된 것이었습니다.

사회자 이번에는 반대 측에서 입론해 주신 후 찬성 측에서 반대 신문을 해 주십시오.

반대 1 저희는 인간 배아의 유전자를 편집하는 기술은 허용해서는 안 된다고 생각합니다. 첫째, 인간 배아의 유전자를 편집하는 기술은 아직까지 안전성이 확인되지 않았습니다. 따라서 예상치 못한 유전자 변형의 문제가 발생할 수 있을 뿐만 아니라, 그 문제가 미래 세대에게까지 영향을 미칠 위험성이 있습니다. 둘째, 사회적 불평등이 심화될 수 있습니다. 왜냐하면 이 기술을 사용하는 데는 많은 비용이 들 것으로 예상되기 때문에 소수의 사람만이 기술의 혜택을 받게 될 것입니다. 셋째, 인간은 그 자체로 존엄한 가치를 인정받고 소중한 생명으로 여겨져야 합니다. 그런데 유전자 편집 기술은 유전자 중 결함이 있는 유전자가 있다는 것을 전제하고, 인간을 있는 그대로 인정하지 않는다는 윤리적 문제에서 자유로울 수 없습니다.

찬성 2 유전자 편집 기술의 혜택을 소수만이 누릴 수 있다고 하셨는데요, 기술이 발전하여 비용을 낮출 수 있다면 그 혜택이 많은 사람에게 돌아갈 수 있지 않을까요?

반대 1 비용이 낮아질 때까지 얼마의 시간이 걸릴지 알 수 없습니다. 그사이 사회적 불평등이 심화되는 것을 막을 수 없을 것입니다.

나 유전병을 앓는 소년을 주인공으로 하는 소설을 본 적이 있다. 죽음을 의연히 받아들이는 주인공의 모습이 인상 깊었지만 동시에 안타까웠다. 혹시 인간 배아의 유전자 편집 기술을 이용하여 유전병에 걸리는 것을 막을 수 있었다면 어땠을까?

나는 유전자 편집 기술이 소년의 병을 고쳐 줄 수 있는 획기적인 기술이라고 생각했다. 그래서 처음에는 이 기술을 허용하는 것을 비판하는 입장에 대해 동의하기 어려웠다. 베르누이 법칙을 이용해 비행기를 만들어 먼 거리를 이동할 수 있게 된 것처럼 유전자 편집 기술을 잘 활용하면 유전병 치료의 한계를 극복할 수 있다고 생각했기 때문이다.

하지만 토론이 끝나고 난 후 생각이 복잡해졌다. 유전자 편집 기술은 아직 인간 배아에 적용하기에는 안전성이 확인되지 않았다는 사실을 알게 되었기 때문이다. 또한 유전자 편집 기술이 불러일으킬 결과에 대한 반대 측의 의견을 곰곰이 생각해 보니 과학의 발전이 항상 긍정적인 것은 아닐 수 있다는 생각을 하게 되었다.

생명 과학은 하루가 다르게 발전하고 있다. 하지만 우리의 가치와 생각이 그 뒤를 좇기만 한다면 우리는 과학 기술이 어디를 향하는지 알지 못한 채 끌려만 가게 될 것이다. 그러므로 우리는 무조건 과학 기술을 찬양하는 것이 아니라 과학이 나아가야 하는 방향을 감시하고 비판해야 할 의무도 함께 가져야 할 것 같다.

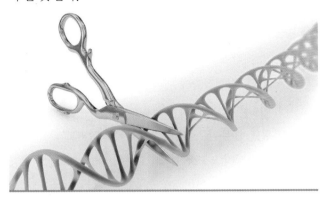

01 **가**의 입론을 정리한 내용으로 적절하지 <u>않은</u> 것은?

논제
질병 치료를 목적으로 하는 인간 배아의 유전자 편집 기술은 허용해야 한다.

찬성 1	반대 1
• 유전자 치료의 한계를 극복하여 유전자로 인한 질병에서 벗어날 것이다. ── ① • 유전자 편집 기술에 필요한 사회 경제적 비용을 절감할 수 있을 것이다. ── ② • 인간 배아의 유전자 편집 기술은 생명 과학 연구를 더욱 발전시키는 바탕이 될 것이다. ── ③	• 인간 배아의 유전자 편집 기술은 아직까지 안전성이 확인되지 않아 예상치 못한 문제를 불러올 수 있다. ── ④ • 기술의 혜택을 받을 수 있는 대상이 제한적이므로 사회적 불평등이 심화될 수 있다. ── ⑤ • 인간 배아의 유전자 편집 기술은 윤리적 문제에서 자유로울 수 없다.

도움말
(가)는 반대 신문식 토론으로, '찬성 1의 입론 → 반대 2의 반대 신문 → 반대 1의 ❶ [　] → 찬성 2의 반대 신문' 순으로 전개되고 있어요. 입론이란 찬성 측과 반대 측에서 자기 측의 주장이 타당함을 논리적으로 입증하는 말하기입니다. 이를 고려할 때, 찬성 1과 반대 1이 입론에서 자신의 주장이 타당함을 입증하기 위해 어떤 ❷ [　]를 제시하고 있는지 정리하고, 이를 선지와 비교해 보세요.
답 ❶ 입론 ❷ 근거

02 다음은 **가**를 바탕으로 **나**를 쓰기 위해 학생이 떠올린 생각이다. **나**에 반영되지 <u>않은</u> 것은?

• 1문단에서 나의 경험과 토론의 내용을 관련지으며 글을 시작해야겠어. ── ①
• 2문단에서 유전자 편집 기술 허용을 찬성하는 입장에 동의할 수 없었던 이유를 제시해야겠어. ── ②
• 2문단에서 유전자 편집 기술 활용의 필요성을 유추할 수 있는 사례를 들어 설명해야겠어. ── ③
• 3문단에서 토론을 통해 새롭게 알게 된 사실을 언급하면서 변화된 생각을 서술해야겠어. ── ④
• 4문단에서 우리가 경계해야 할 태도를 제시하며 글을 마무리해야겠어. ── ⑤

도움말
선지에 제시된 학생의 생각은 (가)를 바탕으로 하여 학생이 생성한 글쓰기 ❶ [　]에 해당합니다. 학생의 생각과 (나)의 1~4문단을 비교해 보고, 학생이 생성한 글쓰기 계획 중 (나)에 ❷ [　]되지 않았거나 (나)와 다른 내용을 담고 있는 선지를 찾아보세요.
답 ❶ 계획 ❷ 반영

03~04 **가**는 ○○시청에 제출할 건의문의 초고이고, **나**는 **가**를 수정하기 위한 회의이다. 물음에 답하시오.

가 시장님, 안녕하세요? 저희는 △△고등학교 지역 모니터링반 학생들입니다. 뉴스를 보면 버스 도착 예정 시간을 알려 주는 '버스 정보 안내 단말기'가 전국적으로 많이 설치되고 있다는 것을 알 수 있습니다. 우리 시에서도 얼마 전부터 버스 정보 안내 단말기를 가끔 볼 수 있습니다. 저희가 시장님께 글을 쓰는 것은 우리 시의 버스 정보 안내 단말기에 관한 건의를 드리기 위해서입니다.

우리 시는 버스 정보 안내 단말기의 설치율이 낮아서 많은 시민이 버스를 이용하는 데 큰 불편을 겪고 있습니다. 그리고 이미 설치된 버스 정보 안내 단말기의 화면이 손상되거나 작동이 멈춰 있는 경우도 많습니다. 또한 현재 버스 정보 안내 단말기는 시각 정보만 제공하고 있어 시력이 좋지 않은 어르신들이나 시각 장애인들이 어려움을 겪고 있습니다. 따라서 저희는 세 가지를 건의하고 싶습니다.

첫째, 버스 정보 안내 단말기의 설치율을 높여 주시기 바랍니다. 예산 문제로 단기간에 설치율을 높이는 것이 어렵다면, 이용객이 상대적으로 많거나 어르신들이 많이 이용하는 버스 정류장부터 단계적으로 안내 단말기를 설치해 주셨으면 좋겠습니다. 둘째, 버스 정보 안내 단말기를 점검 및 수리해 주시기 바랍니다. 특히 시청 홈페이지에 안내 단말기 고장이나 오작동 문제를 신고할 수 있는 게시판을 만든다면 더욱 신속하게 수리가 이루어질 수 있을 것입니다. 셋째, 버스 정보 안내 단말기에 음성 정보 안내 서비스를 비롯한 다양한 기능을 추가해 주시기 바랍니다. 음성 정보 안내 버튼이 생긴다면 시각 정보를 이용하기 어려운 시민들에게 큰 도움이 될 것입니다.

시민들을 위해 버스 정보 안내 단말기 설치율을 높이고 기존의 안내 단말기를 효율적으로 관리하며 그 기능을 보완한다면 시민들의 편의와 복지가 크게 향상될 것입니다. 시장님, 어려움이 많으시겠지만 저희의 건의를 받아들여 주시기를 부탁드립니다. 감사합니다.

나 **학생 1** 자, 시청에 제출할 건의문을 검토해 보자.

학생 2 저번 시간에 우리가 버스 정보 안내 단말기를 이용할 때 겪었던 문제 상황에 대해 논의한 내용을 바탕으로 초고를 작성해 봤어.

학생 3 고생했어. 우선, 글의 첫째 문단부터 살펴보자. 내 생각에는 시장님의 노고에 감사하다는 인사를 추가해서 예의와 격식을 갖추는 것이 좋을 것 같아.

학생 2 그 생각은 미처 못 했네. 추가해 볼게. 그런데 둘째 문단에서 버스 정보 안내 단말기에 관한 문제 상황을 좀 더 구체적으로 드러내고 싶은데 어떻게 하면 좋을까?

학생 3 통계 자료를 제시해서 인근 도시에 비해 우리 시의 안내 단말기 설치율이 낮다는 것을 보여 주면 좋겠어.

학생 2 그런데 글을 읽다가 갑자기 통계 자료가 나오면 읽는 데 불편하지는 않을까?

학생 1 아니야. 오히려 구체적인 수치를 드러내면 문제 상황이 잘 드러날 것 같아.

학생 2 그럴 수 있겠네. 조사해서 반영해 볼게.

학생 3 그런데 지난 시간에 다루지 않았던 음성 정보 안내 서비스에 관한 내용이 들어가 있네?

학생 2 대중교통을 이용하는 사람들을 모두 고려하지는 못했다는 생각이 들었어.

학생 1 그랬구나. 교통 약자층을 위한다는 점에서 좋은 생각인 것 같아.

학생 3 다음으로 셋째 문단에 대해서 얘기해 보자.

학생 1 우리 시에는 외국인이 많으니까 외국어 안내도 제공됐으면 좋겠어.

학생 2 그 내용도 반영해서 써 볼게. 그런데 어떻게 하면 글을 좀 더 인상적으로 마무리할 수 있을까?

학생 3 마지막 문단에서 비유적 표현을 활용해 버스 정보 안내 단말기의 필요성을 강조하면 좋을 것 같아.

학생 2 좋아. 그리고 시장님께 우리가 건의하는 내용이 잘 전달되어야 하니까 어법에 맞게 썼는지, 내용 흐름은 자연스러운지 꼼꼼히 점검해 보자.

03 다음은 **가**를 쓰기 위해 '학생 1'과 '학생 2'가 주고받은 문자 메시지이다. **가**에 반영되어 있지 <u>않은</u> 것은?

학생 1 | 문제 상황을 구체적으로 제시하기 위해 버스 정보 안내 단말기의 상태를 언급하는 게 어떨까? ──────── ①

좋은 생각이야. 버스 정보 안내 단말기가 전국적으로 많이 설치되고 있는 추세라는 최근 현황도 제시하자. ──── ② | 학생 2

학생 1 | 효과적인 문제 해결 방안을 제시하기 위해 시청 홈페이지에 관련 게시판을 신설할 것을 제안해 보자. ──────── ③

건의 내용을 실현할 때 발생할 수 있는 현실적인 어려움을 고려하여 버스 정보 안내 단말기의 단계적 설치를 제안해야겠어. ──────── ④ | 학생 2

학생 1 | 신속한 문제 해결의 필요성을 강조하기 위해 버스 정보 안내 단말기 오작동에 따른 비용 손실을 언급하는 것도 좋겠어. ──────── ⑤

⋯⋯도움말

(가)는 '우리 시의 버스 정보 안내 단말기'에 관한 **❶** ⬚⬚⬚ 이고, 문제에 제시된 학생 1과 학생 2의 대화는 (가)를 쓰기 전에 세운 글쓰기 **❷** ⬚⬚⬚ 입니다. (가)에서 학생 1과 학생 2가 주고받은 문자 메시지와 관련된 내용이 나타난 부분을 찾아, 두 학생이 수립한 글쓰기 계획이 실제로 (가)에 반영되어 있는지 확인해 보세요.

답 ❶ 건의문 ❷ 계획

04 **나**를 참고하여 **가**를 보완하기 위해 마련한 방안으로 적절하지 <u>않은</u> 것은?

구성	방안
처음	• 첫째 문단에 '○○시의 발전과 안전을 위해 힘써 주시는 시장님께 감사의 마음을 전합니다.'라는 내용을 추가해야겠군. ──────── ①
↓	
중간	• 둘째 문단에 '최근 신문 기사를 보면 □□시의 버스 정보 안내 단말기 설치율은 60%인데, 우리 시의 설치율은 15%에 그치고 있습니다.'라는 내용을 추가해야겠군. ──────── ② • 둘째 문단에 '지금은 버스 정보 안내 단말기가 시각 정보만 제공하고 있어서 안내 정보를 확인하기 어려운 교통 약자층이 불편함을 겪고 있습니다.'라는 내용을 추가해야겠군. ──────── ③ • 셋째 문단에 '외국인들을 위해 버스 정보 안내 단말기에 외국어 안내 기능도 추가해 주시기 바랍니다.'라는 내용을 추가해야겠군. ──────── ④
↓	
끝	• 넷째 문단에 '버스 정보 안내 단말기는 시민들이 삶의 질 향상으로 나아가는 문을 열기 위한 열쇠와 같습니다.'라는 내용을 추가해야겠군. ──────── ⑤

⋯⋯도움말

(나)는 학생 1, 학생 2, 학생 3이 초고를 고쳐 쓰기 위해 **❶** ⬚⬚⬚·표현·조직 면에서 (가)를 검토한 내용입니다. 먼저 (나)에서 학생들이 (가)의 각 문단을 고쳐 쓰기 위해 마련한 방안을 정리해 보세요. 그리고 선지에서 제시한, 각 문단에 추가하려는 문장이 그러한 **❷** ⬚⬚⬚ 방안을 적절하게 반영하고 있는지 판단해 보세요.

답 ❶ 내용 ❷ 고쳐쓰기

전편 마무리 전략 화법

화법의 본질

개념
말(음성 언어)로 생각과 느낌을 나누고 의미를 구성하고 공유하는 사회적 의사소통 행위

특성
• 의사소통 문화를 형성함.
• 사회적 담론 형성에 이바지함.

맥락
말과 글의 표현과 해석에 관여하는 여러 가지 요소로, 화법에 영향을 미치는 맥락은 다음과 같음.

상황 맥락	화자와 청자, 주제와 목적, 시간과 공간 등
사회·문화적 맥락	역사적·사회적 상황, 공동체의 가치와 신념, 담화 관습 등

상황에 맞는 표현 전략

언어적 표현
음성이나 문자로 생각이나 느낌을 표현하는 것

준언어적 표현
• 언어적 요소에 덧붙여 의미를 전달하는 것
• 어조, 강세, 말의 빠르기, 목소리 크기, 억양, 장단 등

비언어적 표현
• 언어적·준언어적 표현 이외의 방법으로 의미를 표현하는 것
• 시선, 표정, 동작, 자세, 신체 접촉 등

공식적인 말하기 상황이니까 유행어는 사용하지 않아야지. → 언어적 표현

이 부분은 중요한 내용이니 천천히 끊어서 말해야지. → 준언어적 표현

여기서는 손끝을 들어 청중의 주의를 집중시켜야지. → 비언어적 표현

대화의 원리와 실제

공손성의 원리
공손하고 예의 바른 태도로 대화하는 원리

요령의 격률	상대방에게 부담이 되는 표현은 최소화하고, 이익이 되는 표현은 최대화하기.
관용의 격률	자신에게 혜택을 주는 표현은 최소화하고, 부담이 되는 표현은 최대화하기.
칭찬의 격률	상대방을 비난하는 표현은 최소화하고, 칭찬하거나 맞장구치는 표현은 최대화하기.
겸양의 격률	자신을 칭찬하는 표현은 최소화하고, 비방하는 표현은 최대화하기.
동의의 격률	상대방과 불일치하는 표현은 최소화하고, 일치하는 표현은 최대화하기.

공감적 듣기
화자의 입장에 공감하며 적절히 반응하며 듣는 것

집중하기	상대방의 말에 관심을 보이며 집중해서 듣는 것
격려하기	화자가 하고 싶은 말을 더 많이 할 수 있도록 반응하며 듣는 것
반영하기	재진술 등 상대방의 생각을 직접 반영해 주며 듣는 것

그랬구나. → 집중하기

계속 말해 봐. → 격려하기

지금 그 말은 다시 노력해 보겠다는 뜻이구나. → 반영하기

발표의 원리와 실제

발표의 내용 구성

도입부	발표 목적과 주제 및 화제 소개, 전체 내용 개관
전개부	중심 내용 제시, 다양한 자료와 구체적인 사례 제시
정리부	중심 내용 요약·강조, 제언 제시

내용 구성 시 고려할 청자의 특성

- 발표 내용에 대한 흥미
- 발표 주제에 대한 태도
- 청자의 정서적 상태
- 발표 내용에 대한 이해 정도
- 발표 주제와 관련된 세부 관심사

연설의 원리와 실제

화자의 공신력

전문성	화자가 화제와 관련된 지식·경험을 충분히 갖추었는가?
신뢰성	화자의 성품이 믿음직한가?
침착성	화자가 위기나 돌발 상황에서 침착하게 대처하는가?
외향성	화자가 신념과 열정 등을 지니고 있는가?
사회성	화자가 친근감을 주는가?

연설의 설득 전략

인성적 설득 전략	화자가 믿을 만한 사람임을 드러내는 전략. 화자의 공신력을 높여야 함.
이성적 설득 전략	타당한 근거를 들어 주장을 논리적으로 표현하는 전략. 적절한 근거 마련, 내용의 논리적 조직이 필요함.
감성적 설득 전략	청자의 감정에 호소하는 전략. 청중에게 유발하려는 감정에 어울리는 언어적·준언어적·비언어적 표현을 활용해야 함.

토론의 원리와 실제

반대 신문

개념 상대측 발언에 논리적 문제가 있음을 질문으로 드러내는 말하기

반대 신문 단계에서의 질문 방법

- 상대측 논증의 공정성, 신뢰성, 타당성 검증하기.
- 제한된 범위의 단어로 답하도록 폐쇄형으로 질문하기.

토의의 원리와 실제

토의의 의사 결정 과정

토의 주제 확정과 분석 → 해결 방안 제안과 평가 → 구체적인 실천 방법 모색

사회자의 역할

- 토의 주제와 절차 안내
- 참여자들 사이의 갈등 조정
- 발언권 부여
- 토의 내용 요약·정리

협상의 원리와 실제

협상의 절차

시작 단계	조정 단계	해결 단계
·입장 차이 확인 ·문제 해결 가능성 확인	·상대방의 처지와 관점 이해 ·제안이나 대안 상호 검토	·합의와 문제 해결 ·합의 이행

면접의 원리와 실제

효과적인 답변 전략

- 질문의 내용과 의도를 파악하고 그에 맞게 답변하기.
- 면접관이 요구하는 답변 내용이 사실인지 의견인지에 따라 답변을 달리하기.
- 결론부터 분명히 밝힌 뒤 근거 제시하기.

신유형·신경향 전략

✿ 수능 화법에서는 의사소통 상황에서 필요한 사고력을 평가하는 문제가 출제됩니다. 화법 단독 지문으로는 발표, 강연, 연설과 같은 담화가, 화법과 작문 융합 지문에서는 토론, 토의, 협상, 면접과 같은 담화와 그 내용을 반영한 작문 지문이 주로 출제됩니다.

01~03 다음은 수업 시간 중 학생의 발표이다. 물음에 답하시오.

안녕하세요. 저는 QR 코드에 대해 발표할 ○○○입니다. 최근 QR 코드가 많이 쓰이고 있는데요, 여러분도 사용해 보셨나요? (사진 1을 보여 주며) 이 사진에서처럼 공공장소에 들어갈 때 한 번쯤은 사용해 보셨을 텐데요. 이렇게 QR 코드는 주변에서 흔히 사용되고 있지만, QR 코드의 특징과 구성에 대해서는 잘 모르실 것 같아 발표를 준비했습니다.

QR 코드는 명암에 따라 빛의 반사량이 다르다는 원리가 이용된다는 점에서 바코드와 유사합니다. (표를 보여 주며) 하지만 표에 제시된 것처럼 바코드가 가로로 된 1차원적 구성이기 때문에 주로 간단한 숫자 정보만을 담을 수 있는 것과 달리, QR 코드는 가로와 세로의 2차원적 구성이어서 이미지나 동영상과 관련한 정보까지도 담을 수 있습니다. (동영상을 보여 주고) 보신 것처럼 QR 코드는 상품 홍보, 결제, 웹 사이트 연결 등의 다양한 용도로 활용되고 있습니다.

다음은 QR 코드의 구성에 대해 설명하겠습니다. (사진 2를 제시하며) 우선 QR 코드는 밝은색과 어두운색 모듈들의 집합으로, 여기 가장 작은 한 칸의 사각형이 바로 모듈입니다. 뒤에 계신 분들 잘 보이시나요? 안 보이시는 분이 있다고 하니 확대해 보겠습니다. (사진 2를 확대하며) 잘 보이시죠? 이런 모듈들로 구성된 QR 코드는 인코드화 영역과 기능 패턴으로 구분할 수 있습니다.

인코드화 영역은 정보가 담긴 모듈들로 구성되어 있습니다. 모듈 수가 늘어날수록 인코드화 영역에는 더 많은 정보를 담을 수 있고, QR 코드의 크기도 커집니다. 모듈 수가 가장 많은 QR 코드 버전은 숫자는 7,089자, 한글은 1,817자까지 담을 수 있습니다.

다음으로 QR 코드가 효율적으로 인식될 수 있도록 돕는 기능 패턴들에 대해 설명하겠습니다. (사진 3을 제시하며) 여기 QR 코드 상단 양쪽 끝과 왼쪽 하단을 보시면 큰 사각형 형태들이 보이는데요. 이 세 개의 형태들은 QR 코드가 어떤 방향으로 놓여 있어도 쉽고 빠르게 인식될 수 있게 해 주는 위치 탐지 패턴이라고 합니다. 위치 탐지 패턴은 QR 코드의 버전

이 달라지더라도 크기와 개수는 변하지 않습니다. 그리고 오른쪽 아래에 보이는 것과 같이 위치 탐지 패턴과 형태는 비슷하지만, 크기는 작은 사각형 형태를 정렬 패턴이라고 합니다. 정렬 패턴은 QR 코드가 곡면 등에 인쇄되어 일그러진 상태에서도 정상적으로 인식될 수 있게 합니다. 마지막으로 위치 탐지 패턴 사이의 밝은색과 어두운색 모듈이 하나씩 교대로 나타나는 부분을 타이밍 패턴이라고 하는데, 이 패턴은 다른 모듈들의 위치 정보를 알려 줄 뿐만 아니라 QR 코드의 버전도 확인할 수 있게 해 줍니다.

오늘 제가 준비한 발표는 여기까지입니다. 저의 발표를 통해 QR 코드에 대한 궁금증이 조금이나마 해소되었길 바랍니다. 그럼 이상으로 발표를 마치겠습니다.

| 말하기 계획의 적절성 평가하기 |

01 위 발표를 위한 계획 중 발표에 반영되지 않은 것은?

① 발표 대상과 관련된 청중의 경험을 환기해야겠어.
② 담화 표지를 활용하여 앞으로 발표할 내용을 제시해야겠어.
③ 발표를 시작하면서 발표 대상을 선정한 이유를 언급해야겠어.
④ 발표 중간에 발표 내용에 대한 청중의 이해도를 확인해야겠어.
⑤ 발표 내용이 청중에게 도움이 되었기를 바라는 기대를 드러내며 발표를 마무리해야겠어.

• • • • 도움말

담화 표지란 문장의 내용에 직접적인 영향을 미치지는 않지만 문장 간의 응집성을 높이기 위하여 사용하는 표지로, 내용의 예고, 강조, 열거 등의 기능을 합니다. 3문단의 '**❶**'과 5문단의 '다음으로'는 **❷**의 기능을 하는 담화 표지입니다.

답 ❶ 다음은 ❷ 예고

| 자료 활용 전략의 적절성 평가하기 |

02 다음은 발표를 위해 준비한 분석 자료의 일부이다. 이를 바탕으로 위 발표가 진행되었다고 할 때, 발표자의 자료 활용 전략으로 적절하지 <u>않은</u> 것은?

발표 대상의 특성 분석	㉠ 일상생활에서 자주 접할 수 있음. ㉡ 바코드의 원리와 비교 가능함.
청중의 특성 분석	㉢ QR 코드의 용도를 궁금해함. ㉣ QR 코드가 어떻게 구성되어 있는지 모름.
발표 장소의 특성 분석	㉤ 교실 구조상 자료 화면이 뒤쪽까지 잘 보이지 않을 수 있음.

① ㉠을 고려하여, 일상생활 속에서 QR 코드가 흔히 사용되고 있다는 것을 보여 주기 위해 '사진 1'을 활용하고 있다.

② ㉡을 고려하여, QR 코드와 바코드는 빛을 이용하는 원리가 다르다는 것을 비교하기 위해 '표'를 활용하고 있다.

③ ㉢을 고려하여, QR 코드의 다양한 용도를 알려 주기 위해 '동영상'을 활용하고 있다.

④ ㉣을 고려하여, QR 코드의 구성에 대해 설명하기 위해 '사진 2'와 '사진 3'을 활용하고 있다.

⑤ ㉤을 고려하여, 교실 뒤쪽까지 정보를 효과적으로 전달하기 위해 '사진 2'의 크기를 조절하여 활용하고 있다.

•••• **도움말**

발표자는 1문단에서 사진 1을, 2문단에서 표와 **❶** 을, 3문단에서 사진 2를, 5문단에서 사진 3을 활용하고 있어요. 각 문단에서 발표자가 자료를 제시한 부분을 찾고, 그 앞뒤 내용을 바탕으로 자료가 담고 있는 정보가 무엇인지 파악해 보세요. 그런 뒤 발표자가 사전 분석한 내용인 ㉠~㉤을 고려할 때, 발표에서 자료를 활용한 **❷** 이 무엇인지 파악하여 선지에 제시된 자료 활용 전략이 적절한지 판단해 보세요.

탭 ❶ 동영상 ❷ 목적

| 듣기 전략과 반응의 적절성 평가하기 |

03 위 발표를 들은 학생이 〈보기〉에 대해 보인 반응으로 적절하지 <u>않은</u> 것은?

┌ 보기 ┐

① ⓐ는 위치 탐지 패턴으로, QR 코드를 쉽고 빠르게 인식할 수 있게 해 주겠군.

② ⓑ는 타이밍 패턴으로, 다른 모듈들의 위치 정보를 알려 주겠군.

③ ⓒ는 정렬 패턴으로, QR 코드가 일그러진 상태에서도 정상적으로 인식될 수 있게 하겠군.

④ ⓓ는 모듈로, QR 코드는 이러한 모듈들의 집합으로 이루어지는군.

⑤ ⓑ와 ⓒ를 통해 QR 코드의 버전을 확인할 수 있겠군.

04~06 **가**는 토론의 일부이고, **나**는 청중으로 참여한 학생이 '토론 후 과제'에 따라 쓴 초고이다. 물음에 답하시오.

가 사회자 이번 시간에는 '인공 지능을 면접에 활용하는 것이 바람직하다.'라는 논제로 토론을 진행하겠습니다. 찬성 측이 먼저 입론해 주신 후 반대 측에서 반대 신문해 주십시오.

찬성 1 저희는 인공 지능을 면접에 활용하는 것이 바람직하다고 생각합니다. 인공 지능을 활용한 면접은 인터넷에 접속하여 인공 지능과 문답하는 방식 으로 진행됩니다. 지원자는 시간과 공간에 구애받지 않고 면접에 참여할 수 있는 편리성이 있어 면접 기회가 확대됩니다. 또한 회사는 면접에 소요되는 인력을 줄여, 비용 절감 측면에서 경제성이 큽니다. 실제로 인공 지능을 면접에 활용한 ○○회사는 전년 대비 2억 원 정도의 비용을 절감했습니다. 그리고 기존 방식의 면접에서는 면접관의 주관이 개입될 가능성이 큰 데 반해, 인공 지능을 활용한 면접에서는 '빅 데이터를 바탕으로 한 일관된 평가 기준을 적용할 수 있습니다. 이러한 평가의 객관성 때문에 많은 회사가 인공 지능 면접을 도입하는 추세입니다.

반대 2 기존 면접에서는 면접관의 주관이 개입될 여지가 있다고 하셨는데요, 지원자의 잠재력을 판단하기 위해서는 오히려 해당 분야의 경험이 축적된 면접관의 생각이나 견해가 필요합니다. 회사의 특수성을 고려해 적합한 인재를 선발하려면 면접관의 생각이나 견해가 면접 상황에서 중요한 판단 기준이 돼야 하지 않을까요?

찬성 1 [_____ ㉠ _____]

사회자 이번에는 반대 측에서 입론해 주신 후 찬성 측에서 반대 신문해 주십시오.

반대 1 저희는 인공 지능을 면접에 활용하는 것이 바람직하다고 보지 않습니다. 먼저 인공 지능을 활용한 면접은 기술적 결함이 발생할 수 있습니다. 이로 인해 면접이 원활하지 않거나 중단되어 지원자들에게 불편을 줄 수 있고, 지원자들의 면접 기회가 상실될 수 있습니다. 또한 인공 지능을 활용한 면접은 당장의 비용 절감 효과에 주목해서는 안 되고 장기적인 관점에서 보아야 합니다. 현재의 경제성만 고려하면 미래에 더 큰 경제적 가치를 창출할 인재를 놓치게 돼 결국 경제적이지 않습니다. 마지막으로 인공 지능의 빅 데이터는 왜곡될 가능성이 있습니다. 빅 데이터는 사회에서 형성된 정보가 축적된 결과물로서 특정 대상과 사안에 치우친 것일 수 있습니다. 이러한 이유로 △△회사는 인공 지능을 활용한 면접을 폐지했습니다.

찬성 1 △△회사는 인공 지능을 활용한 면접을 폐지했지만, 통계 자료에서 보다시피 인공 지능을 면접에 활용하는 것은 확대되고 있는 추세이지 않습니까?

반대 1 경제적인 이유로 인공 지능 면접이 활용되고 있지만, 인공 지능을 활용한 면접의 한계가 드러난다면 이를 폐지하는 기업이 늘어나게 될 것입니다.

🕐 **토론 후 과제**
논제에 대한 자신의 입장을 밝히고, 이를 확장하여 '인간과 인공 지능의 관계'에 대해 주장하는 글 쓰기.

🕐 학생의 초고

인공 지능을 면접에 활용하는 것은 바람직하지 않다. 인공 지능 앞에서 면접을 보느라 진땀을 흘리는 인간의 모습을 생각하면 너무 안타깝다. 미래에 인공 지능이 인간의 고유한 영역까지 대신할 것이라고 사람들은 말하는데, 인공 지능이 인간을 대신할 수 있을까? 인간과 인공 지능의 관계는 어떠해야 할까?

인공 지능은 인간의 삶을 편리하게 돕는 도구일 뿐이다. 인간이 만든 도구인 인공 지능이 인간을 평가할 수 있는지에 대해 생각해 볼 필요가 있다. 도구일 뿐인 기계가 인간을 평가하는 것은 정당하지 않다. 인간이 개발한 인공 지능이 인간을 판단한다면 주체와 객체가 뒤바뀌는 상황이 발생할 것이다.

인공 지능이 발전하더라도 인간과 같은 사고는 불가능하다. 인공 지능은 겉으로 드러난 인간의 말과 행동을 분석하지만 인간은 말과 행동 이면의 의미까지 고려하여 사고한다. 인공 지능은 빅 데이터를 바탕으로 결과를 도출해 내는 기계에 불과하므로, 통계적 분석을 할 뿐 타당한 판단을 할 수 없다. 기계가 타당한 판단을 할 것이라는 막연한 기대를 한다면 머지않아 인간이 기계에 예속되는 상황이 벌어질지도 모른다.

인공 지능은 사회적 관계를 맺을 수 없다. 반면 인간은 사회에서 의사소통을 통해 관계를 형성한다. 이 과정에서 축적된 인간의 경험이 바탕이 되어야 타인의 잠재력을 발견할 수 있다.

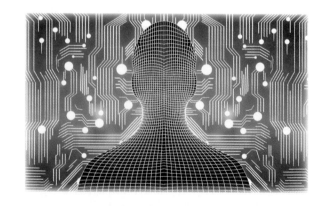

● **빅 데이터** 기존의 데이터베이스로는 수집·저장·분석 등을 수행하기가 어려울 만큼 방대한 양의 데이터.
● **예속되다** 남의 지배나 지휘 아래 매이다.

| 담화의 내용과 특징 파악하기 |

04 **㉮**의 입론을 정리한 내용으로 적절하지 <u>않은</u> 것은?

	찬성 1	반대 1
인공 지능 면접의 편리성	시간과 공간에 얽매이지 않고 면접에 참여할 수 있어 편리함. ①	기술적 결함이 발생할 수 있어 지원자에게 불편을 줄 수 있음. ②
인공 지능 면접의 경제성	면접에 소요되는 인력을 줄여 비용을 절감할 수 있어 경제적임. ③	경제적 가치를 창출할 인재를 놓칠 수 있어 장기적으로는 비경제적임.
인공 지능 면접의 객관성	빅 데이터를 바탕으로 한 일관된 평가 기준을 적용할 수 있어 객관적임. ④	인공 지능 개발자의 주관이 개입될 수 있어 객관적이지 않음. ⑤

| 말하기 내용 추론·생성하기 |

05 '반대 2'의 반대 신문을 고려할 때, ㉠에 들어갈 '찬성 1'의 발언으로 가장 적절한 것은?

① 인공 지능을 활용한 면접 사례는 점차 확대되고 있습니다.
② 인공 지능은 면접관의 판단을 돕는 보조적 도구에 불과합니다.
③ 인공 지능을 면접에 활용하면 지원자에게 더 많은 면접 기회를 부여할 수 있습니다.
④ 면접관의 생각과 견해는 회사의 특수성에 부합하는 인재를 선발하기 위한 중요한 기준입니다.
⑤ 면접관의 생각이나 견해보다 오랜 기간 회사의 인사 정보가 축적된 데이터가 지원자의 잠재력을 판단하는 기준으로 더 적합합니다.

| 글쓰기 전략 파악하기 |

06 다음은 **㉮**에 청중으로 참여한 학생이 **㉯**를 쓰기 위해 작성한 과제 학습장의 일부이다. **㉯**에 반영되지 <u>않은</u> 것은?

토론 중 메모	글쓰기 전략
[입론] 찬성 1 인공 지능과 문답하는 방식	**1문단** • 논제에 대한 나의 입장을 밝히며 인공 지능 앞에서 면접을 치르는 인간의 모습에 대한 느낌을 제시해야겠어. ①
[반대 신문] 반대 2 지원자의 잠재력 면접관의 생각이나 견해	**2문단** • 인공 지능이 지닌 기술적 결함을 근거로 활용하여 기계가 인간을 평가하는 것이 정당하지 않음을 강조해야겠어. ② **3문단** • 인공 지능과 달리 인간은 말과 행동의 이면에 담긴 의미까지 고려할 수 있는 고유한 사고 능력이 있음을 강조해야겠어. ③
[입론] 반대 1 기술적 결함 사회에서 형성된 정보가 축적된 결과물	• 인공 지능은 사회에서 형성된 정보에 기반하여 결과를 도출해 내는 기계일 뿐이므로 타당한 판단을 할 수 없음을 부각해야겠어. ④ **4문단** • 타인의 잠재력은 인공 지능이 아니라 사회적 관계에서 축적된 인간의 경험으로 발견할 수 있음을 제시해야겠어. ⑤

도움말
먼저 (나)에서 '토론 중 **❶** '와 관련 있는 부분을 찾아, 메모한 내용을 어떻게 활용하고 있는지 살펴보세요. 그리고 (나)에서 살펴본 부분과 문제에 제시된 글쓰기 **❷** 을 비교하며 (나)와 다르거나 (나)에 반영되지 않은 내용을 찾아보세요.

답 ❶ 메모 ❷ 전략

07~09 **21**는 '활동 1'에 따른 대화이고, **11**는 '활동 2'에 따라 학생이 쓴 초고이다. 물음에 답하시오.

'한 학기 한 권 읽기' 독후 활동

[활동 1] 인상 깊은 인물을 선정하여 다양하게 이야기해 보기.
[활동 2] 인상 깊은 인물을 중심으로 서평 쓰기.

---

21 민지 〈레 미제라블〉을 읽어 본 적은 없었는데, 이번 기회에 만나게 되어 좋았어. 여기에는 당시 프랑스 사회의 다양한 모습과 문제들, 그것에 대한 작가의 고민이 담겨 있는 것 같아. 너희들은 어떤 인물이 가장 인상적이었어?

재민 음....... ㉠난 주인공 장 발장이 인상적이었어. 가난한 시골 일꾼에서 범죄자, 시장으로 삶의 변화가 심했고, 그만큼 내면의 성장이 드러난 인물인 것 같아서.

준수 나도 장 발장이 위기에 처할 때마다 응원하며 읽게 되더라고. 근데 난 미리엘 주교가 가장 기억에 남아. 장 발장이 은그릇을 훔친 것을 알면서도 경찰에게 자신이 준 선물이라고 말해서 그를 위기에서 구해 주잖아. 오히려 두고 간 물건이 있다고 말하면서 은촛대마저 내주는 장면이 감동적이었거든.

민지 ㉡준수는 주교에게 깊은 인상을 받았다는 거지? 나도 그렇게 생각해. 그는 장 발장이 새 삶을 찾게 되는 계기를 마련해 주었어. 죄를 벌하는 게 능사만은 아닌 것 같아.

준수 그럼, 우리 미리엘 주교를 인상 깊은 인물로 정하면 어떨까?

재민 ㉢좋은 생각이야. 나도 주교가 장 발장에게 변화의 계기를 준 인물이라 흥미로웠거든. 작가인 빅토르 위고에 대해 좀 찾아봤는데 프랑스의 변혁기에 정치 활동을 하면서 사회적 약자에 대한 애정, 인도주의를 담아내는 작품을 많이 썼더라고. 장 발장을 용서한 주교의 모습은 이런 작가의 생각을 잘 보여 주는 것 같아.

준수 와, 작가에 대해서도 알아봤네. 대단하다. ㉣근데 미리엘 주교의 행동을 다른 관점에서도 한번 생각해 볼 수 있을 것 같은데? 장 발장은 남의 물건을 훔쳤으니 주교는 그의 죄를 덮어 줄 것이 아니라 정당한 법 집행이 이루어질 수 있도록 해야 한다고 말이야.

민지 맞아. 법을 지켜야 한다는 면에서 보면, 미리엘 주교의 행동이 바람직하지 않다고 볼 수 있겠네. 모두가 주교처럼 범죄자를 대한다면 법이 필요가 없어지고 사회가 혼란에 빠질 수도 있고 말이야.

재민 ㉤함께 이야기하니까 주교의 행동과 작품에 대해 다양한 생각을 할 수 있어서 좋네. 다음 독후 활동은 '인상 깊은 인물을 중심으로 서평 쓰기'가 맞지?

준수 응. 이야기한 내용을 바탕으로 각자 서평을 쓰면 되겠다.

민지 좋아. 근데, 난 자료를 더 찾아보고 글을 쓰고 싶은데…….
재민아, 아까 작가에 대해 알아본 책이나 자료를 빌려줄 수 있을까?

재민 응. 언제 필요한데?

[A]
민지 (부드러운 목소리로) 괜찮다면 목요일까지 줄 수 있겠니?

재민 그래. 아직 못 읽은 부분이 있어서 얼른 읽고 빌려줄게.

민지 고마워. 아까 보니까 작품 이해에 도움이 되는 자료들을 잘 정리해 놓았더라.

재민 (머리를 긁적이며) 아니야. 정리를 잘하진 못했는데 좋게 봐 줘서 고마워.

11 '레 미제라블'이라는 제목의 의미는 무엇일까? '불쌍한 사람들'이라는 뜻이다. 배경이 된 당시 프랑스는 국가 재정이 바닥났고, 흉작과 물가 폭등으로 사람들의 삶은 힘겨웠다. 가난한 장 발장의 모습은 시대 현실을 잘 보여 준다. 장 발장이 은그릇을 훔친 것을 알고도 죄를 덮어 준 사람이 미리엘 주교이다.

주교의 행동은 장 발장을 새사람으로 거듭나게 만들었다. 세상의 법은 19년 동안 장 발장의 자유를 박탈했지만 그는 교화되지 않고 결국 주교의 사랑이 그를 바꾸어 놓았다. 한편 다른 관점에서 보면, 주교의 행동은 법의 집행을 어렵게 하여 사회를 혼란에 빠뜨릴 수 있으므로 바람직하지 않다고 주장할 수 있다. 하지만 세상의 모든 이치를 법으로만 판단할 수는 없다. 주교의 행동이 감동을 주는 이유는 법, 상식과 같이 일상적이고 예측 가능한 판단을 뛰어넘었기 때문이다.

그럼에도 불구하고 주교의 행동은 사회적 약자에 대한 인도주의적 애정이며 한 사람에 대한 이해를 바탕으로 한 종교적 용서이다. 조카들을 위해 빵을 훔친 후에, 전과자의 낙인이 찍힌 그를 사회는 차갑게 외면했다. 그를 따뜻하게 받아 준 사람이 주교였으며 그의 죄를 용서해 준 모습에는 사회적 약자와 인도주의에 대한 작가의 생각이 담겨 있다.

이 작품은 장 발장의 죽음으로 마무리된다. 그는 마지막 순간에 "항상 서로 많이 사랑해라. 이 세상에 그 밖에 다른 것은 별로 없느니라."라고 딸에게 말한다. 이렇듯 그가 사랑의 힘을 믿게 된 것은 미리엘 주교가 있었기 때문이다. 작가는 서문에서 "지상에 무지와 빈곤이 존재하는 한, 이 책 같은 종류의 책들도 무익하지는 않으리라."라고 말했다. 무지와 빈곤의 세상을 살아갈 수 있게 하는 사랑의 힘. 〈레 미제라블〉이 여전히 우리에게 생명력을 지니는 이유이다.

| 말하기 의도와 목적 파악하기 |

07 ㉠~㉤에 대한 이해로 적절하지 <u>않은</u> 것은?

① ㉠: '활동 1'과 관련하여 인상 깊은 인물에 대한 자신의 생각을 밝히고 있다.

② ㉡: 자신이 친구의 의견을 정확히 이해했는지 확인하고 있다.

③ ㉢: 인상 깊은 인물 선정과 관련된 친구의 제안에 동의하고 있다.

④ ㉣: 인물에 대해 다른 관섬에서 생각해 볼 수 있음을 언급하고 있다.

⑤ ㉤: '활동 2'를 수행하기 위해 대화의 화제를 전환하고 있다.

| 말하기 방식과 전략 파악하기 |

08 〈보기〉는 대화의 원리 중 '공손성의 원리'에 대한 설명이다. 〈보기〉 중 [A]와 가장 관련 깊은 것은?

┌ 보기 ┐
ⓐ 요령의 격률: 상대방이 부담스럽지 않게 말하기.
ⓑ 관용의 격률: 문제의 원인을 자신의 탓으로 돌려서 말하기.
ⓒ 칭찬의 격률: 상대방을 칭찬하며 말하기.
ⓓ 겸양의 격률: 자신을 낮추어 말하기.
ⓔ 동의의 격률: 상대방에게 동의하며 말하기.

① ⓐ ② ⓑ ③ ⓒ ④ ⓓ ⑤ ⓔ

| 글의 내용 점검하기 |

09 다음은 ㉮에 참여한 학생들이 ㉯에 대해 상호 평가한 내용이다. ㉮와 ㉯를 바탕으로 할 때, 평가한 내용으로 적절하지 <u>않은</u> 것은?

〈상호 평가 활동지〉

[잘한 점]
• 1문단: '활동 1'에 언급된, 작품의 사회적 배경을 구체화하여 이를 장 발장의 상황과 연결한 점 ⋯⋯ ①
• 1문단: '활동 1'에 언급되지 않았던, 작품 제목에 대한 정보를 추가하여 문답의 방식으로 제목의 의미를 제시한 점 ⋯⋯ ②
• 2문단: '활동 1'에 언급된, 작가에 관한 내용을 활용하여 미리엘 주교의 행동이 지닌 한계를 제시한 점 ⋯⋯ ③
• 4문단: '활동 1'에 언급되지 않았던, 작품 서문의 내용을 추가하여 작품의 의미를 강조하며 마무리한 점 ⋯⋯ ④

[수정할 점]
• 3문단: 앞 문단과의 관계를 드러내는 담화 표지를 적절하게 사용하지 못한 점 ⋯⋯ ⑤

💬도움말
(가)와 관련지어 (나)를 점검한 내용의 적절성을 판단할 수 있는지 확인하는 문제입니다. 〈상호 평가 활동지〉의 [잘한 점]을 살펴볼 때에는 두 가지를 확인해야 합니다. ①번 선지를 예로 들자면, '작품의 사회적 ❶____'이 (가)에 언급되어 있는지, (나)에서 '작품의 사회적 배경을 구체화하여 이를 장 발장의 ❷____과 연결'하고 있는지를 확인해야 하죠. 이를 참고해서 (가)와 (나)의 내용을 확인하며 선지의 적절성을 판단해 보세요.

📋답 ❶ 배경 ❷ 상황

1·2등급 확보 전략

01~03 다음은 수업 시간 중 학생의 발표이다. 물음에 답하시오.

안녕하세요. (자료 1을 제시하며) 저는 오늘 이 운동화에 관해 발표하려고 합니다. 겉으로 보기에는 우리가 매일 신는 평범한 운동화와 다른 점이 눈에 띄지 않죠? 네, 저도 처음에는 그랬습니다. 그럼 지금부터 이 운동화에 숨겨진 비밀을 알아볼까요?

(자료 2를 제시하며) 이번 ○○올림픽에서 치러진 육상 남자 100미터 결승 영상입니다. 박진감 넘치죠? 그런데 보시는 것처럼 이 경기의 금메달리스트와 은메달리스트는 모두 앞에서 보여 드린 운동화를 신고 경기에 출전했습니다. 이뿐만 아니라 이번 올림픽의 다른 육상 경기에서 메달을 획득한 선수 여럿이 △△사에서 만든 이 운동화를 신고 경기에 출전한 것으로 알려졌습니다. 선수들이 이 운동화를 신은 이유가 궁금하지 않으신가요?

(자료 3을 제시하며) 지금 보여 드리는 것은 이 운동화의 단면도입니다. 보시는 것처럼 운동화는 운동화의 바닥 밑에 붙이는 밑창, 운동화 안쪽 바닥에 까는 깔창, 그리고 밑창과 깔창 사이에 대는 중창으로 이루어져 있습니다. 그런데 이 운동화는 중창에 스프링 같은 역할을 하는 탄소 섬유판을 넣어 반발 탄성을 높였습니다. 반발 탄성을 높이면 선수가 지면을 박차고 달려 나갈 때 같은 힘으로 더 큰 추진력을 낼 수 있는데요. 기존 운동화의 중창 소재가 지면을 밟을 때 필요한 에너지의 60%를 되돌려 주는 것에 비해, 탄소 섬유판을 넣은 중창은 이를 85%까지 끌어올렸습니다.

실제로 2019년 오스트리아 빈에서 열린 마라톤 대회에서 한 케냐 선수는 중창에 탄소 섬유판 세 장을 넣은 운동화를 신고 42.195킬로미터를 1시간 59분 40초 만에 주파했습니다. (자료 4를 제시하며) 케냐 선수는 이 인터뷰에서 "스포츠 선수도 날로 발전하는 과학 기술과 발맞추어 나아가야 한다."라고 말했습니다.

하지만 모두가 스포츠 과학 기술이 적용된 이 운동화를 긍정적으로 바라보는 것은 아니었습니다. 이러한 운동화를 신지 않은 선수에게 불공정한 경기가 될 수 있다는 논란이 지속

되자 국제 육상 경기 연맹은 국제 경기에서 착용할 수 있는 운동화와 관련된 규정을 발표했습니다. 이 규정은 운동화 밑창의 두께와 중창에 넣을 수 있는 탄소 섬유판의 장수와 관련된 것이었는데요. 중창에는 탄소 섬유판을 한 장만 넣을 수 있으며, 중창을 포함한 밑창 두께를 800미터 미만의 단거리에서는 20밀리미터로, 800미터 이상의 중장거리에서는 25밀리미터로 제한했습니다. 하지만 △△사는 ○○올림픽을 앞두고 밑창 두께가 규정보다 0.5밀리미터 낮은 신제품을 출시해서 이 규정을 피해 갔고, 육상 남자 100미터 경기에서 금메달과 은메달을 딴 두 선수는 모두 이 기능성 운동화를 신고 경기에 출전할 수 있었습니다.

과학 기술과 스포츠의 접목을 바라보는 사람들의 의견은 서로 다릅니다. (자료 5를 제시하며) 이것은 1998년에 한 업체가 개발한 폴리우레탄 소재의 수영복인데요. 부력을 올려 주고 물의 저항을 줄여 준다는 이유로 2010년부터 수영 대회에서 착용이 금지되었습니다. 이처럼 반발 탄성을 올려 주는 운동화 역시 허용해서는 안 된다고 주장하는 사람들도 있습니다. 공정한 경쟁을 추구하는 스포츠 정신에 위배된다는 것이죠. 이와 달리 기록 단축을 위해 첨단 과학 기술을 적용한 혁신적인 스포츠 제품을 만드는 것이 필요하다고 주장하는 사람들도 있습니다. 그렇다면 여러분의 생각은 어떠한가요? 이상으로 발표를 마치겠습니다.

---

01 위 발표에 대한 설명으로 가장 적절한 것은?

① 통계 자료를 활용하여 발표 내용의 신뢰성을 높이고 있다.

② 질문을 던지는 방식을 사용하여 청중의 반응을 유도하고 있다.

③ 발표에 사용된 용어의 개념을 정의하여 청중의 이해를 돕고 있다.

④ 발표 내용에 대한 청중의 이해도를 확인하며 발표를 마무리하고 있다.

⑤ 발표 순서를 제시하여 청중이 발표의 흐름을 파악할 수 있도록 하고 있다.

함정문제

02 다음은 위 발표에 반영된 자료 활용 계획이다. 발표를 참고할 때, ㉠~㉤에 들어갈 내용으로 적절하지 **않은** 것은?

자료	자료의 내용	활용 전략
자료 1	△△사에서 만든 기능성 운동화 사진	㉠
자료 2	○○올림픽에서 치러진 육상 남자 100미터 결승 동영상	㉡
자료 3	기능성 운동화의 단면도	㉢
자료 4	2019년 오스트리아 빈에서 열린 마라톤 대회에 출전한 케냐 선수의 인터뷰 동영상	㉣
자료 5	부력을 올려 주고 물의 저항을 줄여 주는 전신 수영복 사진	㉤

① ㉠: 발표 대상을 보여 주어 청중의 주의를 집중시켜야겠어.

② ㉡: ○○올림픽 육상 경기에서 메달을 획득한 선수들이 같은 운동화를 신었음을 보여 주어 발표 대상과 관련된 궁금증을 유발해야겠어.

③ ㉢: 기능성 운동화의 바닥이 어떻게 구성되었는지 보여 주어 발표 대상에 대한 청중의 이해를 도와야겠어.

④ ㉣: 기능성 운동화를 신고 대회에 출전한 선수의 인터뷰를 제시하여 발표 대상에 대한 긍정적인 입장을 소개해야겠어.

⑤ ㉤: 운동 경기에서 사용이 금지된 스포츠 제품의 사례를 제시하여 발표 대상에 대한 나의 견해를 뒷받침해야겠어.

03 다음은 위 발표를 들은 학생들의 반응이다. 이를 분석한 내용으로 적절하지 **않은** 것은?

학생 1: 과학 기술이 적용된 다른 스포츠 제품으로는 무엇이 있을까? 인터넷으로 구체적인 사례를 찾아봐야겠어.

학생 2: 작은 차이로 승패가 갈리는 운동 경기에서 과학 기술이 적용된 첨단 장비 사용을 허용하는 문제는 신중하게 접근해야 할 것 같아. 발표를 통해 이러한 문제를 생각해 볼 기회를 얻게 되어 유익했어.

학생 3: 장비나 도구가 선수의 기록 향상에 영향을 미치는 '기술 도핑'에 관한 신문 기사를 읽은 적이 있어. 발표에서 소개한 운동화를 신고 우승한 사례 역시 기술 도핑에 해당하는 것일까? 국제 육상 경기 연맹은 이러한 기술 도핑 역시 부정적인 관점으로 바라보겠군.

① '학생 1'은 발표 내용과 관련하여 추가 활동을 계획하고 있다.

② '학생 2'는 발표 내용의 효용성을 긍정적으로 평가하고 있다.

③ '학생 2'는 발표 내용을 통해 자신의 평소 생각을 수정하고 있다.

④ '학생 3'은 발표 내용을 자신의 배경지식과 연관 짓고 있다.

⑤ '학생 3'은 발표에서 언급하지 않은 내용을 새롭게 추론하고 있다.

담화의 흐름과 **❶**의 내용을 바탕으로 하여 발표자가 발표에서 위 자료들을 활용하여 전달하고자 한 바, 즉 자료 활용의 **❷**을 생각해 보자.

답 ❶ 자료 ❷ 목적

04~08 **가**는 학생회 회의이고, **나**는 **가**를 바탕으로 학생회장이 쓴 건의문의 초고이다. 물음에 답하시오.

가 학생회장 오늘은 우리 학교의 교실 환경 개선에 대한 회의를 진행하겠습니다. 평소 학교의 교실 환경 중에서 개선이 필요하다고 생각한 부분이 있다면 말씀해 주세요.

학생 1 저는 교실 뒤편에 있는 사물함을 교체했으면 좋겠습니다. 현재 사용하고 있는 사물함은 많은 물품을 보관하기에는 크기가 너무 작습니다.

학생 2 저도 사물함을 교체했으면 한다는 의견에 공감합니다. ㉠하지만 교실 크기를 고려할 때, 사물함을 큰 것으로 교체하면 책상 앞뒤 간격을 좁혀야 하고 교실 뒤편 공간이 좁아져서 학생들이 이동하는 데 불편을 겪을 것입니다.

학생회장 현재 교실 여건에서 사물함 교체는 아무래도 어려울 것 같네요. 다른 의견 없으십니까? ㉡의견이 쉽게 떠오르지 않는다면 교실에서 생활하면서 불편을 느낀 점을 말씀해 주셔도 좋습니다.

학생 2 현재 교실에 있는 빔 프로젝터를 사용할 때에는 교실 전체를 소등해야지만 자료 화면이 잘 보입니다. 그런데 전등을 끄면 어두워서 교과서가 잘 보이지 않습니다. ㉢혹시 이 문제를 해결할 방법이 없을까요?

학생 1 ㉣제 친구가 다니는 인근 고등학교에서는 이런 문제를 해결하기 위해 단초점 빔 프로젝터를 설치했다고 합니다. 이 빔 프로젝터는 투사 거리가 짧고 화면 밝기도 밝아 교실을 어둡게 하지 않아도 선명한 자료 화면을 볼 수 있다고 합니다. 특히 칠판에 빛을 투사하여 자료 화면에 직접 필기하는 것도 가능하다고 들었습니다.

학생 3 그렇다면 학생들뿐만 아니라 선생님들께도 좋을 것 같습니다. 그런데 제가 알아본 바로 단초점 빔 프로젝터는 성능이 좋은 만큼 일반 빔 프로젝터보다 가격이 비쌉니다.

학생 1 맞습니다. 그래서 그 학교에서도 단초점 빔 프로젝터를 학년별로 순차적으로 설치했다고 합니다.

학생회장 교실 환경을 개선하는 데 도움이 되는 좋은 의견을 말씀해 주셨는데요. ㉤지금부터는 이 안건을 실현하기 위한 구체적인 과정을 논의해 봅시다.

학생 4 저는 교장 선생님께 단초점 빔 프로젝터 설치를 건의했으면 좋겠습니다. 교장 선생님께서는 교육 환경 개선을 위해 늘 애쓰고 계시므로, 교실 환경 개선을 위한 건의를 받아들여 주실 것입니다. 또한 건의할 때 이 안건에 대한 학생들의 찬반 설문 결과를 제시하면 건의의 설득력을 높일 수 있을 것입니다.

[A]

학생 3 많은 학생이 단초점 빔 프로젝터 설치에 찬성할 것임을 전제하신 것 같은데, 설문 조사 결과가 어떻게 나올지는 알 수 없지 않나요?

학생 1 네, 그렇겠네요. 건의 여부는 설문 조사 결과에 따라 결정했으면 좋겠습니다.

학생 2 네, 그런데 설문 조사 전에 학생들에게 단초점 빔 프로젝터에 대해 설명하는 과정이 필요하다고 생각합니다. SNS를 활용하여 단초점 빔 프로젝터의 장단점을 알리면 어떨까요? 그리고 설문 조사는 충분히 많은 수의 학생을 대상으로 실시하면 좋겠습니다.

학생회장 좋습니다. 그럼 전교생을 대상으로 하여 SNS로 단초점 빔 프로젝터의 장단점을 설명한 후 설문 조사를 진행하겠습니다.

(나) 교장 선생님, 안녕하세요. 저는 학생회장 ○○○입니다. 교실 환경 개선을 위한 교장 선생님의 노고 덕분에 오늘도 저희는 쾌적한 교실에서 학업에 임하고 있습니다.

저는 현재 교실에서 사용하고 있는 빔 프로젝터를 단초점 빔 프로젝터로 교체해 주실 것을 건의드리고자 합니다. 현재 교실에 설치된 빔 프로젝터는 초점 거리가 길고 화면 밝기가 어두워 많은 학생이 불편을 느끼고 있습니다. 특히 수업 중에 빔 프로젝터를 사용할 때에는 교실 전체를 소등해야 하기 때문에 교과서가 잘 보이지 않는다는 의견도 있습니다.

교실의 빔 프로젝터를 단초점 빔 프로젝터로 바꾸게 되면 전등을 끄지 않아도 자료 화면을 잘 볼 수 있으며, 칠판에 자료 화면을 투사하여 자료 화면에 직접 필기할 수도 있습니다. 단초점 빔 프로젝터를 사용하면 학생들의 학업뿐만 아니라 선생님의 수업 진행에도 큰 도움이 되리라 생각합니다.

다만 알아본 바로는 가격이 다소 비싸다는 단점이 있습니다. 그래서 단초점 빔 프로젝터를 설치한 인근 고등학교에서는 학년별 순차 설치를 통해 비용 부담을 줄였다고 합니다. 저희도 이 방법을 이용하면 좋을 것 같습니다.

그리고 학생회에서 전교생을 대상으로 단초점 빔 프로젝터에 대해 설명한 뒤 설문 조사를 실시한 결과, 전교생 968명 중 802명이 설문 조사에 참여했고, 그중 92%의 학생이 단초점 빔 프로젝터 설치에 찬성했습니다. 이는 많은 학생이 기존에 사용하던 빔 프로젝터 때문에 불편을 겪고 있었음을 보여 주는 결과입니다.

학생들의 교육 환경 개선을 위해 늘 힘써 주시는 교장 선생님이시기에 저희의 의견을 적극적으로 경청해 주실 것이라고 생각합니다. 바쁘신 와중에 긴 글 읽어 주셔서 감사합니다. 그럼 이만 마치겠습니다.

---

04 **가**의 ㉠~㉤에 나타난 말하기 방식으로 적절하지 **않은** 것은?

① ㉠: 상대방의 제안을 실행할 때 예상되는 문제점을 거론하고 있다.

② ㉡: 상대방이 회의 주제와 관련된 의견을 쉽게 떠올릴 수 있도록 돕고 있다.

③ ㉢: 상대방의 제안에 대한 추가적인 설명을 요청하고 있다.

④ ㉣: 주변의 구체적인 사례를 들어 문제 해결 방안을 제안하고 있다.

⑤ ㉤: 앞으로 논의해야 할 내용을 제시하고 있다.

05 **가**의 [A]에 나타난 학생들의 발언에 대한 이해로 적절하지 **않은** 것은?

① '학생 4'는 안건을 실현하기 위한 구체적인 방안을 제안하고 있다.

② '학생 1'은 '학생 4'의 제안을 실제로 실행하기 위한 조건을 제시하고 있다.

③ '학생 3'은 '학생 4'가 언급한 설문 조사 방법이 공정하지 않음을 지적하고 있다.

④ '학생 2'는 '학생 4'가 언급한 설문 조사의 신뢰성을 확보하기 위한 방법을 제시하고 있다.

⑤ '학생 2'는 '학생 4'가 언급한 설문 조사를 실시하기 전에 선행되어야 할 일을 제시하고 있다.

[A]에서 학생 3은 물음의 방식으로 **①** [   ]의 발언에 나타난 문제점을 지적하고 있어. 공정하다는 것은 공평하고 올바르다는 의미야. 회의의 흐름을 바탕으로 하여 학생 3과 학생 4의 발언 내용을 정리해 보고, 선지에 진술된 내용처럼 학생 3이 설문 조사 방법이 **②** [   ]하지 않음을 문제 삼은 것인지 생각해 보렴.

🏆 **① 학생 4 ② 공정**

---

06 **가**의 회의 내용이 **나**에 반영된 양상에 대한 설명으로 적절하지 **않은** 것은?

① **가**에 나타난 '학생 2'의 두 번째 발언을 활용하여, **나**의 2문단에서 문제 상황을 제시하고 있다.

② **가**에 나타난 '학생 4'의 발언을 활용하여, **나**의 2문단에서 문제 상황을 해결할 구체적인 방안을 제시하고 있다.

③ **가**에 나타난 '학생 1'의 두 번째 발언과 '학생 3'의 첫 번째 발언 발언을 활용하여, **나**의 3문단에서 건의 사항이 수용되었을 때 나타날 수 있는 긍정적인 효과를 제시하고 있다.

④ **가**에 나타난 '학생 3'의 첫 번째 발언을 활용하여, **나**의 4문단에서 건의 사항을 실행할 때 부딪칠 수 있는 현실적인 문제를 밝히고 있다.

⑤ **가**에 나타난 '학생 1'의 세 번째 발언을 활용하여, **나**의 4문단에서 건의 사항의 실현 과정에서 예상되는 어려움을 해결할 대안을 제시하고 있다.

07 다음은 학생회장이 **나**를 작성하기 위해 세운 계획이다. **나**에 반영되지 **않은** 것은?

[처음]
• 예상 독자와 글쓴이를 분명히 밝혀야지. ────── ①
• 예상 독자에 대한 감사를 드러내며 글을 시작해야지. ────── ②

[중간]
• 나의 경험을 제시하여 문제 해결의 시급성을 강조해야지. ────── ③
• 구체적인 수치를 밝혀 설문 조사 결과를 정확하게 제시해야지. ────── ④

[끝]
• 건의 사항의 수용에 대한 기대를 드러내며 글을 마무리해야지. ────── ⑤

08 ㉯의 마지막 문단을 〈보기〉와 같이 고쳐 썼다고 할 때, 고쳐 쓰기 과정에 반영된 친구의 조언으로 가장 적절한 것은?

┌─ 보기 ─────────────────────────┐

교장 선생님, 이처럼 많은 학생이 빔 프로젝터 교체가 필요하다고 생각하고 있습니다. 좋은 환경에서 식물이 잘 자라나듯, 우리 교실의 환경이 개선된다면 좋은 학업 분위기가 형성되어 저희의 학업에도 긍정적인 영향을 미칠 것입니다. 학생들의 교육 환경 개선을 위해 늘 힘써 주시는 교장 선생님이시기에 저희의 의견을 적극적으로 경청해 주실 것이라고 생각합니다. 바쁘신 와중에 긴 글 읽어 주셔서 감사합니다. 그럼 이만 마치겠습니다.

└──────────────────────────────┘

① 새로운 문제 해결 방안을 제시하여 예상 독자의 실천을 촉구하는 것이 좋겠어.

② 예의 바르고 공손한 표현을 사용하여 예상 독자의 호감을 높이는 것이 좋겠어.

③ 학업과 관련된 격언을 활용하여 건의 사항의 장단점을 인상적으로 나타내는 것이 좋겠어.

④ 건의 사항이 실현되었을 때의 기대 효과를 비유적으로 제시하여 표현의 효과를 높이는 것이 좋겠어.

⑤ 예상 독자의 이력을 제시하여 건의 사항의 실현이 예상 독자에게 미치는 영향을 강조하는 것이 좋겠어.

09~11 다음은 학생이 교지에 싣기 위해 작성한 초고이다. 물음에 답하시오.

요즘 휴일이면 집에서 동영상 스트리밍 서비스를 이용하여 드라마나 영화를 시청하는 친구가 많을 것이다. 일정 금액을 내면 정해진 기간 동안 영상을 무제한으로 시청할 수 있기 때문에 많은 사람이 이러한 서비스를 이용하고 있다. 이처럼 구독료를 내고 제품이나 서비스를 정기적으로 이용하는 서비스 형태를 구독 경제라고 한다.

디지털 플랫폼에 기반한 소비 확대에 따라 구독 경제는 그 규모가 점차 커지면서 우리 주변의 다양한 분야로 확산되고 있다. 영상이나 음악 등과 같은 디지털 콘텐츠는 물론 정기 배송, 서적 등 우리 생활 전반에서 구독 경제의 사례를 찾아볼 수 있다.

그렇다면 구독 경제가 활성화되고 있는 이유는 무엇일까? 바로 구독 경제가 기업과 소비자 모두에게 큰 이점을 주기 때문이다. 기업 입장에서는 개인 맞춤화 서비스를 제공하여 소비자와의 관계를 유지할 수 있으며, 소비자가 구독을 해지하기 전까지 매출이 정기적으로 발생하여 매월 안정적인 수입을 확보할 수 있다. 소비자 입장에서는 제품을 고르는 데 드는 시간과 노력을 절약할 수 있으며, 원한다면 언제든지 구독을 해지하거나 재신청할 수 있다는 점에서 편의성이 있다.

그런데 소비자가 구독 경제를 이용할 때 주의할 점이 있다. 구독 서비스는 대부분 소비자가 미리 등록한 결제 수단으로 매월 자동 결제된다. 그러다 보니 자칫 잘못하면 해지하려고 했던 서비스를 그대로 방치하여 자신도 모르는 사이에 비용이 결제될 수 있다. 이와 같은 문제를 해결하기 위해 최근에는 구독 서비스 결제를 관리해 주는 앱까지 등장했다. 또한 구독 서비스가 확대되면서 이에 따라 증가하는 소비자의 피해를 줄이기 위해 2020년 12월 금융 위원회는 구독 경제 결제 관련 표준 약관을 마련했다.

그러나 무엇보다 중요한 것은 우리의 합리적인 소비 의식이다. 옛말에 가랑비에 옷 젖는 줄 모른다는 말이 있다. 아무리 적은 금액이라 하더라도 이것저것 구독하다 보면 고정적인 지출이 늘어날 수 있다. 따라서 자신에게 꼭 필요한 서비스

〈보기〉와 (나)의 마지막 문단을 비교하여, 고쳐 쓰기 전후로 ❶ [ ] 또는 삭제된 내용이 있는지 확인해 봐야 해. 그리고 고쳐 쓴 후 달라진 내용에 주목하여, 선지를 하나씩 살펴보며 고쳐쓰기 과정에서 반영된 ❷ [ ]을 찾아보렴.

📖 ❶ 추가 ❷ 조언

를 선별하여 활용하는 것이 구독 경제를 이용하는 소비자의 올바른 태도일 것이다.

---

09 다음과 같은 작문 맥락을 고려하여 초고를 작성했다고 할 때, ㉠에 들어갈 내용으로 가장 적절한 것은?

- 작문 목적: 구독 경제와 관련된 정보 전달
- 작문 주제: ㉠
- 예상 독자: 같은 학교 친구들

① 구독 경제 활성화 방안 모색
② 구독 경제와 관련된 오해와 진실
③ 구독 경제의 문제점과 해결 방안
④ 구독 경제의 역사와 앞으로 나아갈 방향
⑤ 구독 경제의 특징과 구독 경제를 이용하는 소비자가 유의할 점

> 중심 내용은 글을 통해 글쓴이가 나타내려고 하는 핵심적인 생각이고, 중심 내용을 더 압축한 것이 ❶ 야. 각 문단의 ❷ 을 정리한 뒤 이를 요약하면 글의 주제를 쉽게 파악할 수 있어.

📋 ❶ 주제 ❷ 중심 내용

10 초고에 반영된 글쓰기 전략으로 적절하지 <u>않은</u> 것은?
① 속담을 사용하여 내용을 인상적으로 전달하고 있다.
② 문답 형식을 사용하여 전달하려는 내용을 강조하고 있다.
③ 전문가의 의견을 활용하여 내용의 신뢰성을 확보하고 있다.
④ 중심 화제의 개념을 정의하여 예상 독자의 이해를 돕고 있다.
⑤ 예상 독자가 공감할 수 있는 경험을 언급하여 흥미를 유발하고 있다.

---

11 다음은 초고를 보완하기 위해 추가로 수집한 자료이다. 자료 활용 방안으로 적절하지 <u>않은</u> 것은?

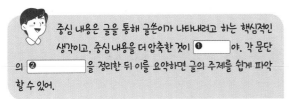

ㄱ. 통계 자료

2000년 2150억 달러 / 약 241조 원
2015년 4200억 달러 / 약 470조 원
2020년 5300억 달러 / 약 594조 원
▲ 구독 경제 시장의 성장

ㄴ. 꽃 정기 구독 광고
2주에 한 번, 정기적으로 생화를 받아 보세요.

ㄷ-(1) 신문 기사
　국내 기업에서 제공하는 구독 서비스의 해지 절차가 외국 기업보다 복잡한 것으로 나타났다. 국내 한 음원 사이트의 정기 구독을 해지하려면 총 10단계를 거쳐야 하는데, 이는 다른 외국 기업의 구독 서비스 해지 절차가 총 4단계인 것에 비해 두 배가 넘는다.

ㄷ-(2) 신문 기사
　기업들은 구독 서비스 가입을 유도하기 위해 소비자에게 일정 기간 동안 구독 서비스를 무료로 제공하고 있다. 그러나 구독 서비스가 유료로 전환되는 일정을 명확히 알리지 않거나, 해지·환불 절차를 어렵게 하여, 구독 경제가 확대됨에 따라 원하지 않는 요금을 결제한 피해자들의 호소 또한 더욱 빗발치고 있다.

ㄹ. 전문가 인터뷰
　구독 서비스를 무료로 체험하려면 소비자 결제 정보를 입력하고 자동 결제를 신청해야 합니다. 그런데 체험이 끝나기 전에 이를 취소하지 않으면 원치 않는 유료 결제가 진행될 수 있으므로, 이를 꼭 점검하는 태도가 필요합니다.

① ㄱ을 2문단에 활용하여 구독 경제 시장의 규모가 점차 커지고 있음을 뒷받침해야겠군.
② ㄴ을 2문단에 활용하여 다양한 구독 경제 서비스의 사례로 제시해야겠군.
③ ㄷ-(1)을 3문단에 활용하여 구독 경제를 이용하는 소비자가 증가하는 이유를 뒷받침해야겠군.
④ ㄷ-(2)를 4문단에 활용하여 구독 경제를 이용하는 소비자들의 피해가 증가하고 있음을 뒷받침해야겠군.
⑤ ㄹ을 5문단에 활용하여 구독 경제를 이용할 때 소비자가 갖추어야 할 태도를 추가해야겠군.

memo

핵심 개념부터 실전까지, 고품격 수능 대비서

고등 수능전략

전과목 시리즈

체계적인 수능 대비	신유형 문제까지 정복	실전 감각 익히기
하루 6쪽, 주 3일 학습으로	수능에 자주 나오는 유형부터	수능과 모의평가 유형의 구성으로
핵심 개념과 유형, 실전까지	신유형·신경향 문제까지	단기간에 실전 감각을 익혀
빠르고 확실하게 준비 완료!	다양한 유형의 문제를 마스터!	실제 수능에 완벽하게 대비!

개념과 유형, 실전을 한 번에!

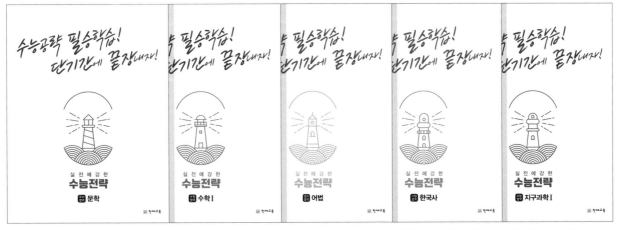

국어: 고2~3(문학/독서/언어와 매체/화법과 작문)
수학: 고2~3(수학Ⅰ/수학Ⅱ/확률과 통계/미적분)
영어: 고2~3(어법/독해 150/독해 300/어휘/듣기)

사회: 고2~3(한국사/사회·문화/생활과 윤리/한국지리)
과학: 고2~3(물리학Ⅰ/화학Ⅰ/생명과학Ⅰ/지구과학Ⅰ)

book.chunjae.co.kr

교재 내용 문의 ·········· 교재 홈페이지 ▶ 고등 ▶ 교재상담
교재 내용 외 문의 ·········· 교재 홈페이지 ▶ 고객센터 ▶ 1:1문의
발간 후 발견되는 오류 ·········· 교재 홈페이지 ▶ 고등 ▶ 학습지원 ▶ 학습자료실

수능공략 필승학습!
단기간에 끝장내자!

BOOK 2

실전에 강한
수능전략

국어영역 화법과 작문

천재교육

실 전 에 강 한
수능전략

 화법과 작문

수능전략

국·어·영·역

화법과 작문

BOOK 2

이 책의 차례

BOOK 2

파이팅!!

자, 그럼 '화법'에 이어 '작문'도 한번 정복해 볼까?

작문

작문은 글쓰기 아닌가? 글쓰기 정도는 쉽게 할 수 있지!

그쯤이야!

자만은 금물!

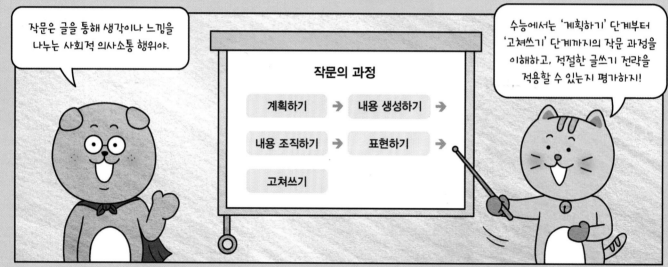

작문은 글을 통해 생각이나 느낌을 나누는 사회적 의사소통 행위야.

수능에서는 '계획하기' 단계부터 '고쳐쓰기' 단계까지의 작문 과정을 이해하고, 적절한 글쓰기 전략을 적용할 수 있는지 평가하지!

작문의 과정

계획하기 → 내용 생성하기 →

내용 조직하기 → 표현하기 →

고쳐쓰기

그런데 수능에서는 직접 글을 쓰지 않잖아?

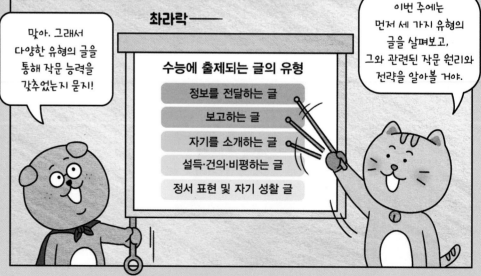

맞아. 그래서 다양한 유형의 글을 통해 작문 능력을 갖추었는지 묻지!

이번 주에는 먼저 세 가지 유형의 글을 살펴보고, 그와 관련된 작문 원리와 전략을 알아볼 거야.

촤라락——

수능에 출제되는 글의 유형

정보를 전달하는 글

보고하는 글

자기를 소개하는 글

설득·건의·비평하는 글

정서 표현 및 자기 성찰 글

정보를 전달하는 글에는 설명문과 기사문 등이 있어. 이러한 글을 쓸 때에는 주제와 목적에 맞는 정보를 선별하여 독자가 쉽게 이해할 수 있도록 내용을 조직해야 하지.

정보를 전달하는 글은 수능에 자주 출제되는 글의 유형 중 하나이니, 잘 알아 두자!

정보를 전달하는 글

글의 주제와 목적에 맞는 정보, 정확하고 신뢰할 만한 정보를 선별해서 글을 써야지!

보고하는 글은 연구 과정과 결과가 잘 드러나도록 작성해야 해.

보고하는 글

인간이 왜 우리를 귀여워하는지에 관한 연구가 필요하겠어.

인간을 대상으로 한 설문 조사를 실시해서 그 이유를 찾아보자.

그래서 연구 목적과 필요성, 연구 대상과 방법처럼 글에 꼭 포함해야 할 요소가 있어.

자기를 소개하는 글

저는 20XX년에 태어났고요, 별자리는 염소자리……

잠깐, 멈춰! 자기를 소개하는 글은 글의 목적과 독자의 요구를 고려하여 작성해야 해.

글을 쓸 때에는 사회적 책임이 따르는 법! 수능에서는 작문 과정에서 지켜야 할 쓰기 윤리를 파악하고 적용할 수 있는지를 묻기도 하니 기억해 두자.

끄덕 끄덕

개념 돌파 전략 ①

개념 01 작문의 개념과 특성

○ **개념** 글을 통해 **❶**[   ]이나 느낌을 나누는 사회적 의사소통 행위

○ **특성**
- 글쓰기 과정에서 독자를 고려한다는 점에서 글쓴이와 독자의 상호 작용 행위임.
- 글쓰기 과정에서 부딪치는 여러 문제를 해결하며 글을 완성해 가는 **❷**[   ] 해결 과정임.
- 글쓰기 과정에서 사회·문화적 상황과 요구를 반영한다는 점에서 공동체의 발전을 도모하는 적극적인 실천 행위임.

답 ❶ 생각 ❷ 문제

확인 01

다음 중 작문의 특성으로 적절하지 <u>않은</u> 것은?
① 공동체의 발전을 도모하는 적극적인 실천 행위이다.
② 글쓰기 과정에서 부딪치는 여러 문제를 해결해 나가는 과정이다.
③ 글쓴이의 생각과 느낌을 독자에게 일방적으로 전달하는 행위이다.

개념 02 작문의 맥락

- 글을 쓸 때 고려해야 할 주제, 목적, **❶**[   ], 매체 등
- 글을 쓸 때에는 글쓴이와 독자가 속해 있는 **❷**[   ]의 가치와 신념, 작문 관습(글의 종류에 따른 전형적인 구조나 전개 방식, 표현 방식 등)을 고려해야 함.

예 기사문을 쓸 때 고려해야 할 작문 관습 – 기사문의 구조와 형식

표제	기사 내용 전체를 간결하게 나타낸 큰 제목
부제	표제를 보완하는 작은 제목
전문	기사 내용을 간결하게 요약한 부분
본문	사건이나 상황을 일정한 흐름과 육하원칙에 따라 상세하게 서술하는 부분

답 ❶ 독자 ❷ 공동체

확인 02

다음을 읽고 맞으면 ○, 틀리면 ×를 고르시오.
(1) 작문 활동을 할 때 매체는 고려하지 않아도 된다.　(○ , ×)
(2) 작문 맥락에는 공동체의 가치와 신념, 작문 관습 등이 있다.　(○ , ×)

개념 03 작문의 과정

계획하기	작문 맥락을 고려하여 글쓰기를 계획함.

↓↑

내용 생성하기	관련 자료를 찾아 수집하고 목적에 맞는 자료를 선정하여 내용을 생성함.

↓↑

내용 조직하기	**❶**[ ]과 응집성을 고려하여 내용을 조직함.	
	통일성	· 글의 주제에서 벗어난 내용은 없는가? · 각 부분이 위계적으로 주제를 뒷받침하는가?
	응집성	· 글에서 지시어나 접속어 등을 적절히 사용했는가? · 중심 내용과 뒷받침 내용 간의 연결이 분명히 드러나는가?

↓↑

표현하기	· 작문 맥락을 고려하고 **❷**[ ]에 맞게 표현함. · 비유하기, 변화 주기, 강조하기 등의 방법을 활용하거나 속담, 관용 표현, 명언 등을 인용하여 표현 효과를 높임.

↓↑

고쳐쓰기	· 고쳐쓰기의 목적: 글의 주제를 더욱 효과적으로 전달하고 독자의 이해를 돕기 위함. · 고쳐쓰기를 할 때 점검할 사항 　– 주제에서 벗어난 내용은 없는가? 　– 문맥에 어울리지 않는 단어는 없는가? 　– 표현 효과를 고려하여 고쳐 쓸 문장은 없는가? 　– 문장이 자연스럽게 이어지지 못한 부분은 없는가? 　– 문단과 문단이 자연스럽게 연결되지 못한 부분은 없는가?

답 ❶ 통일성 ❷ 어법

확인 03

〈보기 1〉은 학생의 초고이고, 〈보기 2〉는 이를 고쳐 쓰기 위한 방안이다. 이와 가장 관련 깊은 고쳐쓰기 방법은?

┌ 보기 1 ┐
　한 설문 조사에 따르면 '보행 중 스마트폰 사용에 대해 어떻게 생각하는가?'라는 질문에 전체 응답자 중 83%가 '위험하다.'라고 답했다고 합니다. 대부분의 응답자는 보행할 때 스마트폰을 사용하는 것이 위험하다는 사실을 알고 있는 것으로 나타났습니다. <u>그러므로</u> 많은 사람이 보행 중에 스마트폰을 사용하고 있습니다.

┌ 보기 2 ┐
　'그러므로'라는 접속사를 '그럼에도 불구하고'로 고쳐야겠어.

① 주제에서 벗어난 내용 고쳐 쓰기.
② 표현 효과를 고려하여 문장 고쳐 쓰기.
③ 문장이 자연스럽게 이어지지 못한 부분 고쳐 쓰기.

개념 **04** 쓰기 윤리

◐ 작문의 사회적 책임

- **상대방을 존중하는 태도**: 상대방의 인격을 모욕하거나 상대방에게 상처를 주는 언어 표현을 피하고, 상대방을 존중하고 배려하는 언어 표현을 사용해야 함.
- **책임감 있는 태도**: 글의 영향력을 고려하면서 사실을 정확하게 전달하려는 책임감 있는 태도를 지녀야 함.

◐ 다른 사람의 저작물을 존중하는 태도

- 다른 사람의 저작물은 그 사람의 지적 재산이므로 그에 대한 권리를 존중해야 함.
- 다른 사람의 저작물을 이용할 때에는 적절한 **❶**〔　　　　〕의 방법을 따라야 함.

◐ 인용

개념	공표된 저작물에 한해 정당한 범위 내에서 다른 사람의 저작물을 사용하는 것
방법	• 인용한 부분이 원문보다 길어서는 안 됨. • 인용한 글이나 자료의 **❷**〔　　　　〕를 명시해야 함. • 과장·축소·왜곡하지 않고 내용을 정확하게 인용해야 함.

답 ❶ 인용 ❷ 출처

확인 **04**

다른 사람의 저작물을 인용하는 방법으로 적절하지 **않은** 것은?
① 인용한 저작물의 출처를 명시해야 한다.
② 인용한 부분이 원문보다 길지 않아야 한다.
③ 저작물의 내용을 글의 목적에 맞게 과장·축소해야 한다.

개념 **05** 정보를 전달하는 글 ①_개념과 구조

◐ 개념
어떤 대상, 사실, 현상 등에 대한 새로운 정보를 알리고 **❶**〔　　　　〕하는 글

예 설명문, 기사문, 안내문, 공고문 등

◐ 구조

처음	정보를 전달하는 이유와 **❷**〔　　　　〕, 전달할 내용 개관
중간	중심 내용과 세부 내용
끝	설명한 내용의 요약·정리

답 ❶ 설명 ❷ 목적

확인 **05**

괄호 안에서 알맞은 말을 고르시오.

> 설명문은 어떤 대상이나 현상에 대한 (견해 / 정보)를 전달하는 글이다.

개념 **06** 정보를 전달하는 글 ②_글의 내용 생성

◐ 자료 수집

- 책, 백과사전, 신문, 방송, 인터넷 등과 같이 **❶**〔　　　　〕를 통한 간접적인 방법, 면담이나 방문, 관찰과 실험 등과 같이 직접적인 방법으로 자료를 수집할 수 있음.
- 수집해야 할 자료와 자료 수집 방법은 글을 쓰는 데 필요한 정보의 내용에 따라 달라짐.

◐ 정보 선별 방법

- 글의 주제와 목적에 적합한 정보를 선별해야 함.
- 독자에게 유용하고 독자의 이해를 도울 수 있는 정보를 선별해야 함.
- 정확하고 **❷**〔　　　　〕이며 신뢰할 수 있는 정보를 선별해야 함. 이때 정보가 과장되거나 왜곡된 것은 아닌지, 지나치게 오래되어 효용이 떨어지는 것은 아닌지를 검토해야 함.

답 ❶ 매체 ❷ 객관적

확인 **06**

다음을 읽고 맞으면 ○, 틀리면 ×를 고르시오.
(1) 정보를 전달하는 글을 쓸 때 자료를 수집하는 방법은 필요한 정보의 내용에 따라 달라진다. (○ , ×)
(2) 정보를 전달하는 글에 활용하는 자료는 오래된 것일수록 가치 있고 믿을 만한 정보를 담고 있다. (○ , ×)

개념 07 정보를 전달하는 글 ③_내용 조직 방법

- 나열(병렬) 구조: 서로 대등한 관계의 여러 정보를 늘어놓는 내용 조직 방법

> 예 헌법 재판소의 역할은 다음과 같다. 첫째, 국회에서 만든 법률이 헌법에 위배되지 않는지 심판한다. 둘째, 국회가 대통령이나 장관의 파면을 요구할 때 이를 심판한다.

- 순서 구조: 시간의 흐름이나 장소의 이동에 따라 변화하는 정보를 기술하는 내용 조직 방법

> 예 1931년 김구는 적극적인 의열 투쟁을 통해 어려운 상황을 극복하고자 한인 애국단을 조직했다. 이듬해인 1932년 한인 애국단의 이봉창은 일본 도쿄에서 일왕에게 폭탄을 던졌다.

- 인과 구조: 일이 일어난 ❶ [   ]과 결과에 따라 내용을 조직하는 방법

> 예 지구가 흡수하는 태양 복사 에너지의 양과 방출하는 지구 복사 에너지의 양이 같기 때문에 지구는 일정한 온도를 유지할 수 있다.

- 비교·대조 구조: 대상 간의 공통점이나 차이점을 중심으로 하여 내용을 조직하는 방법

> 예 가야금과 거문고는 모두 우리나라 고유의 현악기이다. 열두 개의 줄을 손가락으로 직접 퉁겨서 연주하는 가야금과 달리 거문고는 여섯 개의 줄을 '술대'라고 하는 막대기로 내리치면서 연주한다.

- 문제 해결 구조: 발생한 문제와 그 ❷ [   ] 방안을 중심으로 내용을 조직하는 방법

> 예 지구의 평균 기온이 지속적으로 상승하는 지구 온난화를 늦추기 위해서는 온실 기체 배출을 줄이는 것이 무엇보다 중요하다.

답 ❶ 원인 ❷ 해결

확인 07

내용 조직 방법과 그에 따른 설명을 바르게 연결하시오.

(1)	나열 구조	·	· ㉠	일이 일어난 원인과 결과에 따른 내용 조직 방법
(2)	인과 구조	·	· ㉡	대상 간의 공통점이나 차이점을 중심으로 한 내용 조직 방법
(3)	비교·대조 구조	·	· ㉢	서로 대등한 관계의 여러 정보를 늘어놓는 내용 조직 방법

개념 08 정보를 전달하는 글 ④_내용 전개 방법

정의	대상이나 개념의 ❶ [ ]를 명백하게 밝혀 규정하는 방법
부연	어떤 내용에 대해 자세히 덧붙여서 설명하는 방법
분석	한 대상을 그것을 이루는 구성 요소나 부분들로 나누어 설명하는 방법
분류	어떤 대상들을 일정한 기준에 따라 나누거나 묶어서 설명하는 방법
예시	내용과 관련된 구체적인 사건이나 사례를 보여 주는 방법
유추	같은 종류 또는 비슷한 대상에 근거하여 다른 대상의 속성도 그러할 것이라고 ❷ [ ]하여 설명하는 방법

답 ❶ 의미 ❷ 추측

확인 08

다음에서 사용하고 있는 내용 전개 방법으로 알맞은 것을 고르시오.

(1) 악기는 소리를 내는 방법에 따라 관악기, 타악기, 현악기로 나눌 수 있다.

(분석 / 분류)

(2) 메타버스란 가상 현실에서 한 단계 더 나아가 사회·경제·문화적 활동을 할 수 있는 온라인 공간을 의미한다.

(정의 / 부연)

(3) 지구에는 생물이 있다. 지구와 화성은 여러 점에서 유사하므로 화성에도 생물이 있을 것이다.

(예시 / 유추)

개념 09 보고하는 글

개념 특정한 사안이나 현상에 대한 연구 과정과 **❶**□□□ 를 독자에게 전달하기 위한 글

예 실험 보고서, 관찰 보고서, 조사 보고서, 연구 보고서 등

구조

서론	연구의 목적과 필요성, 이론적 배경, 연구 방법 등
본론	연구 결과와 해석
결론	연구 내용의 요약, 결론, 제언 등

보고하는 글 쓰기의 절차와 방법

주제 선정·계획 수립하기	글의 주제와 목적, 연구 시기와 방법, 연구 대상 등을 정함.

↓

자료 수집하기	정확하고 믿을 만하며 객관적인 자료를 수집함.

↓

자료 분석·결과 정리하기	• 일정한 원칙에 따라 자료를 일목요연하게 정리함. • 연구 결과의 한계점과 의의를 확인함.

↓

글 작성하기	• 연구 목적과 필요성, 연구 기간, 연구 대상과 연구 방법, 연구 결과 등의 요소를 포함함. • 연구 **❷**□□□과 결과를 객관적이고 구체적으로 작성함. • 연구 과정이나 결과를 자신이 의도하는 대로 바꾸어 쓰거나 거짓으로 꾸며서는 안 되며, 결과가 처음 의도와 다르게 도출되었더라도 그것을 있는 그대로 제시해야 함.

目 ❶ 결과 **❷** 과정

확인 09

다음을 읽고 맞으면 ○, 틀리면 ✕를 고르시오.

(1) 보고하는 글은 특정한 사안이나 현상에 대한 연구 내용을 독자에게 전달하는 것을 목적으로 한다. (○ , ✕)

(2) 보고하는 글을 쓸 때에는 연구 과정과 결과를 객관적이고 구체적으로 작성해야 한다. (○ , ✕)

(3) 보고하는 글을 쓸 때에는 연구의 목적과 필요성을 고려하여 연구 과정이나 결과를 글쓴이의 의도대로 조정할 수 있다. (○ , ✕)

개념 10 자기를 소개하는 글

개념 자신의 이력이나 **❶**□□□, 장점 등을 담아 자기를 잘 모르는 독자에게 자기에 대해 알려 진학이나 취업, 동아리 가입 등과 같은 특정한 목적을 달성하기 위한 글

작문 맥락을 고려하여 자기소개서 쓰기

작문 맥락	작성 방법
• 목적: 진학 • 독자: 입학 사정관	독자는 글쓴이의 학업 능력, 학교생활, 인성 등을 파악하고자 함. ➡ 학업에 기울인 노력, 학습 경험, 학교생활, 교내·외 활동 경력, 학업 계획, 진로 계획 등을 중심으로 내용을 구성함.
• 목적: 취업 • 독자: 인사 담당자	독자는 글쓴이가 갖춘 **❷**□□ 수행 능력을 파악하고자 함. ➡ 자신의 학업과 해당 직무와의 연관성, 경력, 지원 동기, 입사 후 포부 등을 중심으로 내용을 구성함.
• 목적: 동아리 가입 • 독자: 동아리 부원	독자는 동아리에 대한 글쓴이의 관심과 열정을 파악하고자 함. ➡ 취미, 특기, 동아리 지원 동기를 중심으로 내용을 구성함.

目 ❶ 경험 **❷** 업무

확인 10

괄호 안에서 알맞은 말을 고르시오.

자기소개서는 독자에게 자신을 알려 (개인이 놓인 상황을 공유 / 진학이나 취업 등의 목적을 달성)하기 위한 글이다.

01~02 **가**는 작문 과제 수행 일지이고, **나**는 학생이 학교 신문에 기고한 글이다. 물음에 답하시오.

가 • 예상 독자: 학교 신문을 읽을 친구들

• 배경: 식품 유형이 의미하는 것이 무엇인지 이해하기 어려움.

• 목적: 식품 유형의 특징을 알고 제품을 선택할 수 있도록 정보를 제공함.

• 자료 수집: 식품 의약품 안전처 홈페이지에 있는 '식품 공전'에서 식품 유형과 관련된 자료를 수집함.

나 우리가 자주 마시는 음료 제품의 뒷면을 보면 과·채주스, 과·채음료 등의 식품 유형이 표시되어 있다. 그런데 대부분의 친구가 이 유형이 의미하는 것이 무엇인지 이해하는 데 어려움을 겪는다. 그래서 식품 의약품 안전처 홈페이지의 식품 공전에 제시된 자료를 통해 음료류의 종류를 알아보고 이 중에서 우리가 많이 마시는 과일·채소류 음료를 중심으로 그 종류와 특징을 살펴보려고 한다.

음료류는 마시는 것을 목적으로 하는 식품으로 과일·채소류 음료, 탄산음료류, 두유류 등이 있다. 이 중에 과일·채소류 음료는 과일 또는 채소를 주원료로 하여 가공한 것으로, 이는 다시 과·채주스, 과·채음료 등으로 나뉜다.

과일·채소류 음료는 과·채즙의 함량에 따라 과·채주스와 과·채음료로 구분된다. 먼저 과·채주스는 과일 및 채소를 잘게 부스러뜨리거나 즙을 짜는 등 물리적으로 가공하여 얻은 과·채즙이 95% 이상 포함된 음료이다. 다음으로 과·채음료는 과·채주스를 원료로 하여 가공한 것으로 과·채즙이 10% 이상 포함된 것을 말한다. 따라서 과일즙이나 채소즙을 더 많이 섭취하고 싶다면 과·채음료보다는 과·채주스를 선택하는 것이 좋을 것이다.

이처럼 식품 유형과 그 특징을 제대로 알고 자신에게 맞는 제품을 선택하는 태도가 필요하다. 작지만 소중한 정보에 관심을 갖는 태도는 올바른 소비 생활의 시작이다.

01 **가**와 **나**를 통해 알 수 있는 작문의 특성으로 적절하지 <u>않은</u> 것은?

① 작문 상황과 계획에 따라 글의 중심 내용을 구체화하는 활동이다.

② 글쓴이가 가치 있다고 생각하는 바를 표현하여 독자와 소통하는 활동이다.

③ 대인 관계에서 발생하는 문제를 해결하기 위해 의미를 구성하는 과정이다.

④ 독자와 관련이 있는 문제에 대한 정보를 제공하여 이를 해결하는 과정이다.

⑤ 글을 쓰는 목적과 글을 읽을 대상을 분명히 하여 글쓴이가 이루려는 목표를 효과적으로 달성하기 위한 활동이다.

02 **나**는 과일·채소류 음료를 과·채즙의 함량에 따라 나누어 설명한 ☐☐의 내용 전개 방법을 사용하고 있다.

• 글의 종류 설명문
• 예상 독자 학교 신문을 읽을 **❶** ☐☐☐
• 글쓰기 목적 식품 유형과 그 특징에 대한 **❷** ☐☐를 제공하여 독자가 자신에게 맞는 제품을 선택하도록 하기 위함.

답 ❶ 친구들 ❷ 정보

문제 해결 전략

글쓴이는 예상 독자인 학교 친구들이 식품 유형이 의미하는 바를 이해하는 데 어려움을 겪는다는 **❶** ☐☐를 해결하기 위해 식품 유형과 그 특징에 관한 정보를 전달하고 있어요. 이처럼 작문 목적, 예상 독자 등의 **❷** ☐☐을 고려하여 글에서 다루고 있는 내용을 파악하고 선지의 적절성을 판단해 보세요.

답 ❶ 문제 ❷ 맥락

03~04 다음은 공고문에 따라 학생이 작성한 자기소개서이다. 물음에 답하시오.

[청소년 참여 위원 모집 공고문]

• 모집 대상: △△시에 거주하는 청소년

• 신청 방법: △△시 청소년 참여 위원회 홈페이지를 통해 자기소개서 제출

• 선발 방법: 청소년을 위한 정책 제안이 포함된 자기소개서 심사

저는 저희 학교에서 열린 '△△시 청소년 참여 위원들과의 소통의 장'에 참여하면서 청소년 참여 위원회를 처음 알게 되었습니다. 그때 청소년 정책과 사업에서 주체적인 역할을 하는 청소년 참여 위원들의 모습이 인상 깊었습니다. 이후 청소년 참여 위원에 관심이 생겨 이번 모집 공고문을 보고 지원하였습니다.

청소년 참여 위원이 갖춰야 할 중요한 자질은 창의적 능력이라고 생각합니다. 저는 고등학교 1학년 때 학급 자치 회장으로서 '마음을 전해요'라는 학급 프로그램을 운영한 경험이 있습니다. 교실에서 활용도가 낮았던 게시판에 평소 친구들에게 느낀 고마움을 정기적으로 적게 했습니다. 운영에 어려움도 있었지만, 교우 관계는 더욱 좋아졌고 학년 말에 실시한 설문 조사에서 70% 이상의 학생들이 이 프로그램이 매우 좋았다고 응답했습니다. 저는 창의적 능력이란 의미 있는 목적을 이루기 위해 변화를 만들어 내는 능력이라고 생각합니다. 청소년의 아이디어로 공동체의 의미 있는 변화를 이끌어 내는 청소년 참여 위원회 활동에서 저의 창의적 능력은 반드시 필요하다고 생각합니다.

제가 제안하는 △△시 청소년을 위한 정책은 '전공 체험 프로그램'입니다. 현재 △△시에 있는 학교에서 주로 진행되고 있는 진로 탐색 활동은 외부 기관과의 연계성이 부족하고 강의 위주로 구성되어 있어 진로 탐색이 충분히 이루어지지 못하고 있습니다. △△시와 대학이 협약을 맺고 내실 있는 전공 체험 프로그램을 운영하는 사업은 학생들에게 충실한 진로 탐색의 기회를 줄 것이라 생각합니다.

제가 △△시 청소년 참여 위원이 된다면 저의 창의적 능력을 바탕으로 청소년들의 의견이 반영된 정책과 사업을 제안할 수 있도록 노력하겠습니다.

● 글의 종류 ❶ ▢

● 예상 독자 △△시 청소년 참여 위원 선발 담당자

● 글쓰기 목적 지원 분야와 관련된 자신의 역량과 ❷ ▢ 을 알리기 위함.

답 ❶ 자기소개서 ❷ 자질

---

03 〈보기〉의 ㉠~㉤ 중, 윗글에서 확인할 수 없는 것은?

보기
자기소개서에는 ㉠지원 동기, ㉡성격의 장단점, ㉢관련 분야에 대한 역량, ㉣관련 분야에 대한 포부, ㉤지원하는 곳에서 자기소개서 내용으로 요구하는 사항 등의 내용이 포함될 수 있다.

① ㉠   ② ㉡   ③ ㉢   ④ ㉣   ⑤ ㉤

04 윗글의 글쓴이는 창의적 능력을 발휘하여 학급 프로그램을 운영한 ▢▢ 을 사례로 들어 자신이 청소년 참여 위원으로서의 자질을 갖추었음을 드러내고 있다.

문제 해결 전략

자기소개서를 쓸 때에는 ㉤과 같은 독자의 ❶ ▢ 사항이 무엇인지 구체적으로 파악해야 해요. [청소년 참여 위원 모집 공고문]의 '선발 방법'을 살펴보면 독자가 '청소년을 위한 ❷ ▢ 제안'을 요구하고 있음을 알 수 있어요. 이를 포함하여 윗글에서 〈보기〉의 ㉠~㉤과 관련된 내용이 나타난 부분을 찾아보세요.

답 ❶ 요구 ❷ 정책

필수 체크 전략 ①

✏️ 다음은 지역 문제 탐구 동아리에서 교지에 싣기 위해 작성한 보고서의 초고이다. 물음에 답하시오.

● 글의 종류 보고서
● 예상 독자 같은 학교 학생들
● 글쓰기 목적 우리 지역 주민들의 ○○숲 공원 **❶** 현황과 ○○숲 공원에 대한 **❷** 보고

[답] **❶** 이용 **❷** 인식

지역 주민들의 ○○숲 공원 이용에 대한 보고서

Ⅰ. 조사 동기 및 목적

생태 탐방 명소로 알려진 우리 지역의 ○○숲 공원을 이용하는 지역 주민의 수가 점점 줄어들고 있다는 언론 보도가 있었다. 이를 계기로 지역 주민들이 ○○숲 공원 이용에 대해 어떻게 생각하는지를 알아보기 위해 조사해 보고자 한다.

Ⅱ. 조사 계획

• 조사 대상: □□시 주민 ◇◇명
• 조사 기간: 20××. 03. 01. ~ 03. 14.
• 조사 내용: ○○숲 공원 이용 현황, ○○숲 공원에 대한 인식

Ⅲ. 조사 결과

1. ○○숲 공원 이용 현황

조사 대상 중 지난 1년간 ○○숲 공원을 이용한 주민의 비율은 18%에 그쳤다. 또한 △△ 신문의 보도 내용에 따르면 최근 ○○숲 공원의 전체 이용객 중 76%가 외부 방문객이었으며 그들은 대부분 생태 탐방을 위해 방문한 것이었다. 최근 ○○숲 공원을 이용하는 외부 방문객의 수는 13%p 증가한 반면에 지역 주민의 수는 10%p 감소하였다고 한다.

2. ○○숲 공원에 대한 인식

가. ○○숲 공원의 가치에 대한 인식

지역 주민들이 가장 중요하게 여기는 공원의 가치를 조사하였다. 그 결과, 지역 주민의 62%가 정신적 치유와 휴식에 도움을 주는 ˚후생적 가치를, 23%가 소득을 증대해 주는 경제적 가치를, 15%가 수백여 종 수목이 자생하는 곳으로서의 생태적 가치를 가장 중요하게 여겼다.

나. ○○숲 공원 개선에 대한 인식

조사에 참여한 지역 주민의 85%가 개선이 필요하다고 답했다. 이들을 대상으로 공원 이용과 관련해 개선되기를 바라는 점을 조사한 결과는 다음과 같다.

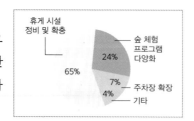

Ⅳ. 결론

정신적 치유와 휴식에 도움을 주는 후생적 가치를 ○○숲 공원의 가치로 가장 중요하게 여기는 지역 주민의 비율이 62%에 이르렀으며, ○○숲 공원 개선이 필요하다고 응답한 사람 중 65%는 휴게 시설 정비 및 확충이 필요하다고 답했다. 이를 고려해 ○○숲 공원을 이용하는 지역 주민의 수가 감소하고 있는 문제의 해결 방안을 모색할 필요가 있다.

● **후생** 건강을 유지하거나 좋게 하는 일.

대표 유형 ❶ 작문의 맥락과 특성 이해하기

1 작문 맥락을 고려할 때, 윗글에 대한 설명으로 가장 적절한 것은?

① 예상 독자를 고려할 때, 독자와의 관계를 고려하여 비격식체를 쓰고 있다.

② 글의 주제를 고려할 때, 주요 서술 대상의 특징을 유형별로 분류하여 설명하고 있다.

③ 작문 목적을 고려할 때, 독자를 특정하여 문제 해결 방법을 제안하고 있다.

④ 작문 매체를 고려할 때, 필자와 독자 간의 즉각적인 소통 방식을 사용하고 있다.

⑤ 글의 유형을 고려할 때, 항목별로 소제목을 달아 정보를 정리하여 제시하고 있다.

유형 해결 전략

작문의 맥락과 특성을 고려하여 글을 이해할 수 있는지 확인하는 유형입니다. 글의 주제, 글을 쓰는 목적, ❶ 　　　, 글의 유형, 글이 실리는 매체 등의 작문 맥락을 파악하고, 이러한 ❷ 　　　을 고려하여 글의 특성을 설명한 선지의 내용이 적절한지 판단해 보세요.

🔑 ❶ 예상 독자 ❷ 맥락

1-1 윗글을 통해 알 수 있는 작문의 특성으로 가장 적절한 것은?

① 조사 계획과 결과를 전달하고 있다는 점에서, 작문은 특정한 목적을 이루기 위한 표현 행위이다.

② 예상 독자를 지역 주민으로 한정하고 있다는 점에서, 작문은 친교적 관계 형성을 위한 표현 행위이다.

③ 필자가 자신의 주장에 대한 독자의 비판적 의견을 구하고 있다는 점에서, 작문은 소통을 위한 표현 행위이다.

④ 필자 자신의 삶에 대한 반성이 드러나 있다는 점에서, 작문은 필자의 주관적 정서를 드러내는 표현 행위이다.

⑤ 문제 상황을 해소할 수 있는 방안을 마련했다는 점에서, 작문은 사회적 갈등을 해소하기 위한 표현 행위이다.

•••• 도움말

선지를 살펴보면 앞부분은 윗글의 특성을, 뒷부분은 이를 통해 확인할 수 있는 작문의 특성을 제시하고 있습니다. 글의 내용, 글의 ❶ 　　　, 예상 독자 등을 고려하여 선지에서 윗글의 특성을 바르게 설명하고 있는지, 이를 바탕으로 이끌어 낸 작문의 ❷ 　　　이 적절한지 생각해 보세요.

🔑 ❶ 목적 ❷ 특성

✎ 다음은 사물 인터넷과 관련된 글을 교지에 싣기 위해 학생이 작성한 작문 계획과 초고이다. 물음에 답하시오.

[작문 계획]

1. 처음
• 사물 인터넷의 개념 ·· ㉠
• 사물 인터넷의 사례 ·· ㉡
2. 중간
• 사물 인터넷의 경제적 가치 ·· ㉢
• 국내 사물 인터넷 산업의 현황 ·· ㉣
• 국내 사물 인터넷 산업의 활성화 방안 ······························ ㉤
3. 끝
• 사물 인터넷의 의의

[초고]

　최근 사물 인터넷에 대한 사람들의 관심이 부쩍 늘고 있는 추세이다. 사물 인터넷은 '인터넷을 기반으로 모든 사물을 연결하여 사람과 사물, 사물과 사물 간에 정보를 상호 소통하는 지능형 기술 및 서비스'를 말한다.

　통계에 따르면 사물 인터넷은 전 세계적으로 민간 부문 14조 4,000억 달러, 공공 부문 4조 6,000억 달러에 달하는 경제적 가치를 창출할 것으로 예상되며 그 가치는 더욱 커질 것으로 기대된다. 그래서 사물 인터넷 산업은 국가 경쟁력을 확보할 수 있는 미래 산업으로서 그 중요성이 강조되고 있으며, 이에 선진국들은 에너지, 교통, 의료, 안전 등 다양한 분야에 걸쳐 투자를 하고 있다.

　그러나 우리나라는 정부 차원의 경제적 지원이 부족하여 사물 인터넷 산업이 활성화되는 데 어려움이 있다. 또한 국내의 기업들은 사물 인터넷 시장의 불확실성 때문에 적극적으로 투자에 나서지 못하고 있으며, 사물 인터넷 관련 기술을 확보하지 못하고 있는 실정이다. 그 결과 우리나라의 사물 인터넷 시장은 선진국에 비해 확대되지 못하고 있다.

　그렇다면 국내 사물 인터넷 산업을 활성화하기 위한 방안은 무엇일까? 우선 정부에서는 사물 인터넷 산업의 기반을 구축하는 데 필요한 정책과 제도를 정비하고, 관련 기업에 경제적 지원책을 마련해야 한다. 또한 수익성이 불투명하다고 느끼는 기업이 투자를 하도록 유도하여 사물 인터넷 산업이 발전할 수 있도록 해야 한다. 그리고 기업들은 이동 통신 기술 및 차세대 빅 데이터 기술 개발에 집중하여 사물 인터넷을 통해 발생하는 대용량의 데이터를 원활하게 수집하고 분석할 수 있는 기술력을 확보해야 할 것이다.

　사물 인터넷은 세상을 연결하여 소통하게 하는 끈이다. 이러한 사물 인터넷은 우리에게 편리한 삶을 약속할 것이며 경제적 가치를 창출할 미래 산업으로 자리매김할 것이다.

● 글의 종류 ❶ ▢
● 예상 독자 같은 학교 학생들
● 글쓰기 목적 ❷ ▢ 의 개념과 경제적 가치, 국내 사물 인터넷 산업의 현황 및 활성화 방안과 관련된 정보 전달

답 ❶ 설명문 ❷ 사물 인터넷

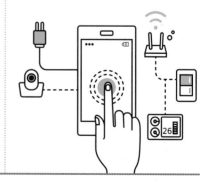

대표 유형 ② 글쓰기 계획의 적절성 파악하기

2 '작문 계획'의 ⑤~⑩ 중, '초고'에 반영되지 <u>않은</u> 것은?

① ⑤   ② ⑥   ③ ⑦   ④ ⑧   ⑤ ⑨

유형 해결 전략

글쓰기 계획과 실제 글의 내용을 비교하며 글쓰기 계획의 **❶** 여부나 적절성을 파악할 수 있는지 확인하는 유형입니다. 글쓰기 계획에는 글에 담을 내용, 표현 방법, 글에 활용하려는 자료 등이 포함되는데, 문제에서는 이러한 계획을 필자가 글을 쓰기 전에 떠올린 생각의 형식으로 제시하기도 합니다. 글을 읽으며 글쓰기 **❷** 이 반영된 부분을 찾아보세요.

🔑 답 **❶** 반영 **❷** 계획

2-1 다음은 학생이 '초고'를 쓰기 전에 떠올린 생각이다. '초고'에 반영된 내용이 <u>아닌</u> 것은?

ⓐ 사물 인터넷의 의의를 비유적 표현을 활용하여 나타내야지.

ⓑ 사물 인터넷을 적극적으로 활용하는 선진국의 사례를 소개해야지.

ⓒ 사물 인터넷의 경제적 가치를 구체적인 수치를 활용하여 제시해야지.

ⓓ 사물 인터넷이 활성화되었을 때의 기대 효과를 덧붙이며 글을 마무리 해야지.

ⓔ 국내 사물 인터넷 산업의 활성화 방안을 정부와 기업 차원으로 나누어 설명해야지.

① ⓐ   ② ⓑ   ③ ⓒ   ④ ⓓ   ⑤ ⓔ

도움말

학생이 '초고'를 쓰기 전에 떠올린 생각이 바로 글쓰기 **❶** 에 해당합니다. ⓐ~ⓔ를 바탕으로 하여 학생이 글에 담으려고 계획한 내용과 자료, 이를 효과적으로 제시하기 위해 활용하려는 **❷** 등이 실제 '초고'에 반영되어 있는지 확인해 보세요.

🔑 답 **❶** 계획 **❷** 표현 방법

01~02 다음은 학교 신문에 싣기 위해 작성한 보고서이다. 물음에 답하시오.

학교 음식물 쓰레기를 줄이기 위한 방안 연구

Ⅰ. 연구 동기와 목적

우리 학교의 2019학년도 음식물 쓰레기 처리 비용이 인근 학교에 비해 30%나 많은 것으로 나타났다. 이는 사회적 비용 증가로 이어질 수 있어 음식물 쓰레기를 줄이기 위한 대책 마련이 시급하다. 본 연구에서는 별도의 잔반 처리 구역을 운영하여 학생 개개인의 급식 잔반 횟수와 학교 전체의 음식물 쓰레기양을 줄일 수 있는지 확인하고자 한다.

Ⅱ. 연구 방법

- 연구 대상: □□고등학교 전교생 1,045명
- 연구 기간: 2020. 03. 02. ~ 12. 31.
- 연구 설계: 급식실에 '그린 존'이라는 별도의 잔반 처리 구역을 설치한다. 급식을 남기지 않은 학생은 '그린 존'을 이용하게 하고, 학생이 직접 아프리카 기아 아동을 형상화한 캐릭터에게 가상의 음식물 모형(스티커 형태)을 주게 함으로써 자신이 급식을 남기지 않은 것이 아프리카 기아 아동에게 도움이 되었음을 인식하게 한다.

Ⅲ. 연구 결과

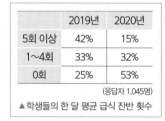

	2019년	2020년
5회 이상	42%	15%
1~4회	33%	32%
0회	25%	53%

(응답자 1,045명)

▲학생들의 한 달 평균 급식 잔반 횟수

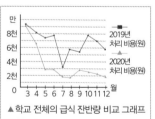

▲학교 전체의 급식 잔반량 비교 그래프

첫 번째 통계 자료를 보면 '그린 존 제도'를 실시한 후 학생들의 한 달 평균 급식 잔반 횟수가 이전보다 크게 줄었음을 알 수 있다. 두 번째 그래프를 보면 학교 전체의 급식 잔반량이 제도 시행 전보다 큰 폭 감소했음을 확인할 수 있다.

Ⅳ. 결론

본 연구를 통해 '그린 존 제도'를 실시하면 학교 전체의 급식 잔반량이 감소하는 결과가 나타난다는 것을 확인했다.

㉠

| 작문의 맥락과 특성 이해하기 |

01 작문의 맥락을 고려할 때, 윗글에 대한 설명으로 적절하지 않은 것은?

① 글의 형식을 고려하여 항목별로 소제목을 달아 정보를 전달하고 있다.

② 작문의 목적을 고려하여 연구 과정과 결과를 구체적으로 제시하고 있다.

③ 공동체의 가치를 고려하여 공동의 문제 상황과 이에 대한 해결 방안을 다루고 있다.

④ 예상 독자를 고려하여 통계 자료와 그래프를 활용하여 연구 결과에 대한 이해를 돕고 있다.

⑤ 글의 주제를 고려하여 연구의 의의를 제시하고 연구 방법을 개선하기 위한 방안을 모색하고 있다.

| 내용 생성과 조직의 적절성 판단하기 |

02 다음 선생님의 조언에 따라 윗글의 내용을 추가하고자 할 때, ㉠에 들어갈 내용으로 가장 적절한 것은?

> 선생님: 보고하는 글을 쓸 때에는 결론 부분에 글쓴이의 제언을 제시하기도 합니다. 이 연구 결과를 고려하여 학교 급식 운영 방법을 보완할 제도와 관련된 의견을 덧붙이면 좋겠습니다.

① 이를 고려할 때 기아 아동에 대한 학생들의 인식을 개선할 필요가 있다.

② 이를 고려할 때 학생들이 선호하는 음식 위주로 급식 식단을 재구성할 필요가 있다.

③ 이를 고려할 때 우리 학교의 음식물 쓰레기 처리 비용을 투명하게 공개할 필요가 있다.

④ 이를 고려할 때 잔반 처리 구역을 추가로 설치하여 급식 시간을 효율적으로 운영할 필요가 있다.

⑤ 이를 고려할 때 학생 스스로 잔반을 줄여 나가도록 유도하는 제도를 마련하여 지속적으로 실시할 필요가 있다.

●●●도움말

학교 급식 운영 방법을 보완할 **❶** 와 관련된 의견을 덧붙이는 것이 좋겠다는 선생님의 조언과 윗글의 'Ⅳ. **❷** '을 고려하여 ㉠에 들어갈 적절한 내용을 찾아보세요.

답 ❶ 제도 **❷** 결론

03~04 다음은 학생이 작성한 설명문의 초고이다. 물음에 답하시오.

　세계적인 테니스 선수 라파엘 나달은 서브를 넣기 직전에 항상 일정한 행동을 한다. 먼저 왼손에 든 라켓으로 공을 바닥에 몇 차례 튕기면서 오른손으로는 엉덩이에 낀 바지를 잡아 뺀다. 그리고 차례대로 양쪽 어깨와 코를 만지고 머리를 넘긴 뒤 오른손으로 공을 몇 차례 튕긴 뒤에야 비로소 서브를 넣는다.

　대체로 여러 운동선수가 나달과 같이 목표 행동을 하기 전에 반드시 수행하는 자신만의 특정한 동작이나 행동을 지니고 있다. 그렇다면 그 이유는 무엇일까? 이는 '루틴(routine)'이라는 개념을 활용하여 설명할 수 있다. 루틴이란 스포츠에서 어떤 목표 행동을 하기 전에 긴장감을 떨치려고 습관적으로 반복하는 행동을 말한다. 한 스포츠 심리학자는 루틴을 최상의 조건으로 최대 능력을 낼 수 있는 상태를 갖추기 위한 선수 개인의 고유한 동작이나 절차라고 설명한다.

　루틴에는 크게 행동적 루틴과 인지적 루틴이 있다. 행동적 루틴은 자신만의 습관적이고 체계적인 동작으로, 앞서 설명한 나달의 사례와 관련 있다. 다음으로 인지적 루틴은 스스로 잘할 수 있다는 자신감을 불러일으키는 자기 암시를 통해 마음을 다스리는 것을 말한다.

　한편 징크스(jinx)는 불길한 징조의 사람이나 물건 또는 으레 그렇게 될 수밖에 없는 악운으로 여겨지는 것을 의미한다. 예를 들어 한 선수가 아침에 면도를 한 뒤 경기에서 졌다면 그 선수에게는 면도라는 행위 자체가 징크스가 될 수 있다.

　루틴과 징크스는 모두 스포츠 경기에서 승리하기 위한 간절한 바람에서 생겨난 것이라는 점에서 유사하다. 그렇다면 루틴과 징크스는 어떤 점에서 다를까? 루틴이 긍정적인 결과를 끌어내기 위해 해야만 하는 행동이라면, 징크스는 나쁜 결과를 피하기 위해 하지 말아야 할 행동이다. 스스로 어떤 징크스를 가졌는지 파악하여 징크스를 루틴으로 바꾼다면 얼마든지 징크스를 극복할 수 있을 것이다.

| 글쓰기 계획의 적절성 파악하기 |

03 다음 중 '초고'에 반영되지 <u>않은</u> 글쓰기 계획은?

① 루틴과 징크스의 구체적인 사례를 제시해야지.
② 루틴의 정의를 설명한 전문가의 말을 인용해야지.
③ 징크스라는 용어를 사용하게 된 유래를 언급해야지.
④ 루틴을 하위 개념으로 나누어 각각의 의미를 설명해야지.
⑤ 문답의 방식으로 루틴과 징크스의 차이점을 설명해야지.

| 자료 활용 전략의 적절성 판단하기 |

04 〈보기〉의 자료를 활용하여 '초고'를 보완하고자 할 때, 자료 활용 방안으로 가장 적절한 것은?

> **보기**
> ㄱ. 연구 자료
> 　루틴은 운동 수행과 무관한 생각을 차단하여 집중력을 높여 주는 역할을 한다. 그리고 수행에 필요한 과정을 떠올리도록 도와 다음에 진행될 상황에 익숙함과 친근감을 느낄 수 있도록 해 준다. 이러한 과정에서 선수는 불안을 해소하고 안정감을 느끼게 되어 자신의 운동 능력을 최대로 발휘할 수 있다.
>
> ㄴ. 인터뷰 자료
> 　징크스는 자신의 우연한 행동 이후 부정적인 결과가 발생할 때 행동과 결과 사이에 강력한 인과 관계가 있다고 여기는 미신적 믿음에서 비롯됩니다.

① ㄱ을 활용하여 1문단에서 루틴과 운동 수행 능력의 상관관계를 설명한다.
② ㄱ을 활용하여 2문단에서 운동선수들이 루틴을 수행하는 이유를 설명한다.
③ ㄱ을 활용하여 3문단에서 인지적 루틴의 사례를 제시한다.
④ ㄴ을 활용하여 4문단에서 징크스의 부정적 영향을 덧붙인다.
⑤ ㄴ을 활용하여 5문단에서 징크스를 극복하는 방법을 제시한다.

필수 체크 전략 ①

✏️ 다음은 학교 신문 편집부의 요청 사항에 따라 학생이 작성한 기사의 초고이다. 물음에 답하시오.

[학교 신문 편집부의 요청 사항]

• 사회적 관심이 높은 '오투오(O2O) 서비스'를 제재로 할 것
• '표제-전문-본문'의 형식을 갖추고 세부 내용은 '기사 검토 항목'을 참고하여 작성할 것

[학생의 초고]

표제 오투오 서비스의 개념과 이용 현황

전문 최근 오투오 서비스 산업이 급속하게 성장하고 있다.

본문

'오투오(O2O: Online to Off-line) 서비스'는 모바일 기기를 통해 소비자와 사업자를 유기적으로 이어 주는 서비스를 말한다. 어디에서든 실시간으로 서비스가 가능하다는 편리함 때문에 최근 오투오 서비스의 이용자가 증가하고 있다. 스마트폰에 설치된 앱으로 택시를 부르거나 배달 음식을 주문하는 것 등이 대표적인 예이다.

오투오 서비스 운영 업체는 스마트폰에 설치된 앱을 매개로 소비자와 사업자에게 필요한 서비스를 제공하고 있다. 이를 통해 소비자는 시간이나 비용을 절약할 수 있게 되었고, 사업자는 홍보 및 유통 비용을 줄일 수 있게 되었다. 이처럼 소비자와 사업자 모두에게 경제적으로 유리한 환경이 조성되어 서비스 이용자가 증가함으로써, 오투오 서비스 운영 업체도 많은 수익을 낼 수 있게 되었다.

하지만 오투오 서비스 시장이 성장하면서 여러 문제가 발생하고 있다. 소비자의 경우 신뢰성이 떨어지는 정보나 기대에 부응하지 못하는 서비스를 제공받는 사례가 늘어나고 있고, 사업자의 경우 관련 법규가 미비하여 수수료 문제로 오투오 서비스 운영 업체와 마찰이 생기는 사례도 증가하고 있다. 또한 오투오 서비스 운영 업체의 경우에는 오프라인으로 유사한 서비스를 제공하는 기존 업체와의 갈등이 발생하고 있다.

이를 해결하기 위해 소비자는 오투오 서비스에서 제공한 정보가 믿을 만한 것인지를 꼼꼼히 따져 합리적으로 소비하는 태도가 필요하고, 사업자는 수수료와 관련된 오투오 서비스 운영 업체와의 마찰을 해결하기 위한 다양한 방법을 강구해야 한다. 오투오 서비스 운영 업체 역시 기존 업체들과의 갈등을 조정하기 위한 구체적인 노력이 필요하다.

스마트폰 사용자가 늘어나고 있는 추세를 고려할 때, 오투오 서비스 산업의 성장을 저해하는 문제점들을 해결해 나가면 앞으로 오투오 서비스 시장 규모는 더 커질 것으로 예상된다.

● 글의 종류 ❶ ☐
● 예상 독자 같은 학교 학생들
● 글쓰기 목적 오투오 서비스의 개념과 이용 현황, 오투오 서비스 시장의 성장에 따른 문제와 관련된 ❷ ☐ 전달

📖 ❶ 기사문 ❷ 정보

대표 유형 3 글의 내용 점검하기

3 다음은 학교 신문 편집부가 제시한 '기사 검토 항목'이다. 이에 따라 '초고'를 검토한 결과로 적절하지 <u>않은</u> 것은?

	기사 검토 항목	예	아니요
①	'표제'는 전체 내용을 포괄할 것		✓
②	'전문'은 핵심 내용을 요약할 것		✓
③	'본문'에 제재의 개념을 설명할 것	✓	
④	'본문'에 제재의 사례를 소개할 것		✓
⑤	'본문'에 제재에 대한 전망을 제시할 것	✓	

유형 해결 전략

제시된 글을 일정한 기준에 따라 검토해 보며 작문 내용의 적절성을 판단할 수 있는지 확인하는 유형입니다. ❶[　　　　　]과 학생이 작성한 기사의 ❷[　　　]를 비교하여 살펴보며 검토 결과가 적절한지 판단해 보세요.

答 ❶ 기사 검토 항목 ❷ 초고

3-1 다음은 학교 신문 편집부원들이 '초고'를 읽고 평가한 내용이다. 평가 내용으로 적절하지 <u>않은</u> 것은?

	평가 기준	예	아니요
①	편집부가 요구한 기사문의 형식을 갖추어 내용을 전개하고 있는가?	✓	
②	육하원칙에 따라 '전문'을 서술하고 있는가?	✓	
③	'본문'에 자료의 출처를 명확하게 제시하고 있는가?		✓
④	편집부가 요청한 제재를 중심으로 글의 내용을 생성하고 있는가?	✓	
⑤	예상 독자를 고려하여 '본문'에 어려운 용어의 개념을 설명하고 있는가?	✓	

···도움말

육하원칙이란 기사문의 문장을 쓸 때에 지켜야 하는 기본적인 원칙으로 '❶[　　　], 언제, 어디서, 무엇을, 어떻게, 왜'의 여섯 가지를 말합니다. '전문'을 ❷[　　　]에 따라 명료하게 서술하고 있는지 확인해 보세요.

答 ❶ 누가 ❷ 육하원칙

✏️ 다음은 교지에 실을 조사 보고서의 초고이다. 물음에 답하시오.

'걷기'의 가치에 대한 학생 인식 조사 보고서

● 글의 종류 보고서
● 예상 독자 같은 학교 학생들
● 글쓰기 목적 걷기의 ❶ 에 대한 학생들의 인식 조사 과정과 ❷ 보고

답 ❶ 가치 ❷ 결과

Ⅰ. 조사 동기 및 목적

최근 사회에서 일고 있는 걷기에 대한 높은 관심과 달리, 우리 학교 학생들의 걷기에 대한 관심은 낮은 것으로 보인다. 이에 학생들이 걷기를 어떻게 생각하는지에 대해 조사하고자 한다.

Ⅱ. 조사 계획

• 조사 대상: 우리 학교 학생 120명 및 일반 성인 75명
• 조사 기간 및 방법: 2020. 5. 10. ~ 5. 15., 설문지 조사
• 조사 내용: 걷기 실태 및 가치 인식

Ⅲ. 조사 결과

1. 걷기 실태

'이동 수단으로서의 걷기를 제외하고 30분 이상 걷기를 주 몇 회 하는가?'를 설문한 결과, 학생은 주 1회 이상의 비율이 10.0%에 불과한 반면 ○○공원에서 만난 성인은 44.0%로 나타났다. 학생과 달리 성인은 대부분 걷기를 실천하고 있었다.

2. 걷기 가치 인식

가. 걷기의 가치 인식 여부

'걷기가 가치 있는 활동이라고 보는가?'라는 설문에 대해 학생은 91.7%, 성인은 92.0%가 각각 '그렇다.'라고 답했다.

나. 걷기의 가치 인식 비교

'걷기의 가치가 무엇이라 생각하는가?'라는 설문에, 가장 높은 응답은 학생이 '체력 증진(80.8%)'인 반면, 성인은 '자기 성찰(32.0%)'이었다. 이러한 성인의 응답은 걷기를 "발로 사색하는 것"(황△△, 《걷기 속 □□□》, ◇◇출판사, 2017, p. 10.)이라고 보는 견해와 관련된다. 성인은 자기 성찰, 정서 안정, 체력 증진, 아이디어 생성 등 걷기의 가치를 다양하게 인식한 반면, 학생은 걷기의 가치를 다양하게 인식하지 못하는 것으로 판단된다.

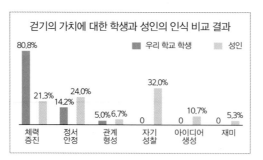

걷기의 가치에 대한 학생과 성인의 인식 비교 결과
■ 우리 학교 학생 ■ 성인
체력 증진: 80.8% / 21.3%
정서 안정: 14.2% / 24.0%
관계 형성: 5.0% / 6.7%
자기 성찰: 0 / 32.0%
아이디어 생성: 0 / 10.7%
재미: 0 / 5.3%

Ⅳ. 결론

학생들은 걷기가 가치 있다고 여기지만, 성인에 비해 걷기를 실천하지 않고 그 가치를 다양하게 인식하지 못하고 있다. 학생들이 걷기를 수행하며 걷기의 다양한 가치를 깨달았으면 한다.

대표 유형 ④ 쓰기 윤리 고려하기

4 〈보기〉의 ㉠~㉣ 중, 윗글에 반영되지 **않은** 쓰기 윤리만을 있는 대로 고른 것은?

┌─ 보기 ─────────────────────────────────
선생님: 보고서를 쓸 때에는 다음과 같은 쓰기 윤리를 지켜야 해요. 자료를 직접 조사한 경우 ㉠조사 기간과 조사 대상, 조사 방법을 기술해야 합니다. 그리고 ㉡조사 결과를 과장, 축소, 왜곡하여 해석하지 않도록 주의해야 합니다. 또한 ㉢타인의 글을 인용할 경우 출처를 밝히고, 그 내용과 자신의 글을 명확히 구분해야 합니다. '결론'의 뒤에는 참고 문헌을 제시해야 하는데, ㉣'참고 문헌'에는 보고서에서 인용한 모든 자료를 명시해야 합니다. 이와 같은 내용을 고려하여 보고서를 완성해 봅시다.
└──────────────────────────────────────

① ㉠, ㉡ 　　　② ㉡, ㉣ 　　　③ ㉢, ㉣
④ ㉠, ㉡, ㉢ 　　　⑤ ㉠, ㉢, ㉣

유형 해결 전략

쓰기 윤리에 대한 이해를 바탕으로 하여 쓰기 윤리의 준수 여부를 판단할 수 있는지 확인하는 유형입니다. 쓰기 윤리를 준수했는지 점검할 때에는 일반적으로 글에 활용한 자료의 **❶** 를 밝혔는지, 자료 내용을 **❷** 하거나 과장·축소해서 해석하지 않았는지 등을 살펴봐야 합니다.

답 ❶ 출처 ❷ 왜곡

4-1 〈보기 1〉을 바탕으로 할 때, 〈보기 2〉의 ⓐ, ⓑ에 들어갈 내용으로 적절한 것은?

┌─ 보기 1 ────────────────────────────────
쓰기 윤리는 크게 개인적 차원의 윤리와 사회적 차원의 윤리로 나눌 수 있다. 가령 보고서를 쓴다고 할 때, 개인적 차원의 윤리를 고려하여 조사 결과를 사실과 다르게 왜곡하여 해석해서는 안 된다. 또한 사회적 차원의 윤리를 고려하여, 보고서에 다른 사람의 자료를 인용할 때에는 저작권자의 허락을 받고 자료의 출처를 반드시 밝혀야 한다.
└──────────────────────────────────────

┌─ 보기 2 ────────────────────────────────
선생님: 이 보고서의 'Ⅲ. 조사 결과'를 살펴보자. (ⓐ) 항목에서 설문 결과를 왜곡하여 제시한 점은 개인적 차원의 윤리를 위반한 사례에 해당해. 한편 (ⓑ) 항목에서 인용한 자료의 출처를 밝힌 점은 사회적 차원의 윤리를 준수한 사례에 해당하지.
└──────────────────────────────────────

	ⓐ	ⓑ
①	걷기 실태	걷기의 가치 인식 여부
②	걷기 실태	걷기의 가치 인식 비교
③	걷기의 가치 인식 여부	걷기의 가치 인식 비교
④	걷기의 가치 인식 여부	걷기 실태
⑤	걷기의 가치 인식 비교	걷기 실태

도움말

출처란 사물이나 말 등이 나온 **❶** 로, 자료를 제공하는 기관은 물론 사람도 출처에 해당합니다. 자신의 글에 다른 사람의 말이나 글, 자료를 활용할 때에는 그 출처를 반드시 밝혀 적어야 하지요. 만약 책의 내용을 인용했다면 **❷** , 도서명, 출판사, 인용한 내용이 제시된 쪽 등을 밝혀야 합니다.

답 ❶ 근거 ❷ 글쓴이/필자

필수 체크 전략 ②

01~02 다음은 작문 상황과 이를 바탕으로 작성한 학생의 초고이다. 물음에 답하시오.

[작문 상황]

• 예상 독자: 우리 학교 학생들

• 목적: 교내 체험 활동인 '갯벌 생태 체험'을 다룬 기사문을 학교 신문에 게재하려 함.

[학생의 초고]

[표제] 1학년 학생들, '갯벌 생태 체험'에 참여

[부제] 2박 3일간 진행된 특별한 학습

[전문] 우리 학교는 1학년을 대상으로 지난 6월 15일부터 2박 3일간 갯벌 생태를 체험할 수 있는 다양한 활동을 실시하였다.

[본문]

우리 학교 1학년 학생들은 교실을 벗어나 충남 서천에서 이루어진 '갯벌 생태 체험' 활동에 참여하였다. 학생들은 갯벌 탐구 보고서 쓰기, 갯벌 생태 사진 촬영하기와 같은 프로그램에 참여하며 색다른 배움의 기회를 가졌다.

2박 3일간 진행된 행사 중 하나인 갯벌 탐구 보고서 쓰기 대회는 과학 탐구 능력을 기르기 위한 목적으로 실시되었다. 갯벌 탐구 보고서 쓰기는 다섯 명의 학생이 한 모둠을 이루어 갯벌 생태를 주제로 탐구를 수행한 후 이를 보고서로 작성하는 과정으로 진행되었다. 이 대회의 최우수상은 '갯지렁이의 정화 능력 탐구'를 주제로 우수한 탐구 보고서를 작성한 '갯벌 사랑' 모둠에 돌아갔다.

또한 학생들이 서해의 일몰 풍경, 갯벌 생물의 모습 등을 찍어 인화하고 사진 내용에 어울리는 창의적인 제목을 붙여 보는 갯벌 생태 사진 촬영하기 활동도 실시되었다. 이 활동을 통해 학생들이 만든 작품으로 갯벌 생태 사진전이 개최되어 학생들의 상상력이 돋보이는 작품을 대거 확인할 수 있었다.

체험 활동에 참여한 1학년 학생들을 대상으로 만족도를 조사한 결과, 학생의 84%가 이번 체험 활동 전반에 대해 '매우 만족한다.'라고 밝혔다. 반면 활동의 개선 방안으로는 '일정이 짧다.', '날씨가 더운 6월보다는 선선한 5월에 실시했으면 좋겠다.'라는 의견 등이 제시되었다.

| 글의 내용 점검하기 |

01 다음은 학교 신문 편집부가 제시한 '검토 항목'이다. 이에 따라 '초고'를 검토한 결과로 적절하지 <u>않은</u> 것은?

	검토 항목	예	아니요
①	'표제'에 체험 활동 명칭과 참여 대상을 명시할 것	✓	
②	'부제'에 행사 장소를 명시할 것		✓
③	'전문'에 체험 활동의 목적을 포함할 것	✓	
④	'본문'에 체험 활동의 구체적인 내용을 포함할 것	✓	
⑤	'본문'에 체험 활동 인솔 교사의 의견을 인용할 것		✓

| 자료 활용 전략의 적절성 판단하기 |

02 '본문'에 〈보기〉의 인터뷰 자료를 추가하려고 할 때, 자료 활용 방안으로 가장 적절한 것은?

┌ 보기 ┐

ㄱ. "우리 학교는 과학 탐구 능력을 갖춘 인재를 육성하기 위해 갯벌 생태 체험, 과학 실험 대회, 과학 독서 토론 대회 등을 개최하고 있습니다."

ㄴ. "갯벌 탐구 보고서 쓰기 대회에서 상을 받지 못해 아쉬워요. 이른 더위로 야외 실험이 힘들었거든요."

ㄷ. "모둠원들과 협력하여 주체적으로 탐구 주제를 선정하고 탐구를 진행하는 과정에서 성취감과 뿌듯함을 느낄 수 있었어요."

① ㄱ을 1문단에 추가하여 학교에서 추진하고 있는 다양한 프로그램을 소개해야겠군.

② ㄴ을 2문단에 추가하여 갯벌 탐구 보고서 쓰기가 체험 활동의 목적을 잘 보여 준다는 점을 강조해야겠군.

③ ㄴ을 3문단에 추가하여 체험 활동의 시기를 조절해야 하는 이유를 뒷받침해야겠군.

④ ㄷ을 3문단에 추가하여 갯벌 생태 체험의 필요성을 강조해야겠군.

⑤ ㄷ을 4문단에 추가하여 학생들의 체험 활동 만족도가 높다는 조사 결과를 뒷받침해야겠군.

03~04 다음은 대학 진학을 위해 작성한 자기소개서이다. 물음에 답하시오.

[○○대학교 유아 교육학과 신입생 모집 공고문]

• 신청 방법: ○○대학교 홈페이지를 통해 자기소개서 제출
• 1차 선발 방법: 지원 동기와 자신의 장점이 포함된 자기소개서 심사

유치원에 다니던 어린 시절을 떠올리면, 저는 즐거움과 따뜻함이 가장 먼저 느껴집니다. 저는 유치원에서 친구들과 함께 다양한 놀이를 하며 상대방과 소통하고 협력하는 방법을 익히기 시작했고, 아이들을 진심으로 대해 주시는 선생님 덕분에 사랑과 따뜻함도 배울 수 있었습니다. 이러한 경험은 지금까지도 제가 세상을 바라보고 사고하는 방식에 긍정적인 영향을 미치고 있기에, 저는 유년기가 생애 전반에 걸쳐 매우 중요한 시기라고 생각합니다. 그래서 저는 즐거움과 사랑이 충만한 의미 있는 유년기를 보낼 수 있도록 아이들을 이끌어 주는 유치원 교사가 되고 싶어 유아 교육학과에 지원했습니다.

저는 책임감이 강한 사람입니다. 저는 고등학교 2학년 때 학생회장을 맡아 독서 활성화 사업을 추진한 경험이 있습니다. 이때 예산 문제로 사업이 무산될 뻔한 적이 있었습니다. 그러나 저는 직면한 문제 상황을 피하지 않고 해결 방안을 모색하였고, 교장 선생님과의 대화를 통해 예산을 조율하여 문제를 원활히 해결하였습니다. 또한 사업이 진행되는 중에 발생하는 문제가 없는지 수시로 점검하였고, 이후에는 학생들의 만족도 조사를 진행하여 향후 발전 방향을 모색하였습니다. 이처럼 제가 맡은 임무를 끝까지 수행해 내는 책임감 있는 태도는 유치원 교사가 되어 학생 한 명 한 명을 이끌어 줄 때에도 도움이 될 것이라고 생각합니다.

제가 읽은 한 유아 교육 관련 서적에는 "아이들이 마음의 문을 열 수 있도록 진심을 다해 대하라."라는 글귀가 있습니다. 저는 유치원 교사를 꿈꾸며 이 글귀를 마음에 되새겼습니다. 유아 교육학과에 합격한다면 진심을 다해서 아이들을 책임감 있게 보살피는 교사가 되기 위해 노력하겠습니다.

| 글쓰기 방식과 전략 파악하기 |
03 윗글에서 활용한 글쓰기 전략으로 가장 적절한 것은?

① 과거와 현재 자신의 태도를 대비하여 지원 동기를 밝히고 있다.
② 관용 표현을 활용하여 진로와 관련된 자신의 포부를 밝히고 있다.
③ 문제 상황을 극복한 경험을 유사한 상황에 빗대어 표현하고 있다.
④ 어린 시절의 경험을 활용하여 자신이 지닌 다양한 장점을 나열하고 있다.
⑤ 학창 시절의 경험을 사례로 들어 그 과정에서 드러나는 자신의 태도를 제시하고 있다.

도움말

[○○대학교 유아 교육학과 신입생 모집 공고문]을 살펴보면, 자기소개서에는 **❶** ┌──────┐와 지원자의 **❷** ┌──────┐이 포함되어야 합니다. 이를 고려하여 윗글에서 글쓴이의 지원 동기와 장점이 드러나는 부분이 있는지 확인해 보고, 그 부분에서 활용한 글쓰기 전략이 무엇인지를 중점적으로 살펴보세요.

답 **❶** 지원 동기 **❷** 장점

| 쓰기 윤리 고려하기 |
04 다음 ㉠~㉤ 중, 윗글에 반영되지 않은 것은?

작문 활동을 수행할 때에는 글에 ㉠진정성을 담아 구체적이고 깊이 있는 내용을 써야 합니다. ㉡독자를 존중하여 가벼운 표현이나 비속어를 사용하지 않아야 하며, ㉢상대방을 배려하지 않은 표현으로 다른 사람에게 상처를 주어서는 안 됩니다. 또한 ㉣다른 사람의 말이나 글을 인용할 때에는 반드시 정확한 출처를 밝혀 적어야 하며, ㉤다른 사람의 말이나 글을 마치 자기 것처럼 가져다 써서는 안 됩니다.

① ㉠   ② ㉡   ③ ㉢   ④ ㉣   ⑤ ㉤

누구나 합격 전략

01~02 다음은 작문 상황과 이를 바탕으로 쓴 학생의 초고이다. 물음에 답하시오.

[작문 상황]

• 작문 목적: '게임화'에 대한 정보 전달 ──────── ㉠
• 주제: 다양한 분야에서 활용되고 있는 '게임화'의 특징 ── ㉡
• 예상 독자: '게임화'가 생소한 우리 학급 학생 ─────── ㉢

[학생의 초고]

'게임화(gamification)'란 게임적 사고나 게임 기법과 같은 요소를 다양한 분야에 접목하는 것이다. 이때 게임이란 컴퓨터 게임에 국한되는 것이 아니라 일정한 규칙에 따라 즐기는 놀이를 아우르는 개념이다.

게임화는 먼저 재미와 호기심을 느낄 수 있는 흥미로운 과제를 제공하여 이에 도전하게 만든다. 이후 과제에 참여한 사람들 간의 경쟁을 유도하거나, 목표를 달성하면 성취감과 같은 보상을 받을 수 있게 하여 참여자들이 과제에 몰입할 수 있도록 돕는다. 얼마 전 한국사 수업 시간에 우리나라 지도를 배경으로 윷놀이 판을 만들어 모둠별 퀴즈 대결을 펼친 것도 게임화에 해당한다. 역사적 사건에 대한 퀴즈를 맞히면 다음 지역으로 이동하며 전국을 순회하는 과정에서 학생들은 수업에 더욱 몰입하는 모습을 보였다. 이러한 사례는 게임화의 특징을 잘 보여 준다.

한편 게임화는 교육뿐만 아니라 보건, 기업의 마케팅 등 다양한 분야에서 활용되고 있다. 달리기를 하면 달린 거리와 소모 칼로리 등에 따라 보상을 제공하는 과제를 통해 참여자의 건강 증진에 도움을 줄 수 있다. 또한 비행기를 탈 때마다 마일리지를 올려 주고, 누적된 마일리지에 따라 회원의 지위를 차등 부여하는 등 기업의 마케팅 전략으로 활용되기도 한다.

이처럼 게임화는 우리의 실생활과 밀접한 여러 분야에서 활용되고 있다. 무엇보다 중요한 것은 어떻게 게임화를 활용하느냐이다. 게임화를 통해 달성하고자 하는 목적을 고려하여 흥미, 도전, 경쟁, 보상과 같은 게임적 요소를 적절히 활용하는 지혜가 필요한 것이다.

| 글쓰기 방식과 전략 파악하기 |

01 ㉠~㉢을 고려하여 학생이 '초고'에서 활용한 글쓰기 전략으로 적절하지 <u>않은</u> 것은?

① ㉠을 고려하여, 대상 간의 차이점을 중심으로 내용을 조직하고 있다.
② ㉠을 고려하여, 효용적 측면을 부각하여 대상의 특징을 설명하고 있다.
③ ㉡을 고려하여, 중심 화제가 다양한 분야에서 활용되는 사례를 제시하고 있다.
④ ㉢을 고려하여, 낯선 용어의 개념을 설명하고 있다.
⑤ ㉢을 고려하여, 필자와 예상 독자가 공유한 경험을 활용하고 있다.

| 고쳐쓰기의 적절성 판단하기 |

02 〈보기〉는 학생이 '초고'의 마지막 문단을 고쳐 쓰는 과정에서 한 생각이다. ⓐ에 들어갈 내용으로 가장 적절한 것은?

┌ 보기 ┐
한국사 수업 시간에 모둠별 퀴즈 대결에서 이기고 싶은 마음에 같은 모둠의 친구를 다그쳤다가 그 친구와의 관계가 잠시 어색해진 적이 있어. 마지막 문단에는 [ⓐ] 수 있다는 내용을 추가하여, 게임적 요소를 적절히 활용하는 지혜가 필요하다는 점을 강조해야겠다.
└────────────────────────────┘

① 게임화의 목적이 변질되어 개인의 흥미만 추구할
② 게임화의 물질적 보상이 부각되면 주객이 전도될
③ 게임화에 몰입하게 되면 과제의 완성도가 낮아질
④ 게임화가 참여자의 의욕을 저해하여 과제 수행이 어려워질
⑤ 게임화에 따른 과도한 경쟁은 참여자 간의 관계에 부정적인 영향을 줄

03~06 다음은 학교 신문 기사의 초고이다. 물음에 답하시오.

표제 학교에서 배운 지식, 우리 마을과 함께 나눠요.

부제 ⓐ

전문 우리 학교 ○○동아리는 마을 축제에서 이끼 필터를 넣은 공기 청정기를 만들어 보는 체험 부스를 운영하며 지식 나눔을 실천했다.

본문

지난 9월 1일 '건강한 우리 마을 만들기'를 주제로 마을 축제가 열렸다. 우리 학교 ○○동아리는 지식 나눔이라는 동아리의 활동 취지를 살려 화학적 필터 대신 이끼를 ㉠사용되는 공기 청정기를 만드는 체험 부스를 운영하였다. ㉡이때 이끼 대신 숯을 이용하는 것도 동일한 효과를 낼 수 있다.

이날 부스에는 어린이부터 할아버지, 할머니까지 많은 마을 주민이 방문하여 이끼 필터를 넣은 공기 청정기를 만들어 보는 체험을 하였다. ㉢하지만 이렇게 만든 공기 청정기를 마을 ㉣주민들에게 나누어 주어 좋은 반응을 얻었다.

체험 부스를 준비한 ○○동아리 회장은 "우리가 수업 시간에 배운 내용을 활용하여 준비한 체험 프로그램에 많은 마을 주민이 참여해 주셔서 보람을 느꼈습니다."라고 말했다. 또한 마을 주민 김△△ 씨는 "학생들 덕분에 이끼에 공기 정화 기능이 있는지 처음 알게 되었고, 공기 청정기도 생겨 좋았어요."라고 체험 소감을 말했다.

○○동아리는 이번 체험 부스의 성공적인 운영으로 다음 달 개최되는 이웃 마을 축제에도 초청되었다. ○○동아리는 이웃 마을 축제에 참여하여 계속해서 ▽㉤▽ 실천해 나갈 예정이다.

| 글쓰기 계획의 적절성 파악하기 |

03 다음은 '초고'를 쓰기 전에 작성한 메모이다. '초고'에 반영된 내용으로 적절한 것은?

- 이끼 필터의 장점을 나열해야겠어. ──── ①
- 이끼 필터를 넣은 공기 청정기의 작동 원리를 설명해야겠어. ──── ②
- ○○동아리가 참여한 마을 축제의 주제를 언급해야겠어. ──── ③
- ○○동아리가 체험 부스 운영을 계획한 배경을 제시해야겠어. ──── ④
- 체험 부스에 참여한 마을 주민들의 만족도 조사를 진행해서 그 결과를 포함하는 게 좋겠어. ──── ⑤

| 글의 내용 점검하기 |

04 다음은 편집부가 제시한 '검토 항목'이다. 이에 따라 '초고'를 검토한 결과로 적절하지 <u>않은</u> 것은?

	검토 항목	예	아니요
①	'표제'는 ○○동아리의 활동 취지를 드러낼 것	✓	
②	'전문'에 ○○동아리의 체험 부스 운영 기간을 제시할 것		✓
③	'전문'은 '본문'에서 다룰 ○○동아리의 활동 내용을 요약할 것	✓	
④	'본문'에 마을 주민의 체험 소감을 인용할 것	✓	
⑤	'본문'에 ○○동아리의 향후 활동 계획을 제시할 것		✓

| 내용 생성과 조직의 적절성 판단하기 |

05 〈조건〉에 따라 @를 작성할 때, 그 내용으로 가장 적절한 것은?

┌─ 조건 ──────────────────────
│ '표제'를 구체화하여 ○○동아리가 마을 축제에서
│ 실시한 활동 내용이 잘 드러나도록 작성한다.
└────────────────────────────

① ○○동아리, 화학적 필터의 위험성을 알려

② ○○동아리, 지식 나눔 실천을 위해 마을 축제에 참여해

③ ○○동아리, 이끼 필터를 넣은 공기 청정기의 실용화 가능성 열어

④ ○○동아리, 체험 부스에 많은 주민이 참여하여 보람을 느꼈다고 밝혀

⑤ ○○동아리, 마을 주민들과 함께하는 '이끼 필터를 넣은 공기 청정기 제작' 체험 부스 운영해

| 고쳐쓰기의 적절성 판단하기 |

06 ㉠~㉤을 고쳐 쓰기 위한 방안으로 적절하지 <u>않은</u> 것은?

① ㉠은 능동 표현으로 바꾸어 '사용하는'으로 수정한다.

② ㉡은 글의 통일성을 고려하여 삭제한다.

③ ㉢은 글의 흐름을 고려하여 '그리고'로 수정한다.

④ ㉣은 조사 사용이 적절하지 않으므로 '주민들에'로 고친다.

⑤ ㉤에는 문장 성분이 누락되었으므로 '지식 나눔을'을 추가한다.

07~09 **가**는 교지에 실린 조사 보고서의 일부이고, **나**는 **가**를 참고하여 학교 신문에 싣기 위해 쓴 글이다. 물음에 답하시오.

가 '수면'에 대한 우리 학교 학생들의 인식과 실태 조사

Ⅰ. 서론

최근 사회적으로 수면의 중요성이 대두되고 있다. 이에 우리 학교 학생들 전체를 대상으로 수면에 대한 인식과 수면 실태를 설문지를 통해 조사하였다. 설문 조사는 2021년 3월 11일부터 3월 17일까지 진행되었다.

Ⅱ. 본론

1. 수면에 대한 인식

'수면이 중요하다고 생각하는가?'라는 질문에 대해 85%의 학생이 '그렇다.'라고 답했다. '그렇다.'라고 응답한 학생들만을 대상으로 한 '수면이 중요한 이유는 무엇인가?'라는 추가 질문에는 48%의 학생이 '피로를 풀기 위해'라고 응답하여 과반수의 학생이 피로 회복을 수면의 목적으로 인식하고 있음을 확인할 수 있었다.

2. 수면 실태

실태 조사는 앞서 수면이 중요하다고 응답한 학생들을 대상으로, 수면의 양과 질에 대한 항목을 각각 설정하여 실시하였다. 먼저 '하루에 6시간 이상 잠을 자는가?'라는 질문에 61%의 학생이 '그렇지 않다.'라고 응답했다. '하루에 6시간 이상 못 자는 이유는 무엇인가?'라는 추가 질문에는 휴대 전화 사용(62%), TV 시청(20%), 공부(16%), 기타(2%) 순으로 답변했다.

그리고 '하루에 6시간 이상 잠을 자는가?'라는 질문에 대해 '그렇다.'라고 응답한 학생을 대상으로 한, '수면 후 충분히 피로가 풀렸다고 생각하는가?'라는 추가 질문에는 75%의 학생이 '그렇지 않다.'라고 응답했다. 피로가 풀리지 않은 이유를 묻는 질문에는 92%의 학생이 '잘 모르겠다.'라고 응답했다.

Ⅲ. 결론

우리 학교 학생들은 수면의 중요성은 알고 있지만, 절대적인 수면의 양이 부족하고, 수면의 양이 부족하지 않은 학생들도 수면의 질이 낮은 것을 확인할 수 있었다.

나 최근 우리 학교에서 전교생을 대상으로 '수면에 대한 인식과 수면 실태'를 조사한 결과에 따르면, 수면이 중요하다고 생각하는 학생 중 61%는 수면 시간이 6시간 미만이라고 응답했고, 수면 시간이 6시간 이상인 학생들도 수면 후 충분히 피로가 풀렸다고 생각하지 않는다고 응답했다. 이를 통해 우리 학교에는 수면의 양이 부족하거나 수면의 질이 낮은 학생이 많다는 사실을 알 수 있었다.

우리의 몸은 적절한 수면을 통해 건강을 유지할 수 있다. 그런데 수면의 양이 부족하거나 질이 떨어지게 되면 피로해진 몸을 회복할 기회를 얻지 못한다. 그 결과 면역력이 떨어져 질병에 쉽게 노출되고, 집중력과 판단력이 저하될 수 있다.

그렇다면 이러한 문제를 해결할 수 있는 방안에는 어떤 것이 있을까? 첫째, 최소 6시간 이상의 충분한 수면 시간을 확보해야 한다. 이를 위해 효율적인 수면 계획을 세워 취침 시간과 기상 시간을 일정하게 유지해야 한다.

둘째, 수면 환경을 개선하여 수면의 질을 높여야 한다. 밤이 되면 우리 몸에서는 잠과 관련된 호르몬인 멜라토닌이 분비되는데 빛에 노출되면 멜라토닌의 분비량은 줄어들고 결과적으로 깊은 잠을 자지 못한다. 이 때문에 취침 전에는 수면의 질에 영향을 미칠 수 있는 빛을 차단하는 것이 좋다.

㉠

학생들이 적절한 수면 습관을 형성한다면, 내 몸의 건강함을 몸소 느낄 수 있을 것이다.

| 작문의 맥락과 특성 이해하기 |

07 작문 맥락을 고려할 때, **가**와 **나**에 대한 이해로 가장 적절한 것은?

① 작문 목적을 고려할 때, **가**는 **나**와 달리 공동체 문제의 해결 가능성을 강조하고 있다.

② 글의 유형을 고려할 때, **가**는 **나**와 달리 항목별로 소제목을 달아 정보를 제시하고 있다.

③ 글의 주제를 고려할 때, **가**는 **나**와 달리 수면에 대한 인식 변화의 필요성을 드러내고 있다.

④ 작문 매체를 고려할 때, **나**는 **가**와 달리 글을 매체에 노출한 뒤에는 수정이 자유롭지 않다.

⑤ 예상 독자를 고려할 때, **나**는 **가**와 달리 구체적인 사례를 제시하여 독자의 이해를 돕고 있다.

| 쓰기 윤리 고려하기 |

08 다음 ⓐ~ⓓ 중, **가**에 반영되지 <u>않은</u> 쓰기 윤리를 모두 고른 것은?

> ### 조사 보고서를 쓸 때 지켜야 할 쓰기 윤리
>
> • 조사 방법, 조사 대상, 조사 기간을 기술할 것 ── ⓐ
> • 조사 결과를 왜곡, 과장, 축소하여 해석하지 않을 것 ────────── ⓑ
> • 다른 사람의 글이나 자료를 인용할 때에는 반드시 출처를 밝힐 것 ──── ⓒ
> • '결론' 뒤에 보고서에서 인용한 모든 자료의 출처를 명시한 '참고 문헌'을 제시할 것 ── ⓓ

① ⓐ, ⓑ ② ⓑ, ⓒ ③ ⓐ, ⓑ, ⓒ
④ ⓐ, ⓑ, ⓓ ⑤ ⓑ, ⓒ, ⓓ

| 내용 생성과 조직의 적절성 판단하기 |

09 다음과 같은 친구의 조언을 고려할 때, **나**의 ㉠에 들어갈 내용으로 가장 적절한 것은?

> 마지막 문단은 비유적 표현을 활용하여 수면의 양과 질의 중요성을 강조하는 내용으로 시작하는 것이 좋겠어.

① 달님도 꿈꾸는 늦은 밤에 당신도 꿈꾸고 있나요?

② 수면의 양과 질을 모두 확보할 때 비로소 건강해질 수 있다.

③ 충분한 시간 동안 깊이 자는 잠은 건강한 삶을 위한 지름길이다.

④ '일찍 일어나는 새가 벌레를 잡는다.'라는 말이 있듯이, 적절한 수면을 통해 하루를 일찍 시작해야 한다.

⑤ '수면 부족이 만병의 근원이다.'라는 말이 있듯이, 수면 부족은 우리의 건강을 해치고 결국에는 학업에도 나쁜 영향을 미칠 수 있다.

창의·융합·코딩 전략 ①

01~02 **가**는 학생들이 발명가를 대상으로 한 인터뷰이고, **나**는 이를 참고하여 '학생 1'이 작성한 설명문의 초고이다. 물음에 답하시오.

가 학생 1 안녕하세요? 학생 발명가이신 선배님께 궁금한 게 많습니다. 먼저 발명이 무엇인지부터 말씀해 주세요.

발명가 네. 발명은 전에 없던 기술이나 물건을 새롭게 생각하여 만들어 내는 것이라고 할 수 있지요.

학생 2 새롭게 생각하여 전에 없던 기술이나 물건을 만든다는 게 쉽지 않은데요, 선배님의 발명품이 궁금해요.

발명가 (발명품을 꺼내며) 네, 이걸 보여 드리죠. 설탕, 소금과 같은 양념을 담는 통들이 어디 있는지 찾지 못해 곤란한 때가 많았어요. 그래서 통의 뚜껑과 본체를 여러 개로 나눈다는 아이디어를 생각해 냈습니다. 통 하나에 여러 가지 양념을 담을 수 있게 말이죠.

학생 2 간단하면서도 유용하네요. 저도 발명을 하고 싶은데 아이디어가 잘 떠오르지 않아서 힘들어요. 도움이 될 만한 게 있다면 알려 주세요.

발명가 아이디어 창출 중심 모형이 도움이 될 것 같네요. 이것은 세 단계로 구성됩니다. 체험 단계에서는 발명의 주제가 되는 물건을 탐색하며 발명에 대한 호기심을 가져 보고, 인지 단계에서는 그 물건에 담긴 과학적 원리를 학습합니다. 이 두 단계를 통해 주제가 되는 물건에 대한 이해를 높입니다. 발명 단계에서는 그러한 이해를 바탕으로 물건을 개선할 아이디어를 창출합니다. 이때 도움을 얻기 위해 기존의 다른 발명품들을 참고할 수 있습니다.

학생 1 아직 이해가 잘 안 되는데요. 예를 들어 설명해 주실 수 있을까요?

발명가 좋습니다. (가방에서 필통을 꺼내며) 필기구로 말씀드리죠. 여기 연필, 볼펜, 자가 있지요? 필기구를 발명 주제로 정했다면, 체험 단계에서는 필기구만 골라 만지고 분해하며 호기심을 가져 봅니다.

학생 2 그럼 다음 단계에선 과학적 원리를 공부하겠군요.

발명가 네, 인지 단계에서는 필기구에 담긴 과학적 원리를 공부하지요. 다음으로 발명 단계에서는 필기구를 개선할 아이디어를 창출합니다. 아까 기존의 다른 발명품을 참고한다고 했는데요, 이를테면 자가 발전 기능이 있는 손전등에 전자기 유도 법칙이 이용됐다는 것을 참고할 수 있습니다. 참고한 내용을 통해 빛을 내는 볼펜이라는 아이디어를 생성할 수 있지요.

학생 1 그렇군요. 끝으로 미래의 발명가 후배들에게 한 말씀 부탁드려요.

발명가 주변 사물에 호기심을 갖고 개선할 점이 있는지 살펴보세요. 과학적 원리를 바탕으로 개선 방법을 찾다 보면 좋은 아이디어가 떠오를 것입니다.

학생 1, 2 네, 감사합니다.

나 학생들은 발명을 어려워한다. 그 이유는 새로운 아이디어를 떠올리기가 어렵기 때문이다. 이를 해결하기 위해 사용할 수 있는 것이 아이디어 창출 중심 모형이다. 이것은 아이디어를 떠올리는 데 어려움을 겪는 학생들에게 도움을 줄 수 있고, 그로 인해 쉽게 발명에 다가설 수 있게 한다. 그렇다면 아이디어 창출 중심 모형은 어떤 단계로 이루어질까?

먼저 체험 단계에서는 발명에 대한 호기심을 유발한다. 예를 들어 자전거라는 발명 주제가 제시되면 자전거를 눈으로 살피고 손으로 만진다. 그리고 직접 자전거를 타 보이기도 하고, 자전거를 분해해 보이기도 하면서 탐색된다.

그 후 인지 단계에서는 자전거에 적용된 과학적 원리를 학습한다. 커브를 도는 쪽으로 자전거를 기울여야 하는 것은 원심력 때문이고, 울퉁불퉁한 길을 부드럽게 달릴 수 있는 것은 타이어의 탄성력 때문임을 알 수 있다. 이런 내용을 친구들과 이야기하면서 발명 주제인 자전거를 깊이 이해하게 된다. 이때 자전거를 탔던 즐거운 추억을 떠올려 감상문을 써 보는 것도 좋다.

마지막으로 발명 단계에서는 자전거에 대한 이해를 바탕으로 그것의 개선 방안을 생각한다. 즉 자전거가 아닌, 자동으로 공기가 채워지는 튜브를 참고해 물에 뜨는 자전거라는 아이디어를 창출할 수 있는 것이다. 개선 방안을 생각할 때는 기존의 다른 발명품을 참고할 수 있다.

01 다음은 **나**를 쓰기 위해 준비하는 과정에서 **가**의 '학생 2'가 '학생 1'에게 보낸 문자 메시지이다. **가**와 **나**를 고려할 때, ⊙에 들어갈 '학생 1'의 답변으로 가장 적절한 것은?

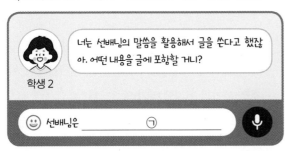

너는 선배님의 말씀을 활용해서 글을 쓴다고 했잖아. 어떤 내용을 글에 포함할 거니?

학생 2

☺ 선배님은 _____⊙_____ 🎤

① 발명품을 만드는 데 어려움을 겪었다고 하셨지. 나도 발명 도중에 겪었던 어려움을 글에 포함해야겠어.

② 주변 사물에 호기심을 갖고 개선점을 찾아보라고 하셨지. 나는 개선이 필요한 주변 사물의 문제점을 글에 포함해야겠어.

③ 모형의 각 단계를 양념 담는 통으로 설명하셨지. 나는 다른 물건을 이용해 모형을 설명하는 내용을 글에 포함해야겠어.

④ 기존의 다른 발명품을 참고할 수 있다고 하셨지. 나도 기존의 다른 발명품을 참고하여 아이디어를 창출하는 내용을 글에 포함해야겠어.

⑤ 발명은 아이디어를 통해 새로운 물건을 만드는 것이라고 하셨지. 나도 창출한 아이디어를 이용하여 새로운 물건을 제작·완성하는 과정을 글에 포함해야겠어.

02 다음은 '학생 2'가 **나**를 평가한 내용이다. 평가 항목에 따라 **나**를 평가한 결과로 적절하지 <u>않은</u> 것은?

① 글의 흐름과 어긋나는 문장은 없는가?
　　　□예 ☑아니오

② 앞뒤 문장의 순서가 자연스럽게 연결되어 있는가?
　　　□예 ☑아니오

③ 능동 표현과 피동 표현을 바르게 사용하고 있는가?
　　　□예 ☑아니오

④ 담화 표지를 사용하여 글의 흐름을 효과적으로 드러내고 있는가?
　　　☑예 □아니오

⑤ 비교의 방법을 사용하여 중심 화제의 의미를 구체적으로 설명하고 있는가?
　　　☑예 □아니오

•••도움말
학생 2의 문자 메시지에 따르면 학생 1은 (가)에 나타난 발명가의 말을 활용하여 (나)에 들어갈 내용을 구성해야 해요. 각 선지의 첫 번째 문장은 **❶**[　　　]와의 인터뷰 내용을, 두 번째 문장은 이를 바탕으로 하여 **❷**[　　]에 담을 내용을 제시하고 있어요. 따라서 첫 번째 문장의 내용이 (가)에 나타나 있는지, 두 번째 문장의 내용이 (나)에 나타나 있는지 확인하며 선지의 적절성을 판단해 보세요.
답 ❶ 발명가 ❷ (나)

•••도움말
주체가 제힘으로 움직이는 것을 능동, 주체가 다른 힘에 의하여 움직이는 것을 피동이라 하고, 이러한 의미 관계가 나타난 표현을 각각 능동 표현, **❶**[　　]표현이라고 해요. 2문단을 중심으로 능동 표현과 피동 표현을 바르게 사용하고 있는지 살펴보세요. 또한 비교는 서로 다른 대상을 견주어 **❷**[　　]이나 차이점을 설명하는 방법을 말해요. (나)에 비교의 방법이 나타나 있는지 살펴보세요.
답 ❶ 피동 ❷ 공통점

03~04 **가**는 교내 신문의 연재 기사이고, **나**는 **가**의 보도 이후에 열린 회의이다. 물음에 답하시오.

가 **새로운 모습으로 탈바꿈하게 될 유휴 교실**

우리 학교가 교육청의 '학교 공간 개선 지원 사업'의 대상 학교로 선정되어, '유휴 교실 활용 위원회' 회의를 통해 유휴 교실 활용 방안을 논의할 예정이다.

우리 학교는 학급 수 감축으로 생긴 빈 교실 두 칸의 활용도가 낮아, 이를 개선해야 한다는 요구가 계속 제기되어 왔다. 이에 우리 학교는 교육청의 학교 공간 개선 지원 사업을 신청하여 대상 학교로 선정되었다.

학교에서는 학생, 교사, 학부모 위원으로 구성된 유휴 교실 활용 위원회를 조직하여 유휴 교실 활용 방안을 논의하기로 하였다. 본 회의에 앞서 실시된 예비 모임에서는 학교 구성원들의 의견을 먼저 알아본 후에 그 결과를 바탕으로 회의를 열기로 협의하였다. 제1차 유휴 교실 활용 위원회 회의는 오는 ××일에 학생 자치실에서 열린다. 이와 관련해 김○○ 학생은 "학생들이 자유롭게 이용할 수 있는 공간이면 좋겠어요."라고 말했고, 최△△ 교사는 "학교 구성원들의 요구가 잘 충족되기를 바란다."라고 말해 회의에 대한 기대감을 드러내었다.

한편 본보에서는 앞으로 실시될 회의 결과를 연재 기사 형태로 실어 학교 구성원들에게 전달할 예정이다.

나 **사회자** 제1차 유휴 교실 활용 위원회 회의를 시작하겠습니다. 회의에 앞서 배부한 참고 자료들을 보시면서 유휴 교실의 공간 활용 방안에 대해 논의하겠습니다. 학생 위원 먼저 발언해 주시기 바랍니다.

학생 위원 학생 선호도 조사를 보면 학생들은 유휴 교실을 휴게실로 사용하기를 가장 원합니다. 교실은 공부를 위한 공간이다 보니, 교실에서 친구들과 이야기를 하거나 공부 이외의 활동을 자유롭게 하기 어렵습니다. 그래서 학생들이 마음 편하게 쉴 수 있는 공간으로 유휴 교실을 활용했으면 좋겠습니다.

교사 위원 학생 위원의 의견에 공감합니다. 그러나 자료를 보시면 알 수 있듯이 이 사업이 교육청의 지원을 받아 이루

어지므로 유휴 교실은 교육 활동을 위한 공간으로 활용되어야 합니다. 그런 점에서 단순히 휴게실로만 이용하는 것은 사업의 취지에 맞지 않습니다.

사회자 학생 위원은 학생들의 휴식 공간으로의 활용 방안을, 교사 위원은 교육 활동을 위한 공간으로 활용될 필요성을 말씀하셨습니다. 이에 대해 학부모 위원은 어떻게 생각하십니까?

학부모 위원 저도 유휴 교실은 교육적인 활동이 이루어지는 공간으로 구성되었으면 합니다. 학생 선호도 조사를 보면 스터디 카페에 대한 선호도도 높은 편인데 유휴 교실을 스터디 카페로 활용하는 방안은 어떨지요? 자료를 보니 인근의 □□고등학교도 유휴 교실을 스터디 카페로 활용하여 학생들의 만족도가 높습니다.

학생 위원 사업 취지를 살펴보면 '교육 활동에 적합한 공간'이라는 말도 있지만 '구성원 모두가 누릴 수 있는 공간'이라는 말도 있습니다. 스터디 카페를 만들게 되면 공부하는 학생들만 이용하는 공간으로 제한될 우려가 있습니다. 오히려 학생 모두가 이용할 수 있는 휴게 공간으로 만드는 것이 사업 취지에도 맞습니다.

사회자 학생 위원과 학부모 위원이 말씀하신 휴게 공간이나 스터디 카페 모두 사업의 취지에 부합한다고 볼 수 있습니다. 그러면 휴게 공간과 교육 공간의 성격을 아우를 수 있는 공간 활용 방안은 없을까요?

교사 위원 유휴 교실 두 칸을 통합하여 북 카페의 형태로 공간을 구성하면 가능할 것 같습니다. 스터디 카페로 꾸민 □□고등학교의 보고서를 보니 이곳을 독서 교육 공간으로 활용했으면 하는 의견도 있는데, 북 카페로 만든다면 교과와 연계된 독서 교육 프로그램을 운영하는 공간으로 활용할 수도 있을 것 같습니다.

학부모 위원 좋은 생각입니다. 그러면 북 카페를 학생뿐 아니라 학부모 독서 모임 공간으로도 활용할 수 있습니다.

학생 위원 북 카페로 만든다면 편하게 쉬면서 책도 읽을 수 있어서 학생들도 만족할 것 같습니다. 다만 인근 학교의 사례를 보면 공간 이용에 불편함이 있다는 의견이 있으니,

우리 학교는 내부 디자인 설계 때 학생들의 의견을 반영해 주셨으면 합니다.

사회자 그럼, 유휴 교실을 북 카페로 활용하는 것으로 의견이 모아진 것 같습니다. 말씀하신 공간 내부 디자인 설계 방법에 대해서는 제2차 회의에서 디자인 전문가를 모시고 협의하도록 하겠습니다. 오늘 회의에 참여해 주셔서 감사합니다.

---

03 **가**를 작성하며 다음 사항을 고려했다고 할 때, **가**에 반영되지 않은 것은?

기사문의 성격	→	기사문의 공적인 성격을 고려하여 격식체를 사용한다. ················①
기사문의 예상 독자	→	기사문의 예상 독자를 고려하여 회의에 대한 학교 구성원들의 기대감을 나타낸다. ················②
기사문의 형식	→	기사문의 형식을 고려하여 기사 맨 앞부분인 전문에 유휴 교실 개선의 필요성을 제시한다. ················③
기사문의 기획 의도	→	기사문의 기획 의도를 고려하여 회의 결과를 지속적으로 독자에게 알릴 것임을 언급한다. ················④
기사문의 목적	→	기사문의 목적을 고려하여 학교 공간 개선 지원 사업 신청 배경에 관한 정보를 전달한다. ················⑤

04 다음은 **나**에 대한 연재 기사문이다. 회의의 내용을 고려했을 때, ㉠~㉤ 중 적절하지 **않은** 것은?

> ### ㉠유휴 교실, 북 카페로 변신
>
> ㉡지난 ××일 학생 자치실에서 열린 제1차 '유휴 교실 활용 위원회' 회의 결과 유휴 교실을 북 카페로 만들기로 의견이 모아졌다.
>
> 이 회의에서 ㉢학생 위원은 유휴 교실을 휴게실로, 교사 위원은 교육 활동 공간으로, 학부모 위원은 스터디 카페로 활용하자는 의견을 제시하였다. 열띤 토의 과정을 거쳐 교사 위원은 휴식과 교육의 기능을 모두 충족할 수 있는 북 카페를 제안하였다. 이에 대해 ㉣학부모 위원은 북 카페가 되면 교과 연계 독서 활동이 가능하다며 동의하였고, 학생 위원도 북 카페로 만들 때 고려할 점을 건의하며 동의하였다.
>
> 오는 ◇◇일에 열릴 ㉤제2차 회의에서는 디자인 전문가와 함께 내부 디자인 설계 방안에 대해 논의할 예정이다.

① ㉠ ② ㉡ ③ ㉢ ④ ㉣ ⑤ ㉤

••• 도움말

(가)에 나타난 기사문의 작문 맥락을 고려하여 글의 내용이나 표현 방식의 적절성을 판단할 수 있는지 확인하는 문제입니다. '기사문의 공적인 성격을 고려하여 / 격식체를 사용한다.'와 같이 선지를 두 부분으로 나누어 보면, 앞부분은 (가)를 작성할 때 고려한 ❶ [   ] 을, 뒷부분은 이와 관련된 글의 ❷ [   ] 이나 표현 방식을 서술하고 있습니다. 작문 맥락을 중심으로 하여 선지에서 설명하는 내용이 실제로 (가)에 나타나 있는지 확인해 보세요. 또한 기사문의 구성 중 '전문'은 본문 앞머리에 위치한 한 문단을 가리킨다는 점을 참고하여 (가)를 표제, 전문, 본문으로 나누어 살펴보세요.

답 ❶ 작문 맥락 ❷ 내용

••• 도움말

(나)의 회의 내용과 연계하여, 문제에 제시된 기사문의 적절성을 파악할 수 있는지 확인하는 문제입니다. (나)는 제1차 유휴 교실 활용 위원회 ❶ [   ] 이고, 제시된 기사문은 제1차 유휴 교실 활용 위원회 회의 결과를 알리는 ❷ [   ] 입니다. (나)에서 ㉠~㉤과 관련된 내용이 나타난 부분을 찾아, 해당 기사문이 (나)의 내용을 정확하게 전달하고 있는지 판단해 보세요.

답 ❶ 회의 ❷ 연재 기사문

이제 작문이라면 문제없지!

완전 감 잡았어!

잠깐! 아직 끝난 게 아니야!

맞아. 중요하게 다룰 글의 유형이 더 남아 있다고!

환경 보호를 실천합시다!

논설문

지난날 나의 태도를 성찰하게 되었어.

수필

이번 주에는 글쓴이의 주장을 드러내는 글과

정서를 표현하는 글, 자기를 성찰하는 글의 작문 원리와 전략을 알아볼 거야.

그럼 주장하는 글부터 그 특징과 작문 전략을 차근차근 알아보자고!

설득·건의·비평하는 글

설득하는 글

건의하는 글

비평하는 글

이러한 글에서는 주장의 타당성과 주장을 뒷받침하는 논거의 적절성을 판단하는 것이 중요해.

탁!

이 중 설득하는 글과 건의하는 글은 수능에 자주 나오는 글의 유형이야.

어떤 논거가 적절한 건데?

개념 돌파 전략 ①

개념 01 설득하는 글 ①_개념과 쓰기 과정

○ **개념** 어떤 문제에 대한 자신의 주장을 논리적으로 펼쳐 다른 사람들의 생각, 태도, 행동의 **①**[　　]를 이끌어 내고자 하는 글

예 논설문, 건의문, 비평문, 사설, 광고문 등

○ **쓰기 과정**

주장 세우기	• 주장을 명료화함. • 주장이 미칠 사회적 영향과 책임을 고려함.

↓

논거 선별하기	• 독자의 요구, 관심사, 수준 등을 고려하여 논거를 수집함. • 타당성·신뢰성·공정성을 고려하여 논거를 선별함.

↓

글 작성하기	• **②**[　　], 주제, 매체, 글의 유형 등의 작문 맥락을 고려하여 글을 작성함. • 비유, 설의, 이중 부정 등 적절한 설득 전략을 사용함.	
	비유	표현하고자 하는 대상을 다른 대상에 빗대어 표현하는 방법
	설의	누구나 알고 있는 사실을 의문 형식으로 제시하여 독자 스스로 해답을 찾게 하는 방법
	이중 부정	한 번 부정한 것을 다시 부정하여 긍정을 강조하는 표현 방법

답 ❶ 변화 ❷ 독자

확인 01

다음 중 설득하는 글에 해당하지 <u>않은</u> 것은?

① 건의문　　　② 보고문　　　③ 논설문

개념 02 설득하는 글 ②_논거

○ **논거의 개념** **①**[　　]의 타당함을 뒷받침하는 논리적 근거

○ **논거의 선별 기준**

타당성	• 주장과 관련이 있는가? • 주장을 뒷받침할 수 있는 합리성과 객관성을 갖추었는가?
공정성	• 어느 한쪽의 입장에 치우치지 않았는가? • 글쓴이의 선입견이나 **②**[　　]이 들어가지는 않았는가?
신뢰성	• 출처가 분명하고 믿을 만한가? • 인용한 자료의 출처가 권위 있는 것인가? • 지나치게 오래되지 않은 최신의 자료인가? • 의견을 낸 화자나 글쓴이가 전문성이 있는가?

답 ❶ 주장 ❷ 편견

확인 02

다음 중 논거의 선별 기준으로 적절하지 <u>않은</u> 것은?

① 창의적인 내용을 제시하고 있는가?
② 주장을 뒷받침할 수 있는 합리성을 갖추었는가?
③ 글쓴이의 선입견이나 편견이 들어가지 않았는가?

개념 03 건의하는 글 ①_개념과 형식

○ **개념** 어떤 현안을 분석하여 쟁점을 파악하고 그 현안을 해결할 **①**[　　]을 담은 글로, 글을 읽는 대상이 명확하며 대체로 편지 형식으로 씀.

○ **일반적인 형식**

처음	인사말, 건의자 소개, 건의 목적
중간	문제 상황의 심각성, 해결 방안, 해결 방안으로 얻을 수 있는 긍정적인 **②**[　　]
끝	주장 요약, 건의 수용에 대한 긍정적 기대, 끝인사, 건의 일자와 서명

답 ❶ 방안 ❷ 기대 효과

확인 03

다음 중 건의하는 글에 대한 설명으로 적절하지 <u>않은</u> 것은?

① 글을 읽는 대상이 명확하다.
② 문제 상황을 해결할 방안을 담고 있다.
③ 글쓴이의 주관이 개입되지 않아 객관적이다.

개념 **04** 건의하는 글 ②_쓰기 과정

현안 분석하기	문제의 원인을 분석하여 쟁점을 파악함.

↓

해결 방안 모색하기	해결 방안이 ❶ [　　　] 가능한지, 도덕적으로 문제가 없는지, 어느 한쪽으로 치우치지 않았는지, 논리적으로 문제가 없는지 등을 따져 봄.

↓

글 작성하기	• 문제의 원인과 ❷ [　　　]을 구체적으로 제시함. • 명료하고 간결한 문장을 사용함. • 예의 바르고 공손한 표현을 사용함.

답 ❶ 실현 ❷ 해결 방안

확인 04

괄호 안에서 알맞은 말을 고르시오.

> 건의하는 글에는 문제 상황을 해결할 수 있는 (구체적 / 추상적)이고 실현 가능한 방안이나 요구 사항을 제시해야 한다.

개념 **05** 비평하는 글

○ **개념** 어떤 사물이나 현상에 대해 옳고 그름, 아름다움과 추함 등의 가치를 논하는 글

　예 책을 평가하는 서평, 특정 인물에 대한 비평 글 등

○ 비평하는 글 쓰기의 과정

비평 대상 선정·이해하기	비평하는 대상을 명확하게 선정하고, 대상을 바라보는 다양한 관점의 장단점을 살펴보며 비평하는 대상을 이해함.

↓

자신의 관점 수립하기	앞서 비평 대상을 이해한 내용을 바탕으로 하여 자신의 ❶ [　　　]을 수립함.

↓

비평의 근거 마련하기	자신의 관점(주장)을 뒷받침해 줄 수 있는 적절한 근거를 마련함.

↓

글 작성하기	• 자신의 관점을 ❷ [　　　] 있게 유지함. • 간결한 표현을 통해 자신의 관점을 분명하게 드러냄.

답 ❶ 관점 ❷ 일관성

확인 05

괄호 안에서 알맞은 말을 고르시오.

> (설명 / 비평)하는 글은 어떤 대상에 대해 옳고 그름, 아름다움과 추함 등의 가치를 논하는 글이다.

개념 **06** 정서를 표현하는 글

○ **개념** 글쓴이가 경험에서 얻은 감정이나 어떤 대상을 살펴보고 나서의 ❶ [　　　]을 드러내는 글

　예 수필, 기행문, 감상문 등

○ 정서를 표현하는 글 쓰기의 과정

일상의 대상이나 사건 관찰하기	대상이나 사건을 면밀히 관찰하여 의미 있는 글쓰기 소재를 발견함.

↓

대상이나 사건에 의미 부여하기	관찰한 대상이나 사건이 우리의 삶과 어떤 관련이 있는지 발견해야 함.

↓

표현하기	• 독자가 공감할 만한 내용을 참신한 문장으로 표현함. • 대상에서 발견한 의미나 ❷ [　　　]를 꾸밈없이 진솔하게 표현함.

답 ❶ 느낌 ❷ 가치

확인 06

다음 중 정서를 표현하는 글에 해당하지 <u>않는</u> 것은?

① 수필　　　　　② 감상문　　　　　③ 비평문

개념 **07** 자기를 성찰하는 글

○ **개념** 자신의 ❶ [　　　]을 되돌아보는 내용을 담은 글

　예 일기, 자서전, 회고문 등

○ 자기를 성찰하는 글 쓰기의 과정

자신의 삶 되돌아보기	자신의 삶에 큰 영향을 미친 경험을 떠올리며 자신의 삶을 되짚어 봄.

↓

가치 있는 경험 정하기	떠올린 경험 중 글로 쓸 만큼 자신에게 의미 있는 경험을 선택함.

↓

경험에 의미 부여하기	경험 당시의 고민이나 갈등 등을 진솔하게 표현하여 경험에 ❷ [　　　]를 부여함.

↓

표현하기	자신의 감정에 지나치게 치우치지 않고 진술하고 담담하게 표현함.

답 ❶ 삶 ❷ 의미

확인 07

다음을 읽고 맞으면 ○, 틀리면 ×를 고르시오.

(1) 자기를 성찰하는 글에는 일기, 자서전, 논설문 등이 있다. (○ , ×)

(2) 자기를 성찰하는 글을 쓸 때에는 자신의 삶을 진솔하고 담담하게 표현해야 한다.　　　　　　　　　　　　　(○ , ×)

개념 돌파 전략 ②

01~02 다음은 학생이 학교 신문에 쓴 글이다. 물음에 답하시오.

영화, 방송, 소설 등의 줄거리나 내용을 예비 관객이나 시청자, 독자들에게 미리 밝히는 행위 또는 그런 행위를 하는 사람들을 스포일러라고 한다. SNS 사용이 급증하고 있는 최근에는 스포일러에 따른 피해가 확산되면서 누리꾼들 사이에 이에 대한 부정적 인식이 심화되고 있다. ㉠영화 전문 예매 사이트 ○○가 지난달 2,322명의 누리꾼을 대상으로 실시한 스포일러에 대한 설문 조사 결과에 따르면 '스포일러는 영화 관람에 영향을 미치므로 금지해야 한다.'라는 응답이 73%에 달했다.

사람들은 다음에 벌어질 상황이나 결말을 알지 못할 때 긴장감과 흥미를 느낀다. 따라서 그들이 의도치 않게 스포일러를 접하게 되면 흥미는 반감될 수밖에 없다. 누리꾼들은 자신의 행위가 스포일러가 될 수도 있다고 인식하지 못한 채 영화 관련 정보를 제공하려는 의도로 글을 올리는 경우가 많다. 하지만 원래 의도와는 달리 이러한 글이 많은 사람에게 피해를 줄 수도 있다. 한편 영화와 전혀 관련이 없는 내용인 것처럼 제목을 꾸며 놓고 클릭을 유도해서 중요한 내용을 공개해 사람들을 의도적으로 골탕 먹이는 경우도 있다.

그렇다면 이러한 문제는 어떻게 해결할 수 있을까? 우선 자신의 행위가 스포일러가 될 수도 있다는 것을 명확히 인식해야 한다. 아울러 자신의 행위가 스포일러는 아닌지 한 번 더 의심하고 자기 점검을 할 필요가 있다. 또한 의도적인 스포일러를 방지하기 위해서는 지속적인 캠페인 활동 등을 통해 누리꾼들의 윤리 의식을 고취해야 한다.

스포일러의 피해가 사회적 문제로 대두되는 요즘, 우리는 문화 콘텐츠의 향유자로서 스포일러의 폐해에 관심을 갖고 스포일러 방지를 위해 노력해야 한다.

- **글의 종류** 논설문
- **예상 독자** 같은 학교 학생들
- **글쓰기 목적** **❶**⬚⬚⬚⬚⬚⬚ 문제를 해결할 방안 제시와 스포일러 방지를 위한 **❷**⬚⬚ 촉구

답 ❶ 스포일러 **❷** 노력

이 사람이 범인!

01 윗글에 반영된 글쓰기 전략으로 가장 적절한 것은?

① 권위자의 말을 인용하여 문제의 심각성을 드러내고 있다.
② 용어의 개념을 명확히 제시하여 독자의 이해를 돕고 있다.
③ 기존 이론의 문제점을 비판하여 주제를 분명히 드러내고 있다.
④ 도입부에서 질문의 방식을 사용하여 독자의 관심을 유도하고 있다.
⑤ 화제에 대한 긍정적 전망을 제시하여 주장의 설득력을 높이고 있다.

문제 해결 전략

㉠에서는 설문 조사 자료의 **❶**⬚⬚⬚ 와 설문 조사가 실시된 시기를 밝히고 있습니다. 이러한 점이 논거를 선별하는 기준인 **❷**⬚⬚⬚, 공정성, 신뢰성 중 무엇과 관련 있는지 생각해 보세요.

답 ❶ 출처 **❷** 타당성

02 ㉠은 출처가 분명한 최신의 자료라는 점에서 ⬚⬚⬚⬚을 갖춘 논거이다.

03~04 **가**는 학생의 메모이고, **나**는 **가**를 바탕으로 쓴 글이다. 물음에 답하시오.

가 예상 독자인 지역 주민들에 대한 분석

　　㉠ 대부분의 주민이 문화재 복원과 보존이 무엇인지 잘 모름.

　　㉡ 우리 지역의 ○○사에 있는 탑의 현재 상태와 복원 혹은 보존의 이유를 궁금해함.

　　㉢ ○○사에 있는 탑의 복원과 보존에 관해 나와 상반된 견해를 가진 주민들이 있음.

나 문화재 관리에서 중요한 개념이 복원과 보존이다. 복원은 훼손된 문화재를 원래대로 다시 만드는 것을, 보존은 더 이상 훼손되지 않도록 잘 간수하는 것을 의미한다. 우리 지역 ○○사에 있는 훼손된 탑의 관리에 대한 논의가 한창이다. 탑의 복원을 주장하는 사람들은 탑의 상층부가 대부분 훼손되었다는 점을 언급하며 탑을 박물관으로 옮겨 복원하자고 하지만, 나는 복원보다는 보존이 더 적절하다고 생각한다.

　우선, 탑을 보존하면 탑에 담긴 역사적 의미를 온전하게 전달할 수 있어 진정한 역사 교육이 가능하다. 우리 지역의 탑은 백성들의 평화로운 삶을 기원하기 위해 만들어졌고, 이후 역사의 흐름 속에서 전란을 겪으며 훼손된 흔적들이 더해져 지금 모습으로 남아 있다. 그런데 탑을 복원하면 이런 역사적 의미들이 사라져 그 의미를 온전하게 전달할 수 없다.

　다음으로, 정확한 자료가 없이 탑을 복원하면 이는 결국 탑을 훼손하는 것이 될 수밖에 없다. 우리 지역의 탑을 건축할 당시 사용한 재료와 건축 과정을 알 수 있는 정확한 자료가 현재는 소실된 상황이다. 따라서 원래의 재료를 활용하지 못하고 과거의 건축 과정에 충실하게 탑을 복원하지 못하면 탑의 옛 모습을 온전하게 되살릴 수 없을 뿐 아니라 문화재로서의 가치마저 잃게 된다.

　따라서 우리 지역의 탑은 보존하는 것이 박물관으로 옮겨서 복원하는 것보다 더 적절하다고 생각한다. 건축 문화재의 복원보다는 보존을 중시하는 국제적인 흐름을 고려했을 때도, 탑이 더 훼손되지 않도록 지금의 모습을 유지하고 관리하는 것이 문화재로서의 가치를 지키고 계승할 수 있는 바람직한 방법이라고 생각한다.

● 글의 종류　논설문
● 예상 독자　우리 지역 **❶**
● 글쓰기 목적　우리 지역의 탑을 **❷** 하는 것이 바람직하다는 관점 제시

답 ❶ 주민들 ❷ 보존

03 **가**의 ㉠~㉢을 고려할 때, **나**에 활용된 글쓰기 전략으로 적절하지 않은 것은?

① ㉠을 고려해, 1문단에서 문화재의 복원과 보존의 개념을 설명한다.

② ㉡을 고려해, 1문단에서 우리 지역의 탑이 훼손된 정도를 제시한다.

③ ㉡을 고려해, 2문단에서 탑을 보존함으로써 발생하는 효과를 언급한다.

④ ㉢을 고려해, 3문단에서 탑의 건축 과정을 설명하며 복원이 필요하지 않음을 부각한다.

⑤ ㉢을 고려해, 4문단에서 국제적 흐름을 언급하며 탑의 복원보다 보존이 긍정적임을 강조한다.

문제 해결 전략

'과정'이란 일이 되어 가는 방법이나 순서를 말합니다. 따라서 (나)에서 '탑의 건축 **❶** '을 설명했다면 탑을 건축하는 **❷** 나 그 흐름이 제시되어야겠지요. 이를 참고하여 선지의 내용이 (나)의 각 문단에 제시되어 있는지 확인해 보고, 그 내용이 ㉠~㉢과 관련된 것인지 판단해 보세요.

답 ❶ 과정 ❷ 순서

04 **나**의 글쓴이는 역사적 의미 전달과 문화재로서의 가치 보존을 □□로 들어 탑을 보존하는 것이 바람직하다는 관점을 분명하게 드러내고 있다.

05~06 다음은 학생이 학교 누리집에 쓴 글이다. 물음에 답하시오.

안녕하세요. 저는 학생 여러분께 건의할 사항이 있어 이 글을 씁니다. 우리 모두가 쾌적한 환경에서 건강하게 학교생활을 할 수 있도록 학생들 모두 실내에서는 실내화를 착용했으면 좋겠습니다.

실내에서는 실내화를 착용하는 것이 원칙이지만 실외화를 신고 다니는 학생이 너무 많습니다. 이는 교실 청결은 물론 학생들의 호흡기 건강에 매우 나쁜 영향을 미칩니다. 특히 꽃가루가 날리는 계절이나 미세 먼지가 많을 때, 비가 온 뒤에는 더욱 문제가 됩니다. 또한 계단이나 복도에 흙이 많이 떨어져 있어 그곳을 청소하는 학생들이 고생을 합니다. 저 역시 흙이 많이 떨어져 있거나 비가 와 진흙이 묻은 날에는 정해진 시간 내에 청소를 다 끝내지 못해 수업에 늦은 적이 있습니다.

실내화 착용에 대한 설문 조사 결과, 전체 학생의 50% 정도가 실내화를 착용하지 않는다고 응답했고, 실내화를 신지 않는 이유에 대해서는 '갈아 신는 것이 귀찮아서'라는 응답이 가장 많았습니다. 하지만 '실내화 착용이 필요한가?'라는 질문에는 85% 이상의 학생이 필요하다고 응답했습니다. 이처럼 학생 대부분이 필요성을 인식하고 있지만 단지 귀찮다는 이유로 실내화를 착용하지 않는 것은 문제가 있다고 생각합니다.

따라서 학생 여러분께서는 실내에 들어올 때에는 실내화를 착용할 수 있도록 노력해 주시고 서로 실내화 착용을 권유하면 좋겠습니다. 이를 통해 깨끗한 환경이 조성된다면 학생들이 건강을 염려하지 않아도 되고, 또 계단이나 복도 청소도 수월해질 것입니다.

쾌적한 학교생활과 학생들의 건강, 청소하는 친구들을 위해서라도 하루빨리 모든 학생이 실내화를 착용하길 바랍니다. 감사합니다.

05 윗글에 대한 설명으로 가장 적절한 것은?
① 계단 청소를 맡은 학생들의 말을 인용하여 건의 내용의 °중립성을 확보했다.
② 학생들을 대상으로 한 설문 조사 결과를 제시하여 건의 내용의 신뢰성을 높였다.
③ 실내화 착용의 이로운 점에 대한 전문가의 견해를 제시하여 건의 내용의 필요성을 강화했다.
④ 실내화 착용에 반대하는 학생들의 의견과 사례를 함께 제시하여 건의 내용의 공정성을 높였다.
⑤ 실내화 착용의 생활화를 위한 학교 차원의 지원책을 제시하여 건의 내용의 실현 가능성을 강조했다.

06 글쓴이는 요구 사항이 실현되었을 때 나타날 수 있는 긍정적인 □□를 함께 제시하여 글의 설득력을 높이고 있다.

● 글의 종류 **①** ☐
● 예상 독자 같은 학교 학생들
● 글쓰기 목적 실내에서 **②** ☐를 착용할 것에 대한 건의

탑 **①** 건의문 **②** 실내화

문제 해결 전략

건의하는 글은 요구 사항을 수용하도록 독자를 설득하는 글입니다. 따라서 건의문을 쓸 때에도 타당성, 공정성, 신뢰성을 갖춘 **①** ☐를 제시해야 합니다. 논거가 주장과 관련 있는지 따지는 것은 타당성, 어느 한쪽에 치우치지 않는지 따지는 것은 공정성, 출처가 분명하고 믿을 만한지 따지는 것은 **②** ☐을 판단하는 기준이에요.

탑 **①** 논거 **②** 신뢰성

● **중립성** 어느 편에도 치우치지 아니하고 공정하게 처신하는 성질.

07~08 다음은 학생이 쓴 글의 초고이다. 물음에 답하시오.

오늘 아침엔 다른 날보다 일찍 잠이 깨었다. 무엇을 할까 잠시 망설이다가 학교까지 걸어가 보기로 했다. 길을 걷는 동안 버스가 빠른 속도로 곁을 스쳐 갔다. 어제까지는 나도 그 속에 앉아 바쁘게 오고 가느라 느긋함을 느끼지 못했다는 것이 떠올랐다. 하지만 오늘은 걸어가면서 주변을 천천히 둘러볼 수 있었다. 걸어가다 보니 새들이 나뭇가지에 앉아 지저귀는 소리가 조그맣게 들려왔다. 걸어서 등교하지 않았다면 듣지 못했을 것이라는 생각을 하니 뿌듯한 마음에 발걸음이 더 가벼워졌다.

아침 햇살을 받으며 반짝이고 있는 나뭇잎들을 보면서 걷다가 문득 '어, 한 나무에서 돋아난 나뭇잎들인데 빛깔이 다르네!'라는 생각이 들었다. 발걸음을 멈추고 나무를 자세히 올려다 보니 수많은 나뭇잎이 모두 조금씩 다른 빛깔을 지니고 있었다. 그리고 이 다른 빛깔들이 서로 어울려 조화를 이루고 있는 모습에서 아름다움을 느꼈다. 가을에 나무가 아름다운 것은 다양한 빛깔의 나뭇잎들이 서로 조화를 이루고 있기 때문이었다.

나는 가을의 아침을 나무들과 함께 걸으며 나의 생활을 돌아보았다. 문득 친구들이 떠올랐다. 나와 생각이 다른 친구들과 함께 있으면 불편했던 일, 내 의견에 반대하는 친구들에게 반감을 느꼈던 일들이 생각났다. 그리고 그런 모습으로 살아왔던 나 자신이 부끄러워졌다. 사람들이 살아가는 모습이 저마다 다른 것은 삶의 빛깔이 조금씩 다르기 때문이다. 다양한 삶의 빛깔로 이루어진 아름다운 세상을 위해 사람들의 서로 다른 삶의 빛깔을 인정하며 살아야겠다.

● 글의 종류 일기
● 글의 주제 다양한 빛깔의 나뭇잎들이 조화를 이룬 ❶ [   ]를 통해 발견한 다양성의 가치와 삶에 대한 ❷ [   ]

답 ❶ 나무 ❷ 성찰

07 학생이 소재로부터 떠올린 생각 중 윗글에 반영되지 <u>않은</u> 것은?

①	버스	→	바쁘게 오고 가느라 마음의 여유를 갖지 못했음을 떠올리게 하는구나.
②	새소리	→	이전에 주목하지 못했던 것을 인식하는 기쁨을 느끼게 하는구나.
③	나뭇잎들	→	서로 다른 모습에서 다양성의 가치를 발견하게 하는구나.
④	가을	→	아름다움을 위해서는 인내가 필요함을 알게 하는구나.
⑤	친구들	→	생각의 차이를 받아들이지 않았던 기억을 떠올리게 하는구나.

문제 해결 전략

소재란 글의 내용이 되는 재료를 말해요. 윗글에서 문제에 제시된 ❶ [   ]가 나타난 부분을 찾고, 그 앞뒤 내용을 중심으로 소재와 관련된 글쓴이의 ❷ [   ]을 확인해 보세요.

답 ❶ 소재 ❷ 생각

08 글쓴이는 등굣길의 경험을 통해 자신의 삶을 되돌아보고, 서로 다른 삶의 빛깔을 인정하며 살아야겠다는 [ ][ ][ ]을 이끌어 내고 있다.

WEEK
2
DAY
2
필수 체크 전략 ①

✏️ **가**는 학교 신문에 글을 쓰기 위해 학생이 작성한 메모이고, **나**는 이에 따라 작성한 학생의 글이다. 물음에 답하시오.

가 학생의 메모

- 글의 목적: 물티슈의 무분별한 사용 때문에 발생하는 문제점을 알리고, 이에 대한 해결 방법 제안하기.
- 주제: 무분별한 물티슈 사용에 대한 문제를 인식하고 올바르게 사용하자.
- 예상 독자: 우리 학교 학생들

나 학생의 글

　사용하기 편리하고 휴대성이 좋다는 이유로 물티슈의 사용량은 해마다 늘어 가고 있다. 그런데 이러한 이유로 최근 물티슈가 무분별하게 사용되고 있고, 그 때문에 문제가 발생하고 있다.

　이렇게 무분별하게 사용되는 물티슈 때문에 발생하는 문제점과 그 원인은 다양하다. 우선 물티슈의 과다한 사용은 환경 오염을 유발할 수 있다. 이는 물티슈가 일반적인 휴지와 달리 플라스틱이 함유된 합성 섬유이기 때문이고, 이를 모르고 사용하는 경우가 많기 때문이다. 둘째, 물티슈의 잘못된 사용은 인체에 부작용을 일으킬 수도 있다. 물티슈에는 방부제 등과 같은 화학적 약액이 첨가되어 있음에도 물티슈 제품에 사용상 유의점이 확인하기 쉽게 표기되어 있지 않거나 이러한 정보를 학생들이 주의 깊게 확인하지 않고 사용하기 때문이다. 셋째, 불필요한 사회적 비용이 과다하게 발생할 수 있다. 물티슈를 사용한 후 제대로 분리배출하지 않고 변기나 하수구 등에 버리는 학생이 많은데, 변기에 버린 물티슈가 물에 녹지 않고 하수관에 유입되면 하수의 흐름을 방해하여 하수 처리 시설 운영비가 증가하기 때문이다.

　이를 해결하기 위해 다양한 노력이 필요하다. 먼저 학교에서는 플라스틱이 함유된 물티슈를 무분별하게 사용하면 환경을 오염시킬 수 있다는 사실을 교육해야 한다. 다음으로, 물티슈 제조 회사에서는 제품 사용에 대한 안내 사항이나 주의 문구를 사용자가 알아보기 쉽게 표기해야 한다. 또한 학생들은 물티슈의 용법을 정확하게 확인하고, 물티슈를 용도에 맞게 사용해야 한다. 마지막으로 ㉠학생회에서는 물티슈를 사용한 뒤에는 일반 쓰레기로 분류하여 변기나 하수구가 아닌 휴지통에 버릴 수 있도록 학생들의 인식을 개선할 수 있는 캠페인을 지속적으로 실시해야 한다.

[가]

● 글의 종류　논설문
● 예상 독자　같은 학교 학생들
● 글쓰기 목적　물티슈의 무분별한 사용 때문에 발생하는 **❶**　과 이를 해결하기 위해 필요한 노력을 제안하여 물티슈를 올바르게 사용하도록 **❷**　하고자 함.

🔑 ❶ 문제점 ❷ 설득

40 수능전략 • 화법과 작문

대표 유형 ⑤ 내용 생성과 조직의 적절성 판단하기

5 〈조건〉에 따라 **나**의 [가]에 들어갈 내용을 작성한다고 할 때, 가장 적절한 것은?

┌─ 조건 ┐
　비유적 표현을 활용하여 글에서 제시한 문제점을 드러내고, 글의 주제를 강조할 것
└─────┘

① 우리 모두는 환경의 파수꾼이다. 물티슈의 올바른 사용 방법을 적극적으로 홍보하자.

② 물티슈는 우리에게 편리함이라는 선물을 준다. 그 소중함을 잊지 말고 물티슈를 올바르게 사용하자.

③ 물티슈를 잘못 사용하면 인체에 부작용을 일으킬 수 있다. 따라서 물티슈를 용도에 맞게 사용할 필요가 있다.

④ 물티슈의 무분별한 사용은 개인과 사회, 나아가 환경까지 병들게 한다. 그러므로 물티슈에 대해 제대로 알고 올바르게 사용하자.

⑤ 플라스틱이 함유된 물티슈는 환경을 오염시킨다. 사용한 물티슈는 올바르게 처리하여 불필요하게 발생하는 사회적 비용을 줄이자.

유형 해결 전략

제시된 〈조건〉을 바탕으로 하여 글의 내용을 적절하게 생성하고 조직할 수 있는지 평가하는 유형입니다. 〈조건〉에 나타난 요구 사항을 확인하고, 선지에 제시된 내용이 이를 반영하고 있는지 확인해야 합니다. 이 유형을 해결하려면 지문 이해가 바탕이 되어야 하므로, 먼저 글의 주요 내용과 작문 **❶** 을 파악해야 합니다. 선지를 빈칸에 **❷** 했을 때 원래의 글과 선지의 내용이 자연스럽게 이어지는지 확인해 보는 것도 좋은 방법입니다.

📘 **❶** 맥락 **❷** 대입

5-1 〈조건〉에 따라 ㉠을 위한 캠페인 문구를 작성한다고 할 때, 가장 적절한 것은?

┌─ 조건 ┐
• 무분별한 물티슈 사용 때문에 발생하는 문제점과 이를 해결할 방안을 포함할 것
• 대구를 활용하여 표현할 것
└─────┘

① 물티슈 줄이는 시간, 지구를 살리는 시간.

② 물티슈 사용은 이제 그만! 물티슈는 플라스틱입니다.

③ 변기에 버린 물티슈, 허공에 버린 사회적 비용. 물티슈는 휴지통에!

④ 우리의 환경과 후손을 살리는 삶, 물티슈 사용을 줄이는 것에서 시작합시다.

⑤ 물티슈 화학 물질은 줄이고, 올바른 사용 횟수는 늘리고. 물티슈는 용도에 맞게!

💬 **도움말**

'무분별한 물티슈 사용 때문에 발생하는 문제점과 이를 해결할 **❶** '은 캠페인 문구에 포함해야 하는 내용, **❷** 는 캠페인 문구에 활용해야 하는 표현 방법에 해당합니다. (나)에서 제시한 문제점 중 ㉠과 관련된 내용이 무엇인지 파악하고, ㉠에 나타난 해결 방법을 고려하여 〈조건〉에 맞는 선지를 찾아보세요.

📘 **❶** 방안 **❷** 대구

✎ **가**는 학생이 쓴 비평문의 초고이고, **나**는 초고를 보완하기 위해 수집한 자료이다. 물음에 답하시오.

가 요즘 고궁은 각양각색의 퓨전 한복을 입은 사람들로 가득하다. 퓨전 한복이 본격적으로 증가하기 시작한 것은 2013년으로, 한복을 입고 고궁을 찾는 사람들에게 무료 관람 혜택을 주면서부터이다. 퓨전 한복을 선호하는 경향은 연령대가 낮을수록 뚜렷하게 나타난다.

그런데 문제는 전통 한복에서 멀어진 형태의 퓨전 한복이 늘어나 전통 한복의 훼손이 심해지고 있다는 점이다. 문제가 되는 퓨전 한복의 모양은 치마 속에 링 모양 뼈대를 넣어 치마를 부풀리거나, 상·하의가 분리되지 않는 서양 드레스 형태이다. 이런 퓨전 한복이 나오면서 전통 한복의 단아함과 아름다움은 찾기 어려워졌다.

또 다른 문제는 한복에 대한 잘못된 인식이 생길 수 있다는 점이다. 외국인 관람객들은 고궁 근처의 한복 대여점에서 대여한 퓨전 한복을 접하게 되는데, 이들이 전통 복식의 모양에서 많이 변모한 퓨전 한복을 전통 한복으로 오해할 수도 있다는 점이다.

또 우려되는 문제는 퓨전 한복 때문에 맞춤 제작 중심의 전통 한복 산업이 위축될 수 있다는 점이다. 퓨전 한복은 저가 원단과 값싼 장식을 사용하여 가격이 저렴한 편이다. 이것은 자연 소재로 수작업을 해야 하는 전통 한복이 퓨전 한복과의 가격 경쟁에서 밀리는 원인이 될 수 있으며, 전통 한복 산업이 위축되는 결과를 낳을 수 있다.

한복을 입은 사람들에게 고궁 무료 관람 혜택을 주고자 한 취지는 전통 한복을 입도록 장려하여 우리의 전통을 계승하자는 것이었다. 그러나 고궁 무료 관람으로 인해 퓨전 한복이 증가하면서 위와 같은 문제들이 발생한 것이다. 이러한 점에서 고궁 무료 관람 혜택 대상에서 퓨전 한복을 제외한다면 사람들이 전통 한복에 더 많은 관심을 갖도록 유도할 수 있으며, 전통 한복이 살아나는 계기를 만들 수 있을 것이다.

나 ㄱ. 통계 자료

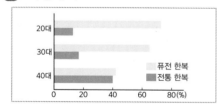
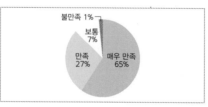

▲ ㄱ-1. 연령에 따른 한복 종류 선호도(내국인 대상)　▲ ㄱ-2. 전통 한복 체험 만족도(외국인 관람객 대상)

ㄴ. 전문가 인터뷰

고궁을 찾아 한복을 체험한 외국인 관람객들의 SNS를 살펴보면 레이스나 큐빅 장식을 사용한 퓨전 한복을 전통 한복으로 잘못 소개하는 경우가 많습니다. 전통 한복을 체험한 외국인 대다수는 전통 한복의 곡선미와 단아함에서 한국적인 아름다움이 느껴진다고 말합니다.

ㄷ. 신문 기사

품질이 낮고 불편한 퓨전 한복으로 인해 문제가 발생하고 있다. 더욱 큰 문제는 전통 한복을 입어 본 경험이 없는 사람들이 전통 한복도 퓨전 한복과 같이 불편할 것이라고 오인한다는 것이다.

● 글의 종류 비평문
● 글쓰기 목적 **①** [　　　　　]의 문제점을 제시하고, 고궁 무료 관람 혜택 대상에서 퓨전 한복을 제외해야 한다는 글쓴이의 **②** [　　　] 을 밝힘.

답 ❶ 퓨전 한복 ❷ 입장

● **오인하다** 잘못 보거나 잘못 생각하다.

대표 유형 6 자료 활용 전략의 적절성 판단하기

6 **나**를 활용하여 **가**를 보완하기 위한 방안으로 적절하지 <u>않은</u> 것은?

① ㄱ-1을 활용하여 연령대가 낮을수록 퓨전 한복을 선호하는 경향이 뚜렷하다는 내용의 근거로 제시한다.

② ㄴ을 활용하여 퓨전 한복으로 인해 외국인 관람객이 전통 한복에 대해 잘못 인식할 수 있다는 내용의 사례로 제시한다.

③ ㄷ을 활용하여 품질이 낮은 퓨전 한복으로 인해 한복 전반에 대한 부정적 이미지가 생길 수 있다는 문제점을 추가한다.

④ ㄱ-1과 ㄷ을 활용하여 전통 한복 선호도를 높이기 위해 전통 한복의 가격을 낮추는 방안을 추가한다.

⑤ ㄱ-2와 ㄴ을 활용하여 전통 한복을 입도록 장려하는 것이 외국인들에게 한국적인 아름다움을 알리는 것에 도움이 된다는 내용을 추가한다.

유형 해결 전략

자료를 활용하여 초고를 수정하거나 보완할 때, 목적에 부합하는 자료를 선택하여 적절하게 활용할 수 있는지 평가하는 유형입니다. 제시된 자료의 핵심 **❶** 를 정리한 뒤, 지문에서 이와 관련 있는 부분을 찾아보세요. 그리고 선지를 살펴보며 글쓰기 목적에 맞는 **❷** 활용 방안을 제시하고 있는지, 초고를 수정·보완하기 위한 내용이 적절한지 판단해 보세요.

🔖 ❶ 정보 ❷ 자료

6-1 〈보기〉의 자료를 활용하여 **가**를 보완하는 방안으로 적절하지 <u>않은</u> 것은?

┌ 보기 ┐

㉠ 전문가 인터뷰

퓨전 한복은 전통 한복이 지닌 고유한 아름다움을 훼손할 수 있습니다. 이러한 가치가 무시된다면 전통 한복 문화가 변질되어 전파될 우려가 있습니다. 또한 제작비를 낮추기 위해 해외 시장에서 무분별하게 생산한 퓨전 한복은 상대적으로 가격이 높은 전통 한복을 위기로 몰 수 있습니다.

㉡ 신문 기사

한복을 입고 궁궐을 찾은 외국인 관광객은 2015년 1만 3천 명에서 2017년 63만 명으로 증가했다. 한복을 입고 사진을 찍는 관광객들 덕분에 SNS에서는 '#hanbok', '#korean traditional dress'라는 키워드의 게시물이 35만 개 이상 검색된다. 그러나 이들이 입은 한복에서 한복 고유의 흔적을 찾아보기는 어렵다.

㉢ 전통 한복과 퓨전 한복의 형태

▲ ㉢-1. 전통 한복   ▲ ㉢-2. 퓨전 한복

① ㉠을 활용하여, 전통 한복이 퓨전 한복과의 가격 경쟁에서 밀리는 원인을 추가한다.

② ㉡을 활용하여, 2013년부터 퓨전 한복이 증가했다는 사실을 뒷받침한다.

③ ㉡을 활용하여, 외국인들이 퓨전 한복을 전통 한복으로 오해할 수 있다는 내용을 뒷받침한다.

④ ㉢-1을 활용하여, 전통 한복의 모습을 시각적으로 제시한다.

⑤ ㉢-2를 활용하여, 전통 한복의 형태에서 멀어진 퓨전 한복의 사례를 제시한다.

도움말

〈보기〉에 제시된 자료 ㉠~㉢의 핵심 내용과 **❶** 자료로서 지니는 특성을 고려하여 자료 활용 방안의 적절성을 판단해 보세요. 사진이나 그림, 그래프 등을 활용하여 내용을 시각적으로 제시하면 독자의 관심을 유발하고 내용 **❷** 를 도울 수 있어요.

🔖 ❶ 매체 ❷ 이해

필수 체크 전략 ②

01~02 다음은 학생이 교지에 쓴 글이다. 물음에 답하시오.

흔히 사람들은 기부를 내가 가진 것을 대가 없이 내놓는 것으로만 알고 있다. 하지만 기부는 물질적 나눔을 넘어 사랑을 나누는 일이며, 기부자 또한 보람을 느낄 수 있는 아름다운 경험이라는 데 진정한 의미가 있다.

과거에는 구세군 자선냄비에 기부금을 넣거나 기부 단체에 직접 연락을 취하여 기부해야 했다. 반면 최근에는 온라인을 통해 기부하는 활동이 활성화되면서 새로운 기부 문화가 형성되고 있다. 그런데 학생들은 대개 경제 활동을 하지 않으므로 기부가 자신과 관련이 없다고 생각하거나 기부를 어렵게 느끼는 경향이 있다. 이러한 학생들의 인식을 변화시키기 위해서는 학생 자치회에서 새로운 기부 문화를 알리고, 기부 참여를 독려하려는 노력이 필요하다.

먼저, SNS를 활용한 온라인 기부 방법을 안내하여 학생들의 기부 참여를 유도할 수 있다. 이는 주로 기업체에서 SNS의 게시물에 달린 댓글 개수에 따라 이에 상응하는 물품 또는 돈을 기부하는 방식으로 이루어지며, 댓글 달기에 참여한 사람들은 쉽고 간단하게 기부에 동참할 수 있다. 지난달 전교생의 SNS 사용 실태를 설문 조사한 결과에 따르면 전체 학생의 80%가 SNS를 사용하고 있으므로, SNS 게시물에 댓글을 다는 것만으로도 기부에 동참할 수 있다는 사실을 알리면 많은 학생의 관심과 참여를 이끌어 낼 수 있을 것이다.

목표 달성형 모바일 앱을 활용하여 기부 참여를 유도할 수도 있다. 하루에 목표한 걸음 수를 채우면 광고 수익의 일부를 원하는 곳으로 기부해 주는 애플리케이션을 활용하여 걷기 캠페인을 진행한다면, 학생들이 목표를 달성했다는 데에서 성취감을 느낄 수 있고, 또 이를 통해 기부에 참여했다는 보람을 느낄 것이다.

이러한 기부 방법은 전통적인 방식에서 벗어나 웹이나 모바일 앱 등을 통해 간편하게 참여하여 큰 보람을 느낄 수 있다는 점에서 사람들에게 인기를 얻고 있다. 학생들도 이를 통해 기부에 참여한다면 기부의 진정한 의미와 나눔의 가치를 깨닫게 될 것이다. [가]

| 글쓰기 계획의 적절성 파악하기 |

01 윗글을 작성하기 위해 떠올린 생각으로 적절하지 <u>않은</u> 것은?

① 기부에 대한 학생들의 인식을 제시해야겠어.

② 온라인 기부 방법이 사람들에게 인기 있는 이유를 언급해야겠어.

③ 기부에 관한 통념을 언급한 뒤 기부의 진정한 의미를 제시해야겠어.

④ 우리나라 기부 문화가 직면한 문제점을 논의의 바탕으로 삼아야겠어.

⑤ 학생들의 기부 참여를 유도할 수 있는 방법을 제시하며 설문 조사 결과를 활용해야겠어.

| 내용 생성과 조직의 적절성 판단하기 |

02 〈조건〉에 따라 [가]에 들어갈 내용을 작성한다고 할 때, 가장 적절한 것은?

> ─ 조건 ─
> • 윗글에 나타난 온라인 기부의 특징을 역설적 표현을 사용하여 드러낼 것
> • 질문 형식을 사용하여 기부를 권유할 것

① 온라인 기부는 비울수록 가득 차는 기쁨을 준다. 생활 속 기부, 더는 망설이지 말자.

② 온라인 기부는 마음의 온도를 높여 준다. 평범한 일상에 온기를 불어넣는 기부에 참여하는 것은 어떨까?

③ 오늘부터 자선 단체 홈페이지에 접속해 보는 것은 어떨까? 온라인 기부로 이웃 간에 온정을 나누어 보자.

④ 온라인 기부를 통해 어려운 이웃을 돕는 것은 어떨까? 기부를 통해 나눈 사랑은 배가 되어 돌아온다.

⑤ 온라인 기부는 간편하지만 큰 보람을 느낄 수 있다는 점에서 작지만 큰 기부이다. 이제 손쉽게 일상 속 기부에 동참해 보는 것은 어떨까?

•••도움말

> 역설은 이치에 맞지 않고 모순되는 진술이지만 그 속에 진실을 담고 있는 표현 방법이에요. 예를 들어 유치환 시인의 시 〈깃발〉의 '이것은 소리 없는 아우성'은 '소리 없는'과 '아우성'이라는 서로 **❶** 된 의미의 시어를 연결해서 이상 세계에 도달하기 위한 깃발의 모습을 **❷** 한 역설적 표현입니다.
>
> 답 ❶ 모순 ❷ 강조

03~04 다음은 사회적 쟁점을 다룬 두 글이다. 물음에 답하시오.

가 팩션은 '사실'을 뜻하는 팩트(fact)와 '허구'를 뜻하는 픽션(fiction)을 합성한 신조어로, 역사적 사실에 상상력을 덧붙인 새로운 장르를 말한다. 최근 드라마와 출판물 등에서 팩션이 종횡무진하며 사람들을 사로잡고 있다.

팩션은 개인의 상상을 통해 재창조된 이야기로, 이를 접하는 대중은 자신이 가진 배경지식과 이야기를 비교해 보며 새로운 즐거움을 느낄 수 있다. 또한 팩션은 대중문화를 활성화한다는 점에서 긍정적인 영향을 미친다.

팩션이 자극적인 내용에 치중하여 이를 접한 이들이 역사를 단순한 흥미의 대상으로만 여길 수 있다는 반론도 있다. 하지만 팩션이 역사에 대한 흥미를 유발한다는 사실은 부정할 수 없다. 이는 대중이 역사에 몰입하는 계기가 되기도 한다. 그런 의미에서 팩션을 다양한 역사적 상상력을 구현하고 역사에 대한 관심을 불러일으키는 발판으로 보아야 할 것이다.

나 팩션은 역사적 사실에 상상력을 더한 창작물이다. 팩션은 대중성에 치중하고 있으며, °고증을 철저하게 하지 않았다는 점에서 여러 문제점을 동반한다.

팩션은 대중의 관심을 유도하기 위해 °정사(正史)보다 주로 자극적인 내용이 담긴 °야사(野史)를 부각한다. 이 때문에 팩션을 접한 학생들은 역사를 단순한 흥미의 대상으로만 여길 수 있다.

팩션을 통해 대중이 역사에 관심을 지닐 수 있다는 입장도 있다. 그러나 팩션을 통해 생겨난 역사적 관심이 긍정적이라고 볼 수만은 없다. 역사적 사실을 면밀히 검토하여 객관적으로 서술하는 역사서와 달리, 대부분의 팩션은 특정 인물의 입장에 치우쳐 선과 악의 이분법적 구조로 이야기를 전개하므로, 이를 접한 사람들은 역사를 단편적으로 인식하게 된다.

또한 팩션은 역사적 사실과 어긋난 부분이 있더라도 그 내용을 마치 사실인 것처럼 포장한다. 따라서 이를 접한 대중이 풍부한 역사적 지식을 갖추지 못했다면, 팩션의 허구를 사실로 받아들여 잘못된 역사관을 형성할 수 있다. 따라서 철저한 고증 없이 팩션을 생성하는 흐름에는 규제가 필요하다.

● **고증** 예전에 있던 사물들의 시대, 가치, 내용 등을 옛 문헌이나 물건에 기초하여 증거를 세워 이론적으로 밝힘.
● **정사** 정확한 사실의 역사. 또는 그런 기록.
● **야사** 민간에서 사사로이 기록한 역사.

| 글쓰기 방식과 전략 파악하기 |

03 다음 ㉠~㉣ 중, **가**와 **나**에서 공통으로 사용한 글쓰기 전략을 모두 고른 것은?

> ㉠ 용어의 개념을 정의하여 독자의 이해를 돕고 있다.
> ㉡ 전문가의 견해를 인용하여 글의 신뢰성을 높이고 있다.
> ㉢ 비유적 표현을 사용하여 필자의 관점을 드러내고 있다.
> ㉣ 필자와 상반된 관점을 제시한 후 그를 반박하고 있다.

① ㉠, ㉡　　② ㉠, ㉣　　③ ㉡, ㉢
④ ㉡, ㉣　　⑤ ㉢, ㉣

| 자료 활용 전략의 적절성 판단하기 |

04 〈보기〉는 **가**, **나**를 보완하기 위해 수집한 설문 조사 자료이다. 자료 활용 방안으로 가장 적절한 것은?

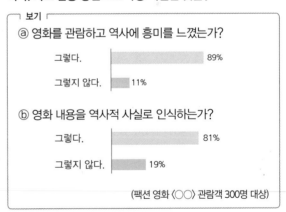

> ┌ 보기 ┐
> ⓐ 영화를 관람하고 역사에 흥미를 느꼈는가?
>
> 　그렇다.　　　　　　　　　89%
> 　그렇지 않다.　11%
>
> ⓑ 영화 내용을 역사적 사실로 인식하는가?
>
> 　그렇다.　　　　　　　81%
> 　그렇지 않다.　19%
>
> 　　　　　(팩션 영화 〈○○〉 관람객 300명 대상)

① **가**: ⓐ를 활용하여 팩션이 대중문화를 활성화한다는 내용을 뒷받침한다.
② **가**: ⓑ를 활용하여 팩션을 통해 역사에 대한 관심을 불러일으킬 수 있다는 내용을 뒷받침한다.
③ **나**: ⓐ를 활용하여 팩션을 통해 생겨난 역사적 관심을 긍정적으로 볼 수 없다는 내용을 뒷받침한다.
④ **나**: ⓑ를 활용하여 팩션이 역사를 단편적으로 인식하게 한다는 내용을 뒷받침한다.
⑤ **나**: ⓑ를 활용하여 대중이 팩션을 통해 잘못된 역사관을 형성할 수 있다는 내용을 뒷받침한다.

필수 체크 전략 ①

✐ 다음은 작문 과제에 따라 작성한 학생들의 글이다. 물음에 답하시오.

[작문 과제]

일상의 체험을 바탕으로 자신을 성찰하는 글을 써 보자.

[학생의 글]

가 학생 1

옥수수 씨앗을 심으러 학교 텃밭에 가는 날이었다. 처음 심어 보는 옥수수라 마음이 설렜다. 그런데 텃밭에는 잡초가 무성했다. 잡초를 뽑고 텃밭의 흙을 정리하느라 흙먼지가 날리고 땀이 흘렀다. 생각보다 일이 많고 힘들었다. 괜히 시작한 것 같아 후회가 되면서 나도 모르게 투덜대며 얼굴을 찡그렸다. 옆에서 나를 지켜보신 선생님께서 "하나의 생명을 심을 때는 심는 사람의 마음도 함께 심는 거란다. 즐거운 마음으로 심어야지."라고 하셨다. 생각해 보니 텃밭에 오면서 느꼈던 설렘은 어느새 투덜댐으로 바뀌어 있었다. 당장의 어려움 때문에 시작할 때의 마음을 잊었던 것은 아닐까? 텃밭에 올 때의 마음으로 옥수수 씨앗을 심으며 선생님의 말씀을 떠올렸다. '하나의 생명을 심을 때는 심는 사람의 마음도 함께 심는 거란다.'

나 학생 2

선배와 학교 텃밭에 옥수수 씨앗을 심고 아침저녁으로 살피며 싹이 나기를 손꼽아 기다렸다. 열흘쯤 지나자 선배의 옥수수는 싹이 올라오는데, 내 옥수수의 싹은 아직 보이지 않았다. 마음이 조마조마하여 여러 번 텃밭에 갔다. 선배는 때가 되면 싹이 돋아날 테니까 너무 조급해하지 말고 기다려 보자고 했다. 선배의 말에 나를 되돌아보았다. 왜 그렇게 조급해했던 것일까? 나는 평소 무엇인가를 여유롭게 기다리지 못하고, 결과가 빨리 나오기를 바랄 때가 많았다. 이런 태도는 친구들을 대할 때도 마찬가지였다. 우정을 쌓기 위해서는 서로 알아 가기 위한 기다림의 자세가 필요한데, 빨리 친해지고 싶어서 조급해하며 서운했던 적이 많았다. 기다림의 시간을 소중하게 여기며 성급한 마음을 먹지 말아야겠다고 생각했다. 그렇게 생각한 지 며칠 지나지 않아 옥수수 싹이 어느새 올라와 있었다.

대표 유형 7 글쓰기 방식과 전략 파악하기

7 **가**와 **나**를 통해 두 학생의 글쓰기 과정을 이해한 내용으로 적절하지 <u>않은</u> 것은?

① '학생 1'과 '학생 2'는 모두 타인의 조언을 성찰의 계기로 삼았다.

② '학생 1'과 '학생 2'는 모두 식물이 자라는 모습에서 새로운 의미를 발견하였다.

③ '학생 1'과 '학생 2'는 모두 자신을 돌아보기 위해 스스로에게 질문하는 방식을 사용하였다.

④ '학생 1'은 같은 문장을 다시 인용하며, '학생 2'는 자신이 원했던 상황이 이루어진 모습을 제시하며 글을 마무리하였다.

⑤ '학생 1'은 자신의 감정 변화를 중심으로, '학생 2'는 자신의 태도를 타인과의 관계와 연결 지어 내용을 전개하였다.

유형 해결 전략

글의 내용을 **❶** [ ]으로 전달하기 위해 글쓴이가 활용하고 있는 글쓰기 방식과 전략을 파악할 수 있는지 평가하는 유형입니다. 선지에 제시된 글쓰기 방식과 **❷** [ ]을 확인한 뒤, 글에서 관련된 내용이 나타난 부분을 찾아 비교하며 선지에서 글쓰기 방식과 전략을 적절히 설명하고 있는지 판단해 보세요.

답 ❶ 효과적 ❷ 전략

7-1 **나**에 나타난 쓰기 전략으로 가장 적절한 것은?

① 문답 형식을 활용하여 깨달음을 부각하고 있다.

② 직접 인용을 활용하여 성찰의 계기를 드러내고 있다.

③ 비유적 표현을 활용하여 타인의 태도 변화를 촉구하고 있다.

④ 공동체의 문제 상황을 분석하여 그 해결 방안을 제시하고 있다.

⑤ 타인의 조언을 통해 자신의 평소 태도를 되돌아보며 깨달음을 구체화하고 있다.

도움말

직접 인용은 다른 사람의 말이나 글을 그대로 가져오는 인용으로, 인용한 말이나 글의 앞뒤에 **❶** [ ]를 찍어 나타냅니다. 간접 인용은 다른 사람의 말이나 글을 인용 부호 없이 필자의 **❷** [ ] 속에서 드러내는 것을 말합니다.

답 ❶ 큰따옴표 ❷ 문장

✎ 다음은 '학생회장'이 작성한 건의문의 초고이다. 물음에 답하시오.

- 글의 종류 건의문
- 예상 독자 ❶ [   ]
- 글쓰기 목적 공공 벽화 그리기 사업 ❷ [   ]
  에 대한 허락 요청

답 ❶ 교장 선생님 ❷ 추진/진행

안녕하세요. 학생회장 ○○○입니다. 학생회의 1학기 중점 활동으로 '공공 벽화 그리기 사업'을 진행하는 것을 교장 선생님께 허락받고자 합니다.

우리 학교는 큰길가에 있어서 많은 사람이 지나다니는데, 담장에 페인트를 칠한 지 오래되어 색이 많이 ㉠바랬고, 페인트가 벗겨진 부분도 많습니다. 그래서 이 문제를 해결하면 좋겠다는 제안이 있었습니다. 학생회에서는 공공 벽화 그리기 사업을 추진하여 이 문제를 해결하고자 합니다. ㉡공공 벽화에는 우리 학교의 교화와 교목인 목련과 소나무를 그리자는 학생들의 의견이 있었습니다.

저희 학생회는 최근 도서관 벽화 그리기 사업을 성공적으로 끝낸 □□학교 학생회에 관련 자료를 보내 달라고 요청해 놓았습니다. 또한 △△구청에 관련 비용의 예산 지원이 가능한지도 문의해 놓았습니다.

공공 벽화 그리기 사업을 진행하면 많은 장점이 있습니다. 저희가 디자인 공모전을 계획하고 있는데, 미술에 재능이 있는 학생들은 여기에 참가하여 작업하는 ㉢기간 동안 자신의 재능을 나누는 경험을 할 수 있습니다. ㉣하지만 벽화 그리기 작업에 참여한 학생들은 지역 공동체를 위해 봉사하는 기회를 얻고, 이를 통해 보람도 느낄 것입니다. 학생들이 함께 완성한 벽화는 우리 학교의 특색이자 자랑이 될 수 있고, 주민들이 벽화를 보고 즐거워한다면 지역 공동체의 행복을 증진할 수도 있습니다.

학생회도 이 사업을 준비하고 추진하는 과정을 통해 교장 선생님께서 항상 강조하셨던 자율성과 책임감을 배울 수 있을 것입니다. 혹시 교장 선생님께서 저희가 이 사업을 잘 진행할 수 있을지 우려하실 수도 있겠지만, 저희가 노력하고 있다는 것을 알아주셨으면 합니다.

교장 선생님, 저희 학생회가 학교 담장에 공공 벽화 그리기 사업을 진행할 수 있도록 허락해 ㉤주십시요. 항상 노력하는 학생회가 되겠습니다.

대표 유형 8 고쳐쓰기의 적절성 판단하기

8 〈보기〉는 윗글을 읽은 '학생'이 '학생회장'과 나눈 대화이다. ⓐ에 들어갈 내용으로 가장 적절한 것은?

> ┌ 보기 ┐
> 학생: 네가 쓴 초고 잘 읽었어. 하지만 3문단의 위치가 적절하지 않아 보이는데 위치를 바꾸면 어떨까? 그리고 3문단이 구청에 예산 지원을 문의했다는 것에서 끝나면 안 될 것 같아. 예산 지원을 못 받게 되었을 경우도 대비했으면 좋겠어.
> 학생회장: 그러니까 네 말은 (ⓐ   )하자는 말이지?

① 3문단을 4문단 뒤에 넣어 학생회의 주요 활동 계획을 안내하고, 학교의 예산 지원이 전제 조건임을 당부

② 3문단을 4문단 뒤에 넣어 학생회가 사업을 진행할 것임을 강조하고, 구청에 예산 지원을 문의했다는 내용을 삭제

③ 3문단을 5문단 뒤에 넣어 학생회의 노력을 부각하고, 학교의 예산 지원이 필요할 수 있다는 내용을 추가

④ 3문단을 5문단 뒤에 넣어 지역 공동체를 위한 활동임을 부각하고, 학교의 예산 지원이 필요할 수 있다는 내용을 언급

⑤ 3문단을 5문단 뒤에 넣어 교장 선생님의 우려에 대한 대책이 있음을 설명하되, 구청에 예산 지원을 신청했다는 내용은 삭제

유형 해결 전략

고쳐쓰기 과정에서 글을 적절하게 수정할 수 있는지 평가하는 유형입니다. 고쳐 쓰기 전과 고쳐 쓴 후의 내용을 비교하여 ❶ ▢▢▢ 을 파악한 뒤, 고쳐 쓴 ❷ ▢▢ 가 타당한지 판단해 보세요. 〈보기〉나 〈조건〉에 요구 사항이 제시될 때에는 고쳐 쓴 내용에 요구 사항이 반영되어 있는지 확인해야 합니다.

🔑 ❶ 차이점 ❷ 이유

8-1 ㉠~㉤을 고쳐 쓰기 위한 방안으로 적절하지 <u>않은</u> 것은?

① ㉠: 단어의 의미를 고려하여 '바랐고'로 고친다.

② ㉡: 글의 통일성을 해치므로 삭제한다.

③ ㉢: 의미가 중복되므로 '동안'으로 고친다.

④ ㉣: 접속 표현이 잘못 사용되었으므로 '그리고'로 고친다.

⑤ ㉤: 종결 어미가 잘못 사용되었으므로 '주십시오'로 고친다.

•••도움말

선지에 제시된 고쳐쓰기 방안을 각 문장에 적용해 보세요. 이때 앞뒤 문맥을 고려하여 문장에 사용한 단어의 ❶ ▢▢ 가 적절한지, 어법에 맞는 표기인지, 글의 ❷ ▢▢ 에서 벗어난 내용은 없는지 등을 고려해야 합니다.

🔑 ❶ 의미 ❷ 주제

필수 체크 전략 ②

01~02 다음을 읽고 물음에 답하시오.

[초고 작성을 위한 학생의 메모]

- 학습 활동 과제: 안전한 생활 환경을 조성하기 위해 주변에서 문제 상황을 찾아 건의하는 글을 쓴다.
- 글의 주제: △△아파트 테니스장의 철망 교체 요청
- 예상 독자: △△아파트 관리소장님

[학생의 초고]

관리소장님, 안녕하세요. 저는 △△아파트에 사는 ○○○입니다. 최근 곳곳에서 안전사고가 발생하면서 안전에 대한 사회적 관심이 높아지고 있습니다. 저는 안전에 관심을 갖고 주위를 둘러보던 중, 우리 아파트 단지에 주민의 안전을 ㉠위협되는 위험한 환경이 있음을 발견했습니다. 그래서 이 문제를 개선하기 위해 이렇게 건의하는 글을 쓰게 되었습니다.

우리 아파트 단지의 테니스장에는 공이 밖으로 나가지 않도록 막아 주는 철망이 설치되어 있습니다. ㉡그런데 철망 끝부분이 안팎으로 휘어지고 훼손되어 있어 테니스장을 이용하는 주민들이 철망에 부딪치면 큰 상처를 입을 수 있습니다.

이를 해결하기 위해서는 테니스장의 철망을 교체해야 합니다. 비용이 많이 들어 실행이 어렵다면, 철망의 끝부분만이라도 보수 작업을 진행하고 다시 휘거나 훼손되지 않도록 보조 장치를 설치해야 할 것입니다. ㉢또한 우리 아파트 단지는 시각 장애인을 위한 운동 시설이 더 많이 필요합니다.

우리 아파트는 주민들의 소중한 보금자리입니다. ㉣
신속히 문제 상황이 해결되어 주민들이 안전하고 편안하게 생활할 수 있도록 관리 사무소에서 적절한 조치를 취해 주시기를 부탁드립니다. 항상 우리 아파트를 위해 애써 주셔서 감사합니다.

20△△년 △△월 △△일

○○○ 올림

| 작문의 맥락과 특성 이해하기 |

01 윗글을 통해 알 수 있는 작문의 특성으로 적절하지 <u>않은</u> 것은?

① 필자의 요구 사항을 제시하고 있다는 점에서, 작문은 특정한 목적을 이루기 위한 표현 행위이다.

② 예상 독자와의 관계를 개선하려고 한다는 점에서, 작문은 친교적 관계 형성을 위한 표현 행위이다.

③ 인사말과 자기소개를 하며 글을 시작하고 있다는 점에서, 작문은 작문 관습을 고려한 표현 행위이다.

④ 예상 독자를 구체적으로 설정하고 있다는 점에서, 작문은 필자와 독자의 사회적 의사소통 행위이다.

⑤ 문제 상황과 해결 방안을 제시하고 있다는 점에서, 작문은 일상의 문제를 해결하기 위한 표현 행위이다.

| 고쳐쓰기의 적절성 판단하기 |

02 〈보기〉에서 윗글을 고쳐 쓰기 위한 방안으로 적절한 것끼리 바르게 묶은 것은?

┌─ 보기 ─┐
ㄱ. ㉠은 잘못된 피동 표현이므로 '위협하는'으로 고쳐 쓴다.

ㄴ. ㉡은 앞 문장과의 접속 관계를 고려하여 '그래서'로 고쳐 쓴다.

ㄷ. ㉢은 글의 통일성을 해치는 문장이므로 삭제한다.

ㄹ. ㉣에는 글의 설득력을 높이기 위해 △△아파트 주민의 생활 만족도에 대한 설문 조사 결과를 추가한다.
└──────┘

① ㄱ, ㄴ   ② ㄱ, ㄷ   ③ ㄴ, ㄷ

④ ㄴ, ㄹ   ⑤ ㄷ, ㄹ

••• 도움말

┌──────┐
❶〔　　　〕이란 글의 여러 내용이 하나의 주제로 묶이는 것을 의미해요. 주제에 벗어난 문장이나 문단을 **❷**〔　　　〕하면 글의 통일성을 높일 수 있습니다.

탑 ❶ 통일성 ❷ 삭제
└──────┘

03~04 다음은 미술관을 다녀온 후 학생이 작성한 감상문의 초고이다. 물음에 답하시오.

최근 부모님의 사업이 어려워지면서 이사를 하게 되어 마음이 심란했다. 옆에 있던 친구가 나를 보더니 근처 미술관이라도 가서 기분 전환을 해 보라고 권유해 주었다. 그 말에 나는 혼자 ◇◇미술관을 찾아갔다.

미술관에서는 프랑스 유명 화가들의 작품을 한자리에 모은 기획전을 개최하고 있었다. 잘 모르는 그림도 많았지만, 텔레비전이나 미술 교과서에서 자주 봤던 그림도 곳곳에 배치되어 있었다. 눈에 익숙한 그림을 볼 때에는 미술 시간에 배운 내용을 떠올리며 감상할 수 있었다. 벽에 줄지어 걸려 있는 그림들을 보면서 걸음을 옮겨 더 안쪽으로 들어가니 기도를 드리고 있는 부부의 모습이 담긴 그림이 눈에 띄었다. 프랑스의 화가 밀레가 그린 〈만종〉이라는 작품이었다.

나는 〈만종〉 앞에 서서 그림을 차분하게 바라보았다. 그림 속 부부는 저녁놀을 배경으로 기도를 올리고 있었다. 흐트러짐 없는 겸손한 자세였다. 부부의 옆에 있는 손수레에는

▲ 밀레, 〈만종〉

밭에서 캐낸 수확물이 담겨 있었다. 힘든 농사일에 비해 적은 수확을 보여 주는 듯했다. 그럼에도 부부는 실망하거나 불평하기보다 오히려 감사함을 표현하듯이 기도를 올리고 있었다.

나는 그림에 담긴 부부의 모습을 보고 시골에 계신 할아버지와 할머니를 떠올렸다. 두 분은 힘든 농사일을 끝내신 뒤에도 항상 밝은 표정을 지으셨다. 집, 화장실, 농사일에 쓰는 도구들도 모두 허름한 것이었지만 두 분은 전혀 불편해하지 않으셨다. 그리고는 "이렇게 사는 것도 얼마나 행복한데?"라고 하시며, 현재의 상황보다는 그 상황을 대하는 마음가짐이 중요하다는 것을 알려 주셨다.

㉠나는 오랜 시간 동안 밀레의 그림 앞에서 발을 뗄 수 없었다. 나는 〈만종〉을 보고 이제야 깨달은 것이다. 행복이란 어떤 상황이나 물질적인 것에 달린 것이 아니라, 마음가짐에 달렸다는 것을……

| 글쓰기 방식과 전략 파악하기 |

03 윗글에 사용된 글쓰기 방식으로 적절하지 <u>않은</u> 것은?

① 경험의 계기를 제시하며 글을 시작하고 있다.
② 필자가 감상한 작품을 구체적으로 묘사하고 있다.
③ 작품 감상을 통해 깨달은 내용을 정리하며 글을 마무리하고 있다.
④ 다른 사람의 말을 인용하여 타인의 삶을 통해 알게 된 바를 제시하고 있다.
⑤ 사전에 조사한 내용과 현장에서 알게 된 정보를 비교하여 경험에 의미를 부여하고 있다.

| 고쳐쓰기의 적절성 판단하기 |

04 '초고'를 점검하며 ㉠을 〈보기〉와 같이 고쳐 썼다고 할 때, 〈보기〉에 반영된 학생의 생각으로 가장 적절한 것은?

┌─ 보기 ─────────────────────
나는 오랜 시간 동안 밀레의 그림 앞에서 발을 뗄 수 없었다. 그림 속 부부 또한 현재의 상황보다는 그 상황을 대하는 마음가짐이 중요하다는 것을 알려 주는 듯했기 때문이다.
└──────────────────────────

① 작품을 그린 작가의 의도를 추가해야겠어.
② 작품을 감상한 후 다짐한 내용을 덧붙여야겠어.
③ 작품 속 부부의 모습을 더욱 구체적으로 묘사해야겠어.
④ 작품 감상이 기분 전환에 도움을 주었음을 강조해야겠어.
⑤ 작품 속 부부의 모습과 할아버지와 할머니의 삶의 태도를 관련지어야겠어.

•••도움말 _____
고쳐 쓰기 전과 고쳐 쓴 후의 내용을 **❶**〔　　　〕해 보면 ㉠ 뒤에 새로운 문장이 추가되었음을 확인할 수 있어요. 어떤 점을 고려하여 그 문장을 **❷**〔　　　〕했을지 생각해 보세요.

답 ❶ 비교 ❷ 추가

01~03 가는 작문 상황이고, 나는 가를 바탕으로 쓴 학생의 초고이다. 물음에 답하시오.

가 작문 상황

- 작문 목적: '채식하는 날' 도입에 대한 학생들의 부정적 인식을 해소한다.
- 예상 독자: 우리 학교 학생 전체
- 예상 독자 분석 결과: 설문 조사 결과 다수의 학생이 '채식하는 날' 도입에 부정적인 것으로 나타났다. 반대하는 이유로는 ㉠'채식 급식은 맛이 없다.', ㉡'채식이 건강에 도움이 안 된다.' 등이 제시되었다. 그리고 '채식하는 날' 도입에 대한 기타 의견으로는 ㉢'왜 도입하는지 모르겠다.', ㉣'어떻게 운영되는지 모르겠다.' 등이 제시되었다.
- 내용 구성 방안: 채식이 건강에 주는 이점과 ㉤환경에 기여하는 점을 중심으로 글을 작성한다.

나 학생의 초고

최근 우리 학교에서는 '채식하는 날' 도입 여부에 대한 논의가 활발하게 진행 중이다. '채식하는 날'이 도입되면 매주 월요일에는 모든 학생에게 육류, 계란 등을 제외한 채식 중심의 급식이 제공된다. 그런데 '채식하는 날' 도입 여부에 대한 설문 조사 결과, 약 65%의 학생이 반대하는 것으로 나타났다. 하지만 나는 학생들이 학교 급식을 통해 곡류, 육류, 채소류 등 건강에 필요한 영양소를 골고루 섭취할 수 있도록 돕기 위해 '채식하는 날'을 도입해야 한다고 생각한다.

'채식하는 날' 도입이 필요한 이유는 다음과 같다. 먼저, '채식하는 날'이 도입되면 학생들의 채소류 섭취가 늘 것이다. 우리 학교 학생들은 급식 시간에 육류를 중심으로 음식을 골라 먹는 경향이 강하다. 잔반에서 채소류가 차지하는 비율도 높다. 이런 상황에 대해 영양 선생님께서는 학교에서 영양소가 골고루 포함된 급식을 제공하더라도 학생들이 육류 중심으로 영양소를 섭취한다며 걱정하셨다. 그러면서 '채식하는 날'을 도입하면 다양한 방식으로 조리한 맛있는 채소류 음식을 제공할 예정이고, 학생들도 영양소가 골고루 포함된 채소류 음식을 즐기게 되면 몸도 건강해지고 식습관도 개선될 것이라

고 말씀하셨다.

[A] 다음으로 '채식하는 날'이 도입되면 육류 소비 과정에서 발생하는 온실가스의 배출을 줄여 지구의 기후 위기를 막으려는 노력에 동참할 수 있다. 실제로 ○○시에서 운영하는 공공 급식소에서는 '고기 없는 화요일'이라는 제도를 통해 온실가스 감축에 큰 기여를 하고 있다고 홍보한 사례도 있다. 통계에 따르면 현재 전 세계 온실가스 배출원 중에서 축산 분야가 가장 높은 비율을 차지한다고 한다. 다시 말해 육류 소비를 적게 하면 온실가스 배출을 줄이는 데 기여하는 셈이라고 할 수 있다.

따라서 '채식하는 날'이 도입되면 건강에 도움이 될 뿐만 아니라 기후 위기를 막는 데도 기여하게 될 것이다. ⓐ그러므로 나는 우리 학교도 '채식하는 날'을 도입하여 학생들이 육류 위주의 식습관에서 벗어나도록 이끌어야 한다고 생각한다.

| 글쓰기 계획의 적절성 파악하기 |

01 가를 고려하여 학생이 구상한 내용 중, 나에 나타나지 않은 것은?

① ㉠을 고려하여, 채소를 다양한 방식으로 조리하여 맛있는 음식을 제공할 것임을 밝힌다.

② ㉡을 고려하여, 채소류 섭취가 건강에 긍정적인 영향을 미친다는 연구 결과를 인용한다.

③ ㉢을 고려하여, 학생들의 급식 실태를 밝히며 '채식하는 날' 도입의 필요성을 제시한다.

④ ㉣을 고려하여, '채식하는 날'의 운영 주기와 식단에 포함되지 않는 식재료를 설명한다.

⑤ ㉤을 고려하여, '채식하는 날'을 도입하면 육류 소비를 줄여 온실가스 배출 감소에 기여한다는 점을 언급한다.

| 자료 활용 전략의 적절성 판단하기 |

02 [A]를 보완하기 위한 자료로 〈보기〉를 제시할 때, 자료 활용 방안으로 적절하지 <u>않은</u> 것은?

> ┌ 보기 ┐
> 　축산 분야를 통해 배출되는 온실가스는 전 세계 온실가스 배출량의 약 18%를 차지하며, 이는 산업, 교통, 에너지 분야 등에 비해 가장 높은 수치에 해당한다.
>
>
> ▲ 전 세계 온실가스 배출 비율
>
> – 유엔 식량 농업 기구 보고서

① 통계 자료의 출처를 밝혀 글의 신뢰성을 높인다.

② 온실가스 감축을 위해 개인의 노력이 중요함을 강조한다.

③ 통계 자료의 내용을 시각적으로 제시하여 독자의 이해를 돕는다.

④ 온실가스 배출 비율의 구체적인 수치를 제시하여 글의 설득력을 높인다.

⑤ 온실가스 배출원 중 축산 분야가 가장 높은 비율을 차지한다는 내용을 뒷받침한다.

| 고쳐쓰기의 적절성 판단하기 |

03 고쳐쓰기 과정에서 ⓐ를 〈보기〉처럼 수정했다고 할 때, 그 이유로 가장 적절한 것은?

> ┌ 보기 ┐
> 　그러므로 나는 우리 학교도 '채식하는 날'을 도입하여 학생들이 채소류 음식을 접할 기회를 늘려 영양소를 균형 있게 섭취할 수 있게 해야 한다고 생각한다.

① 제도의 도입 목적이 공공 급식소를 홍보하는 데 있음을 알리기 위해

② 제도의 도입 목적이 학교 급식의 잔반을 줄이는 데 있음을 밝히기 위해

③ 제도의 도입 목적이 기후 위기 방지에 기여하기 위함임을 알리기 위해

④ 제도의 도입 목적이 채소류 음식에 대한 학생들의 인식을 바꾸는 것임을 명시하기 위해

⑤ 제도의 도입 목적이 학생들의 채소류 섭취를 늘려 건강에 필요한 영양소를 골고루 충족시키는 데 있음을 분명히 하기 위해

04~07 다음은 작문 과제에 따라 학생이 작성한 건의문의 초고이다. 물음에 답하시오.

[작문 과제]

> 　학교생활을 하면서 불편하다고 느꼈던 점을 개선하기 위한 건의문 쓰기.

[학생의 초고]

　교장 선생님, 안녕하세요? 저는 △△고등학교 1학년에 재학 중인 ○○○라고 합니다. 먼저 저희를 위해 올해에도 교내 독서 행사를 추진해 주시는 교장 선생님께 감사드립니다. 제가 오늘 교장 선생님께 글을 쓰게 된 것은 중학교 때에 비해 불편을 느꼈던 도서관 이용에 대해 말씀드리고, 이에 대한 개선을 건의하기 위해서입니다.

　제가 다니던 중학교는 도서관이 교실이 있는 본관 건물에 위치해 있어 학생들이 도서관을 편리하게 이용할 수 있었습니다. 하지만 우리 학교 도서관은 교실이 있는 본관 건물이 아닌 축구장 옆 별관에 있습니다. 학생들은 주로 쉬는 시간이나 점심시간에 도서관을 찾는데, 그 시간 동안 이용하기에는 도서관이 너무 멀리 떨어져 있습니다. 그렇기 때문에 학생들이 도서관에 가서 책을 읽기도 어렵고, 수업 시간이나 수행 평가에 필요한 자료를 그때그때 열람하거나 빌리는 것도 쉽지 않습니다. 이 문제와 관련하여 우리 학교 학생 전체를 대상으로 한 설문 조사 결과에 따르면, 80%가 넘는 학생이 도서관을 이용하는 데 불편을 겪는 것으로 나타났습니다.

　이러한 불편함을 해소할 수 있도록, 학교 도서관을 본관으로 옮겨 주시기 바랍니다. 다만 예산 문제 등으로 도서관을 옮기는 것이 어렵다면 학교 본관의 중앙 계단 옆에 있는 빈 교실들을 활용하여 생활 도서관을 만들어 주셨으면 합니다. 도서관이 따로 떨어져 있는 인근의 학교들도 빈 교실을 활용한 생활 도서관을 운영하고 있는데, 학생들의 만족도가 높고 학생들에게 큰 도움이 된다고 합니다.

　교장 선생님, 　　　　　[가]

20△△년 △월 △△일

1학년 ○○○ 올림

| 글쓰기 계획의 적절성 파악하기 |

04 학생의 작문 계획 중 윗글에 반영된 내용으로 가장 적절한 것은?

① 예상 독자를 여러 명으로 설정해서 주장에 대한 지지를 얻어야겠어.

② 문제 상황을 바라보는 상반된 관점을 제시해서 건의 내용의 공정성을 확보해야겠어.

③ 학생들을 대상으로 한 설문 조사 결과를 제시해서 문제 상황의 심각성을 드러내야겠어.

④ 학교 도서관이 지어진 시기를 언급해서 도서관의 노후를 문제 상황의 원인으로 삼아야겠어.

⑤ 생활 도서관을 운영하는 인근 학교의 비율을 제시해서 생활 도서관의 필요성을 강조해야겠어.

| 자료 활용 전략의 적절성 판단하기 |

05 〈보기〉는 윗글을 보완하기 위해 수집한 자료이다. 자료 활용 방안으로 가장 적절한 것은?

보기

ㄱ. 생활 도서관의 필요성에 대한 설문 조사

(본교생 100명 대상)

필요하다. 73%	필요하지 않다. 21%	기타 6%

ㄴ. 생활 도서관 이용 관련 설문 조사 (타교생 100명 대상)

생활 도서관 이용에 만족하는 이유	비율
다양한 책을 수시로 접할 수 있어서	39%
책의 대출과 반납이 편리해서	28%
학습 자료를 쉽게 구할 수 있어서	24%
기타	9%

① ㄱ을 활용하여 생활 도서관을 설치하기에 적합한 교내 공간을 추가한다.

② ㄱ을 활용하여 생활 도서관을 운영할 때 생길 수 있는 어려움과 그에 대한 해결 방안을 추가한다.

③ ㄴ을 활용하여 생활 도서관을 운영할 때 나타날 수 있는 기대 효과를 제시한다.

④ ㄴ을 활용하여 생활 도서관의 필요성에 공감하는 본교생이 많다는 점을 제시한다.

⑤ ㄴ을 활용하여 타교의 생활 도서관과 연계하여 운영할 수 있는 독서 프로그램을 소개한다.

| 작문의 맥락과 특성 이해하기 |

06 작문의 맥락을 고려할 때, 윗글에 대한 설명으로 적절하지 않은 것은?

① 예상 독자를 고려하여 예의를 갖추고 정중한 표현을 사용하고 있다.

② 글의 주제를 고려하여 사회적 문제를 둘러싼 다양한 쟁점을 소개하고 있다.

③ 글의 유형을 고려하여 예상 독자에게 인사를 건네고 글쓴이 자신을 소개하고 있다.

④ 공동체의 가치를 고려하여 공동의 문제 상황과 이에 대한 해결 방안을 다루고 있다.

⑤ 글의 목적을 고려하여 현실적으로 실현될 수 있는 요구 사항을 구체적으로 제시하고 있다.

| 내용 생성과 조직의 적절성 판단하기 |

07 다음 조언을 고려할 때, [가]에 들어갈 내용으로 가장 적절한 것은?

선생님: 건의문의 마지막 부분에서는 건의 사항을 다시 한번 제시하면서 건의 사항이 실현되었을 때의 기대 효과를 언급하는 것이 좋겠어요.

① 학생들이 생활 속에서 불편을 겪지 않도록 책임 있는 조치를 취해 주시리라 기대합니다.

② 교내 독서 행사가 활성화된다면 독서에 대한 학생들의 관심을 불러일으킬 수 있을 것입니다.

③ 생활 도서관의 서가를 확충하고 도서 검색 시스템을 도입할 수 있도록 적극적인 지원을 부탁드립니다.

④ 점심시간을 늘려 책을 읽을 수 있는 시간을 충분히 확보해 주신다면 학생들이 책을 가까이할 수 있을 것입니다.

⑤ 학교 도서관을 본관으로 옮기거나 본관에 생활 도서관을 설치한다면 학생들이 책을 쉽고 편리하게 접하여 독서를 생활화할 수 있을 것입니다.

08~09 다음은 작문 과제에 따라 학생들이 작성한 글이다. 물음에 답하시오.

[작문 과제]

일상의 경험을 바탕으로 자신을 성찰하는 글을 써 보자.

[학생의 글]

가 학생 1

체력을 기르기 위해 달리기를 시작했다. 처음 달리기를 했을 때는 너무 힘들었다. 마음만 앞서서 무작정 속도를 높였고 결국 목표했던 거리를 달리지 못한 채 지쳐서 주저앉았다. 거친 숨을 내쉬면서 생각했다. 무엇이 그렇게 급했던 것일까? 생각해 보면 나는 평소에도 무언가를 할 때 급한 마음에 처음부터 모든 힘을 쏟다가 금방 지쳐서 포기하는 경우가 많았다. 공부할 때도 마찬가지였다. 현재의 내 실력과 상관없이 마음만 앞서서 무리한 계획을 세웠고 며칠 지나지 않아 그만둔 적이 많았다. 공부뿐만 아니라 어떤 일을 끝까지 마무리하기 위해서는 계획을 세우고 나에게 맞는 속도를 찾아 꾸준히 해 나가야겠다는 생각을 했다.

나 학생 2

나는 어떤 일이든 혼자 힘으로 해내야 한다는 생각을 하고 있었다. 이번에 참가한 마라톤 대회의 출발선에 섰을 때도 같은 생각이었다. 달리기는 혼자서 모든 것을 감당해야 하는 외로운 싸움이라는 생각을 하며 달리기 시작했다. 호흡이 가빠지고 다리가 무거워져서 잠시 멈춰 있을 때, 한 무리의 사람들을 만났다. 그 사람들은 힘들면 함께 달리자고 하였고, 계속 격려의 말을 나누면서 서로 발을 맞추어 달리다 보니 힘듦은 어느새 사라지고 즐거움만 남았다. 그동안 누군가를 의지하지 않고 어떤 일을 해야만 성취감을 느낄 수 있다고 생각했는데, 이번 경험을 통해 서로 의지하며 함께했을 때 더 큰 성취감을 느낄 수 있다는 것을 깨달았다.

| 글쓰기 계획의 적절성 파악하기 |

08 **가**, **나**를 쓰기 위해 두 학생이 떠올린 생각 중, 질문에 대한 답이 글에 반영되지 **않은** 것은?

① 내가 달리기를 시작한 이유는 무엇이었지?

② 평소에 내가 어떤 일을 하다가도 금방 지치는 이유는 무엇일까?

학생 1

③ 대회 출발선에 섰을 때 나는 어떤 생각을 하고 있었지?

④ 대회 도중에 내가 잠시 달리기를 멈추었던 이유는 무엇이었지?

학생 2

⑤ 나와 함께 달린 사람들에게 내가 건넨 격려의 말은 무엇이었지?

| 글쓰기 방식과 전략 파악하기 |

09 **가**, **나**에 나타난 글쓰기 방식으로 가장 적절한 것은?

① **가**와 **나** 모두 다양한 경험을 나열하고 있다.

② **가**와 **나** 모두 공간의 이동을 중심으로 내용을 전개하고 있다.

③ **가**와 **나** 모두 경험을 통해 깨달은 점을 언급하며 글을 마무리하고 있다.

④ **가**는 경험을 통해 깨달은 점을 학업에, **나**는 교우 관계 개선에 적용하여 서술하고 있다.

⑤ **가**는 묻고 답하는 방식을 활용하여, **나**는 인물 간의 대비를 활용하여 내용을 전개하고 있다.

창의·융합·코딩 전략 ①

01~02 **가**는 한 학생이 학생회 누리집 게시판에 올린 글이고, **나**는 **가**를 읽은 학생회 학생들이 나눈 대화이다. 물음에 답하시오.

가 안녕하세요. 저는 올해 학생회에서 개최하는 토론 한마당에 참가하고자 하는 ○○○입니다. 토론 한마당 행사를 담당하는 학생회 운영진에게 토론 한마당 예선 방식의 개선을 건의하고자 게시판에 글을 쓰게 되었습니다.

학생회가 진행해 온 토론 한마당은 예선과 본선에서 항상 많은 청중이 참여한 가운데 대면 토론으로 진행되어 현장감이 넘친다는 장점이 있습니다. 그런데 참가 팀이 늘면서 예선을 위한 시간과 공간 부족, 예선을 운영할 인원과 심사자 확보 곤란 등의 어려움이 발생하여 이를 해소하기 위해 작년부터 예선에 참가할 수 있는 인원을 학급당 한 팀으로 제한했습니다.

하지만 이런 현행 예선 방식 때문에 토론 한마당에 대한 학생들의 불만이 매우 높아졌다는 문제가 발생했습니다. 학생회도 알다시피 작년 행사 이후 학교 신문이 전교생을 대상으로 실시한 설문 조사에서 토론 한마당에 불만족스럽다는 응답률이 76%로 매우 높았습니다. 불만의 원인은 예선 참가 기회가 제한되어 있는 현행 예선 방식의 한계에서 찾을 수 있습니다.

이를 해결하기 위해 더 많은 학생이 참여할 수 있도록 예선 방식을 개선해 주십시오. 현행의 평가 방법인 대면 토론을 유지하려면 예선 기간이 짧아 참여자를 제한할 수밖에 없으니 예선 기간을 연장해 주시기 바랍니다. 예선 기간을 연장하지 않는다면 예선에서 대면 토론 대신 토론 개요서 평가 방법을 도입하여 주시기 바랍니다.

토론 한마당 예선의 기간을 연장하는 방식이나 평가 방법을 변경하는 방식으로 현행의 예선 방식을 개선하면 학생들이 더 많이 참가할 수 있게 되어 불만이 해소될 것입니다. 읽어 주셔서 감사합니다.

나 **학생 1** 토론 한마당 행사의 예선 방식을 개선해 달라고 게시판에 올라온 글 봤지? 기간 연장은 일정상 당장 반영하기 곤란하니 참가 인원을 늘릴 수 있는 좋은 방안이 있는지 논의해 보자.

학생 2 응. 현행 예선 방식을 바꿔야겠더라.

학생 1 행사 운영을 위한 시간과 공간이 부족하고 심사자가 부족한 상황에서 대면 토론을 유지하다 보니 참가 인원을 제한하게 되어 불만이 많아진 거니까 대면 토론을 대신할 방안을 찾을 필요가 있어.

학생 2 그러면 논제에 대한 입장과 근거가 담긴 토론 개요서를 제출하도록 하여 예선을 치르는 게 좋겠어.

학생 3 동영상을 활용해 보는 건 어때? 참가 신청한 팀들 중 두 팀씩 서로 찬반을 나누어 토론하고, 그 과정을 동영상으로 촬영해 제출하게 하는 거야.

학생 1 두 가지 방식이 여러 측면에서 달라 보이는데, 각각의 방안이 가지는 장점은 뭐라고 생각해?

학생 2 토론 개요서로 평가하면 현행 방식일 때 예선에 참가하지 못할 학생들도 기회를 얻을 수 있어. 그리고 시간이나 장소에 구애를 덜 받고, 대면 토론을 운영할 인원이나 심사자를 섭외하는 부담도 많이 줄일 수 있어.

학생 3 동영상을 제출하도록 하면 토론 시간이나 장소를 참가자들이 자율적으로 정할 수 있고, 토론 개요서를 평가할 때와 달리 참가자들이 상대방과 서로 소통하는 토론 과정을 평가할 수 있다는 장점이 있어.

학생 1 두 방식의 단점이나 운영상 어려움에는 어떤 것들이 있을까? 청중이 모인 가운데 진행되는 대면 토론만큼 현장감 있는 토론을 경험하기는 어려울 테니 그것 말고 얘기해 줄래?

학생 2 동영상을 촬영하려면 참가 팀들이 별도의 장비를 준비해야 해. 또 대면 토론만큼 시간이 필요하니까 많은 팀이 참가한다면 심사자의 평가 부담이 클 것 같네.

학생 3 토론 개요서 평가는 참가자들이 소통하는 과정을 평가하기 어려워.

학생 2 그래도 토론에서 더 중요한 건 적절한 근거를 들어 논제에 대한 자신의 입장이 타당함을 밝히는 논증 능력이니까 그걸 평가하는 건 가능하다고 생각해.

학생 3 네 말이 맞는 것 같아.

학생 1 나도 좋아. 토론 개요서를 평가하면 예선 참가 가능한 인원이 늘겠지. 그러면 게시판의 글에서 말한 학생들 불만이 해소될 거야. 모두 동의했으니 이 방안을 도입하기로 하고 오늘 논의는 마무리하자.

---

01 **가**의 작문 맥락을 파악한 내용으로 가장 적절한 것은?

예상 독자	→	공동체의 문제를 해결할 수 있는 주체를 예상 독자로 설정했다. ─── ①
글의 주제	→	공동체의 문제를 해결하기 위해서는 공동체 구성원 개개인의 인식 개선이 필요함을 글의 주제로 삼았다. ─── ②
작문 목적	→	공동체의 문제와 관련하여 가치 있는 경험을 통해 얻은 깨달음을 성찰하는 것을 작문 목적으로 설정했다. ─── ③
글의 유형	→	공동체의 문제를 조사하고 분석한 절차와 결과가 잘 드러나도록 보고하는 형식을 갖춘 글의 유형을 선택했다. ─── ④
작문 매체	→	공동체의 문제와 관련하여 자신의 생각을 진솔하게 기록하기 위해 개인적인 성격이 강한 작문 매체를 선택했다. ─── ⑤

02 '학생 1'이 **나**의 대화를 나누며 떠올린 생각으로 적절하지 않은 것은?

- **가**에서 토론 한마당 행사의 예선 방식 개선을 요구한 것을 논의의 계기로 삼아야겠어. ─── ①
- **가**에서 서술한 예선 참가 인원 제한의 배경을 언급하며 논의의 필요성을 제시해야겠어. ─── ②
- **가**에서 예선 방식 개선을 위해 제시한 두 가지 방식 각각의 장단점을 판단하게 하며 논의를 진행해야겠어. ─── ③
- **가**에서 제시한 현행 예선 평가 방법의 장점과 관련된 내용은 발언에서 제외할 것을 언급해야겠어. ─── ④
- **가**에서 서술한 현행 예선 방식에 대한 불만이 해소될 것을 언급하며 논의의 결론을 제시해야겠어. ─── ⑤

도움말

작문 맥락이란 글을 쓰는 과정에서 개입하는 여러 가지 상황이나 관습, 영향 등으로, 예상 독자, 작문 목적, 글의 주제, 글의 유형, **❶** 등이 있습니다. (가)는 토론 한마당 행사를 담당하는 학생회 운영진을 **❷** 로 하여 학교 공동체의 문제 상황을 개선해 줄 것을 요구하는 건의문입니다. 이를 고려하여 (가)에 나타난 작문 맥락을 바르게 설명한 선지를 찾아보세요.

답 ❶ 작문 매체 **❷** 예상 독자

도움말

(나)는 학생회 학생들이 (가)의 건의문을 논의의 **❶** 로 삼아 토론 한마당 행사의 예선 참가 인원을 늘릴 방안을 마련하기 위해 나눈 대화입니다. 선지는 (나)에서 학생 1이 (가)의 건의문에 언급된 내용을 어떻게 활용했는지 서술하고 있습니다. 선지에서 서술하는 내용이 실제 (가)에 나타나 있는지 확인하며, 학생 1의 말하기 방식과 **❷** 에 대한 설명이 적절한지 판단해 보세요.

답 ❶ 계기 **❷** 전략

창의·융합·코딩 전략 ②

03~04 **가**는 '활동 1'에 따른 대화이고, **나**는 '활동 2'에 따라 '지민'이 쓴 초고이다. 물음에 답하시오.

독후 활동

[활동 1] 책에서 인상적이었던 내용에 대해 이야기 나누기.
[활동 2] '활동 1'을 바탕으로 교훈을 주는 글 쓰기.

가 **지민** 선생님께서 추천해 주신 책 다들 읽었지? 나는 지금까지 인식하지 못했던 우리의 사고 경향에 대해 생각해 볼 수 있어 좋았는데, 너희들은 어땠어?

홍철 인간의 사고 경향을 일곱 가지로 나누어 이해하기 쉽게 설명해 놓았더라.

지민 어떤 내용이 흥미로웠는지 말해 줄래?

윤주 배가 정박할 때 닻을 펄에 박아 두면 배가 일정 범위를 벗어나지 못하잖아. 그것처럼 우리도 주어진 기준에 얽매여 폭넓게 사고하지 못한다고 한 부분이 흥미로웠어.

홍철 나는 우주 왕복선 챌린저호의 폭발 사고에 대한 내용이 기억에 남아. 보고 싶은 것만 보고 받아들이고 싶은 것만 받아들이는 성향이 특정한 판단을 강화하여 유용한 정보를 놓치고 오류를 범하게 만든다는 것이었어.

지민 3장에서 다룬 '정박 효과'와 5장에서 다룬 '확신의 덫'이 인상적이었구나. 나는 책의 서문에서 "그 누구도 정답만을 말할 수는 없다."라고 한 작가의 말이 인상적이었어.

홍철 나도 이 책의 작가가 우리에게 개방적인 자세를 가져야 한다는 교훈을 전해 주고 있다는 생각이 들었어.

지민 나도 그렇게 생각해. 그럼 '활동 2'에서는 정박 효과나 확신의 덫을 일으키는 사고 경향의 문제점을 설명하고 우리가 지녀야 할 바람직한 자세를 서술하는 것이 좋겠지?

홍철 음, 그런데 이 책에서도 언급하고 있듯이 그러한 사고 경향이 나쁜 것만은 아니야.

윤주 이 책의 참고 문헌에 나와 있는 책에서도 그런 점을 언급하고 있더라.

지민 그렇구나. 내가 초고에 그 점도 언급하도록 해 볼게.

나 10만 원이라는 가격표가 붙은 물건을 3만 원에 살 수 있다면 우리는 이 물건을 사야 할까, 말아야 할까? 아마 우리 중 대부분은 물건의 가격이 합당한 것인가를 생각하지 않고 10만 원이라는 가격표에 얽매여 지갑 열기를 주저하지 않을 것이다. 배가 항구에 정박할 때 닻을 펄에 박아 두면 배가 일정 범위를 벗어나지 못하는 것처럼 초기에 제시된 기준이나 상황을 벗어나는 것이 쉽지 않기 때문이다. 심리학에서는 이를 '정박 효과'라고 부른다. 정박 효과는 비단 소비의 측면뿐만 아니라 우리의 일상생활에서 흔히 일어난다. 우리는 일상에서 어떤 사람의 첫인상을 통해 그 사람의 성격을 판단해 버리는 일이 많은데, 이때의 직관적 판단은 진위 여부를 확인하는 데 오랜 시간이 걸리고 그것이 틀린 것일지라도 쉽게 바뀌지 않는다. 이 역시 정박 효과와 관련이 있다.

우리는 자신의 판단이 옳다는 것을 확인시켜 주는 정보만을 받아들이려고 하는 사고 경향도 가지고 있다. 이러한 사고 경향은 '확신의 덫'에 빠지는 문제를 일으킨다. 우주 왕복선 챌린저호의 폭발 사고는 이러한 문제를 잘 보여 준다. 챌린저호는 발사된 지 약 72초 만에 폭발하였는데, 챌린저호의 폭발 가능성이 충분히 예견되었음에도 불구하고 관련 전문가들이 자신들의 기대와 상충하는 정보를 무시해 버렸다는 사실이 원인 규명 조사 과정에서 밝혀졌다. 전문가들조차 보고 싶은 것만 보고 믿고 싶은 것만 믿음으로써 잘못된 판단을 내리는 확신의 덫에 빠졌던 것이다. '답은 정해져 있고 너는 대답만 하면 돼.'라는 뜻을 가진 '답정너'라는 신조어를 떠올려 보면 확신의 덫에 빠져 있는 것이 어떤 것인지 쉽게 이해할 수 있다.

아마 누군가는 정박 효과나 확신의 덫과 같은 문제를 일으킬 수 있는 직관적 판단과 자기 확신을 긍정적으로 볼 수도 있다. 정보 부족과 시간 제약의 한계가 있는 상황에서 직관적 판단은 인지적 부담을 줄여 주고 의사 결정의 효율성을 높여 준다. 또한 어떠한 판단에 대한 자기 확신은 일을 적극적으로 추진할 수 있게 해 준다. 그러나 이러한 사고 경향은 터무니없거나 편향된 판단을 이끌어 낼 수 있다. 그러므로 우리는 이러한 문제점을 인지하고 예방하기 위해 노력해야 한다. 첫째, 누구든지 자신의 판단의 오류 가능성을 인정할 수 있어야 한다. 그 누구도 정답만을 말할 수는 없다. 둘째, 다른 사람들의 말을 경청할 줄 알아야 한다. 내 생각과 다른 생각도 수용할 수 있는 개방적인 자세는 경청에서부터 나온다. 이러한 두 자세를 통해 우리는 더욱 합리적인 판단을 할 수 있고 나 자신과 타인, 세계를 올바르게 이해할 수 있다.

---

03 **가**를 바탕으로 하여 **나**의 내용 조직 방법에 대해 설명한 내용으로 적절하지 <u>않은</u> 것은?

내용 조직 방법		효과
①	1문단에서 **가**에 언급되지 않은 첫인상 판단에 대해 설명함.	→	정박 효과가 일상생활에서 흔히 일어난다는 점을 부연함.
②	2문단에서 **가**에 언급된 챌린저호의 폭발 사고에 대한 정보를 추가함.	→	확신의 덫에 빠지는 문제를 구체적으로 설명함.
③	2문단에서 **가**에 언급되지 않은 신조어를 예로 듦.	→	확신의 덫에 대한 이해를 도움.
④	3문단에서 **가**에 언급된 작가의 말을 직접 인용함.	→	시간 제약이 있는 상황에서 합리적 판단을 이끌어 내는 방법을 제시함.
⑤	3문단에서 **가**에 언급되지 않은 경청의 중요성에 대해 밝힘.	→	개방적인 자세의 필요성을 강조함.

···· 도움말

선지에서는 (나)의 **❶**〔　　　　　〕과 그 효과를 서술하고 있습니다. 제시된 표의 왼쪽을 살펴볼 때에는 (나)에서 설명하거나 제시한 내용이 무엇이며, 그와 관련된 내용이 (가)에 언급되어 있는지 확인해야 합니다. 그리고 오른쪽을 살펴볼 때에는 그를 통해 얻을 수 있는 **❷**〔　　　〕를 적절하게 서술하고 있는지 판단해야 합니다.

답 ❶ 내용 조직 방법 **❷** 효과

---

04 다음의 ㉠~㉤과 관련하여 **나**에 나타난 쓰기 전략을 이해한 내용으로 적절하지 <u>않은</u> 것은?

글쓰기에서 필자가 전달하려는 내용이 독자에게 의미 있는 것으로 받아들여지기 위해서는 독자의 공감을 유도하는 것이 중요한데, 이때 사용할 수 있는 전략은 다양하다. 대표적으로 ㉠1인칭 대명사를 사용하여 필자와 독자가 동일한 특성을 지니고 있는 관계임을 나타내어 독자와의 거리감을 좁히는 전략, ㉡물음을 사용하여 독자의 주의를 환기하는 전략, ㉢글의 내용이 독자의 상황과 관련 있음을 밝히는 전략, ㉣독자의 반응을 예측하여 글 속에서 미리 대응하는 전략, ㉤독자에게 의미 있는 정보나 문제 해결 방법 등을 제시하는 전략 등이 있다.

 ① ㉠과 관련하여, 필자와 독자를 모두 포함하는 '우리'라는 표현을 사용함으로써 필자와 독자의 거리감을 좁혔군.

 ② ㉡과 관련하여, 상품을 구매하는 일상적 상황을 가정한 물음을 제시함으로써 독자의 주의를 환기했군.

 ③ ㉢과 관련하여, 판단의 오류를 인정하지 않으려고 하는 사회적 이유를 분석하여 독자가 자신의 문제 상황을 알 수 있게 했군.

 ④ ㉣과 관련하여, 직관적 판단과 자기 확신의 긍정적 측면에 내재된 문제점을 언급하여 예상되는 독자의 반응에 대응하고 있군.

 ⑤ ㉤과 관련하여, 터무니없거나 편향된 판단을 예방하기 위해 필요한 태도를 설명함으로써 독자에게 문제 해결 방법을 알려 주었군.

···· 도움말

자료로 제시된 글쓰기 **❶**〔　　　〕과 관련하여, (나)에서 활용하고 있는 글쓰기 전략을 분석해야 합니다. 선지에 제시된 글쓰기 전략이 (나)에 나타나 있는지 확인해 보고, 선지에서 그에 따른 **❷**〔　　　〕를 적절하게 서술하고 있는지 판단해 보세요.

답 ❶ 전략 **❷** 효과

핵심 한눈에 보기

작문의 본질

개념

글을 통해 생각이나 느낌을 나누는 사회적 의사소통 행위

특성

- 글쓴이와 독자의 상호 작용 행위
- 글쓰기 과정에서 부딪치는 여러 문제를 해결하며 글을 완성해 가는 문제 해결 과정
- 공동체의 발전을 도모하는 적극적인 실천 행위

맥락

글을 쓸 때 고려해야 할 주제, 목적, 독자, 매체 등

작문의 과정

계획하기	작문 맥락을 고려하여 글쓰기를 계획함.
내용 생성하기	관련 자료를 찾아 수집하고 목적에 맞는 자료를 선정하여 내용을 생성함.
내용 조직하기	통일성과 응집성을 고려하여 내용을 조직함.
표현하기	작문 맥락을 고려하고 효과적인 표현 방법을 활용하여 어법에 맞게 표현함.
고쳐쓰기	단어, 문장, 문단, 글 전체 수준에서 글을 고쳐 씀. • 주제에서 벗어난 내용은 없는가? • 문맥에 어울리지 않는 단어는 없는가? • 표현 효과를 고려하여 고쳐 쓸 문장은 없는가? • 문장과 문장, 문단과 문단 간의 연결이 자연스러운가?

정보 전달·보고·자기소개의 글

정보를 전달하는 글

내용 생성

관련 자료를 수집한 뒤, 글의 목적에 맞는 정보·독자의 이해를 도울 수 있는 정보·객관적이며 신뢰할 만한 정보를 선별함.

내용 조직 구조

- 나열(병렬) 구조
- 순서 구조
- 인과 구조
- 비교·대조 구조
- 문제 해결 구조

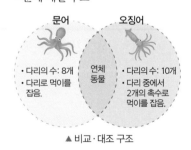

문어		오징어
• 다리의 수: 8개 • 다리로 먹이를 잡음.	연체 동물	• 다리의 수: 10개 • 다리 중에서 2개의 촉수로 먹이를 잡음.

▲ 비교·대조 구조

보고하는 글

글쓰기 과정

주제 선정·계획 수립 → 자료 수집 → 자료 분석·결과 정리 → 글 작성

글의 구조

서론	연구 목적과 필요성, 이론적 배경
본론	연구 결과와 해석
결론	연구 내용 요약, 결론, 제언

글을 쓸 때 고려할 점

- 연구 과정이나 결과를 자신이 의도하는 대로 바꾸어 쓰거나 꾸미지 않고 객관적이고 구체적으로 작성하기.
- 인용하거나 참고한 자료는 그 출처를 명확히 밝히기.
- 간결하고 명확한 표현 사용하기.

자기를 소개하는 글

작문 맥락을 고려한 글쓰기 방법

글쓰기 목적	글쓰기 방법
진학	학습 경험, 학교생활, 학업 계획, 진로 계획 등을 중심으로 내용을 구성함.
취업	자신의 학업과 해당 직무와의 연관성, 지원 동기, 입사 후 포부 등을 중심으로 내용을 구성함.
동아리 가입	취미, 특기, 동아리 지원 동기를 중심으로 내용을 구성함.

글을 쓸 때 고려할 점

- 내용을 구체적이고 깊이 있게 쓰기.
- 사실을 근거로 하되 내용을 창의적으로 구성하고, 진솔하게 표현하기.

설득·건의·비평의 글

설득하는 글

글의 종류

논설문, 건의문, 비평문, 사설, 광고문 등

글쓰기 과정

주장 세우기 → 논거 선별하기 →
글 작성하기 → 고쳐쓰기

논거

주장의 타당함을 뒷받침하는 논리적 근거

논거의 선별 기준

타당성 주장과 관련이 있는가?	**공정성** 어느 한쪽의 입장에 치우치지 않았는가?	**신뢰성** 출처가 분명하고 믿을 만한가?

건의하는 글

글쓰기 과정

현안 분석하기 → 해결 방안 모색하기 → 글 작성하기

일반적인 형식

처음	인사말, 건의자 소개, 건의 목적
중간	문제 상황의 심각성, 해결 방안, 기대 효과
끝	건의 수용에 대한 긍정적 기대, 끝인사, 건의 일자와 서명

비평하는 글

글의 종류 서평, 비평 등

글쓰기 과정

비평 대상 선정·이해하기 → 자신의 관점 수립하기 →
비평의 근거 마련하기 → 글 작성하기

글을 쓸 때 고려할 점

• 자신의 관점을 일관성 있게 유지하기.
• 적절한 근거를 들어 자신의 관점을 분명하게 드러내기.

정서 표현·자기 성찰의 글

정서를 표현하는 글

글의 종류 수필, 기행문, 감상문 등

글쓰기 과정

일상의 대상이나 사건 관찰하기 → 대상이나 사건에 의미 부여하기 → 대상에서 발견한 의미를 진솔하게 표현하기

자기를 성찰하는 글

글의 종류 일기, 자서전, 회고문 등

글쓰기 과정

자신의 삶을 되돌아보며 가치 있는 경험 정하기 → 경험에 의미 부여하기 → 진솔하고 담담하게 표현하기

쓰기 윤리

저작물의 올바른 인용 방법

• 인용한 부분이 원문보다 길어서는 안 됨.
• 인용한 글이나 자료의 출처를 명시해야 함.
• 과장·축소·왜곡하지 않고 내용을 정확하게 인용해야 함.

신유형·신경향 전략

✿ 최근 수능 작문에는 작문 단독 지문뿐만 아니라 화법 담화와 연계된 융합 지문을 바탕으로 하여 작문 과정과 전략을 이해하고 이를 실제 작문 활동에 적용할 수 있는지 확인하는 문제가 출제되고 있습니다.

01~03 다음은 학생이 학교 신문에 싣기 위해 쓴 글의 초고이다. 물음에 답하시오.

세계에서 언어가 사라져 가는 현상은 우리나라 지역 방언에서도 벌어지고 있다. 특히 지역 방언의 어휘는 젊은 세대 사이에서 빠르게 사라져 가고 있는 실정이다. 일례로 한 조사에 따르면 우리 지역의 방언 어휘 중 특정 단어들을 우리 지역 초등학생의 80% 이상, 중학생의 60% 이상이 '전혀 사용하지 않는다.'라고 답했다. 또한 2010년에 유네스코에서는 제주 방언을 소멸 직전의 단계인 4단계 소멸 위기 언어로 등록하였다.

[A] ⌈ 지역 방언이 사라져 가는 원인은 복합적이다. 서울로 인구가 집중되면서 지역 방언을 사용하는 인구가 감소하였으며, 대중 매체의 영향으로 표준어가 확산되어 가는 것도 한 원인이다. ⌋

일부 학생들은 표준어로도 충분히 대화할 수 있다며 지역 방언이 꼭 필요하냐고 말할 수도 있다. 그럼에도 우리는 왜 지역 방언 보호에 관심을 가져야 하는 것일까? 그것은 지역 방언의 가치 때문이다. 지역 방언은 표준어만으로는 표현하기 어려운 감정과 정서의 표현을 가능하게 한다. 그리고 '다슬기' 외에 '올갱이, 데사리, 민물고동'과 같이 동일한 대상을 지역마다 다르게 표현하는 지역 방언이 있는 것처럼 지역 방언은 우리말의 어휘를 더욱 풍부하게 만드는 바탕이 된다.

[가]

| 글쓰기 계획의 적절성 파악하기 |

01 다음은 학생이 글을 쓰기 위해 작성한 메모이다. ㉠, ㉡을 바탕으로 세운 글쓰기 계획 중 윗글에서 확인할 수 있는 내용을 모두 고른 것은?

[작문 상황]
• 목적: 지역 방언 보호에 대한 관심 촉구
• 주제: 지역 방언의 보호가 필요하다.
• 예상 독자: 우리 학교 학생들

[독자 분석]
• 지역 방언이 사라져 가는 실태를 잘 모름. ── ㉠
• 지역 방언의 가치에 대한 인식이 부족함. ── ㉡

[글쓰기 계획]
• ㉠을 고려하여, 지역 방언의 소멸 위기에 이촌향도 현상이 미친 영향이 가장 컸음을 제시해야겠어. ⓐ
• ㉠을 고려하여, 우리 지역 학생들과 성인들의 지역 방언 사용 실태를 비교한 조사 결과를 제시해야겠어. ⓑ
• ㉠을 고려하여, 세계적으로 권위 있는 기구에서 제주 방언을 소멸 위기 언어로 등록했다는 내용을 제시해 문제 상황의 심각성을 드러내야겠어. ⓒ
• ㉡을 고려하여, 실제로 소멸된 지역 방언의 사례를 제시하여 지역 방언의 가치를 부각해야겠어. ⓓ
• ㉡을 고려하여, 예상되는 반론을 제시하며 지역 방언의 보호에 관심을 지녀야 하는 이유를 강조해야겠어. ⓔ

① ⓐ, ⓑ   ② ⓑ, ⓒ   ③ ⓒ, ⓔ
④ ⓑ, ⓒ, ⓓ   ⑤ ⓒ, ⓓ, ⓔ

●●● **도움말**

선지로 제시된 [글쓰기 계획]은 글의 내용을 효과적으로 전달하기 위한 글쓰기 전략과 **❶** 활용 방안, 그에 따른 **❷** 를 제시하고 있어요. 선지와 윗글의 내용을 비교하며 이러한 계획이 윗글에 실제로 반영되어 있는지 확인해 보세요.

답 ❶ 자료 **❷** 효과

| 자료 활용 전략의 적절성 판단하기 |

02 다음은 [A]를 보완하기 위해 추가로 수집한 자료이다. 자료 활용 방안으로 가장 적절한 것은?

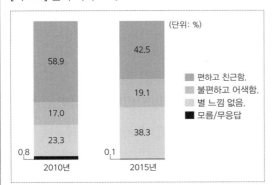

[자료 1] 언어 의식 조사

(단위: %)

- 편하고 친근함.
- 불편하고 어색함.
- 별 느낌 없음.
- 모름/무응답

▲ 표준어 사용자가 지역 방언 사용자와 대화할 때 받는 느낌

[자료 2] 전문가 인터뷰

　방언을 사용하는 지역에서는 관공서와 학교 등에서 표준어가 높은 비율로 사용되는 것이 일반적이었어요. 그런데 최근 조사 자료에 따르면, 일상생활에서도 표준어가 상당히 높은 비율로 사용되고 있습니다. 아무래도 표준어가 세련된 느낌을 준다고 생각하기 때문이겠지요.

① [자료 1]: 지역 방언에 대한 긍정적 느낌의 비율과 부정적 느낌의 비율 변화 양상이 상반된다는 점에서, 지역 방언에 대한 무관심을 원인으로 추가해야겠군.

② [자료 1]: 지역 방언 사용자와 대화할 때 받는 느낌의 순위가 변함이 없다는 점에서, 시대의 변화상을 반영하지 못한 지역 방언 교육 정책을 원인으로 추가해야겠군.

③ [자료 2]: 표준어와 지역 방언을 구분하여 사용해야 한나는 인식이 부족하다는 점에서, 공식석 상황에서의 표준어 사용 교육이 부재한 것을 원인으로 추가해야겠군.

④ [자료 2]: 공식적 상황에서 사용하는 표준어를 일상에서도 사용하려는 경향이 있다는 점에서, 방언을 사용해도 되는 상황에서도 표준어를 사용하려는 태도를 원인으로 추가해야겠군.

⑤ [자료 1]과 [자료 2]: 지역 방언에 대한 표준어 사용자와 지역 방언 사용자의 인식이 서로 다르다는 점에서, 대중 매체의 지역 방언에 대한 편향성을 원인으로 추가해야겠군.

| 내용 생성과 조직의 적절성 판단하기 |

03 다음 조언을 고려할 때, [가]에 들어갈 내용으로 가장 적절한 것은?

친구 1: 마지막 문단에는 앞에서 언급한 지역 방언의 가치를 정리해서 제시하면 좋겠어.

친구 2: 비유법을 활용해서 독자에게 필자의 주장을 인상 깊게 전달하는 게 좋겠어.

① 지역 방언은 우리의 언어문화를 전 세계에 알릴 수 있는 문화유산으로서 가치가 높다. 따라서 우리의 지역 방언을 지켜야 할 것이다.

② 지역 방언은 사람들 간의 소통을 원활하게 해 주는 연결 고리이다. 이러한 연결 고리가 끊어지지 않도록 일상 속 지역 방언의 사용을 늘려야 할 것이다.

③ 지역 방언은 지역의 고유한 문화와 정서를 담고 있는 우리의 소중한 언어문화이다. 따라서 지역의 뿌리인 지역 방언을 보호하기 위해 관심을 가져야 할 것이다.

④ 지역 방언은 우리말의 어휘를 더욱 풍부하게 만드는 바탕이 된다는 점에서 우리가 지켜야 할 자산이다. 지역 방언을 활성화하기 위해 꾸준히 관심을 갖고 살펴야 할 것이다.

⑤ 언어가 사라져 가는 세계적 추세를 고려할 때 지역 방언의 소멸은 시대 변화의 흐름에 따른 것이다. 그러나 우리는 우리의 언어문화를 지킬 의무가 있으므로, 지역 방언이 소멸되지 않도록 정부 차원에서 제도를 마련해야 할 것이다.

••••도움말

친구 1, 2의 조언을 모두 반영한 선지를 찾아야 합니다. 친구 1의 조언에 따라 윗글의 3문단에 언급된 지역 방언의 **❶**　　　를 정리하여 제시하고 있는지 살펴보세요. 그리고 친구 2의 조언에 따라 어떤 대상을 직접 설명하지 않고 그와 유사한 다른 대상에 빗대어 표현하는 **❷**　　　을 활용한 부분이 나타나 있는지 파악해 보세요.

답 ❶ 가치 **❷** 비유법

04~06 **가**는 독서반 학생들과 작가의 대화이고, **나**는 이를 바탕으로 쓴 건의문 초고이다. 물음에 답하시오.

가 학생 1 안녕하세요. ㉠작가님 책에 대해 여쭙고, 인간과 자연이 공존하는 법에 대한 조언도 구하고자 찾아뵙게 되었습니다. 우선 멸종 위기종의 이야기를 쓰시게 된 계기가 무엇인가요?

작가 저는 10여 년간 환경 단체에 몸담으며 멸종 위기종의 보호를 위해 힘써 왔습니다. 모든 생명은 마땅히 존중받아야 한다는 걸 말하고 싶었답니다.

학생 2 그렇군요. 멸종 위기종이 자신의 속마음을 이야기한다는 설정이 신선했는데, 특별한 의도가 있나요?

작가 멸종 위기종도 우리와 동등한 존재임을 독자들이 깨닫길 바랐습니다.

학생 2 책을 읽는 내내 그러한 동물들이 가족 같아 마음이 아팠습니다. ㉡특히 멸종 위기종인 반달가슴곰이 웅담 채취용으로 사육되었다는 이야기가 충격적이었습니다.

작가 그 이야기를 듣고 저도 무척 슬펐습니다. 아직 해결해야 할 문제가 많지만 정부에서 사육 곰 증식을 금지하여 이제는 더 이상 철창 안에서 태어나는 곰은 없습니다.

학생 2 그나마 다행입니다. 소개하신 멸종 위기종 중에 작가님 마음에 특별히 남는 동식물이 있다면 무엇인가요?

작가 저어새가 특히 안타깝습니다. ○○갯벌은 전 세계 2,400여 마리밖에 남지 않은 저어새가 찾는 산란지인데, 여전히 매립 사업이 진행 중입니다. 인간의 입장에서 보면 갯벌을 매립해서 건물을 짓는 게 이득이겠지만, 갯벌은 수많은 생명의 보금자리라는 사실을 놓쳐서는 안 됩니다.

학생 2 ㉢인간이 결국 다른 생명의 보금자리를 뺏고 있는 셈이군요.

작가 그렇지요. 하지만 '생태 통로'처럼 다른 생명과 공존하기 위한 최소한의 장치를 마련하려는 노력도 있습니다.

학생 1 ㉣'생태 통로'에 대해 더 자세히 말씀해 주시겠어요?

작가 종종 로드킬(road kill) 사고를 접하게 되는데요, 로드킬은 야생 동물이 다니던 길에 도로를 만들었기 때문에 발생합니다. 그래서 야생 동물이 안전하게 다닐 수 있는 길을 인공적으로 만든 것을 '생태 통로'라고 합니다. 실제로 국립 공원 관리 공단은 생태 통로 설치로 로드킬 사고가 꾸준히 감소했다고 발표했습니다.

학생 2 그리고 보니 얼마 전 우리 지역의 ◇◇천 앞 도로에서도 수달이 로드킬 사고를 당했다는 뉴스를 본 적이 있어요. 생태 통로가 있다면 사고를 막을 수 있겠군요. 자연과 공존하기 위해 저희가 할 수 있는 일은 없을까요?

작가 자연과 인간이 공존하려는 노력은 어렵지 않습니다. 관심을 가지고 인터넷에 댓글을 하나 다는 것도 큰 도움이 됩니다. 반달가슴곰의 경우도 지속적으로 문제를 제기하고 해결책을 건의한 사람들의 열정 덕분에 정부의 정책을 끌어낼 수 있었죠.

학생 1 ㉤적극적으로 목소리를 내는 게 중요하다는 말씀이시죠? 인간과 자연의 공존을 위해 우리가 무엇을 할 수 있는지를 깨닫는 소중한 시간이었습니다. 감사합니다.

나 시장님, 안녕하세요. 저희는 □□고등학교 독서반 학생들입니다. 저희는 최근 한 작가님과 대화하며 멸종 위기종도 우리와 동등한 존재라는 것과 모든 생명은 보호받아야 한다는 것을 깨달았습니다. 그래서 우리 시의 야생 동물 보호와 관련하여 몇 가지 건의를 드리고자 합니다.

지난달에는 천연기념물인 수달이 ◇◇천 앞 도로에서, 지난주에는 삵이 △△터널 부근에서 로드킬 사고를 당했습니다. 통계에 따르면, 한 해 로드킬 사고의 절반이 우리 지역에서 발생한다니 문제의 심각성이 큽니다. 이러한 사고는 생태 통로가 없거나, 유도 울타리가 없어서 생태 통로가 제 기능을 다하지 못했기 때문이라고 합니다.

이에 저희는 야생 동물들의 서식지와 이동 경로를 파악하여 하루빨리 이들을 위한 생태 통로를 마련해 주실 것을 건의합니다. 또한 생태 통로가 제 기능을 다할 수 있도록 유도 울타리를 새로 설치하거나 관리가 안 된 곳은 수리하여 주십시오. 특히 최근 사고가 발생한 우리 시의 ◇◇천과 △△터널 부근을 엄밀히 조사하여 대처해 주시기 바랍니다.

우리 시에 생태 통로를 설치하여 제대로 관리한다면 도로 위에서 죽음을 맞는 야생 동물의 수를 줄일 수 있을 것입니다. 또한 동물 사체를 피하려다 생기는 2차 사고도 감소할 것이며, 사고 수습 등에 소요되는 사회적 비용도 줄일 수 있습니다.

정부의 정책으로 웅담 채취용 사육 곰은 고통에서 벗어나게 되었지만, 무분별한 갯벌 개발로 저어새는 갈 곳이 없어 고통받고 있습니다. 우리 지역의 수달과 삵도 로드킬 때문에 언제 사라질지 알 수 없습니다. 도로에서 생을 마감한 수달과 삵을 떠올리면 친구를 떠나보낸 것처럼 슬픕니다. 귀중한 생명들이 사라지지 않도록 우리 시의 즉각적인 대책 마련을 간곡히 부탁드립니다.

| 말하기 계획의 적절성 평가하기 |

04 다음은 **가**를 진행하기 위한 학생들의 사전 회의이다. **가**에서 확인할 수 <u>없는</u> 것은?

> 학생 1: 어떤 질문을 먼저 할지 그 순서를 정해 보자. @우선 책을 쓰시게 된 계기를 여쭤봐야겠지?
> 학생 2: 응. 그리고 ⓑ이 책의 설정이 무척 신선했잖아. 그 의도도 여쭤보자.
> 학생 1: 좋아. ⓒ다음으로 책에 소개한 멸종 위기종 중 특별히 마음에 남는 동물이 있었는지도 궁금해.
> 학생 2: ⓓ책에 미처 소개하지 못해 아쉬운 멸종 위기종이 있는지도 여쭤보고.
> 학생 1: 그래. ⓔ무엇보다 인간과 자연의 공존을 위해 우리가 할 수 있는 일에 대한 질문이 빠질 수 없겠지?

① @　　② ⓑ　　③ ⓒ　　④ ⓓ　　⑤ ⓔ

| 말하기 방식과 전략 파악하기 |

05 **가**의 ㉠~㉤에 대한 이해로 적절하지 <u>않은</u> 것은?

① ㉠: 대화의 목적을 분명하게 밝히고 있다.

② ㉡: 상대방의 발언을 유사한 사례를 들어 보충하고 있다.

③ ㉢: 상대방의 발언을 자신이 이해한 바에 따라 재진술하고 있다.

④ ㉣: 상대방의 발언을 듣고 추가적인 설명을 요구하고 있다.

⑤ ㉤: 상대방의 발언 의도를 정확하게 파악했는지 확인하고 있다.

| 내용 생성과 조직의 적절성 판단하기 |

06 **가**를 반영하여 **나**를 썼다고 할 때, **나**에 대한 설명으로 적절하지 <u>않은</u> 것은?

① **가**에서 작가가 말한 멸종 위기종에 대한 생각과 생명 보호의 당위성을 바탕으로 하여 화제를 제시하고 있다.

② **가**에서 언급된 수달의 사고와 함께 우리 시의 높은 로드킬 사고율을 추가하여 문제 상황을 제시하고 있다.

③ **가**에서 알게 된 생태 통로에 대한 정보를 바탕으로 하여 조사가 필요한 장소를 언급하며 생태 통로의 설치와 관리를 구체적으로 건의하고 있다.

④ **가**에서 작가가 말한 국립 공원 관리 공단의 발표 내용을 바탕으로 하여 우리 시에 생태 통로를 설치했을 때의 긍정적 효과를 제시하고 있다.

⑤ **가**에서 작가가 말한 반달가슴곰의 사례를 바탕으로 하여 즉각적으로 생태계 보존 정책을 마련할 것을 당부하고 있다.

> •••• **도움말**
>
> 선지 ①~⑤번은 각각 (나)의 1~5문단과 대응하는 내용입니다. (나)의 1~5문단은 '화제 제시 → 문제 상황 제시 → 요구 사항 구체화 → ❶[　　　　　] 제시 → 대책 마련 당부' 순으로 전개되고 있어요. 이러한 점을 파악했다면, 선지를 '(가)에서 작가가 말한 멸종 위기종에 대한 생각과 생명 보호의 당위성을 바탕으로 하여 / ❷[　　　　　]를 제시하고 있다.'와 같이 두 부분으로 나누어 보세요. 그리고 선지의 앞부분에서 설명하는 내용이 (가)의 대화에 나타나 있는지, 선지의 뒷부분에서 설명하는 내용이 (나)의 건의문에 비추어 볼 때 적절한지 판단해 보세요.
>
> 🈁 ❶ 기대 효과 ❷ 화제

1·2등급 확보 전략

01~03 다음은 고등학교 미술 동아리 학생들을 대상으로 한 강연이다. 물음에 답하시오.

안녕하세요? □□ 시립 미술관 도슨트 ○○○입니다. 여러분은 도슨트와 큐레이터의 차이를 아시나요? (청중의 반응을 살피며) 도슨트는 어떤 일을 할까요? (청중의 답변을 듣고) 전시회를 기획하는 일이요? 그 일을 하는 분을 큐레이터라고 해요. 큐레이터와 달리 도슨트는 관람객에게 전시물을 설명하는 일을 하고 있습니다. 한 달 뒤에 여러분이 제가 근무하는 미술관에서 열리는 레오나르도 다빈치 기획전을 관람한다고 들었습니다. 그래서 오늘은 다빈치의 대표작 하나를 소개하고 그 작품이 많은 사람에게 사랑받는 이유를 말씀드리려고 합니다.

(그림을 보여 주며) 다빈치의 대표 작품인 〈모나리자〉입니다. 모나리자가 어떤 표정인 것 같나요? (청중의 답변을 듣고) 행복한 표정이요? 아, 슬퍼 보이나요? 〈모나리자〉가 사랑받는 이유는 작품을 감상할 때마다 살아 있는 사람마냥 모나리자의 표정이 바뀌는 것처럼 보이는 생동감 때문입니다. 그 비밀은 놀랍게도 바로 여기 (모나리자의 얼굴을 가리키며) 눈과 입의 표현에 있습니다.

과학에 관심이 많았던 다빈치는 대기 속의 수분과 먼지가 (영상을 보여 주며) 이렇게 빛을 난반사시켜 멀리 있는 물체를 뿌옇게 보이게 만드는 원리를 그림에 표현하려고 했습니다. 이러한 원리와 생각을 바탕으로 하여 그림의 윤곽선을 흐리게 표현한 기법을 공기 원근법이라고 합니다.

(그림을 가리키며) 모나리자의 눈과 입을 보면 경계가 분명하지 않지요? 다빈치는 사물과 사물의 경계에서 생기는 윤곽선을 세밀한 붓으로 수없이 문질러 흐릿하게 처리했습니다. 그 결과 빛의 각도와 세기에 따라 모나리자의 눈과 입술의 윤곽선 위치가 다르게 보이는 것입니다.

여러분이 사용하는 미술 교과서에 다빈치의 또 다른 대표작인 〈최후의 만찬〉이 실려 있더군요. 이 작품도 공기 원근법을 이용한 그림이니 꼭 확인해 보세요. 이처럼 보는 사람마다 다양한 감상을 자유로이 담을 수 있다는 점이 〈모나리자〉의 매력이라고 할 수 있습니다. 이상 강연을 마칩니다. 감사합니다.

01 위 강연에 나타난 강연자의 말하기 방식으로 가장 적절한 것은?

① 관련 기관의 통계 자료를 활용하여 강연 내용을 뒷받침하고 있다.
② 강연을 시작하며 청중을 대상으로 강연하게 된 소감을 밝히고 있다.
③ 강연 중에 청중에게 질문을 던지고 청중의 대답을 의문형으로 재진술하고 있다.
④ 강연 소재와 관련된 과거 사례와 최근 사례를 소개하며 둘의 특징을 대조하고 있다.
⑤ 작품에 적용된 과학적 원리와 작품의 미래 가치를 언급하며 강연을 마무리하고 있다.

02 다음은 동아리 부장이 강연자에게 보낸 전자 우편이다. 이를 바탕으로 강연자가 세운 계획 중, 강연에 반영되지 **않은** 것은?

> ▭▢✕
>
> 받은 메일함
>
> 안녕하세요. 저는 △△고등학교 미술 동아리 부장입니다. ㉠저희는 다음 달에 □□ 시립 미술관에 방문하여 레오나르도 다빈치의 기획전을 관람하려고 합니다. 그 전에 ㉡다빈치의 대표작으로는 무엇이 있는지 알고 싶어 이와 관련된 강연을 부탁드리고자 합니다. 그리고 ㉢그 작품이 사랑받는 이유가 무엇인지도 알고 싶습니다. ㉣도슨트가 하는 일을 알려 주시고, ㉤강연 내용을 교과서에 수록된 작품과 관련지어 설명해 주신다면 학생들의 진로 설정과 학업 계획에 도움이 될 것입니다.

① ㉠을 고려하여, 미술관 방문 시 지켜야 할 규칙을 안내해야겠어.
② ㉡을 고려하여, 그림을 직접 보여 주며 다빈치의 대표작을 소개해야겠어.
③ ㉢을 고려하여, 다빈치 작품의 특징을 관람자의 감상과 연결 지어 설명해야겠어.
④ ㉣을 고려하여, 도슨트가 하는 일을 다른 직업과 비교하여 설명해야겠어.
⑤ ㉤을 고려하여, 미술 교과서에 실린 다빈치의 또 다른 작품을 소개해야겠어.

03 다음은 학생이 강연을 들으며 작성한 메모이다. ⓐ~ⓔ와 관련하여 학생의 듣기 활동을 이해한 내용으로 적절하지 <u>않은</u> 것은?

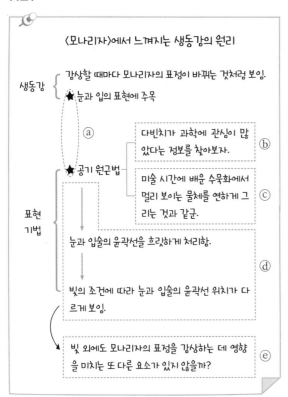

① ⓐ: 강조 표시를 한 것으로 보아, 강연 내용에 제시된 정보의 중요도를 구분하며 들었군.

② ⓑ: 조사 계획을 세운 것으로 보아, 강연 내용과 관련하여 더 알고 싶은 점을 떠올리며 들었군.

③ ⓒ: 강연 내용을 수묵화와 관련지은 것으로 보아, 강연 내용과 관련된 자신의 배경지식을 활용하며 들었군.

④ ⓓ: 화살표를 사용한 것으로 보아, 세부 정보 간의 관계를 파악하며 들었군.

⑤ ⓔ: 의문을 제기한 것으로 보아, 강연 내용의 논리적 모순을 비판하며 들었군.

청자는 자신의 **❶**□□□□을 활용하여 담화 내용을 이해해. 또한 담화 내용을 수용하는 것에서 더 나아가 그와 관련하여 더 알고 싶은 점을 떠올리기도 하고, 내용의 타당성이나 신뢰성 등에 **❷**□□을 제기하기도 하지. 이를 바탕으로 선지에서 ⓐ~ⓔ에 나타난 학생의 듣기 활동을 적절하게 설명하고 있는지 판단해 보자.

🅰 ❶ 배경지식 ❷ 의문

04~08 **가**는 학교 신문에 실을 '답사 보고서'의 초고이고, **나**는 **가**를 수정하기 위한 회의이다. 물음에 답하시오.

가

- 제목: 담양군 일대의 정자를 다녀와서
- 작성자: □□고등학교 '우리 문화 탐방 동아리'

수업 시간에 전라남도 담양군은 예로부터 정자 문화가 발달해 왔다고 들은 적이 있다. 정자란 경치가 좋은 곳에 놀거나 쉬기 위해 지은 집으로, 마루를 지면보다 높게 하여 벽이 없이 기둥과 지붕만으로 이루어진 건축물을 말한다. 사전에 조사한 자료에 따르면 아름다운 산수를 지닌 담양군에서는 16세기부터 면앙정을 비롯하여 광풍각, 환벽당 등의 정자가 집중적으로 건립되었다고 한다. 이에 우리 동아리는 다양한 정자가 있는 전라남도 담양군을 방문하여 정자의 모습과 특성을 직접 확인하기로 했다.

첫날 담양군에 도착해 먼저 방문한 곳은 '면앙정'이었다. 면앙정은 사방이 트인 언덕 위에 있었다. 마루가 지면에서 높게 떨어져 있으며, 정자 가운데에는 한 칸의 방을 두고 사방에 마루가 깔려 있었다. 안내판에 따르면 면앙정은 조선 중기 문신이었던 송순이 벼슬에서 물러난 뒤 여생을 지낸 곳이라고 한다. 다음으로는 '광풍각'을 방문했다. 광풍각은 우리나라를 대표하는 전통 정원인 소쇄원 안에 자리 잡고 있었다. 면앙정과 마찬가지로 마루가 지면에서 떨어져 있고, 방을 중심으로 4면에 마루가 둘러진 건물이었다. 안내판에 광풍각은 양산보라는 사람이 세웠으나 불타 없어졌고, 현재 건물은 복원된 건물이라고 적혀 있었다.

이튿날에는 '환벽당'에 방문했다. 환벽당은 앞서 본 두 정자와 같이 마루가 지면보다 높게 지어졌지만, 두 칸의 온돌방과 한 칸의 대청마루가 있다는 점에서 차이가 있었다. 문화 해설사의 설명에 따르면 환벽당은 조선 중기의 문신인 김윤제가 세운 정자라고 한다. 정자 윗부분에는 그가 '환벽당'이라고 쓴 현판이 걸려 있었다.

이번 답사를 통해 정자의 모습과 각각의 특성을 확인할 수 있었다. [ⓐ   ]

● **대청마루** 한옥에서, 몸채의 방과 방 사이에 있는 큰 마루.
● **현판** 글자나 그림을 새겨 문 위나 벽에 다는 널조각.

나 학생 1 어제 네가 방과 후 도서관에 남아 보고서를 쓰는 모습을 봤어. 늦은 시간까지 고생했어. 시간을 들여서 그런지 초고를 잘 썼더라.

[A] 학생 3 (머리를 긁적이며) 아니야. 내가 글솜씨가 부족해서 남아 있었던 건데 뭐.

학생 2 ㉠초고를 보완해서 이번 주 토요일까지 편집부에 제출해야 하지? 만약 보완할 게 많으면 분량을 나누어서 같이 수정하자.

학생 3 맞아. 마감일은 이번 주 토요일이야. 초고를 수정하는 게 힘들면 너희에게 도움을 요청할게. 그러면 지금부터 초고를 검토해 보자.

학생 1 첫 번째 문단부터 볼게. 답사 보고서에는 답사 목적과 기간이 들어가야 해. 이 중 빠진 내용을 추가해야 할 것 같아. 그리고 조사한 자료의 내용을 언급한 부분에도 문제가 있으니 이 부분도 수정했으면 좋겠어.

학생 3 ㉡어떤 문제가 있는지 구체적으로 말해 줄래?

학생 1 참고 자료를 활용할 때에는 출처를 밝혀야 하거든.

학생 3 아, 그런 문제가 있었구나.

학생 1 다음으로 답사 내용을 서술한 두 번째 문단과 세 번째 문단을 볼까?

학생 3 ㉢우리가 정자를 방문한 순서에 따라 내용을 구성했는데, 어때?

학생 2 우리가 대상을 관찰한 순서가 잘 드러나서 좋아 보여. 그런데 우리가 갔던 광풍각은 정유재란 때 불타 버려서 양산보의 후손들이 다시 복원한 것이었잖아. 그 과정을 구체적으로 알려 주면 좋겠어. 그리고 환벽당 현판은 송시열이 쓴 거야. 사실에 맞게 수정해야겠어.

학생 1 그런데 글을 끝맺는 네 번째 문단은 어때? 내용을 좀 더 보완해야 하지 않을까?

학생 3 ㉣답사를 하면서 느낀 주관적인 감상을 덧붙이면 어떨까?

[가] 학생 2 답사 보고서는 기행문과 달라서 주관적인 감상을 표출하는 것은 어울리지 않아.

학생 1 ㉤맞아. 수업 시간에 보고서는 조사의 과정과 결과를 독자에게 객관적이고 구체적으로 전달하는 글이라고 배웠잖아.

학생 2 그래서 내 생각에는 다음 답사 계획을 보고서의 마지막 부분에 언급하면 충분할 것 같아.

학생 1 답사를 마치고 돌아오면서, 다음번에는 일정상 들르지 못했던 나머지 정자에 가 보자고 약속했잖아. 그 내용을 적으면 되겠어.

학생 3 응. 그 내용을 덧붙여 볼게.

[B] 학생 1 (부드러운 목소리로) 수정 사항이 많아서 부담스럽겠지만, 하나 더 제안해도 될까?

학생 3 응, 괜찮아.

학생 1 환벽당에서 우리를 안내해 준 문화 해설사님께서 어린 정철이 김윤제를 스승으로 삼아 환벽당에서 10년간 공부했다는 이야기를 해 주셨잖아. 이 내용을 추가하면 어떨까?

학생 3 나도 기억나. 그 내용을 추가할게.

04 다음은 '학생 3'이 **가**를 작성하기 위해 세운 계획이다. **가**에 반영되지 <u>않은</u> 것은?

① 수업 시간의 경험이 답사의 동기가 되었음을 언급해야겠어.

② 답사 내용은 답사지에 있는 정자를 방문한 순서에 따라 서술해야겠어.

③ 예상 독자의 흥미와 관심을 고려하여 답사 장소를 선정했음을 언급해야겠어.

④ 사전에 조사한 정보와 함께 답사 장소에서 새롭게 알게 된 정보를 제시해야겠어.

⑤ 답사 대상의 특징을 분석하는 과정에서 대상 간의 공통점과 차이점을 제시해야겠어.

함정문제

05 '학생 3'이 **나**를 참고하여 **가**를 고쳐 쓰기 위해 세운 계획으로 적절하지 <u>않은</u> 것은?

[1문단]
- 세 번째 문장의 첫 부분을 '사전에 조사한 자료(김□□, 《전통 건축의 역사》, ◇◇출판사, 20○○, p. 101.)에 따르면'으로 고쳐야겠군. ──── ①
- 마지막 문장을 '이에 우리 동아리는 20○○년 8월 1일부터 2일까지 1박 2일의 일정으로 다양한 정자가 있는 전라남도 담양군을 방문하여 정자의 모습과 특성을 직접 확인하기로 했다.'로 고쳐야겠군. ──── ②

[2문단]
- 마지막 문장을 '안내판에 광풍각은 양산보라는 사람이 세웠으나 정유재란 때 불타 없어졌고, 현재 건물은 이후 그가 다시 복원한 건물이라고 적혀 있었다.'로 고쳐야겠군. ──── ③

[3문단]
- 세 번째 문장을 '문화 해설사의 설명에 따르면 환벽당은 조선 중기의 문신인 김윤제가 세운 정자로, 어린 정철이 김윤제를 스승으로 삼아 10년간 공부하던 장소였다고 한다.'로 고쳐야겠군. ──── ④
- 마지막 문장을 '정자 윗부분에는 송시열이 '환벽당'이라고 쓴 현판이 걸려 있었다.'로 고쳐야겠군. ──── ⑤

06 **나**의 [가]를 고려할 때, **가**의 ⓐ에 들어갈 내용으로 가장 적절한 것은?

① 다음에는 이번에 들렀던 정자에 다시 방문하여 정자의 모습을 사진으로 남기고 싶다.

② 다음에는 다른 지역의 정자를 답사하여 지역에 따른 건축 형태의 차이를 확인해 보고 싶다.

③ 정자는 자연을 거스르지 않으며 살고자 했던 선조들의 정신이 담겨 있는 우리의 문화유산이다.

④ 이번 답사 때 일정 문제로 방문하지 못한 정자가 있다. 다음에는 나머지 정자에 방문하여 다양한 정자의 모습과 특성을 살펴볼 계획이다.

⑤ 복원된 정자를 보며 우리의 전통문화를 되살리는 일의 중요성을 확인할 수 있었다. 다음에는 전통 건물을 복원하는 전문가를 만나 인터뷰할 예정이다.

07 **나**에 나타난 대화의 흐름을 고려할 때, ㉠~㉤에 대한 이해로 적절하지 <u>않은</u> 것은?

① ㉠: 물음의 방식으로 자신이 알고 있는 정보가 맞는지 확인하는 발화이다.

② ㉡: 상대방에게 추가적인 설명을 요청하는 발화이다.

③ ㉢: 글의 구성과 관련된 상대방의 생각을 확인하는 발화이다.

④ ㉣: 상대방의 의견에 의문을 제기하면서 화제를 전환하는 발화이다.

⑤ ㉤: 보고하는 글의 일반적인 특징을 근거로 들어 상대방의 의견에 동의함을 드러내는 발화이다.

(나)에는 학생들이 초고인 (가)를 고쳐 쓰기 위해 (가)를 **❶** 별로 점검한 내용이 나타나 있어. 이러한 점검 내용을 정리한 뒤 고쳐 쓰기 전후의 문장을 **❷** 해 보면서 학생들이 점검한 내용이 선지에 적절하게 반영되어 있는지 확인해 보자.

🔒 ❶ 문단 ❷ 비교

08 다음을 참고하여 ❶의 [A], [B]에 나타난 표현 전략과 대화의 원리를 연결할 때 가장 적절한 것은?

표현 전략	㉮ 준언어적 표현 ㉯ 비언어적 표현
대화의 원리	Ⓐ 자신에 대한 칭찬을 최소화하고 자신을 낮추어 말하기. Ⓑ 상대방의 처지를 고려하면서 상대방이 부담스럽지 않게 말하기. Ⓒ 상대방과 불일치하는 표현을 최소화하고 일치하는 표현을 최대화하여 말하기.

	표현 전략	대화의 원리
① [A]:	㉮	Ⓒ
② [A]:	㉯	Ⓐ
③ [B]:	㉮	Ⓐ
④ [B]:	㉯	Ⓑ
⑤ [B]:	㉯	Ⓒ

음조·강세·억양 등은 ❶   표현, 시선·표정·동작 등은 비언어적 표현에 해당하지. 이를 참고하여 [A], [B]에서 화자가 사용하고 있는 표현 전략이 ㉮, ㉯ 중 무엇인지 파악해 봐. 그런 뒤 [A], [B]에 나타난 내용을 Ⓐ~Ⓒ와 연결 지어 보며 화자가 지키고 있는 대화의 ❷   가 무엇인지 생각해 봐.

目 ❶ 준언어적 ❷ 원리

09~11 다음은 작문 상황과 이를 바탕으로 작성한 학생의 초고이다. 물음에 답하시오.

[작문 상황]

• 예상 독자: 우리 학교 학생들

• 주제: 노 키즈 존의 확산은 여러 문제점을 수반하며, 아이를 동반한 고객 때문에 발생할 수 있는 불편을 해결하는 근본적인 대책이 될 수 없다.

• 글을 실을 매체: 교지

[학생의 초고]

노 키즈 존(no kids zone)은 어린이의 출입을 금지하는 장소를 가리키는 신조어이다. 최근 노 키즈 존을 내세운 상점이 늘어나고 있다. 공공장소에서 어린이들이 소란을 피우면 사고가 발생할 수 있고 다른 고객들이 불편을 겪을 수 있기 때문에 노 키즈 존이 필요하다는 입장도 있다. 하지만 일부 고객의 문제를 아이를 동반한 모든 고객의 문제로 확대하여 어린이의 상점 출입을 금지하는 것은 지나친 조치이다.

노 키즈 존의 확산은 여러 문제점을 수반한다. 첫째, 노 키즈 존은 육아를 부모에게만 *전가하는 문제를 낳을 수 있다. ○○대학교 사회복지학과 박□□ 교수는 "육아에서 가장 중요한 역할을 담당하는 주체는 부모이지만 '아이를 키우는 데에는 온 마을이 필요하다'는 옛말도 있듯이 사회 구성원이 함께해야 할 몫도 분명히 있다."라고 한 바 있다. 육아는 개인만의 문제가 아니며 공동체가 함께해야 할 일이다.

둘째, 노 키즈 존은 아동과 부모의 기본권을 침해한다. 잘못을 저지른 한 개인이 아니라, 어린이라는 특정 집단을 잠재적 위협 집단으로 간주하는 행위는 기본권을 위배하는 것이다. 나아가 노 키즈 존이 계속 확산된다면 이러한 차별에 점점 더 무감각해지는 결과가 나타날 수 있다.

어린이를 동반한 고객 때문에 발생할 수 있는 불편을 방지하기 위해서는 좀 더 근본적인 해결책이 필요하다. 우선 부모는 자녀에게 공공 예절을 잘 가르쳐야 한다. 어린이 스스로 공공 예절을 알고 이를 준수하기는 어려우므로 대부분의 사업주는 어린이에게 주의를 기울이지 않는 부모의 태도를 문제 삼는다. 물론 사업주 또한 손님 간의 갈등을 줄여 나가는 방법을 찾아야 한다.

특정 장소에 어린이의 출입을 금지하면 다른 손님들과 사업주는 당장은 편할지 모른다. 하지만 '노 키즈 존'이 생긴 것에 일부 어린이를 제대로 관리하지 못한 어른들의 책임 역시 크다는 점을 고려한다면   [가]

● **전가하다** 잘못이나 책임을 다른 사람에게 넘겨씌우다.

09 초고를 작성하기 전에 글쓴이가 떠올린 생각 중, 윗글에 반영되지 <u>않은</u> 것은?

> - 노 키즈 존의 개념을 정의하며 글을 시작해야겠어.
>   .... ①
> - 전문가의 견해를 인용하여 주장을 뒷받침하는 논거로 삼아야겠어. .... ②
> - 독자와 공유하는 경험을 들어 문제 상황의 심각성을 부각해야겠어. .... ③
> - 글의 내용을 구조적으로 파악하는 데 도움이 되는 표지를 사용해야겠어. .... ④
> - 노 키즈 존의 확산으로 나타날 수 있는 문제점을 제시하고 문제 상황의 근본적인 해결책이 필요함을 언급해야겠어. .... ⑤

10 다음 조언을 고려할 때, [가]에 들어갈 내용으로 가장 적절한 것은?

> 선생님: 독자들이 잘 알고 있는 속담이나 관용어를 활용하면 말하고자 하는 바를 강조할 수 있어요. 또한 글을 마무리할 때에는 주장을 요약·정리하여 제시하는 것이 좋습니다.

① 노 키즈 존 도입은 불난 집에 부채질하는 격이다. 따라서 일부 아이들을 관리하지 못한 어른들에게 책임을 물어야 할 것이다.

② 노 키즈 존의 폐지는 서로의 마음을 열어 주는 열쇠이다. 따라서 각자의 상황을 이해한다면 노 키즈 존은 하루 빨리 사라질 것이다.

③ 노 키즈 존 폐지는 세대 간 갈등을 해소할 수 있는 지름길이다. 따라서 부모의 태도 변화를 통해 노 키즈 존의 확산을 막아야 할 것이다.

④ 노 키즈 존 도입은 손 안 대고 코 푸는 격이다. 이를 통해 공동의 문제를 해결하여 공공장소를 찾은 고객들의 불편을 해소할 수 있을 것이다.

⑤ 노 키즈 존 도입은 언 발에 오줌 누기에 불과하다. 문제를 근본적으로 해결하기 위해서는 어린이를 동반한 고객과 사업주 모두의 노력이 필요할 것이다.

11 〈보기〉는 초고를 보완하기 위해 수집한 자료이다. 자료 활용 방안으로 적절하지 <u>않은</u> 것은?

> ┌ 보기 ┐
> ㄱ. 노 키즈 존 관련 설문 조사 결과(성인 고객 500명 대상)
> ㄱ-1. 공공장소에서 아동 때문에 불편을 느낀 적이 있나요?
>
> | 있다. 79.1% | 없다. 20.9% |
> |---|---|
>
> ㄱ-2. 노 키즈 존이 생긴 이유가 무엇이라고 생각하시나요?
>
> | 부모의 자녀 예절 교육 부재 63.2% | 말썽을 피우는 아동들 36.8% |
> |---|---|
>
> ㄴ. 신문 기사
>   상공인 협회의 자료에 따르면 노 키즈 존 식당은 2017년도에 123곳에서 2020년도에는 500곳이 넘었다고 한다. 하지만 어떤 식당은 오히려 아이들의 놀이터인 '키즈 존'을 설치하여 주목받고 있다. '키즈 존'을 통해 아이를 동반한 고객과 일반 고객의 공간을 분리하여, 식당을 이용하는 고객들의 만족도가 높아졌다고 한다.
>
> ㄷ. 대한민국 헌법 제11조 1항의 일부
>   모든 국민은 법 앞에서 평등하다. 누구든지 성별·종교 또는 사회적 신분에 의하여 정치적·경제적·사회적·문화적 생활의 모든 영역에 있어서 차별을 받지 아니한다.

① ㄱ-1을 활용하여, 1문단에서 최근 노 키즈 존을 도입하는 상점이 늘어나는 이유를 설명한다.

② ㄱ-2를 활용하여, 대부분의 고객이 부모의 태도를 문제 삼는다는 4문단의 내용을 뒷받침한다.

③ ㄴ을 활용하여, 최근 노 키즈 존을 도입하는 상점이 늘어나고 있다는 1문단의 내용을 보강한다.

④ ㄴ을 활용하여, 사업주 역시 문제를 해결하기 위한 노력이 필요하다는 4문단의 내용을 보충한다.

⑤ ㄷ을 활용하여, 노 키즈 존이 아동과 부모의 기본권을 침해하는 것이라는 3문단의 내용을 뒷받침한다.

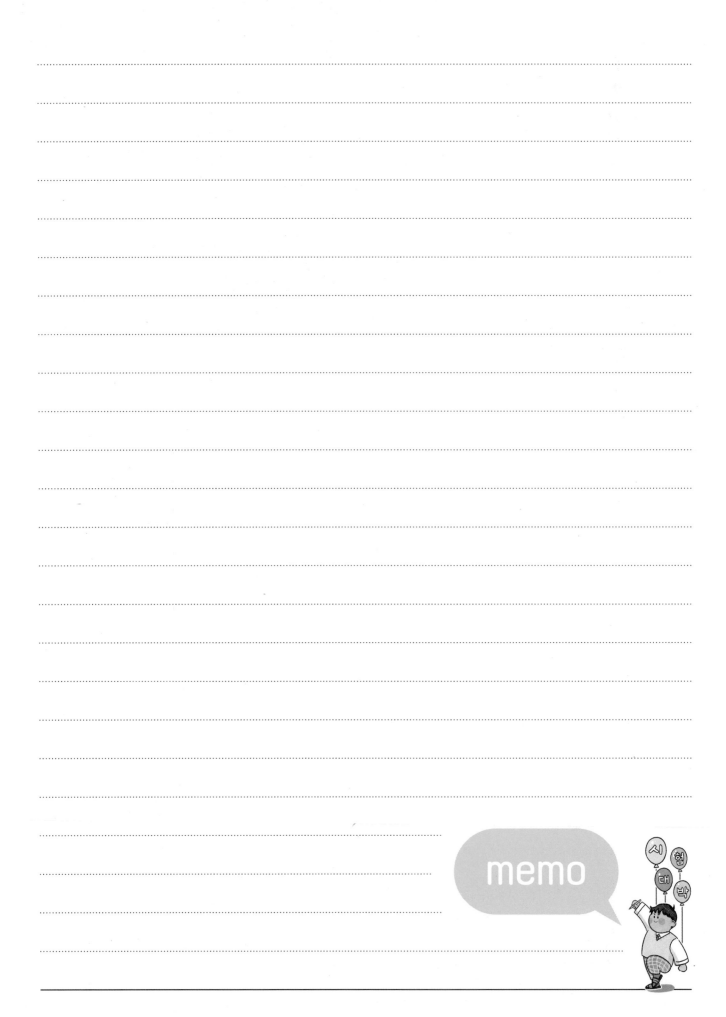

memo

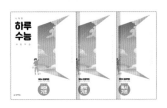

수능전략

국·어·영·역

화법과 작문

BOOK 3

정답과 해설

전편

WEEK
1

화법 ①

DAY 1 개념 돌파 전략 ①   8~11쪽

01 (1) ○ (2) X (3) ○ (4) ○   **02** ②   **03** (1) ⓒ (2) ㉠ (3) ⓒ
04 ①   **05** 자신   **06** ②   **07** ②   **08** ①
09 (1) ⓒ (2) ㉠ (3) ⓒ

01 (1) 화법은 말을 통해 생각과 느낌을 나누고 의미를 구성하고 공유하는 사회적 의사소통 행위이다.
(2) 의사소통 문화는 특정한 집단 혹은 사회에서 일반적으로 사용하는 공통적인 의사소통 양식이나 규범으로, 화법과 작문 활동을 통해 형성되며 이는 민족이나 국가, 세대, 성별 등에 따라 다르게 나타난다.
(3) 사회적 담론은 특정한 사회의 구성원들이 어떤 주제나 화제와 관련하여 지니는 공통적인 의견이다. 화법이 개인적 차원을 넘어 사회적 차원에서 이루어지면서 사회적으로 영향력 있는 결과를 유도할 수 있다는 점에서, 화법은 사회적 담론을 형성하는 데 이바지한다.
(4) 자아 개념은 타인을 통해 얻게 된 자신의 모습을 인식하는 과정에서 주로 형성된다. 의사소통 과정에 참여한 다른 사람들은 자아 개념 형성에 큰 영향을 미치는데, 타인과 의사소통하는 과정에서 긍정적인 표현을 많이 들으면 긍정적인 자아 개념이 형성되지만 부정적인 표현을 많이 들으면 부정적인 자아 개념이 형성된다.

02 제시된 상황은 청자에 따라 화자가 사용하는 언어가 달라질 수 있음을 보여 준다. 선지로 주어진 화법의 맥락 중 제시된 상황에 가장 큰 영향을 미친 요인은 '청자'이다.

03 (1) 발표 내용을 고려하여 말의 빠르기와 강세(연속된 음성에서 어떤 부분을 강하게 발음하는 일)를 조정하고 있으므로, (1)은 준언어적 표현 전략에 해당한다.
(2) 공적인 말하기 상황을 고려하여 상황에 맞는 적절한 어휘를 사용하고자 하므로, (2)는 언어적 표현 전략에 해당한다.
(3) 시선을 활용하여 화자의 진정성을 나타내려 하므로, (3)은 비언어적 표현 전략에 해당한다.

04 제시된 상황에서 다울은 서하가 부담을 느끼지 않도록 질문의

형식을 활용하여 자신의 부탁을 완곡하게 전달하고 있다. 이는 상대방에게 부담이 되는 표현은 최소화하고, 이익이 되는 표현은 최대화하는 요령의 격률과 관련 있다.

05 '나-전달법'은 문제 상황에서 다른 사람을 평가하고 해석하는 대신 자신이 느끼는 감정과 바람에 집중하여 표현하는 의사소통 방법이다.

06 서하는 다울이 하고 싶은 말을 계속 이어 갈 수 있도록 동생과 다툰 이유를 이야기해 달라고 말하고 있으므로, 서하의 발화에 나타난 공감적 듣기의 방법은 '격려하기'이다.

07 ②는 발표의 전개부와 관련된 설명이다.

08 제시된 설명은 화자가 화제에 대한 지식이나 경험을 충분히 갖추고 있는지의 여부와 관련된 것이다. 이는 공신력을 구성하는 요소 중 전문성과 관련 있다.

09 (1) 이성적 설득 전략은 타당한 근거를 들어 주장을 논리적으로 표현함으로써 청중이 화자의 주장을 수용하도록 하는 전략이다. '금연을 해야 한다.'를 주제로 한 연설에서 비흡연자보다 흡연자의 질병 발생률이 높음을 보여 주는 통계 자료는 금연의 필요성을 뒷받침하는 근거가 되므로, (1)은 이성적 설득 전략에 해당한다.
(2) 인성적 설득 전략은 연설의 내용과 표현에서 화자가 믿을 만한 사람임을 드러내는 전략이다. 연설자가 흡연이 건강에 미치는 영향과 관련된 의학적 지식을 갖추고 있음을 드러내는 것은 화자의 공신력 중 전문성과 관련 있으므로, (2)는 인성적 설득 전략에 해당한다.
(3) 감성적 설득 전략은 청중의 감정에 호소하여 청중이 화자의 주장을 수용하도록 하는 전략이다. 흡연자의 후회가 담긴 말이나 흡연자의 가족이 받는 고통을 제시하면 청중의 공포심을 유발하여 청중이 금연의 필요성을 받아들이도록 설득할 수 있으므로, (3)은 감성적 설득 전략에 해당한다.

01 질문	02 ③	03 ⑤	04 관심

01~02

● 대화 주제 의류 수거함의 문제점과 그 원인

● 담화 핵심 내용

의류 수거함의 문제점	
학생 2	• 의류 수거함 주변이 쓰레기장이 되고 있음. • 의류 수거함에 수거 대상이 아닌 물품과 쓰레기가 많음.

▼

문제의 원인	
학생 1	우리 시청의 대처가 미흡하고, 우리 시청이 문제 해결을 위해 적극적으로 나서지 않기 때문임.
학생 2	의류 수거함을 함부로 사용하는 이용자의 탓이 더 큼.

01 [A]에서 학생 2는 자료를 보내 달라는 학생 1의 일방적 요구에 당황했음을 드러내고 있다. 그러자 학생 1은 학생 2에게 사과하고 '나도 자료 준비되면 줄 테니까 공유 좀 부탁해도 될까?'와 같이 자료를 공유해 줄 것을 질문의 방식으로 부탁하고 있다.

02 ㉠에서 학생 2는 의류 수거함이 제대로 관리되지 못한 원인이 우리 시청의 미흡한 대처 때문이라는 학생 1의 의견에 동의하는 표현을 사용한 뒤('그 말도 맞지만'), 시청의 탓보다는 이용자의 탓이 더 크다는 자신의 의견을 제시하고 있다. 이는 상대방과 불일치하는 표현은 최소화하고 일치하는 표현은 최대화하여 말하라는 동의의 격률을 사용한 표현이다. 동의의 격률은 서로의 의견이 다른 상황에서 의견 차이를 강조하는 대신 상대방의 의견에 대해 공감하고 인정하는 표현을 사용한 뒤 완곡하게 다른 의견을 제시하라는 대화 원리이다.

오답 잡기

① 겸양의 격률과 관련된 설명이다.
② 칭찬의 격률과 관련된 설명이다.
④ 관용의 격률과 관련된 설명이다.
⑤ 요령의 격률과 관련된 설명이다.

개념 더 보기

부탁과 요청의 말하기

부탁과 요청은 상대방에게 특정한 생각이나 행동을 유발하는 말하기로, 상대방에게 부담을 준다. 따라서 부탁이나 요청을 할 때에는 자신의 의도를 간접적으로 드러내거나 질문의 형식을 사용하여 상대방에게 선택의 여지를 주며 말하는 것이 좋다. 또한 '좀', '잠깐' 등 부담을 덜어 주는 표지를 사용하거나 자신의 상황을 자세히 설명하며 완곡하고 정중하게 말해야 한다. 강요하거나 명령하듯이 말하면 상대방을 불쾌하게 하고, 자신이 부탁한 일도 잘 받아들여지지 않을 수 있다.

예 • 잠깐 시간이 있으면 나 좀 도와줄 수 있을까?
  • 요즘 네가 많이 바쁜 걸 알면서 부탁해서 미안하지만, 이번 학급 회의 진행을 맡아 줄 수 있겠니?

03~04

● 발표 주제 동아리 '직접 함께 오토마타'에 대한 소개와 동아리 가입 권유

● 담화 핵심 내용

1문단	[도입부] '직접 함께 오토마타' 동아리를 소개할 것을 안내함.

▼

2~4 문단	[전개부] • 오토마타의 의미 설명 • 동아리에서 하는 활동 소개 • 동아리의 향후 활동 계획 안내

▼

5문단	[정리부] 동아리 가입 신청 방법 안내와 가입 권유

03 발표자는 발표의 마지막 부분에서 동아리 가입 신청 방법을 안내하며 동아리 가입을 권유하고 있을 뿐, 앞에서 발표한 내용을 요약하고 있지는 않다.

오답 잡기

① 2문단의 '오토마타는 …… 조형물을 뜻합니다.'에서 오토마타의 의미를 밝히며 청중의 이해를 돕고 있다.
② 발표자는 청중에게 동아리 가입을 권유하기 위해, 동아리에서 하는 활동과 앞으로의 활동 계획, 동아리에 가입했을 때의 장점을 구체적으로 설명하고 있다.
③ 발표자는 발표 도중 두 팔을 교차해 가위표를 만들거나 엄지를 치켜드는 동작 등과 같은 비언어적 표현을 활용하여 발표 내용을 효과적으로 전달하고 있다.
④ 1문단의 '여러분은 중학교 때 어떤 동아리 활동을 하셨나요? 고등학교에 와서 무언가 새로운 것에 도전하고 싶지는 않으신가요?', 2문단의 '오토마타가 뭐냐고요?'에서 질문을 던지며 발표 내용에 관한 청중의 관심을 유발하고 있다.

04 ㉠(모형 딱따구리)은 청중이 초등학교 때 만들어 본 경험이 있다고 예상되는 것으로, 발표자는 ㉠을 활용하여 청중의 과거 경험을 환기하고 발표 내용과 관련된 관심과 흥미를 유발하고 있다.

1 ⑤	**1-1** ⑤	**2** ⑤	**2-1** ②

대표 유형 1

● 연설 주제 □□ 동물원 폐쇄에 대한 지지 부탁

● 담화 핵심 내용

연설 의뢰서
□□ 동물원 폐쇄를 지지하는 연설 요청

▼

1문단	연설자의 자기소개

▼

2문단	• 동물 쇼를 하는 동물들이 다양한 고통에 시달린다는 연구 결과 • 우리 안에 갇힌 동물들이 고통받고 있는 문제 상황 • 동물원 폐쇄를 결정한 외국의 사례
3문단	동물원 폐쇄를 반대하는 의견에 대한 반박
4문단	□□ 동물원 폐쇄에 대한 청중의 지지 부탁

1 3문단의 마지막 문장에서 연설자는 동물원 운영이 지역 경제 활성화에 도움이 되지 않는다고 말하고 있을 뿐, 위 연설에서 동물원 폐쇄가 경제적 이익과 직결된다는 내용은 확인할 수 없다.

오답 잡기

① 1문단에서 연설자는 자신이 청중과 같은 '□□시의 시민'으로서 '동물원 폐쇄 문제에 대해 여러분처럼 고민을 많이 했다'는 공통점을 언급하며 청중과의 공감대를 형성하고 있다.

②, ③ 2문단에서 연설자는 동물 쇼를 하는 동물과 우리에 갇힌 동물이 고통을 받는 상황, 동물원을 폐쇄하기로 결정한 코스타리카의 사례를 근거로 제시하여 동물원을 폐쇄해야 한다는 입장을 밝히고 있다. 3문단에서는 동물원 폐쇄를 반대하는 의견에 대해 반박하고 있으며, 4문단에서는 동물 역시 고통받지 않고 살아갈 권리를 보장받아야 한다고 언급하며 □□시의 동물원을 폐쇄해야 한다고 주장하고 있다. 따라서 연설자는 동물원을 폐쇄해야 하는 이유를 밝히고 동물원을 폐쇄해야 한다는 입장을 일관성 있게 유지하여 주장의 설득력을 높이고 있다고 할 수 있다.

④ 1문단에서 연설자는 '저는 동물 보호 연대 정책 국장으로 …… 동물 보호와 관련된 논문을 다수 발표했습니다.'라고 하며 자신이 '동물원 폐쇄'라는 연설 화제와 관련하여 전문성을 갖추고 있음을 드러내고 있다.

1-1 위 연설에 우리에 갇혀 고통받는 동물의 구체적 사례는 나타나지 않는다. 2문단에서 동물 쇼를 하는 동물과 우리에 갇힌 동물이 고통받고 있다는 문제 상황을 제시하고 있기는 하나, 이를 우리에 갇혀 고통받는 동물의 구체적 사례로는 볼 수 없다.

오답 잡기

① 연설자는 4문단에서 프린스턴 대학의 피터 싱어 교수의 책 《동물 해방》에 실린 글을 인용하여 동물이 고통받지 않고 살아갈 수 있는 권리를 보장받아야 함을 강조하고 연설의 설득력을 높이고 있다.

② 준언어적 표현이란 언어적 요소에 덧붙여 의미를 전달하는 것으로, 준언어적 표현에는 어조, 강세, 말의 빠르기, 목소리 크기, 억양 등이 있다. 4문단에서 연설자는 '(목소리에 힘을 주며)'라는 준언어적 표현을 활용하여 □□시의 동물원을 폐쇄해야 한다는 주장을 강조하고 있다.

③ 2문단에서 세계 최초로 동물원 폐쇄를 결정한 코스타리카의 사례를 제시하여 □□시의 동물원을 폐쇄해야 한다는 주장을 뒷받침하고 있다.

④ 2문단의 '여러분은 동물원의 동물 쇼를 보며 혹시 동물들이 고통을 받고 있다고 생각해 본 적은 없으신가요? (청중의 반응을 보고)'에서 연설자는 청중에게 질문을 던지며 청중의 반응을 확인하고 있다.

● 대화 주제 비평문에서 다룰 현안과 관점 선정

● 담화 핵심 내용

논의할 내용
비평문에서 다룰 현안 선정 (시사성이 있으면서도 우리 학교 학생들도 고민해 볼 만한 내용이어야 함.)

▼

모둠 활동을 통해 선정한 현안
장소의 획일화

▼

현안에 대한 관점
장소의 획일화를 통해 관광객과 이익이 증가할 수 있다는 장점도 있지만 이는 지속적이지 못함. ➡ 장소 획일화에 대한 부정적 관점으로 비평문을 쓰기로 결정함.

2 ⓗ에서 학생 3은 장소의 획일화에 대한 부정적 관점으로 비평문을 쓰기 위해 장소의 획일화에 따른 문제점을 구체적으로 생각해 보자고 제안하고 있다. ⓗ에 상대방의 의도를 정확하게 파악했는지 확인하려는 목적은 나타나지 않았다.

오답 잡기

① ㉠에서 학생 2는 학생 1이 앞에서 언급한 '비평문에서 다룰 현안'과 관련하여, '시사성이 있으면서도 우리 학교 학생들도 고민해 볼 만한 현안을 다루기로 했었지?'라고 물으며 그 내용을 구체화하여 확인하고 있다.

② ㉡에서 학생 2는 학생 3이 비평문에서 다룰 현안으로 제안한 '우리 학교 학생들의 독서 실태 개선'은 교지에서 다룬 적이 있으므로 내용이 겹칠 것이라는 견해를 밝히고 있다.

③ ㉢에서 학생 2는 학생 1에게 장소 획일화와 관련하여 조금 더 이야기해 달라며 추가 정보를 요청하고 있다.

④ ㉣에서 학생 3은 장소의 획일화 사례로 우리 학교 근처에 있던 골목길이 다른 지역과 비슷한 ○○거리로 변해 버린 일을 들며, 학생 1에게 자신의 생각이 맞는지 확인하고 있다.

2-1 ⓐ에서 학생 1은 장소 획일화에 대해 조금 더 이야기해 달라는 학생 2의 요청에 응해 장소 획일화의 의미를 설명하고 있다. ⓑ에서 학생 1은 장소 획일화에 따른 문제점을 더 생각해 보자는 학생 3의 제안에 응해 장소의 다양성이 줄어들어 가 볼 만한 장소가 줄어들 것이라는 문제점을 언급하고 있다. 따라서 ⓐ와 ⓑ는 모두 상대방이 요청한 정보를 제공하기 위한 발화에 해당한다.

오답 잡기

①, ③, ④, ⑤ ⓐ와 ⓑ 모두 해당하지 않는다.

01~02

● 연설자 비정부 기구△△의 대표 ○○○

● 연설 주제 최근 기아 문제의 현황과 원인, 기아 문제에 대한 관심 촉구

● 담화 핵심 내용

1문단	연설자의 자기소개와 연설에서 다룰 내용 안내

▼

2문단	세계 기아 지수의 의미
3, 4문단	최근 세계 기아 문제의 현황과 원인

▼

5문단	전 세계 기아 문제와 관련된 관심 촉구

01 위 연설에 연설 순서를 안내하는 부분은 나타나지 않는다. 1문단에서 연설자는 이번 연설에서 최근 국제 사회의 기아 문제 현황과 원인을 설명할 것을 언급하며 연설의 내용을 안내하고 있는데, 이를 연설의 순서로 보기는 어렵다.

오답 잡기

② 2문단의 '세계 기아 지수는 세계와 지역, 국가 단위에서 기아의 정도를 포괄적으로 측정하고 추적하는 도구'에서 연설 주제와 관련된 용어인 세계 기아 지수의 개념을 정의하여 청중의 이해를 돕고 있다.

③ 5문단의 '(목소리에 힘을 주어) 생명과 사람에 대한 존중을 바탕으로 하여 기아 문제에 관심을 가져 주실 것을 부탁드리며'에서 준언어적 표현을 활용하여 연설 주제와 관련된 청중의 관심을 촉구하고 있다.

④ 2문단의 '여러분, 세계 기아 지수가 무엇인지 아시나요?'에서 청중에게 질문을 던지며 청중이 세계 기아 지수에 대해 알고 있는지 확인하고 있다.

⑤ 1문단의 '저는 비정부 기구 △△의 대표 ○○○입니다. 저는 …… 해결하기 위해 활동해 왔습니다.'에서 연설자는 자신이 연설 주제와 관련된 분야에서 오랫동안 활동해 왔음을 언급하며 청중의 신뢰를 유발하고 있다.

02 ㄱ은 세계 기아 지수의 다섯 단계와 각 단계를 나타내는 색깔, 각 단계가 의미하는 기아 정도의 심각성을 보여 주는 자료이다. 세계 기아 지수의 개념과 세계 기아 지수를 색으로 나타낸 지도를 제시하는 2문단에서 ㄱ을 함께 활용하여 세계 기아 지수의 다섯 단계와 단계별 심각도를 설명할 수 있다.

오답 잡기

① 2문단에서 세계 기아 지수는 영양 결핍, 아동 저체중, 아동 발육 부진, 아동 사망률 등의 지표에 기초하여 측정한다는 내용을 제시하고 있기는 하지만, ㄱ을 통해 세계 기아 지수를 측정하는 방법은

알 수 없다.

③ 4문단에서 지난 2000년 이후 세계 기아 지수가 꾸준히 감소하고 있다는 내용을 제시하고 있기는 하지만, ㄱ을 통해 지난 20년간 세계 기아 지수가 어떻게 변화했는지는 알 수 없다.

④ ㄴ은 기후 변화에 따른 가뭄 때문에 말라 버린 경작지의 사진으로, 가뭄의 피해를 보여 주고 있다. ㄴ을 통해 가뭄의 원인은 알 수 없다.

⑤ ㄴ은 기후 변화에 따른 자연재해의 피해를 보여 주는 사진으로, ㄴ을 통해 기후 변화 문제를 해결하기 위한 방안은 알 수 없다. 또한 기후 변화 문제를 해결하기 위한 방안은 위 연설의 내용과도 거리가 멀다.

03~04

● 대화 참여자 은수, 민지

● 대화 상황 친구의 사이버 중고 거래 사기 피해와 관련된 고민 상담

● 담화 핵심 내용

민지가 은수에게 사이버 중고 거래 사기를 당한 것 같다는 고민을 털어놓음.

▼

은수가 민지를 위로하며 사이버 중고 거래 사기를 당했을 때의 구체적인 대처 방법을 알려 주고, 경찰서에 신고할 것을 제안함.

▼

민지가 은수에게 고마움을 표현함.

03 위 대화에 나타난 문제 상황은 민지가 사이버 중고 거래 사기를 당한 것이다. ⓐ에서 은수는 앞서 민지가 말한 상황 이후에 벌어진 일을 물어보며 민지의 발언을 이끌어 내고 있다.

오답 잡기

② ⓐ에 문제 상황의 원인과 관련된 은수의 생각은 나타나지 않았다.
③ ⓐ에서 은수는 민지가 겪은 일을 묻고 있을 뿐, 민지의 배경지식을 확인하려는 것이 아니다.

04 ㉠에서 은수는 민지가 자신의 고민을 이야기할 수 있도록 무슨 일인지 이야기해 보라며 반응하고 있으므로, ㉠은 ㉯(격려하기)에 해당한다. ㉡에서 은수는 "그래?"라고 말하며 민지의 말을 집중하여 듣고 있음을 나타내고 있으므로, ㉡은 ㉮(집중하기)에 해당한다. ㉢에서 은수는 사이버 중고 거래 사기를 당한 것 같아 불안해하는 민지의 생각과 감정을 자신의 입장에서 이해한 대로 재진술하고 있으므로, ㉢은 ㉰(반영하기)에 해당한다.

---

3 ⑤	3-1 ⑤	4 ⑤	4-1 ②

대표 유형 3

● 발표 주제 우리 고유의 민속놀이인 씨름

● 담화 핵심 내용

1문단	발표에서 '씨름'과 관련된 내용을 다룰 것을 안내함.

2문단	씨름의 개념과 샅바의 쓰임
3문단	'샅바'라는 명칭의 유래
4문단	씨름이 국가 무형 문화재로 지정된 이유
5문단	씨름에서 사용하는 다양한 기술

6문단	체육 시간에 있을 씨름 수업에 적극적으로 참여할 것을 독려함.

3 [자료 3]은 오른손으로 상대방의 무릎 안쪽을 치면서 상대방을 넘어뜨리는 씨름 기술인 '앞무릎 치기'의 동작을 순서대로 보여 주고 있다. 5문단에서 발표자는 ㉢을 제시하여 '앞무릎 치기'를 설명하고 있으므로, [자료 3]을 ㉢에 활용하여 앞무릎 치기 기술이 사용되는 과정을 보여 줄 수 있다.

오답 잡기

①, ④ [자료 1]은 두 선수가 모래판 위에서 서로의 샅바를 잡고 씨름 경기를 하는 상황을 보여 주는 그림이다. [자료 1]에서 씨름의 체급과 관련된 정보는 알 수 없으므로, 이를 활용하여 씨름의 체급 분류 기준을 설명한다는 내용은 적절하지 않다. 또한 [자료 1]에는 특정한 씨름 기술이 나타나 있지 않으므로, 이를 활용하여 씨름의 다양한 기술을 구체적으로 설명한다는 내용 역시 적절하지 않다.

② [자료 3]은 씨름에서 앞무릎 치기 기술이 사용되는 과정을 보여 주는 그림이다. [자료 3]은 앞무릎 치기 기술의 동작을 순서대로 구분하여 나타내고 있을 뿐, 실제 씨름 경기의 모습이 아니므로 이를 활용하여 씨름의 경기 상황을 실감 나게 보여 주기는 어렵다.

③ [자료 2]는 조선 시대 씨름의 모습을 보여 주는 김홍도의 풍속화이다. 이를 활용하여 조선 시대 씨름의 모습을 보여 줄 수는 있으나, 씨름의 역사와 변천 과정을 설명할 수는 없다. 또한 [자료 2]를 제시하는 5문단은 씨름의 역사와 변천 과정을 설명하고 있지 않다.

3-1 ⓐ는 씨름 경기에서 허리와 다리에 둘러 묶어 손잡이로 쓰는 천인 '샅바'의 모습을, ⓑ는 샅바를 매고 하는 샅바 씨름의 장면을 보여 주는 시각 자료이다. 2문단에서 발표자는 샅바의 용도를 설명하며 샅바가 '씨름 경기를 구성하는 아주 중요하고 특징적인 용구'임을 언급하고 있다. 따라서 ⓐ와 ⓑ를 활용하여 샅바와 그 쓰임을 시각적으로 보여 주어 독자의 이해를 돕고, 샅바가 씨름의 주요 용구라는 점을

설명할 수 있다.

① ⓐ와 ⓑ는 모두 샅바 씨름과 관련 있는 자료이다. 이를 활용하여 허리씨름과 샅바 씨름의 차이점을 설명하기는 어렵다.
② ⓑ를 통해 씨름의 체급과 관련된 정보는 알 수 없다.
③ 4문단에서는 '씨름의 형태가 오늘날까지 활발히 전승되고 있다는 점, 고대부터 근대에 이르기까지 명확한 역사성이 확인된다는 점 등'에서 씨름이 가치를 높이 평가받아 국가 무형 문화재로 지정되었음을 밝히고 있다. 그러나 ⓐ와 ⓑ는 씨름이 국가 무형 문화재로 지정된 계기와는 관련 없는 자료이다.
④ 5문단에 세시 풍속 놀이인 씨름은 한민족 특유의 공동체 문화가 바탕이 되어 발전했다는 내용이 제시되어 있을 뿐, 위 발표에 씨름이 한민족의 공동체 문화 형성에 이바지했다는 내용은 나타나 있지 않다. 또한 ⓐ와 ⓑ는 씨름이 공동체 문화 형성에 이바지했다는 내용과도 관련 없다.

대표 유형 ④

- 강연 주제 주사의 종류와 특징, 주사 맞을 때의 유의 사항
- 담화 핵심 내용

1문단	강연자의 자기소개와 강연에서 다룰 내용 안내

▼

2문단	약물의 투여 경로에 따른 주사의 세 가지 종류(피하 주사, 근육 주사, 정맥 주사)
3문단	각 주사의 사용 용도
4문단	각 주사에서 사용하는 주삿바늘의 특징
5문단	각 주사를 맞을 때 유의할 사항

▼

6문단	마무리

4 학생 2와 학생 3은 모두 강연에서 언급된 내용 중 실천할 수 있는 방법이 있는지 고민하고 있지 않다. 학생 2는 강연 내용과 관련된 자신의 경험을 떠올리고, 더 알고 싶은 점을 강연자에게 질문하려고 한다. 학생 3은 강연 내용에 대해 자신이 이해한 내용을 정리하며 궁금한 점을 떠올리고 있다.

① 학생 1은 자신이 알고 있던 것보다 주사의 종류가 다양하다고 말하며, 새롭게 알게 된 정보를 기존에 자신이 알고 있던 사실과 비교하고 있다.
② 학생 2는 강연을 들으며 생긴 의문점을 해결하기 위해, 강연이 끝난 후에 간호사 선생님께 주사 맞기 전에 유의할 점을 여쭤보겠다고 생각하고 있다.
③ 학생 3은 주사의 종류에 따라 약물 흡수 속도가 달라지고, 약물의 특성에 따라 주사도 달라질 수 있다고 말하며, 강연 내용에 대해 자신이 이해한 바를 정리하고 있다.
④ 학생 1은 강연을 들으며 어제 병원에서 주사를 맞은 경험을, 학생 2는 그동안 이유를 모른 채 주사 맞은 부위를 문질렀던 경험을 떠올리고 있다. 이는 강연 내용인 주사의 종류와 특징, 주사를 맞을 때 유의할 점과 관련하여 자신의 경험을 떠올린 것에 해당한다.

4-1 〈보기〉에서 학생은 3문단의 '근육 주사는 주로 엉덩이 윗부분이나 팔뚝에 주사하는데, 근육에 약물을 투여하려면 바늘을 깊숙이 찔러 넣어야 하기 때문에 90도 각도로 주사를 놓습니다.'라는 강연 내용을 독감 예방 주사를 맞은 자신의 경험과 관련지어 이해하고 있다.

①〈보기〉에 강연 내용을 사실과 의견으로 구분한 부분은 나타나지 않는다.
③〈보기〉에 근육 주사를 놓는 방법과 관련된 강연 내용 일부가 언급되어 있기는 하나, 강연 내용과 관련된 의문을 제기한 부분은 나타나지 않는다.
④〈보기〉에 강연 내용을 바탕으로 하여 그동안 잘못 알고 있던 사실을 확인한 부분은 나타나지 않는다.
⑤〈보기〉에 강연에서 사용하고 있는 표현 전략을 분석한 부분은 나타나지 않는다.

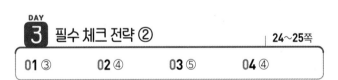

DAY 3 필수 체크 전략 ②
24~25쪽

01 ③	02 ④	03 ⑤	04 ④

01~02

- 발표자 학생
- 발표 주제 메타버스의 개념과 활용 사례, 메타버스 시대의 유망 직업
- 담화 핵심 내용

1문단	발표에서 메타버스와 관련된 내용을 다룰 것을 안내함.

▼

2문단	메타버스의 개념과 메타버스가 널리 알려진 계기
3문단	메타버스의 활용 사례
4문단	메타버스 시대의 유망 직업

▼

5문단	마무리

01 '자료 3'은 메타버스 사용자가 아바타를 활용하여 온라인 공간에 구현된 사무실에서 동료와 회의하는 모습을 보여 주는 자료이다. '자료 3'을 통해 메타버스가 활용된 구체적인 사례와 메타버스 사용자를 대신하는 아바타의 모습을 확인할 수 있을 뿐, 아바타의 작동 원리는 알 수 없으며 이는 위 발표의 주제와도 관련 없는 내용이다.

오답 잡기

① 2문단에서 '자료 1'을 활용하여 메타버스 사용자가 아바타를 활용하여 가상으로 구현된 온라인 공간에서 활동하는 모습을 보여 주고 있다.

② 2문단에서 '자료 2'를 활용하여 메타버스가 널리 알려진 계기로 작용한 가상 현실 게임인 '세컨드 라이프'의 화면을 보여 주고 있다.

④ 3문단에서 '자료 4'를 활용하여 한 국내 대학에서 메타버스를 활용하여 입시 설명회를 개최한 구체적 사례를 제시하고 있다.

⑤ 4문단에서 '자료 5'를 활용하여 메타버스 시대의 유망 직업인 메타버스 건축가와 아바타 디자이너를 소개하고 있다.

02 〈보기〉의 학생은 발표를 들으며 얼마 전 메타버스를 이용한 관광 명소 관람 행사와 관련된 신문 기사를 보고 궁금했던 점에 대한 답을 얻게 되었다. 따라서 발표 내용을 통해 일상생활에서 지녔던 의문을 해결하며 들었음을 알 수 있다.

오답 잡기

① 〈보기〉의 학생이 발표 내용을 동일한 성질을 지닌 부류나 범위로 묶은 부분은 나타나지 않는다.

② 〈보기〉의 학생이 발표 내용인 메타버스의 실현 가능성을 비판적으로 분석하여 따져 본 부분은 나타나지 않는다.

③ 〈보기〉의 학생이 발표 내용을 통해 새로운 사실을 알게 되었음을 확인할 수 있으나, 이를 긍정적으로 평가했다고 볼 만한 부분은 나타나지 않는다.

⑤ 〈보기〉의 학생이 발표에서 다루지 않은 부분을 더 자세히 알아보고자 계획한 부분은 나타나지 않는다.

03 ⑩ 뒤에 이어지는 내용으로 보아, ⑩은 치아 건강에 도움이 되는 채소와 견과류를 제시한 시각 자료이다. 따라서 ⑩을 활용하여 식습관이 치아의 건강한 발달에 영향을 미치는 이유를 설명하고 있다는 내용은 적절하지 않다.

오답 잡기

① ㉠ 뒤에 이어지는 내용으로 보아, ㉠은 과거 인류인 파란트로푸스의 모습을 보여 주는 시각 자료이다. 강연자는 인간 치아의 진화 과정을 설명하기 위해 ㉠을 활용하여 청중에게 과거 인류의 모습을 먼저 소개하고 있다.

② ㉡ 뒤에 이어지는 내용으로 보아, ㉡은 파란트로푸스의 크고 튼튼한 어금니를 보여 주는 시각 자료이다. 강연자는 ㉡을 활용하여 파란트로푸스가 지닌 치아의 특징을 설명하고 있다.

③ ㉢ 뒤에 이어지는 내용으로 보아, ㉢은 파란트로푸스와 현대인의 어금니를 나란히 보여 주는 시각 자료이다. 강연자는 ㉢을 활용하여 두 인류의 치아를 비교하고, '크기 차이가 확연하게 느껴지시죠?'와 같이 말하며 그 차이를 강조하고 있다.

④ ㉣ 뒤에 이어지는 내용으로 보아, ㉣은 부정 교합의 사례를 보여 주는 시각 자료이다. 강연자는 ㉣을 활용하여 진화 과정에서 인간의 얼굴과 턱이 작아지면서 나타난 치아 문제인 부정 교합을 청중에게 설명하고 있다.

04 학생 3은 치아 건강에 도움이 되는 음식을 알게 되어 유익했다며 강연 내용을 긍정적으로 평가하고, 강연 내용과 관련하여 더 알고 싶은 점을 알아보겠다는 계획을 세우고 있다. 이는 '치아 건강에 도움이 되는 음식'과 관련하여 강연에 제시된 정보 외에 추가 정보를 수집하려는 것이지, 구체적 방안이 누락된 것을 문제 삼고 있는 것이 아니다.

오답 잡기

① 학생 1은 부정 교합을 교정하는 동생의 사례와 관련지어 강연 내용을 이해하고 있다.

② 학생 2는 진화 과정을 중심으로 인간의 치아를 설명한 점이 흥미로웠다고 반응했다. 이는 강연자가 대상을 설명한 방법을 긍정적으로 평가한 것이라고 볼 수 있다.

③ 학생 2는 강연이 끝나면 강연자에게 '사랑니'와 관련하여 궁금한 점을 질문하겠다고 생각하고 있다.

⑤ 학생 3은 치아 건강에 도움을 주는 음식을 더 알아봐야겠다며 강연 내용과 관련하여 추가 정보를 수집할 것을 계획하고 있다.

03~04

● 강연자 치과 의사 ○○○

● 강연 주제 인간 치아의 진화 과정과 치아의 건강한 발달을 위한 방법

● 담화 핵심 내용

1문단	강연에서 '인간 치아의 진화 과정과 치아의 건강한 발달을 위한 방법'을 다룰 것을 안내함.

▼

2문단	식생활의 변화에 따른 인간 치아의 진화 과정
3문단	• 인간 치아의 진화 과정에서 나타난 얼굴과 턱의 크기 변화 • 얼굴과 턱의 크기 변화가 현대인의 치아 발달에 미친 영향

▼

4문단	• 치아의 건강한 발달을 위한 방법 • 마무리

01~03

● **발표자** 수행 평가 과제를 발표하는 학생

● **발표 주제** 도로 표지판에 담긴 도로 정보

● **담화 핵심 내용**

1문단	발표에서 '도로 표지판'과 관련된 내용을 다룰 것을 안내함.

▼

2문단	고속 도로 표지판에 담긴 도로 정보
3문단	일반 국도 표지판에 담긴 도로 정보
4문단	지방도 표지판에 담긴 도로 정보

▼

5문단	• 발표 내용의 유용성 언급 • 마무리

▲ 고속 도로 표지판　▲ 일반 국도 표지판　▲ 지방도 표지판

01 위 발표에서 발표 대상인 '도로 표지판'의 발전 과정을 설명한 부분은 찾을 수 없다.

오답 잡기

① 발표의 도입 부분인 1문단의 '그중에서도 도로에 대한 …… 설명해 보겠습니다.'에서 도로 표지판의 모양과 번호의 의미에 대해 발표할 것을 안내하고 있다.

② 2문단의 '고속 도로란 주요 도시와 거점 지역을 빠르게 통행할 수 있게 만든 자동차 전용 도로입니다.', 3문단의 '일반 국도란 전국의 주요 도시와 공항, 관광지 등을 연결하는 도로', 4문단의 '지방도는 도내의 시·군청 소재지들을 연결하고 있는 도로'에서 발표 대상인 '도로 표지판'과 관련된 용어의 개념을 설명하고 있다.

③ 발표의 마무리 부분인 5문단의 '앞으로는 차를 타고 가다 도로 표지판을 보면 어떤 종류의 도로를 지나가고 있는지 알 수 있겠죠?'에서 위 발표가 도로 표지판에 담긴 정보의 의미를 이해하는 데 도움이 될 것임을 질문의 형식으로 드러내고 있다.

⑤ 1문단의 '차를 타고 도로를 지나면서 도로 표지판을 본 적이 있으시죠?'에서 질문을 던지며 청중이 도로 표지판을 본 경험을 떠올리도록 하고 있다.

02 위 발표의 내용으로 보아, ㉠은 고속 도로 표지판, ㉡은 일반 국

도 표지판, ㉢은 지방도 표지판의 모습을 나타내는 시각 자료이다. 발표자는 ㉠~㉢을 활용하여 각 도로 표지판의 대표적인 사례를 구체적으로 보여 주고, 발표 내용과 관련된 청중의 이해를 돕고 있다.

오답 잡기

① 2문단에서는 ㉠을 활용하여 고속 도로 표지판의 모습을 보여 주고, 고속 도로 표지판의 중앙에 적힌 번호에 담겨 있는 고속 도로 정보를 설명하고 있다. ㉠을 통해 고속 도로의 종류는 알 수 없으며, 2문단에 이와 관련된 내용 역시 나타나 있지 않다.

② 3문단에서는 ㉡을 활용하여 일반 국도 표지판의 모습을 보여 주고, 일반 국도 표지판의 중앙에 적힌 번호에 담겨 있는 정보를 설명하고 있다. ㉡을 통해 도로 표지판을 볼 때 주의해야 할 사항은 알 수 없으며, 3문단 역시 이러한 내용과 관련 없다.

③ 발표자는 청중에게 ㉢을 보여 주며 '마지막으로 보여 드리는 직사각형 모양의 표지판은 지방도를 가리킵니다.'라고 말하고 있다. 이로 보아 ㉢은 지방도의 구체적인 모습이 아니라 지방도 표지판의 모습을 보여 주는 시각 자료이다.

⑤ 발표자가 ㉠~㉢을 활용하여 고속 도로 표지판, 일반 국도 표지판, 지방도 표지판의 모양을 보여 주고 있기는 하나, 도로의 종류마다 도로 표지판의 모양이 다른 이유는 언급하지 않았다.

03 3문단에서 일반 국도를 가리키는 표지판이 타원 모양이라고 했으므로, ⓑ는 일반 국도 표지판임을 알 수 있다. 또한 3문단의 '일반 국도 중 자료처럼 한 자리 번호가 적힌 경우는 두 자리 이상의 번호가 부여된 일반 국도보다 중심적인 역할을 담당합니다.'에서 한 자리 번호가 부여된 일반 국도가 ⓑ가 가리키는 두 자리 번호 15가 부여된 일반 국도보다 중심적인 역할을 할 것이라는 점을 알 수 있다.

오답 잡기

① 2문단의 '보시는 것처럼 전체적으로 방패 모양과 비슷하게 생겼으며'에서 ⓐ가 고속 도로 표지판임을 알 수 있다. 2문단에 따르면 고속 도로는 주요 도시와 거점 지역을 빠르게 통행할 수 있게 만든 자동차 전용 도로이므로, ⓐ가 가리키는 도로는 자동차 전용 도로임을 알 수 있다.

③ 4문단의 '마지막으로 보여 드리는 직사각형 모양의 표지판은 지방도를 가리킵니다.'에서 ⓒ가 지방도 표지판임을 알 수 있다. 4문단에 따르면 지방도의 번호 중 백의 자리와 천의 자리 숫자는 각 도의 고유 번호를 나타낸다. '참고로 4××는 강원도'라는 발표 내용을 통해 ⓒ가 가리키는 도로가 강원도에 위치한다는 점을 알 수 있다.

④ 4문단의 '앞의 두 도로와 달리 도지사가 직접 관리합니다.'에서 앞서 언급된 ⓐ, ⓑ와 달리 ⓒ가 가리키는 도로인 지방도는 도지사가 직접 관리함을 알 수 있다.

⑤ 2~4문단에 따르면, 고속 도로·일반 국도·지방도 표지판에서 홀수 번호가 적힌 표지판은 모두 남북으로 연결된 도로를, 짝수 번호가 적힌 표지판은 동서로 연결된 도로를 가리킨다. ⓐ에는 번호 '100', ⓑ에는 번호 '15', ⓒ에는 번호 '450'이 적혀 있으므로, ⓐ와 ⓒ는 동서로 연결된 도로를, ⓑ는 남북으로 연결된 도로를 가리킴을 알 수 있다.

● **강연자** 영화 포스터의 디자인을 구성하는 요소에 대해 강연하는 ○○○

● **강연 주제** 영화 포스터의 디자인을 구성하는 글자, 이미지, 색

● **담화 핵심 내용**

1문단	강연에서 '영화 포스터의 디자인을 구성하는 글자, 이미지, 색'과 관련된 내용을 다룰 것을 안내함.

▼

2문단	영화 포스터 디자인의 구성 요소① _ 글자
	액션 장르 영화 포스터와 드라마 장르 영화 포스터를 중심으로 글자의 서체와 기울기에 따른 효과를 설명함.
3문단	영화 포스터 디자인의 구성 요소② _ 이미지
	코미디 장르 영화 포스터와 액션 장르 영화 포스터를 중심으로 사진과 그림 활용에 따른 효과를 설명함.
4문단	영화 포스터 디자인의 구성 요소③ _ 색
	공포 장르 영화 포스터와 드라마 장르 영화 포스터를 중심으로 색의 대비와 조화에 따른 효과를 설명함.

▼

5문단	공포 장르 영화 포스터의 디자인 요소와 관련된 추가 정보를 설명함.

04 5문단에서 강연자는 청중의 질문을 받아 공포 장르 포스터의 디자인 요소에 대해 더 알고 싶어 하는 청중의 요구를 파악한 뒤, 그와 관련된 내용을 추가로 설명하고 있다.

오답 잡기

① 1문단에서 강연자는 '영화 포스터의 디자인을 구성하는 글자, 이미지, 색'을 주제로 강연할 것을 언급하고 있을 뿐, 강연의 순서를 밝히지는 않았다.

② 일화란 세상에 널리 알려지지 않은 흥미 있는 이야기로, 위 강연에 강연자의 일화는 제시되지 않았다.

③ 2~4문단에서 강연자가 장르별 영화 포스터를 제시하고 있기는 하나, 그 출처는 밝히지 않았다.

⑤ 2문단에서 강연자는 '서체부터 살펴볼까요?'와 같이 질문의 형식을 사용하여 설명할 내용을 제시하고 있을 뿐, 이를 통해 청중이 강연 내용을 이해하고 있는지 확인한 것은 아니다.

05 ㉠은 액션 장르와 드라마 장르의 포스터, ㉡은 코미디 장르와 액션 장르의 포스터이다. 강연자는 2문단에서 ㉠을 통해 포스터에 쓰인 글자의 서체와 기울기 변화에 따른 효과를 시각적으로 제시하고 있으며, 3문단에서 ㉡을 통해 포스터에 사진과 그림 같은 이미지를 활용한 사례와 그 효과를 보여 주고 있다. 강연자는 ㉠과 ㉡을 활용하여 영화 포스터의 디자인을 구성하는 요소인 글자와 이미지에 대해 설명하고 있을 뿐, 요소의 중요도를 비교하고 있지 않다.

오답 잡기

① 강연자는 2문단에서 ㉠의 액션 장르 포스터에 사용된 글자의 기울기를 언급하며, 일반적으로 글자를 기울여 쓰면 역동성을 표현할 수 있다는 효과를 설명하고 있다.

② 강연자는 3문단에서 사진을 활용하면 대상을 사실적으로 표현할

수 있고 그림을 활용하면 대상을 인상적으로 강조할 수 있다고 설명한 뒤, ㉡의 코미디 장르 포스터와 액션 장르 포스터에서 그 사례를 보여 주고 있다.

③ 강연자는 4문단에서 ㉢의 공포 장르 포스터와 드라마 장르 포스터에 사용된 색을 비교하여 포스터에서 색을 사용한 방식과 그에 따라 연출되는 분위기를 언급하고 있다.

⑤ 강연자는 ㉠~㉢을 활용하여 액션, 드라마, 코미디, 공포 영화 장르의 포스터를 보여 주고, 각 포스터의 디자인을 구성하는 요소에 대해 설명하고 있다. 이를 통해 영화 장르에 따라 포스터 디자인을 구성하는 요소인 글자의 서체와 기울기, 이미지, 색을 활용하는 방법이 다름을 알 수 있다.

06 5문단에 따르면 공포 장르의 영화 포스터는 적막하고 정적인 느낌을 주기 위해 글자를 기울여 쓰지 않는 경우가 많다. 이러한 내용을 바탕으로 할 때 공포감을 유발하기 위해 글자를 기울여 써야 한다는 의견은 적절하지 않다.

오답 잡기

② 5문단의 '이미지는 영화 내용과 관련된 사진을 주로 사용하는데, 이때 핵심 소재를 클로즈업해 시선 집중을 유도할 수 있습니다.'에 따르면, 공포 영화에서는 핵심 소재를 클로즈업하여 시선 집중을 유도할 수 있다. '초대받지 않은 새'라는 제목에서 '까마귀'가 핵심 소재임을 알 수 있으므로, 시선 집중을 위해 까마귀를 클로즈업한다는 의견은 적절하다.

③ 5문단의 '어떤 서체라도 제목의 글자 끝에 날카로운 장식을 더하면 긴장감을 극대화할 수 있어요.'로 보아, 긴장감을 극대화하기 위해 '초대받지 않은 새'라는 제목의 글자 끝에 날카로운 장식을 더한다는 의견은 적절하다.

④ 5문단의 '글자의 서체는 불안감을 느낄 수 있도록 획의 끝이 뾰족한 명조체를 사용합니다.'로 보아, 불안감을 조성하기 위해 서체를 명조체로 바꾼다는 의견은 적절하다.

⑤ 4문단의 '왼쪽에 제시된 공포 장르에서는 검은색과 선명한 빨간색이 대비를 이뤄 영화의 섬뜩한 분위기를 표현하고 있습니다.'로 보아, 섬뜩한 분위기를 연출하기 위해 검은색 까마귀와 빨간색 글자를 대비한다는 의견은 적절하다.

- 라디오 대담 참여자 진행자, 한국 해양 과학 기술원의 서○○ 연구원
- 라디오 대담 주제 플라스틱 쓰레기에 따른 해양 오염의 심각성과 해양 오염 개선을 위한 실천 방법
- 담화 핵심 내용

진행자	대담자(연구원)와 대담 주제를 소개함.

▼

진행자	바다에 있는 플라스틱 쓰레기양을 질문함.
연구원	구체적 수치를 활용하여 바다에 있는 플라스틱 쓰레기양을 설명함.

▼

진행자	해양 오염의 심각성에 관해 질문함.
연구원	미세 플라스틱이 어패류 체내에 쌓이고 있음을 설명함.

▼

진행자	일상에서 실천할 수 있는 해양 오염 개선 방법을 질문함.
연구원	플라스틱 쓰레기양을 줄일 것을 강조하고, 플라스틱 쓰레기 배출 방법을 안내함.

▼

진행자	일상생활에서의 실천을 촉구하며 대담을 마무리함.

07 진행자는 첫 번째 발언 '오늘은 한국 해양 과학 기술원 서○○ 연구원과 함께 ……에 대해 알아보겠습니다.'에서 대담자의 직업과 대담 주제를 소개하며 대담을 시작하고 있다. '이력'이란 지금까지 거쳐 온 학업, 직업, 경험 등의 내력으로, 위 대담에서 진행자가 대담자의 이력을 구체적으로 밝힌 부분은 나타나지 않는다.

오답 잡기

① 진행자는 첫 번째 발언에서 '얼마 전 폐사한 거북이의 코에서 플라스틱 빨대가 발견된 소식'을 언급하며 '플라스틱 쓰레기에 따른 해양 오염'이라는 대담 주제를 소개하고 있다.

③ 진행자는 여섯 번째 발언 '그러니까 어패류 체내에 플라스틱이 쌓이고 있다는 말씀인가요?'에서 연구원이 언급한 연구 결과를 자신이 정확하게 이해한 것인지 확인하고 있다.

④ 진행자는 일곱 번째 발언 '그렇다면 우리 청취자들이 해양 오염 개선을 위해 일상에서 실천할 수 있는 방법에는 어떤 것이 있을까요?'에서 연구원에게 청취자들이 문제 해결에 참여할 수 있는 방법을 질문하고 있다.

⑤ 진행자는 마지막 발언 '이제 플라스틱 빨대 하나라도 덜 쓰려는 노력이 필요한 때입니다.'에서 해양 오염을 개선하기 위한 일상에서의 실천을 촉구하며 대담을 마무리하고 있다.

08 ㉠은 연구원에게 바다에 있는 플라스틱 쓰레기양과 관련된 구체적인 설명을 요청하는 발화이고, ㉡은 해양 오염의 심각성과 관련된 구체적인 설명을 요청하는 발화이다. 따라서 ㉠과 ㉡은 모두 연구원의 구체적인 설명을 이끌어 내기 위한 발화라고 볼 수 있다.

오답 잡기

① 위 대담의 화제는 '플라스틱 쓰레기에 따른 해양 오염'이다. 진행자는 거북이의 코와 고래상어 뱃속에서 플라스틱 쓰레기가 발견된 사건을 언급한 뒤, ㉠에서 바다에 있는 플라스틱 쓰레기양을 묻고 있으므로 ㉠은 대담의 화제를 전환하기 위한 발화로 볼 수 없다. ㉡에서는 플라스틱 쓰레기에 따른 해양 오염의 심각성을 묻고 있으므로, ㉡ 역시 대담의 화제를 전환하기 위한 발화로 보기 어렵다.

③ 진행자는 ㉠와 ㉡을 통해 연구원에게 구체적인 설명을 요청하고 있을 뿐, 진행자와 연구원이 의견 차이를 보이고 있는 것은 아니다.

09 청취자 3은 연구원이 여섯 번째 발언에서 언급한 내용을 바탕으로 하여, 먹이 사슬 과정에서 바다 생물의 몸에 농축된 미세 플라스틱이 결국 먹이 사슬의 꼭대기에 있는 인간에게까지 영향을 미칠 것이라는 새로운 내용을 추론하고 있다. 청취자 3의 반응에서 기존에 잘못 알고 있던 정보를 바로잡은 부분은 나타나지 않는다.

오답 잡기

① 청취자 1은 연구원이 세 번째 발언에서 800만 톤이라는 플라스틱 쓰레기양을 '1분마다 쓰레기 트럭 한 대 분량의 플라스틱이 바다에 버려지고 있다고 보시면 됩니다.'라고 설명한 것과 관련하여, 그 규모를 쉽게 짐작할 수 있었다며 긍정적으로 평가하고 있다.

② 청취자 2는 '플라스틱 쓰레기에 따른 해양 오염'을 설명하는 대담 내용과 관련하여, 바다 위에 떠다니는 플라스틱 쓰레기를 본 자신의 경험을 떠올리고 있다.

④ 연구원은 일곱 번째 발언에서 해양 오염 개선을 위해 '사용한 플라스틱은 재활용될 수 있도록 부착물을 제거하신 후 세척해서 배출'해 줄 것을 부탁하고 있다. 청취자 4는 연구원이 제안한 대로 앞으로는 플라스틱 쓰레기의 부착물을 제거하고 깨끗하게 세척하여 배출하겠다고 다짐하고 있다.

⑤ 청취자 5는 라디오 대담에서 연구원이 제안한 플라스틱 쓰레기 배출 방법 외에 해양 오염 개선을 위한 다른 실천 방법을 더 알려 주었으면 좋겠다고 말하며, 대담 내용과 관련된 추가 정보를 요청하고 있다.

01 ①　　**02** ③　　**03** ⑤　　**04** ①

01~02

가 ● 글의 종류 생활문(학교 홈페이지 게시 글)

● 예상 독자 같은 학교 학생들

● 글쓰기 목적 등굣길에 자가용 때문에 위험을 겪은 경험을 알리고, 등굣길 문제를 해결할 방법과 관련된 조언을 구하고자 함.

나 ● 대화 참여자 학생회 학생들(학생 1, 학생 2, 학생 3)

● 대화 주제 안전한 등굣길을 만들기 위한 건의문의 내용 구상

● 담화 핵심 내용

건의문 작성의 배경
안전한 등굣길을 만들기 위해 학생회 차원에서 건의문을 작성하여 게시하기로 함.

▼

건의문의 내용 구상
• 등교 시 자가용 이용을 자제할 것을 제안하기로 함. 단, 자가용 이용이 불가피한 경우는 이해해 줄 것을 언급하기로 함. • 자가용을 이용하지 않았을 때의 장점을 알려 주기로 함. • 등굣길에 주변을 살피며 걸을 것을 제안하기로 함.

다 ● 글의 종류 건의문

● 예상 독자 같은 학교 학생들

● 글쓰기 목적 안전한 등굣길을 만들기 위해 등교 시 자가용 이용 자제와 주변을 살피며 걸을 것을 건의함.

● 지문 핵심 내용

1문단	글쓴이 소개
2문단	주의 환기
	등굣길과 관련된 독자의 경험을 환기함.
3문단	문제 상황 제시
	자가용 등교와 학교 주변의 환경이 맞물려 등굣길이 몹시 위험한 상황임.
4~5 문단	해결 방안 제시 • 등교 시 자가용 이용을 자제할 것 • 주변을 살피며 걸을 것
6문단	예상 효과 구체화 • 친구와 함께 여유로운 발걸음으로 등교할 수 있음. • 부지런한 등교 준비로 규칙적인 생활 습관을 형성할 수 있음.
7문단	행동 촉구 건의 내용을 실천으로 옮길 것을 촉구함.

01 (가)는 한 학생이 학교 홈페이지 자유 게시판에 올린 글이고 (다)는 학생회 학생들이 작성하여 학교 게시판에 올린 건의문으로, (가)와 (다) 모두 같은 학교 학생들이라는 특정한 예상 독자를 대상으로 작성한 글이다.

오답 잡기

② 언어적 표현은 음성이나 문자로 생각이나 느낌을 표현하는 것이고, 비언어적 표현은 (나)의 '(고개를 끄덕이며)'와 같이 언어가 아닌 몸짓, 손짓, 표정, 시선, 자세 등으로 생각이나 느낌을 나타내는 것이다. 대화인 (나)에는 언어적 표현과 비언어적 표현이 함께 나타나지만, 글인 (가)와 (다)에는 언어적 표현만이 나타나 있다.

③ (나)는 학생 1, 학생 2, 학생 3이 같은 시간에 같은 공간에서 나눈 대화이므로, 의사소통 참여자들이 시간과 공간을 모두 공유하고 있다. 반면 학교 게시판에 올린 글인 (다)는 글을 쓴 필자와 글을 읽는 독자가 시간과 공간을 공유하고 있지 않다. 음성 언어로 이루어지는 화법이 일반적으로 지금 이 상황에 있는 사람들을 의사소통 대상자로 삼는다면, 문자 언어로 이루어지는 작문은 시간과 공간을 뛰어넘어 다른 사람들과 의사소통한다.

④ (가)는 등교할 때 겪은 개인의 경험과 생각을 자유롭게 표현한 글인 반면, (다)는 '안전한 등굣길 만들기'와 같은 공동의 문제 상황과 해결 방안을 제시한 건의문이다. 따라서 (다)는 (가)보다 공식적인 성격이 강하며, '학생 여러분, 안녕하세요? 제28대 학생회입니다.', '긴 글 읽어 주셔서 감사합니다.'와 같은 문장에서 격식을 갖춘 표현을 확인할 수 있다.

⑤ 문어란 일상적인 대화에서 쓰는 말이 아닌, 주로 글에서 쓰는 말이다. '홈페이지'라는 단어를 (나)에서는 줄인 말인 '홈피'로, (다)에서는 '홈페이지'로 그대로 표현한 점에서 (다)에서는 일상 대화에 비해 줄인 말을 잘 쓰지 않는 문어적 특징을 확인할 수 있다.

02 (나)에서 학생들은 특별한 사정이 있는 경우에는 자가용 이용을 이해해 줄 것을 건의문에 따로 언급하자고 이야기하고 있다. 이를 반영하여, (다)의 4문단에서 '걷기가 불편하거나 집이 많이 먼 경우'에는 예외적으로 자가용 등교를 할 수 있음을 제시하고 있다. 또한 (다)의 6문단 마지막 문장에서 자가용 등교를 자제할 때의 장점으로 '부지런히 등교 준비를 하다 보면 규칙적인 생활 습관도 갖게 될 것'이라고 언급하고 있을 뿐, 이를 자가용 이용이 불가피한 경우의 해결 방안으로 제시한 것은 아니다. (다)에서는 안전한 등굣길을 만들기 위한 문제 해결 방안으로 4문단에서 '안전한 등굣길을 위해 우선 자가용 이용을 자제하는 것'과 5문단에서 '주변을 살피며 걷는 습관'이 필요함을 제시하고 있다.

오답 잡기

① (나)에 나타난 학생 1의 두 번째 발언 '안전한 등굣길을 만들기 위해 학생회 차원에서 건의문을 써서 게시하는 건 어때?'에서 안전한 등굣길 만들기가 대화의 화제임을 알 수 있다. 이를 반영하여 (다)의 2문단에서는 '오늘 아침 여러분의 등굣길은 어떤 모습이었나요? 안전했나요?'와 같이 화제와 관련한 독자의 일상을 떠올려 보게 하여 독자의 주의를 환기하고 있다.

② (나)에 나타난 학생 1의 다섯 번째 발언 '그렇다 해도 댓글을 보면 많은 애들이 자가용 등교 때문에 등굣길이 안전하지 않다고 여기는 건 분명해 보여.'에서 자가용 등교 때문에 등굣길이 위험하다는 인식을 확인할 수 있다. 이를 반영하여 (다)의 3문단에서는 '특히 우리 학교 앞 도로는 유난히 좁다 보니 횡단보도에 정차하는 경우

도 많아 몹시 위험합니다.'와 같이 자가용 등교가 학교 주변 환경과 맞물려 심각한 문제가 되고 있음을 제시하고 있다.

④ (나)의 학생 1은 여섯 번째 발언 '자가용을 이용하지 않았을 때 남은 물론 자기한테도 좋은 점이 있다는 것도 알려 주면 좋겠어.'에서 자가용 등교 자제가 자신에게도 좋은 점이 있음을 알려 주자는 의견을 제시하고 있다. 이를 반영하여 (다)의 6문단에서는 '차에 놀라며 걷는 대신 …… 생활 습관도 갖게 될 것입니다.'와 같이 자가용 이용을 자제했을 때의 장점을 구체적으로 언급하고 있다.

⑤ (나)에서는 등굣길 안전을 확보하기 위한 방법으로 '자가용 이용 자제'와 '등굣길에 주변을 살피며 걷기'를 언급하고 있다. 이를 반영하여 (다)의 7문단 '그러려면 자가용 이용은 자제하고 주변을 살피며 걸어 주세요.'에서 등교할 때의 행동 방향을 제시하고, '다 함께, 평화로운 등교 장면을 상상이 아닌 현실로 만듭시다.'에서 독자가 이를 실천하도록 촉구하고 있다.

03~04

가 ● 발표자 학생

● 발표 주제 실패를 극복하는 방법

● 담화 핵심 내용

1문단	발표에서 '실패 극복 방법'을 소개할 것을 안내함.

▼

2문단	실패한 제품을 전시하는 박물관인 '실패작 박물관'
3문단	실패작 박물관의 원래 명칭과 박물관을 찾은 관람객과의 인터뷰
4문단	실패작 박물관을 통해 알 수 있는 실패 극복 방법
5문단	실패를 긍정적으로 인식하기 위한 방법

▼

6문단	발표 내용이 청중에게 미칠 영향에 관한 기대, 마무리

나 ● 글의 종류 소감문

● 글쓰기 목적 발표를 듣고 인상적이었던 내용과 소감을 자신의 경험과 연관 지어 기록함.

● 지문 핵심 내용

1문단	발표를 들은 뒤 인상적이었던 내용을 나의 경험에 적용해 보기로 함.
2문단	실패의 상황을 구체적으로 적어 보기.
	1학기 때 친구들과 동아리를 결성하여 계획한 대로 활동했으나 결국에는 활동이 흐지부지됨.
3문단	실패 상황을 긍정적으로 재해석해 보기.
	한 학기 동안 동아리 부장으로서 내가 한 노력: 동분서주하며 모임 장소를 구함, 토론 모임에 자주 빠진 친구들을 설득함.
4문단	실패의 원인 분석하기.
	• 친구들의 관심을 고려하기보다는 유명한 책 위주로 목록을 선정함. • 바뀐 모임 장소와 시간을 제때에 알리지 못함.
5문단	실패 속에서 긍정적 의미 발견하기.
	실패의 경험을 돌아보고 나니 내년에는 동아리를 잘 운영할 수 있을 것이라는 생각이 듦.

---

03 (가)의 발표자는 ⑩에서 발표 내용을 한 문장으로 정리하여 전달하고 있을 뿐, 요약된 내용을 나열하고 있지 않다.

오답 잡기

① ⑤에서 발표자는 발표를 시작하며 '실패작 박물관'과 실패를 대하는 자세를 담은 책의 내용을 바탕으로 실패 극복 방법을 소개한다고 안내하여 청중이 발표 내용을 예측하며 듣도록 하고 있다.

② ⓒ에서 발표자는 '어떤 전시품이 가장 인상적이었나요?'라고 질문을 던지고 청중의 반응을 확인하며 청중과 상호 작용하고 있다.

③ ⓒ에서 발표자는 박물관 관람객과의 인터뷰 영상을 활용하여 청중이 발표 대상인 실패작 박물관의 의의와 가치를 이해할 수 있도록 돕고 있다.

④ ⓔ에서 발표자는 (목소리에 힘을 주어)와 같은 준언어적 표현을 사용하여 발표 내용을 효과적으로 강조하고 있다.

04 (가)의 4문단에는 실패를 정면으로 바라보는 것이 실패 극복의 중요한 방법이라는 내용이 제시되어 있다. 그러나 (나)에 실패를 숨기려고 했던 글쓴이의 경험이나 인식 전환과 관련된 내용은 언급되어 있지 않다.

오답 잡기

② (가)의 5문단에는 실패의 상황을 구체적으로 적어 보라는 내용이 제시되어 있다. 이를 바탕으로 하여 (나)의 글쓴이는 2문단에서 동아리에서 계획대로 책을 읽지 못하고, 토론 모임의 횟수도 줄어 결국 활동 보고서를 작성하지 못했던 경험을 자세하게 언급하고 있다.

③ (가)의 5문단에는 실패의 상황을 긍정적으로 재해석해야 하고 여기에는 자기 인정이 필요하다는 내용이 제시되어 있다. 이를 바탕으로 하여 (나)의 글쓴이는 3문단에서 모임 장소를 구하고, 토론 모임에 자주 빠진 친구들을 찾아가 설득하는 등 동아리 부장으로서 자신이 한 일을 긍정적으로 재해석한 내용을 언급하고 있다.

④ (가)의 5문단에는 실패의 원인을 찾는 노력이 필요하다는 내용이 제시되어 있다. 이를 바탕으로 하여 (나)의 글쓴이는 4문단에서 자신이 동아리에서 읽을 책의 목록을 적절하게 선정하지 못했던 것과 바뀐 모임 장소와 시간을 제때에 공지하지 못했던 것을 실패의 원인으로 분석하고 있다.

⑤ (가)의 6문단에는 실패 속에 숨어 있는 긍정적인 의미를 발견하는 것이 실패를 성공의 어머니로 만드는 열쇠라는 내용이 제시되어 있다. 이를 바탕으로 하여 (나)의 글쓴이는 5문단에서 실패의 경험을 통해 내년에는 동아리를 잘 운영할 수 있을 것이라는 기대를 드러내고 있다.

전편

WEEK 2
화법 ❷

DAY 1 개념 돌파 전략 ①
| 36~37쪽

01 (1) ⓒ (2) ⓐ (3) ⓔ (4) ⓓ (5) ⓜ　**02** ⓐ　**03** ⓒ　**04** ⓐ
05 의제　**06** (1) ⓒ (2) ⓑ (3) ⓐ　**07** (1) X (2) ○

---

01 (1) 논제는 토론의 주제이다.

(2) 쟁점은 찬성 측과 반대 측이 다투는 내용이다.

(3) 입론은 찬성 측과 반대 측에서 자기 측의 주장이 타당함을 논리적으로 입증하는 말하기이다.

(4) 반론은 상대측 주장이 타당하지 않음을 증명하기 위해 반박하는 말하기이다.

(5) 반대 신문은 상대측 발언에 논리적 문제가 있음을 질문으로 드러내는 말하기이다.

02 반대 신문식 토론에 참여한 찬성 측과 반대 측 발언자들은 반대 신문식 토론의 진행 순서에 따라 한 번씩 입론과 반론, 반대 신문을 한다. 따라서 ⓐ은 적절하지 않다.

03 반대 신문 단계에서는 상대방이 '네', '아니요'로 대답하도록 폐쇄형으로 질문하고, 구체적이되 한정된 정보를 요구하여 이에 답하도록 하는 것이 좋다. '왜 …… 했는가?', '……에 대해 설명해 보라' 등과 같이 개방형으로 질문하면 답변자가 자기 측에 유리하도록 길고 장황하게 말할 기회를 얻게 되므로 효과적이지 못하다.

04 토의에서 사회자는 토의 주제와 절차를 안내하고, 토의 참여자에게 발언권을 부여하거나 토의 내용을 요약·정리하는 등 토의를 진행하는 역할을 한다. ②, ③은 토의 참여자의 역할에 해당한다.

05 협상에서 합의가 필요한 사안은 의제이다. 합의안은 양측의 제안이나 대안들에 대해 논의하여 의견을 종합한 것이다.

06 (1) 협상 시작 단계에서는 협상 의제와 협상 참여자들 사이의 입장 차이를 확인한다. 또한 갈등의 원인을 분석하고 문제 해결 가능성을 확인한다.

(2) 협상 조정 단계에서는 상대방의 처지와 관점을 이해하며 구체적인 제안이나 대안을 상호 검토하는 과정을 통해 서로의 입장 차이

를 좁혀 나간다.

(3) 협상 해결 단계에서는 최선의 해결책을 제시하여 타협과 조정을 통해 문제를 해결하고 합의한다.

07 (1) 면접 상황에서 면접 대상자는 면접관의 질문을 끝까지 경청한 뒤 질문의 내용과 의도를 충분히 파악하여 답변해야 한다.

(2) 면접에서는 면접관이 요구하는 답변 내용이 사실인지 의견인지에 따라 답변 내용을 달리해야 한다. "우리 ㄱ사의 □□보다 ㄴ사의 ○○이 매출이 높은 이유는 무엇이라고 생각합니까?"와 같이 의견을 묻는 질문을 받았을 때에는 먼저 자신의 의견을 밝힌 뒤 그 이유나 근거를 제시하여 논리적으로 답변하는 것이 효과적이다.

DAY 1 개념 돌파 전략 ②
| 38~41쪽

01 ①　**02** 공정성　**03** ③　**04** 요약/정리
05 ④　**06** 요구 사항　**07** ④　**08** 설문 조사

01~02

● **토론 주제** 청소년의 팬덤 활동이 청소년에게 긍정적 영향을 주는지와 관련된 찬반 논의

● **담화 핵심 내용**

논제
청소년의 팬덤 활동은 청소년에게 긍정적 영향을 준다.

▼

찬성 측 입론	[주장] 팬덤 활동은 청소년에게 긍정적 영향을 줌. [근거] • 팬덤 활동을 통해 친구와 관심사를 공유하고 인간관계를 확장할 수 있음. • 일상의 답답함에서 벗어나 스타를 응원하며 삶의 만족감을 얻을 수 있음. (팬덤 활동을 하는 단체에서 실시한 조사 결과 제시) • 요즘 팬덤은 대중문화의 문제점을 지적하고 다양한 문화 운동을 하고 있어 청소년들이 팬덤 활동을 하며 문화 실천의 주체로 발전할 수 있음.

▼

반대 측 반대 신문	찬성 측이 제시한 자료는 팬덤 활동을 하는 단체에서 조사한 것으로 공정성이 떨어짐.

01 찬성 1은 ㉠에서 '바람직하지 않습니까?'와 같은 물음의 형식을 통해 팬덤 활동이 청소년에게 긍정적 영향을 준다는 찬성 측의 주장이 옳음을 강조하고 있다.

오답 잡기
② 실제 사례를 제시하고 있지 않다.
④ 자신의 주장이 옳음을 강조하고 있을 뿐, 상대방의 견해를 일부 인정하거나 자신의 입장을 재확인하는 내용은 나타나지 않는다.
⑤ 질문의 형식을 활용한 것은 맞지만, 논의의 범위를 한정하려는 목적은 나타나지 않는다.

02 앞서 찬성 측에서는 팬덤 활동이 청소년에게 긍정적 영향을 준다는 주장의 근거로 '팬덤 활동을 하는 청소년들과 하지 않는 청소년들의 삶의 만족도를 비교한 조사 결과'를 제시했다. 이 자료는 팬덤 활동을 하는 단체에서 조사한 내용으로, 팬덤 활동을 긍정적으로 바라보는 집단과 부정적으로 바라보는 집단 양측의 입장을 공정하게 반영하고 있다고 보기 어렵다. ㉡에서 반대 2는 찬성 1이 제시한 자료의 공정성을 문제 삼아 찬성 측 논증에 문제가 있음을 지적하고 있다.

개념 더 보기

논제의 유형

가치 논제	무엇이 옳고 그른지에 대한 가치 판단을 전제로 한 논제 **예** 선의의 거짓말은 필요하다.
정책 논제	어떤 정책의 실행 여부와 실행 방안을 주장하는 논제 **예** 사형 제도는 존치되어야 한다.
사실 논제	참과 거짓으로 양립 가능한 사실에 대해 입증하고 반박하는 데 초점을 둔 논제 **예** 독도는 대한민국의 영토이다.

03~04

● 토의 주제 학교 축제 프로그램이 다양하지 못했다는 문제의 원인과 개선 방안

● 담화 핵심 내용

의제		
학교 축제 프로그램이 다양하지 못한 원인과 개선 방안		
▼		
	문화부장	총무부장
프로그램이 다양하지 못한 원인	축제 준비 기간이 짧았음.	동아리들이 수익 사업에만 치중했음.
개선 방안	축제 3개월 전부터 기획팀을 꾸려 다양한 프로그램을 체계적으로 기획함.	별도의 판매 행사팀을 신설하여 수익 사업과 관련된 프로그램을 관리함.

03 총무부장은 첫 번째 발언에서 동아리들이 수익 사업에만 치중한 것을 축제 프로그램이 다양하지 못했던 문제의 원인으로 제시하고 있다. 또한 동아리들이 수익 사업에 치중한 것은 '수익금 전액을

동아리 활동비로 사용할 수 있도록 승인해' 주었기 때문임을 언급하고 있으므로, 동아리들이 승인 없이 수익금 전액을 동아리 활동비로 사용했다는 내용은 총무부장의 발언을 잘못 이해한 것이다.

오답 잡기
① 학생회장의 첫 번째 발언 중 '이에 축제 프로그램이 다양하지 못한 원인과 개선 방안에 대해 토의하겠습니다.'에서 확인할 수 있다.
② 문화부장의 첫 번째 발언 중 '가장 큰 원인은 준비 기간이 짧았다는 것입니다.'에서 확인할 수 있다.
④ 문화부장의 두 번째 발언 '우선 충분한 축제 준비 기간을 …… 다채롭게 준비하면 좋겠습니다.'에서 확인할 수 있다.
⑤ 총무부장의 두 번째 발언 중 '수익 사업과 관련된 프로그램은 …… 관리했으면 합니다.'에서 확인할 수 있다.

04 [A]에서 학생회장은 축제 프로그램이 다양하지 못한 원인과 관련된 문화부장과 총무부장의 발언 내용을 요약한 뒤, 질문의 방식으로 토의의 다음 안건인 '개선 방안'을 제시하고 있다.

05~06

● 협상 주제 솔빛마을의 한옥 관광지 조성 사업 추진과 관련된 세부 계획

● 담화 핵심 내용

의제	
솔빛마을의 한옥 관광지 조성 사업 추진과 관련된 세부 계획	
▼	
시청 측	주민 측
마을 주민들의 한옥을 관광객들에게 개방해 줄 것을 제안함.	마을 주민들의 사생활이 침해되고 결국 공동체 구성원이 이탈할 것이라는 우려를 밝힘.
희망 주민에 한해 한옥을 개방하고, 예약 관광객에게만 관람을 허용할 것을 제안함.	많은 관광객이 한곳에 몰리면 결국 주민들의 삶의 질과 관광객의 여행 경험의 질이 동시에 악화될 것이라는 우려를 밝힘.
관광객의 동선 분산을 유도하기 위한 방법을 제시함. ・한옥 내부 관람 인원 제한 ・마을 관광 에티켓 교육을 이수한 경우에만 단체 관광 실시 ・실시간 정보 안내판 설치	・시청 측 계획에 대한 수용 가능성을 드러냄. ・추가 요구 사항을 제시함. – 한옥 개방 시간 제한 – 한옥 관광 도우미로 지역 어르신 우선 채용

05 ㉠에서 시청 측은 마을 관광객에게 한옥 내부를 직접 관람할 기회를 제공하면 관광객의 만족도를 높일 수 있을 것이라는 예상 효과를 언급하며 관광객을 대상으로 한옥을 개방해 줄 것을 주민 측에게 제안하고 있다. ㉡에서 시청 측은 한옥 내부 관람 인원 제한, 마을 관광 에티켓 교육을 이수한 경우에만 단체 관광 실시, 실시간 정보 안내판 설치라는 방법으로 특정 장소에 관광객이 몰리는 것을 방지할 수 있다는 예상 효과를 언급하며 관광객을 대상으로 한옥을 개방해 줄 것을 주민 측에게 제안하고 있다.

①, ②, ③, ⑤ ⑤과 ⑥과 모두 해당하지 않는 설명이다.

06 [A]의 '그 정도 계획은 마을의 여건을 고려할 때 받아들일 수 있는 현실적인 방안이라고 봅니다.'에서 주민 측은 관광객에게 한옥을 개방할 때 특정 장소에 관광객이 몰리는 것을 방지하기 위해 시청 측이 제안한 계획을 수용할 수 있음을 밝히고 있다. 그리고 '한옥 개방 시간은 오후 5시까지로 제한해 주십시오. 또한 한옥 관광 도우미로 지역 어르신들을 우선 채용해 주십시오.'에서 추가적인 요구 사항을 제시하고 있다.

07~08

● 면접 주제 또래 상담 요원으로서의 자질을 평가하기 위한 질의응답

● 담화 핵심 내용

또래 상담의 필요성과 관련된 질문과 답변

▼

인간 중심적 상담 이론에서 제시한 상담자의 태도와 관련된 질문과 답변

▼

래포의 개념과 관련된 질문과 답변

07 위 면접에 면접 주제와 관련된 면접관의 견해는 나타나지 않으며, 면접 대상자와 면접관의 견해 차이가 드러난 부분 역시 나타나지 않는다.

① 면접관은 첫 번째 발언의 '긴장한 것 같은데요, 편안한 마음으로 답변하면 됩니다.'에서 면접 대상자의 긴장을 풀어 주는 말을 하고 있다.

② 면접관은 세 번째 발언의 '평소 또래 상담에 대해 많은 생각을 했군요.', 네 번째 발언의 '잘 알고 있네요.'에서 면접 대상자의 답변 내용에 긍정적인 반응을 보이고 있다.

③ 면접관은 여섯 번째 발언 '신뢰와 친근감을 뜻하는 래포는 …… 상담의 중요한 요소라는 말이군요.'에서 래포와 관련된 면접 대상자의 답변 내용을 요약하여 재진술하고 있다.

⑤ 면접 대상자는 다섯 번째 발언 '래포의 개념을 말씀하시는 건가요?'에서 면접관에게 질문 내용을 되물어 확인하고 있다.

08 [A]에서 면접 대상자는 면접관의 질문 내용과 의도를 분석하고, 청소년이 고민을 이야기하고 싶은 대상 1순위가 친구였다는 설문 조사 결과를 근거로 들어 지원 분야의 필요성에 대해 답변하고 있다.

---

5 ⑤	**5-1** ③	**6** ⑤	**6-1** ②

대표 유형 5

● 협상 주제 축제 공식 명칭과 축제 진행의 세부 조건 논의

● 담화 핵심 내용

의제
축제 공동 명칭

▼

A 마을과 B 마을의 입장
축제 공식 명칭에서 자기 마을의 이름을 먼저 표기했으면 함.

▼

A 마을	B 마을
A 마을의 이름을 먼저 표기하되, 경제적인 면에서는 B 마을에 유리하도록 세부 조건을 조율하자고 제안함.	세부 조건을 제시함. • B 마을의 특산품을 축제 캐릭터로 만듦. • B 마을에서 전체 행사 중 60%를 가져감.
B가 제시한 조건에서 행사 배분 비율을 50%로 조정할 것을 제안함.	A의 조정안을 거부하고, 협상 결렬 의사를 내비침.
행사 배분 비율을 50%로 하는 대신, B 마을이 원하는 다른 조건을 추가할 것을 제안함.	행사 선택을 하나씩 교대로 하되, B 마을 먼저 선택을 시작하겠다는 의사를 밝힘.

▼

합의안
• 축제 공식 명칭은 두 마을의 이름을 병기하되 A 마을 이름을 먼저 표기함. • B 마을 특산품을 축제 캐릭터로 만듦. • 행사 배분 비율은 동일하게 50%씩 함. • 행사는 하나씩 교대로 선택하되, B 마을부터 선택하기 시작함.

5 '○○군의 A 마을과 B 마을은 전국적 규모의 축제를 공동 개최하는 데 합의하였다.'에서 지난 협상에서 A 마을과 B 마을이 합의한 사안은 두 마을이 축제를 공동으로 개최하는 것임을 알 수 있다. 협상 진행 과정에서 B가 단독 개최 의사를 언급하긴 했지만, 결과적으로 축제 공동 개최라는 사안은 그대로 유지하고 그와 관련된 세부 사항을 조정하여 합의안을 마련했으므로, 지난 협상에서 합의된 사안이 수정되었다는 이해는 적절하지 않다.

① A는 첫 번째 발언 '오늘은 우리가 지난번 협상에서 다루지 못한 축제 공동 명칭에 대하여 논의를 했으면 하는데, 어떠세요?'에서 지난 협상에서 논의하지 못한 '축제 공동 명칭'이라는 의제를 제시하고 있다.

② A의 세 번째 발언 중 '저희가 알아본 바로는 B 마을은 축제 유치를 통한 경제 활성화에 관심이 있다고 알고 있는데, 맞죠?'로 보아, A는 협상을 하기 전에 B 마을이 축제 유치를 통한 경제 활성화에 관심이 있다는 정보를 수집했다. 그리고 네 번째 발언에서 그 정보를 활용하여 '그러니 축제 명칭은 저희가 원하는 대로 하면서 경제적인 면에서는 B 마을에 유리하도록 협상의 세부 조건을 구성하자'고

말하며 의견을 조율하고 있다.

③ B는 다섯 번째 발언 '그 제안은 저희 마을 주민들의 동의를 얻기 어려울 것입니다. …… 단독 개최를 다시 추진하겠습니다.'에서 행사 배분 비율을 50%로 하자는 A의 제안이 협상 결렬을 초래할 수 있음을 내비치고 있다. 이에 대응하여 A는 '그 대신에 B 마을이 원하는 다른 조건을 추가하시는 게 어떨까요?'라고 말하며, B 마을이 원하는 다른 조건을 추가하자는 새로운 제안을 제시하고 있다. 따라서 B가 내비친 협상 결렬 의사가 A의 새로운 제안을 이끌어 냈다고 볼 수 있다.

④ A의 여섯 번째 발언 중 '행사 배분 비율은 양보하기 어렵습니다.'에서 A의 양보할 수 없는 지점이 '행사 배분 비율'임을 알 수 있다. 이어지는 발언에서 B는 전체 행사 중 60%를 가져가겠다는 세부 조건을 수정하여, 행사 배분은 동일하게 50%씩 하고 대신 행사 선택을 하나씩 교대로 하되 자신들이 먼저 선택을 시작하겠다고 했다. 따라서 B가 A의 양보할 수 없는 지점인 '행사 배분 비율'을 고려하여 자신이 제안한 세부 조건을 수정하여 제시했음을 알 수 있다.

5-1 A는 다섯 번째 발언에서, 앞서 B가 전체 행사 중 60%를 가져가겠다고 제시한 조건은 '지나친 요구'라는 생각을 밝히며, '행사 배분 비율은 공동 개최에 걸맞게 50%를 원칙'으로 할 것을 제안하고 있다.

오답 잡기

① A의 네 번째 발언 중 '저희는 저희 마을을 전국에 알리는 것이 일차적 목표입니다.'에서 A 마을이 축제를 유치하려는 의도가 마을 홍보임을 알 수 있다.

② B의 네 번째 발언 중 '저희는 경제적 이득이 중요합니다.'에서 B 마을이 축제를 유치하려는 의도가 축제를 통한 경제 활성화임을 알 수 있다.

④ A와 B의 두 번째 발언에서, 양측은 축제 공식 명칭에 두 마을의 이름을 병기하는 것은 동의하지만 어느 마을의 이름을 먼저 표기할 것인가에 대해 입장 차이가 있음을 알 수 있다. A는 네 번째 발언에서 축제 명칭은 A 마을의 이름을 먼저 표기하되, 경제적인 면에서는 B 마을에 유리하도록 세부 조건을 구성하자고 제안하고 있다. 이에 따라 양측은 세부 조건을 협의하여 A의 마지막 발언에서 알 수 있듯이 축제 공동 명칭에 A 마을의 이름을 먼저 표기하기로 했으므로 ④는 적절하다.

⑤ B가 마지막 발언에서 '행사 선택은 하나씩 교대로 하되, 저희 마을부터 선택을 시작하는 것으로 하는 겁니다.'라고 말하자 A가 '그렇게 합시다.'라며 동의하고 있으므로 양측이 행사 선택을 교대로 하되, B 마을부터 행사를 선택한다는 사안에 합의했음을 알 수 있다.

대표 유형 ❻

● 토의 주제 자전거 통학 과정에서 발생하는 안전 문제의 원인과 해결 방안

● 담화 핵심 내용

의제
학생들의 안전한 자전거 통학을 위한 방안은 무엇인가?

문제의 원인 분석
• 자동차, 자전거, 학생들이 들어오는 길이 구분되어 있지 않은 학교 앞 도로 환경 • 학생들의 자전거 운전 습관 • 학생들의 자전거 관리 소홀

문제의 원인에 대한 해결 방안 제시
• 학교 진입 골목에 자전거 전용 도로 설치 요청 • 올바른 자전거 운전 습관을 기르기 위한 안전 교육 강화 • 자전거 점검의 날 지정과 캠페인 활동 실시

해결 방안 분석
• 학교 진입 골목에 자전거 전용 도로를 설치하는 것은 현실적으로 불가능함. • 자전거 전용 도로 설치가 불가능하다면, 안전 교육과 함께 자전거 관리에 관한 캠페인을 실시하도록 함. • 자전거 점검의 날 지정은 꼭 필요함.

마무리
다음 토의에서 논의할 내용 제시

6 김○○은 두 번째 발언에서 자전거 통학 과정에서 발생하는 문제의 원인에 대한 해결 방안으로 '관련 행정 기관에 학교 진입 골목에 자전거 전용 도로를 만들어 달라고 요청하는 것'을 제시하고 있다. 그런 뒤 방안의 적절성을 논의하는 과정에서 전□□이 자전거 전용 도로 설치의 실현 가능성을 지적하자, 그 대안으로 앞서 다른 두 참여자가 제안한 해결 방안을 종합하여 '안전 교육을 하면서 자전거 관리에 관한 캠페인도 함께'할 것을 제시하고 있다. 따라서 김○○은 자전거 전용 도로 설치가 불가능할 때의 대안을 제시하고 있을 뿐, 대안 실행에 따른 부작용을 기준으로 대안을 분석한 것이 아니다.

오답 잡기

① 김○○은 첫 번째 발언에서 자전거 통학 과정에서 발생하는 문제의 원인으로 '우리 학교 앞은 자동차와 자전거, 그리고 학생들이 들어오는 길이 구분되어 있지 않'음을 제시하고 있다. 즉, 자전거 통학 과정에서 발생하는 문제의 원인을 도로 환경의 측면에서 분석하고 있다고 볼 수 있다.

② 손△△은 첫 번째 발언에서 자전거 통학 과정에서 발생하는 문제의 원인으로 '학생들의 자전거 운전 습관'을 제시하고 있다. 그런 뒤 '예를 들어'라고 말하며, 자전거 운전 습관의 구체적인 예로 골목에서도 속도를 줄이지 않고 거칠게 운전하는 것, 자전거를 타면서 스마트폰을 보는 것, 이어폰을 꽂은 채 자전거를 타는 것을 제시하고 있다.

③ 손△△은 두 번째 발언 '학생들의 올바른 자전거 운전 습관을 …… 실습도 해 보면 좋을 것 같습니다.'에서 안전 교육을 강화하기 위해 이미 시행되고 있는 동영상 시청 위주의 안전 교육에 더해 안전 교육 전문가를 초빙하여 실습을 해 보면 좋겠다는 해결 방안을 제시하고 있다.

④ 전□□은 세 번째 발언 '학생회에서 자전거 점검의 날을 …… 캠페인 활동을 실시하는 것도 좋지 않을까요?'에서 학생 차원에서 실천할 수 있는 해결 방안을 제시하고 있다.

6-1 전□□은 첫 번째 발언에서 김○○와 손△△의 의견에 동의한 뒤 '그 외에도 학생들이 자전거 관리를 소홀히 하는 것도 사고를 유발할 수 있다고 생각합니다.'라며 학생들의 자전거 관리 소홀을 자전거 통학 과정에서 발생하는 안전 문제의 또 다른 원인으로 제시하고 있다.

오답 잡기

③ 김○○은 두 번째 발언에서 '관련 행정 기관에 학교 진입 골목에 자전거 전용 도로를 만들어 달라고 요청하는 것도 한 방안이라고 생각합니다.'라며 도로 환경 측면에서의 해결 방안을 제시하고 있다.

④ 전□□은 네 번째 발언에서 학교 앞 진입 골목에 자전거 전용 도로를 설치하는 것이 현실적으로 가능한지를 물으며 앞서 김○○이 제시한 해결 방안의 실현 가능성을 문제 삼고 있다.

⑤ 손△△은 세 번째 발언에서 자전거 점검은 학생들의 안전 문제와 직결된다는 점을 언급하며 자전거 점검의 날을 지정하는 것이 꼭 필요하다는 점을 강조하고 있다.

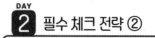

01 ⑤	02 ③	03 ③	04 ③

01~02

● 협상 참여자 체육부장, 공연부장

● 협상 주제 학교 축제 마지막 날 오후에 운동장을 사용할 동아리 결정

● 담화 핵심 내용

의제
어느 동아리가 학교 축제 마지막 날 오후에 운동장을 사용할 것인가?

▼

체육부장과 공연부장의 입장
학교 축제 마지막 날 오후에 운동장에서 자기 동아리의 행사를 진행하고자 함.

체육부장	공연부장
버스킹 공연을 운동장 외의 다른 공간에서 진행할 것을 제안함.	• 버스킹 공연의 취지를 들어 체육부장의 제안을 수용하지 않음. • 체육부와 공연부가 운동장을 동시에 사용할 것을 제안함.
안전사고 발생을 문제점으로 들어 공연부장의 제안을 수용하지 않음.	둘 중 한 행사를 방과 후에 진행할 것을 제안함.
• 선수들의 일정 조율이 어려움을 들어 축구 경기는 방과 후에 진행하기 어려움을 밝힘. • 축구 경기가 끝난 뒤 버스킹 공연을 진행하면서 동시에 온라인으로 중개할 것을 제안함. • 자신의 제안을 수용할 시 온라인 공연 준비와 진행을 적극 도울 것을 언급함.	체육부장의 제안을 수용하되, 축구 경기 개회식에서 한 팀이 버스킹 공연을 한다는 세부 조건을 제시함.

▼

합의안
• 축제 마지막 날 오후에 운동장에서 체육부의 축구 경기가 끝난 뒤 공연부가 버스킹 공연을 진행함. • 버스킹 공연은 온라인으로 동시 중개함. • 버스킹 공연을 신청한 팀 중 한 팀이 축구 경기 개회식에서 공연함. • 체육부는 공연부의 온라인 공연 준비와 진행에 적극 협조함.

01 체육부장은 네 번째 발언에서 온라인 공연 준비와 진행을 적극적으로 돕겠다고 말했을 뿐, 그 구체적인 방법을 언급하지는 않았다. 체육부장이 버스킹 공연을 온라인으로 홍보하겠다고 말한 부분은 위 협상에 나타나지 않는다.

오답 잡기

①, ②, ④ 체육부장은 네 번째 발언의 '요즘 유명 가수들은 온라인으로도 공연하던데, …… 저희가 적극 돕겠습니다.'에서 축구 경기가 끝난 뒤에 버스킹 공연을 진행하고 동시에 온라인으로 중개하자는 대안을 제시하고 있다. 또한 온라인 공연 준비와 진행을 체육부가 적극적으로 도울 것을 언급하고 있다. 이에 공연부장은 '좋습니다.'라며 이를 수용하고 있으므로, ①, ②, ④는 양측이 합의한 사항에 해당한다.

③ 공연부장이 마지막 발언에서 버스킹 공연 신청 팀 중 한 팀이 축구 경기 개회식에서 버스킹 공연을 한다는 세부 조건을 제시하자 체육부장은 이를 받아들이고 있다. 따라서 ③은 양측이 합의한 사항에 해당한다.

02 체육부장은 세 번째 발언에서, 공연부장의 제안처럼 축구 경기와 버스킹 공연을 동시에 진행할 때 나타날 수 있는 문제점으로 '운동장에 많은 학생이 몰리면서 안전사고가 발생할 수 있'음을 언급하고 있다. 이처럼 체육부장은 조정 단계에서 상대방의 제안에 따른 문제점을 언급하고 있기는 하나, 상대방의 양보를 촉구하고 있다고 볼 만한 부분은 나타나지 않는다.

[오답 잡기]
① 체육부장과 공연부장은 각각 첫 번째 발언에서 해당 동아리가 주관하는 행사를 진행하기 위해 축제 마지막 날 오후에 운동장을 사용하고 싶다는 입장을 밝히고 있다.
② 공연부장의 두 번째 발언 중 '운동장을 반으로 나누어 각 동아리의 행사를 동시에 진행하는 것은 어떨까요?'에서 확인할 수 있다.
④ 공연부장의 두 번째 발언 중 '버스킹 공연은 길거리에서 여는 공연을 의미하며 …… 취지가 있습니다.'에서 버스킹 공연과 관련된 공연부장의 관점을 확인할 수 있다. 체육부장은 이러한 관점을 고려하여 네 번째 발언에서 '온라인 공연은 방과 후에도 자유롭게 관람할 수 있고, 재학생을 포함하여 더 많은 사람이 관람할 수 있다는 점에서 버스킹 공연의 취지와도 부합'한다고 말하며 축구 경기가 끝난 뒤에 버스킹 공연을 진행하면서 동시에 온라인으로 중개하자는 대안을 제시하고 있다.
⑤ 공연부장은 마지막 발언에서, 버스킹 공연을 온라인으로 동시에 중개하자는 체육부장의 제안을 수용하여 '좋습니다.'와 같이 답하고 있다. 그런 뒤 '대신 …… 공연할 수 있게 해 주십시오.'라고 말하며, 체육부장에게 새로운 제안을 제시하고 있다. 뒤이어 체육부장이 '네, 그렇게 합시다.'라고 말하며 공연부장의 제안을 수용하고 있으므로, 체육부장과 공연부장이 상대방의 제안을 수용하여 합의를 이끌어 내고 있다고 볼 수 있다.

03~04

● 토의 참여자 사회자, 학생 1, 학생 2
● 토의 주제 학교 폭력을 근절할 대책
● 담화 핵심 내용

의제
학교 폭력을 근절할 대책은 무엇인가?

▼

문제의 원인 분석
• 가해 학생에 대한 미온적 징계
• 가해 학생에 대한 지속적인 인성 교육과 관리 소홀

▼

대안 도출
• 가해 학생에 대한 적절한 징계와 처벌 적용
• 가해 학생의 인성 교육과 관리를 담당하는 전담 교사 배치

▼

대안 평가
• 적절한 징계 조치에 앞서 징계와 처벌의 기준을 명확히 마련해 두어야 함.
• 가해 학생에 대한 인성 교육 및 관리와 함께 모든 학생을 대상으로 하여 학교 폭력의 의미와 심각성과 관련된 교육을 진행함.

▼

마무리
다음 토의에서 논의할 내용 제시

03 사회자는 두 번째 발언 '가해 학생에 대한 징계와 교육·관리 측면에서 문제의 원인을 말씀해 주셨는데요.'에서 학생 1과 학생 2의 발언을 요약·정리하고, 이어서 '지금부터는 이와 관련된 대안을 말씀해 주시기 바랍니다.'라고 말하며 다음으로 논의할 안건을 제시하고 있다. 사회자가 구체적인 대안 마련의 필요성을 제시한 것은 아니다.

[오답 잡기]
① 학생 1은 첫 번째 발언 '저는 가해 학생에 대한 미온적 징계에 …… 근절할 수 없습니다.'에서 문제의 원인을 가해 학생에 대한 징계 측면에서 분석하고 있다.
② 학생 2는 첫 번째 발언 '저는 가해 학생에 대한 인성 교육과 관리가 …… 근본적인 원인이라고 생각합니다.'에서 문제의 원인을 가해 학생에 대한 교육과 관리 측면에서 분석하고 있다.
④ 학생 1은 두 번째 발언에서 학생들이 학교 폭력에 강경한 징계와 처벌이 따른다는 점을 알게 된다면 학교 폭력이 줄어들 것이라는 예상 효과를 근거로 들어, 가해 학생에 대한 적절한 징계가 필요하다는 대안을 제시하고 있다.
⑤ 학생 2는 두 번째 발언에서 인근 학교에서 학교 폭력 전담 상담 교사를 배치한 결과 학교 폭력 사례가 감소했다는 실제 사례를 근거로 들어, 가해 학생의 인성 교육과 관리를 담당하는 전담 교사가 필요하다는 대안을 제시하고 있다.

04 [A]에서 학생 2는 가해 학생에 대한 적절한 징계가 필요하다는 학생 1의 대안을 실행하기에 앞서 징계와 처벌의 기준을 명확히 마련해 두어야 한다는 선행 조건을 언급하고 있다.

[오답 잡기]
① [A]에서 학생 1은 가해 학생에 대한 인성 교육과 관리가 필요하다는 학생 2의 의견에 동의하고 있을 뿐, 학생 2가 제시한 대안의 실현 가능성을 지적하고 있지 않다.
② [A]에서 학생 1은 자신의 경험을 언급하고 있지 않으며, 또 이를 바탕으로 징계와 처벌 강화에 대한 의견을 제시하고 있지도 않다.
④ [A]에서 학생 2는 '저 역시 가해 학생에 대한 적절한 징계 조치는 필

요하다고 생각합니다.'라고 말하며, 학생 1의 의견에 동의하고 있다. 가해 학생에 대한 징계 조치가 필요하다는 대안은 이미 학생 1이 제시한 의견이므로 새로운 해결책으로 볼 수 없다.

⑤ [A]에서 학생 2는 학생 1의 의견에 동의를 표하고 징계와 처벌의 기준을 마련해야 함을 언급하고 있다. 가해 학생을 징계함으로써 나타나는 문제점을 제시하고 있지 않으며, 또한 학생 1의 의견을 반박하고 있지도 않다.

DAY 3 필수 체크 전략 ①

48~51쪽

7 ①	**7**-1 ③	**8** ④	**8**-1 ③

대표 유형 7

● 면접 주제 '문학으로 소통하는 영화감독과의 만남' 행사의 사회자로 지원한 동기와 행사 진행을 맡기 위해 준비한 사항

● 담화 핵심 내용

> 학생이 정식 행사명을 바꾸어 말한 이유에 관한 질문과 답변
>
> ▼
>
> 사회자 모집에 지원한 동기에 관한 질문과 답변
>
> ▼
>
> 행사의 사회를 맡기 위한 준비에 관한 질문과 답변
>
> ▼
>
> 영화감독과 인터뷰를 하게 되었을 때
> 영화감독에게 묻고 싶은 내용에 관한 질문과 답변
>
> ▼
>
> 행사 진행을 위한 추가적인 계획에 관한 질문과 답변

7 교사는 두 번째 발언 '학생들에게 흥미를 불러일으키기 위해 행사 이름을 새롭게 지었다는 것이군요.'에서 앞서 학생이 답변한 내용을 요약한 뒤, '좋은 생각입니다.'라고 말하며 이를 긍정적으로 평가하고 있다. 또한 마지막 발언 '인터뷰 내용 준비와 행사 홍보를 한꺼번에 할

계획이란 말씀이군요.'에서 학생이 답변한 내용을 요약한 뒤, '행사를 위해 고민한 점이 돋보이네요.'라고 말하며 이를 긍정적으로 평가하고 있다.

오답 잡기

⑤ 위 면접에서 교사는 학생이 행사를 진행할 사회자로서 적합한지 평가하기 위한 질문을 하고 있을 뿐, 학생의 답변 중 모호한 내용과 관련하여 설명을 요구하지는 않았다.

7-1 학생은 네 번째 발언에서 이번 행사의 사회를 맡기 위한 준비로 감독의 작품 세계를 이해하기 위해 감독과 관련된 다큐멘터리를 보고 감독의 영화를 소개한 기사를 찾아 읽었다고 말하고 있을 뿐, 수집한 자료의 장단점을 언급하며 자신의 견해를 드러내고 있지 않다.

오답 잡기

① 학생은 세 번째 발언에서 장래 희망이 문화부 기자라는 점과 연관 지어 이번 행사가 실제로 문화계 인사를 만나 인터뷰할 수 있는 좋은 기회라고 생각하여 사회자 모집 면접에 지원했음을 밝히고 있다.

② 학생은 마지막 발언에서 학생들이 행사에 더 집중할 수 있도록 메모판을 만들어 학생들의 질문을 받은 후, 그 내용을 인터뷰 대본에 넣겠다는 계획을 밝히고 있다.

④ 학생의 네 번째 발언에서 확인할 수 있다.

⑤ 학생은 첫 번째 발언에서 행사의 제목을 '문학이 좋다, 영화가 좋다'로 바꾸어 말했다. 그런 뒤 두 번째 발언에서, 지난 학기에 행사 제목만 보고 교내 인문학 특강 신청을 망설였던 경험을 들어 행사 이름을 바꾸어 말한 이유를 설명하고 있다.

대표 유형 8

● 토론 주제 SNS를 활용한 선거 운동 도입에 관한 찬반 논의

● 담화 핵심 내용

논제
SNS를 활용한 선거 운동을 도입해야 한다.

▼

찬성 1의 입론	선거에 대한 관심을 확대할 수 있도록 SNS 선거 운동을 도입해야 함.
반대 2의 반대 신문	SNS를 사용하지 않는 학생들이 상대적으로 소외감을 느끼지 않을지 질문함.
찬성 1의 답변	SNS를 사용하지 않는 학생들은 참여가 어려울 수 있지만, 전체적으로는 학생들의 관심도를 높일 수 있음.

▼

반대 1의 입론	SNS 선거 운동과 기존의 선거 운동을 함께 준비하려면 시간과 노력이 더 많이 들어 부담이 될 수 있음.
찬성 1의 반대 신문	간단한 소통을 위주로 하는 SNS 선거 운동이 많은 부담이 될지 질문함.
반대 1의 답변	SNS상에서의 소통은 연속적이고 실시간으로 이루어지므로, SNS 선거 운동은 부담이 될 수 있음.

▼

찬성 2의 입론	SNS 선거 운동을 실시하면 후보자와 학생들이 더욱 활발하게 소통할 수 있음.

반대 1의 반대 신문	주로 자신의 견해를 짧게 표현하는 SNS상에서 질 높은 의사 소통을 할 수 있을지 질문함.
찬성 2의 답변	서로 질문과 답변을 올리는 과정에서 의사소통의 질을 높일 수 있음.

▼

반대 2의 입론	SNS 선거 운동은 후보 간의 과열 경쟁, 비방과 거짓 정보 확 산 등의 역기능을 불러올 수 있음. 또한 이를 학교 차원에서 규제하기 어려움.

8 반대 2는 입론에서 선거 운동에서 SNS를 활용하면 비방과 거짓 정보의 확산이라는 역기능이 나타날 수 있다고 주장하고 있다. ④는 이와 관련하여 상대 후보에 대한 비방과 거짓 정보 확산이 SNS만의 문제라고 말할 수 있는지 물으며 반대 2가 제시한 입론의 논리적 허점을 지적하고 있으므로, ㉠에 들어갈 발언으로 적절하다.

오답 잡기

① SNS에서의 비방과 거짓 정보가 확산되는 것을 규제하기 어렵다는 것은 반대 2가 입론에서 제시한 내용이다. ㉠에는 반대 2의 입론을 반박하는 내용이 들어가야 한다.

② 비방과 거짓 정보에 대한 규제와 SNS에 의한 과열 경쟁 규제의 필요성은 모두 반대 2의 입론과 관련된 내용이다.

③ 기존 선거 운동 방식에서보다 SNS에서 거짓 정보의 파급력이 더 크다는 것은 반대 2의 입론을 뒷받침할 수 있는 내용이다.

⑤ 반대 2는 입론에서 비방과 거짓 정보에 대한 의식 개선과 관련된 내용을 언급하지 않았으므로, ⑤는 반대 2의 입론에 대한 반대 신문 내용으로 적절하지 않다.

8-1 찬성 2는 입론에서 선거에 SNS를 활용한다면 후보자와 학생들 간의 소통이 더욱 활발해질 수 있다고 주장하고 있다. 〈보기〉에서 반대 1은 SNS를 활용하지 않은 기존의 선거 운동에서도 후보자와 학생들이 자유롭고 활발하게 소통할 수 있었음을 제시하고, SNS를 활용한 선거 운동 도입의 필요성을 질문하며 찬성 2의 주장을 반박하고 있다. ③은 시간과 공간의 제약이 적은 SNS의 특성을 들어 SNS를 활용하면 후보자와 학생들이 더 자유롭게 소통할 수 있다고 답하며 SNS를 활용한 선거 운동의 필요성을 제시하고 있으므로, 찬성 2의 답변으로 적절하다.

오답 잡기

① 〈보기〉에 SNS의 부작용에 관한 내용은 나타나지 않는다.

② 〈보기〉에 SNS를 사용하지 않는 학생들의 상대적 박탈감에 관한 내용은 나타나지 않는다. 또한 SNS를 사용하지 않는 학생들의 상대적 박탈감을 강조하는 것은 찬성 측의 주장에서 벗어난 내용이다.

④ 〈보기〉에 SNS를 통한 소통과 관련하여 후보자와 학생들이 느끼는 부담에 관한 내용은 나타나지 않는다.

⑤ 〈보기〉에 SNS를 활용한 선거 운동과 의사소통 질의 관계에 관한 내용은 나타나지 않는다. 또한 찬성 2는 두 번째 발언에서 SNS를 활용한 의사소통 과정에서 오히려 소통의 질을 높일 수 있다고 이야기하고 있으므로, ⑤는 찬성 2의 주장과도 거리가 멀다.

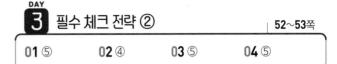

01 ⑤	**02** ④	**03** ⑤	**04** ⑤

01~02

● 면접 참여자 선생님, 학생

● 면접 주제 국어국문학과에 지원한 동기와 이와 관련하여 고등학교 때 수행한 활동, 전공과 관련된 향후 계획

● 담화 핵심 내용

국어국문학과에 지원한 동기에 관한 질문과 답변

▼

학생의 흥미와 관련하여 고등학교 때 수행한 활동에 관한 질문과 답변

▼

학급 반장으로 활동할 당시 기억에 남는 일에 관한 질문과 답변

▼

봉사 활동을 하면서 느낀 점에 관한 질문과 답변

▼

전공과 관련하여 앞으로 하고 싶은 일에 관한 질문과 답변

01 위 모의 면접에 학생이 선생님의 질문 내용을 요약한 부분은 나타나지 않는다. 또한 이를 통해 자신이 질문 내용을 제대로 이해했는지 확인하고 있지도 않다.

오답 잡기

① 학생은 첫 번째 발언에서 한국 무속 신화에 대한 자신의 흥미와 관련지어 국어국문학과에 지원한 동기를 제시하고 있다.

② 학생은 마지막 발언 '한국 신화 속 캐릭터들이 별처럼 빛나는 그날을 제가 꼭 만들겠습니다.'에서 '한국 신화 속 캐릭터'를 '별'에 비유하여 자신의 포부와 향후 계획을 드러내고 있다.

③ 학생은 두 번째 발언에서 한국 무속 신화를 탐구하는 동아리를 만들어 활동한 경험을, 세 번째 발언에서 학급 반장으로 활동한 경험을 중심으로 하여 고등학교 때 자신이 수행한 활동을 설명하고 있다.

④ 학생은 마지막 발언에서 최근 인기를 끌고 있는 영화 중에는 북유럽 신화를 바탕으로 한 작품이 많다는 경향을 언급하고, '이는 신화가 …… 보여 주는 사례라고 생각합니다.'와 같이 말하여 신화와 관련된 자신의 견해를 제시하고 있다.

02 〈보기〉에는 학생이 봉사 활동을 하며 즐거움을 느끼고, 자신이 부모님께 받은 사랑을 아이들에게 나누어 줄 수 있어 매우 보람 있었다는 내용이 나타나 있다. ㉠과 비교할 때 〈보기〉에는 봉사 활동을 통해 느낀 점이 구체적으로 제시되어 있으므로, 선생님이 ④와 같이 조언했음을 추론할 수 있다.

오답 잡기

① 〈보기〉에 봉사 활동과 관련한 향후 계획은 나타나지 않는다.

② 〈보기〉에 봉사 활동을 하게 된 이유는 나타나지 않는다.

③ 〈보기〉에서 봉사 활동을 하기 전 학생의 모습은 알 수 없으며, 봉사 활동 전후의 차이 역시 확인할 수 없다.

⑤ 〈보기〉에는 학생 개인이 봉사 활동을 하며 느낀 점이 나타나 있을 뿐, 개인적·사회적 차원에서 봉사 활동의 가치를 언급한 부분은 나타나지 않는다.

비유법

어떤 대상을 직접 설명하지 않고 그와 비슷한 다른 대상에 빗대어 표현하는 방법. 이때 표현하고자 하는 대상을 원관념, 빗대기 위해 사용한 대상을 보조 관념이라고 한다.

비유법의 대표적인 종류

직유법	'~처럼', '~같이', '~듯이' 등의 표현을 사용하여 원관념을 보조 관념에 직접 빗대어 표현하는 방법
은유법	'A는 B이다'와 같은 형식으로 원관념과 보조 관념이 동일한 것처럼 표현하는 방법
의인법	동식물, 사물, 추상적인 개념 등 사람이 아닌 대상을 사람처럼 표현하는 방법

03~04

● 토론 참여자 사회자, 찬성 측 토론자 1, 반대 측 토론자 2

● 토론 주제 수술실 내 시시 티브이 설치에 관한 찬반 논의

● 담화 핵심 내용

논제
수술실 내 시시 티브이 설치는 필요하다.

▼

찬성 1의 입론	[주장] 수술실 내 시시 티브이 설치는 반드시 필요함. [근거] • 대리 수술과 수술실 내 성범죄 등을 예방할 수 있음. • 의료 사고에 따른 분쟁 발생 시 환자의 권익을 보호할 수 있음.

▼

반대 2의 반대 신문	대리 수술 발생률은 매우 낮음.	의료 행위 감시 때문에 의사가 의료 행위에 적극적으로 임할 수 없음.
찬성 1의 답변	• 실제 대리 수술 사례는 훨씬 많을 것임. • 환자의 생명과 권리를 고려할 때, 대리 수술은 매우 중대한 문제임.	소극적 의료 행위 가능성은 인정하나, 수술실 내 시시 티브이 설치는 고위험 수술을 하는 의사에게도 도움이 될 수 있음.

03 반대 2는 첫 번째 발언에서 2013년부터 2018년까지 적발된 대리 수술 건수가 112건으로, 그 발생률은 0.001%에 불과하다는 통계 자료를 제시하며 대리 수술 발생 빈도가 높지 않음을 언급하고 있다. 반대 2는 찬성 1이 입론에서 제시한 근거가 사실과 일치하지 않음을 지적한 것이 아니다.

오답 잡기

① 사회자는 첫 번째 발언에서 '수술실 내 시시 티브이 설치는 필요하다.'라는 논제를 제시하고 있다. 그런 뒤 '먼저 찬성 측에서 입론하신 후 반대 측에서 반대 신문해 주십시오.'와 같이 발언 순서를 제시하며 토론을 시작하고 있다.

② 사회자는 첫 번째 발언의 '수술실 내 시시 티브이 설치 의무화 법안이 국회를 통과했지만, 여전히 이를 두고 날선 공방이 이어지고 있습니다.'에서 토론 주제와 관련된 최근의 상황을 제시하며 토론의 배경을 밝히고 있다.

③ 찬성 1은 입론의 '실제로 2018년에 한 정형외과에서 …… 대리 수술을 감시하고 예방할 수 있었을 것입니다.'에서 실제 대리 수술 사례를 근거로 제시하며 수술실 내 시시 티브이를 설치해야 한다는 주장을 뒷받침하고 있다.

④ 찬성 1은 입론의 '따라서 대리 수술과 성범죄 예방 …… 꼭 필요하다고 생각합니다.'에서 입론의 주요 내용을 정리하며 입론을 마무리하고 있다.

04 찬성 1은 ㉠에 대한 답변의 첫 부분에서 수술실 내 시시 티브이 때문에 부담을 느낀 의사가 의료 행위에 소극적으로 임할 수 있다는 점을 인정하고 있다. 따라서 반대 2가 ㉠에서 수술실 내 시시 티브이를 설치하면 의사가 의료 행위 감시에 부담을 느껴 환자를 적극적으로 치료할 수 없다는 내용의 발언을 했을 것으로 추측할 수 있다.

오답 잡기

①, ② 찬성 1의 답변에 수술실 내 시시 티브이 설치 비용과 수술실 내 시시 티브이 설치를 병원 측의 자율적 선택에 맡기는 것과 관련된 내용은 나타나지 않는다.

③ 대리 수술과 관련된 논의는 찬성 1의 입론과 반대 2의 반대 신문, 그리고 그에 대한 찬성 1의 답변에 제시되어 있다. ㉠에 대한 찬성 1의 답변에는 대리 수술과 관련된 내용이 나타나지 않으므로, ③은 ㉠에 들어갈 내용으로 적절하지 않다.

④ 수술실에 시시 티브이를 설치하여 환자들이 의사를 폭행하는 상황을 미연에 방지할 수 있다는 것은 시시 티브이 설치를 찬성하는 내용이므로 반대 측 입장에서 벗어난 내용이다.

01~03

- 인터뷰 참여자 학생, 선배
- 인터뷰 주제 '사운드 디자이너'라는 직업 소개
- 담화 핵심 내용

사운드 디자이너가 하는 일에 관한 질문과 답변
▼
사운드 디자이너가 소리를 만드는 방법에 관한 질문과 답변
▼
사운드 디자이너가 되기 위해 준비해야 할 점에 관한 질문과 답변
▼
사운드 디자이너라는 직업의 전망에 관한 질문과 답변

01 ⓛ에서 학생은 선배가 들려준 소리를 듣고 컴퓨터를 켰을 때 나는 소리 같다고 말하고 있다. 이는 특정한 소리를 듣고 자연스럽게 떠오른 생각을 말한 것일 뿐, 선배가 언급한 정보를 바탕으로 다음 내용을 예측한 것은 아니다.

오답 잡기

① ㉠에서 학생은 사운드 디자이너라는 직업을 소개하고자 선배를 인터뷰하게 되었다는 목적을 밝히며 인터뷰를 시작하고 있다.
③ ㉢에서 학생은 '결국 제품의 소리가 제품의 이미지를 형성하기 때문에 사운드 디자인이 중요한 것이군요.'와 같이 선배의 말을 요약한 뒤, '제 말이 맞나요?'라고 말하며 자신이 이해한 바가 맞는지 확인하고 있다.
④ ㉣에서 학생은 앞에서 선배가 언급한 가짜 엔진 소리의 필요성에 의문을 느껴 '그건 왜 필요한지 말씀해 주세요.'와 같이 말하며 선배에게 그와 관련된 설명을 요청하고 있다.
⑤ ㉤에서 학생은 물음의 형식을 활용하여 선배에게 사운드 디자이너라는 직업의 전망을 설명해 줄 것을 요구하고 있다.

02 선배는 ⓐ에 대한 답변으로 사운드 디자이너는 '공학적인 지식과 함께 음향이나 음악에 대해 잘 알고 있어야' 한다고 말하고 있다. 이는 사운드 디자이너가 되기 위해 준비해야 할 점에 해당하므로 학생은 ⑤와 같은 질문을 했을 것으로 짐작할 수 있다.

오답 잡기

①, ②, ④ 선배의 답변에 사운드 디자이너의 매력이나 고충, 사운드 디자이너에 대한 사회적 인식과 관련된 내용은 나타나지 않는다.
③ 선배의 답변 중 '사운드 디자이너는 소리를 만드는 일을 하기 때문에'에서 사운드 디자이너가 주로 하는 일을 알 수 있다. 하지만 이어지는 내용인 '공학적인 지식과 함께 …… 알고 있어야 합니다.'로 보아, 답변의 주된 내용은 사운드 디자이너가 되기 위해 준비해야 할 점이라는 것을 알 수 있다.

03 [A]에서 선배는 '방금 전에 소리를 들었을 때 뭐가 제일 먼저 떠올랐나요? 그 소리가 나는 제품이 자연스럽게 떠오르지 않았나요?'라고 말하며 학생의 경험을 환기하고 있다. 그리고 이를 통해 특정 소리를 반복해서 듣다 보면 기억 속에 소리가 각인되어 해당 제품의 이미지로 남게 된다는 내용을 설명하여 소리와 제품 이미지에 관한 청자의 이해를 돕고 있다.

오답 잡기

① [A]에 전문가의 견해를 인용한 부분은 나타나지 않는다.
③ 비언어적 표현이란 언어적 표현과 준언어적 표현 이외의 방법으로 의미를 표현하는 방법으로, 말하는 이의 시선, 얼굴 표정, 동작, 자세, 신체 접촉 등을 가리킨다. [A]에 선배가 비언어적 표현을 사용한 부분은 나타나지 않는다.
④ 일화란 세상에 널리 알려지지 아니한 흥미 있는 이야기로, [A]에 대상과 관련된 일화는 나타나지 않는다.
⑤ [A]에서 선배는 학생에게 '방금 전에 …… 자연스럽게 떠오르지 않았나요?'라고 말하며 학생의 방금 전 경험에 대해 언급하고 있는데, 이를 학생에게 기대하는 바로 보기는 어렵다.

04~06

- 토론 참여자 사회자, 찬성 측 토론자 1·2, 반대 측 토론자 1·2
- 토론 주제 학교 산책로의 쓰레기통 설치에 관한 찬반 논의
- 담화 핵심 내용

논제
학교 산책로에 쓰레기통을 설치해야 한다.
▼

찬성 1의 입론	[주장] 학교 산책로에 쓰레기통을 설치해야 함. [근거] • 교내 설문 조사 결과 1: 학교 산책로에 쓰레기를 버릴 곳이 없어 불편하다는 의견이 많음. • 교내 설문 조사 결과 2: 산책로를 잘 이용하지 않는다는 많은 학생 중 80% 정도가 산책로에 쓰레기가 지저분하게 버려져 있기 때문이라고 응답함.
반대 1의 입론	[주장] 학교 산책로에 쓰레기통을 설치하는 것을 반대함. [근거] • 인근 ○○고등학교의 사례: 학생 쉼터에 쓰레기통을 설치했으나, 쓰레기와 쓰레기통 주변이 깨끗하게 관리되지 않음. • 산책로에 쓰레기통을 설치한다면 쓰레기통을 관리해야 하는 학생들에게 부담이 될 것임.
반대 2의 반론	[찬성 1의 입론에 대한 반박] • 산책로 옆 매점 쓰레기통을 이용할 수 있음. • 학생들이 학교 산책로에 쓰레기를 함부로 버리는 문제 상황의 근본적인 원인은 학생들의 잘못된 인식과 습관에 있으므로, 쓰레기통을 설치해도 문제가 해결되지 않을 것임.
찬성 2의 반론	[반대 1의 입론에 대한 반박] • 인근 ○○고등학교의 사례를 우리 학교의 상황에 적용할 수 없음. • 일반 쓰레기통과 재활용 쓰레기통 설치, 학급별 순번제 관리 시스템 도입으로 쓰레기통을 설치하여 발생하는 문제를 해결할 수 있음.

04 반대 1은 입론에서 '산책로 쓰레기통까지 관리해야 한다면 그것을 담당할 학생들에게 부담이 될 것'이라고 말하고 있으며, 찬성 2는 반론에서 '학급별 순번제 관리 시스템을 도입한다면 관리에 대한 부담을 줄일 수 있다'고 말하고 있다. 즉 반대 1과 찬성 2는 쓰레기통을 관리하는 문제로 학생들이 부담을 느낄 수 있다는 점을 공통으로 인정하고 있음을 알 수 있다.

오답 잡기

① 위 토론에 인근 학교의 쓰레기통 관리 시스템을 도입해야 한다는 내용은 나타나지 않는다.

③ 찬성 2의 반론에 '학급별 순번제 관리 시스템을 도입한다면 …… 학생들이 주인 의식을 기를 수 있다'는 내용이 제시되어 있기는 하나, 반대 1의 입론에서는 이와 관련된 내용을 확인할 수 없다.

④ 찬성 2는 반론에서 일반 쓰레기통을 재활용 쓰레기통과 함께 설치하면 인근 ○○고등학교와 같은 부작용을 최소화할 수 있다고 말하고 있다. 반대 1은 입론에서 ○○고등학교에서 쓰레기통 설치로 생긴 문제를 근거로 쓰레기통 설치를 반대하고 있을 뿐, 일반 쓰레기통과 재활용 쓰레기통을 함께 설치해야 함을 인정한 것은 아니다.

⑤ 학교 산책로를 이용하는 학생들은 매점에 있는 쓰레기통을 사용하면 된다는 것은 반대 2가 반론에서 언급한 내용이다. 반대 1과 찬성 2의 발언에서는 이와 관련된 내용을 확인할 수 없다.

05 반대 1은 입론에서 자신의 경험이 아니라 인근 ○○고등학교의 사례를 근거로 제시하여 학교 산책로에 쓰레기통을 설치하는 것을 반대하고 있다.

오답 잡기

① 사회자는 첫 번째 발언에서 최근 학생들이 학교 산책로에 쓰레기를 함부로 버려 문제가 되고 있다는 상황을 토론의 배경으로 제시하고 있다. 그런 뒤 '학교 산책로에 쓰레기통을 설치해야 한다.'라는 논제를 제시하며 토론을 시작하고 있다.

② 찬성 1은 학교 산책로에 쓰레기를 버릴 곳이 없어 불편하다는 의견이 많았으며, 학교 산책로를 잘 이용하지 않는다는 학생 중 80% 정도가 쓰레기가 지저분하게 버려져 있기 때문이라고 응답했다는 교내 설문 조사 결과를 근거로 들어 자신의 주장을 뒷받침하고 있다.

④ 반대 2는 학교 산책로에 쓰레기통을 설치해도 학생들이 잘못된 인식과 습관을 개선하지 않는다면 산책로가 깨끗해지지 않을 것이라고 말하고 있다.

⑤ 찬성 2는 학생 쉼터에 쓰레기통을 설치했음에도 문제가 발생한 인근 ○○고등학교의 상황이 우리 학교에서 똑같이 발생할 것이라고 볼 수 있는지 물으며, ○○고등학교는 재활용 쓰레기통을 설치하지 않고 일반 쓰레기통만 설치하여 문제가 되었음을 밝히고 있다.

06 반대 2는 학생들이 학교 산책로에 쓰레기를 함부로 버리는 문제를 해결하기 위한 대안으로 쓰레기 되가져 가기 캠페인 실시를 제시하고 있다. 찬성 2는 산책로에 쓰레기통을 설치함에 따라 발생할 수 있는 문제를 해결하기 위한 대안으로 일반 쓰레기통과 재활용 쓰레기통의 설치와 학급별 순번제 관리 시스템 도입을 제시하고 있다.

오답 잡기

① 반대 2는 학교 산책로에 쓰레기를 함부로 버리는 문제 상황의 원인으로 '학생들의 잘못된 인식과 습관'을 제시하고 있을 뿐, 그 원인을 다양한 관점에서 분석하고 있다고 보기는 어렵다.

② 찬성 2는 찬성 측 주장에 따라 학교 산책로에 쓰레기통을 설치했을 때 발생할 수 있는 문제를 해결하기 위한 대안을 제시하여 반대 1의 입론을 반박하고 있다. 반대 측 주장이 받아들여질 때 예상되는 문제점을 지적하고 있지 않다.

③ 반대 2와 찬성 2 모두 논제와 관련된 전문가의 견해를 인용하지 않았다.

⑤ 반대 2는 물음의 형식을 활용하지 않았다. 찬성 2는 '○○고등학교에서 쓰레기통 설치로 문제가 생겼다고 해서 우리 학교에서도 동일한 상황이 벌어진다고 볼 수 있을까요?'와 같이 물음의 형식을 활용하여 인근 ○○고등학교의 사례를 우리 학교 상황에 적용할 수 없음을 강조하고 있을 뿐, 반대 측 발언의 의도를 확인한 것은 아니다.

07~09

● 토의 참여자 환경 동아리 '자연 사랑'의 부장과 부원들

● 토의 주제 올해 '자연 사랑' 환경 동아리에서 수행할 활동 선정

● 담화 핵심 내용

의제
올해 '자연 사랑' 환경 동아리에서 어떤 활동을 할 것인가?

대안 제시
• 부원 1: 환경과 관련된 공부를 할 수 있는 교내 독서 활동 • 부원 2: 환경 문제에 대한 관심을 높일 수 있는 교내 텃밭 가꾸기 활동

대안 평가	
환경과 관련된 독서 활동	• 부원 3: 독서 활동이 동아리의 목적에 부합하지 않음을 지적하며 쓰레기 줍기와 같은 활동을 제안함. • 부원 4: 독서 활동을 할 때 발생할 수 있는 문제점을 제기하며 독서 활동은 개인이 자율적으로 하는 것이 적합하다는 의견을 제시함.
텃밭 가꾸기 활동	• 부원 3: 공터를 텃밭으로 가꾸기 위해 해야 할 일을 질문함. • 부원 4: 텃밭 가꾸기 활동을 하며 배울 수 있는 점을 질문함.

07 위 토의에 토의 주제에서 벗어난 발언을 하는 참여자가 없으며, 사회자인 부장이 토의 과정에서 그러한 발언을 바로잡는 부분 역시 나타나지 않는다.

오답 잡기

① 부장은 첫 번째 발언에서 '매년 동아리 첫 시간에 그해 어떤 활동을 할지 토의'한다며 토의 배경을 밝히고 있다. 그런 뒤 '올해는 어떤 활동이 좋을지에 대해 논의해 봅시다.'에서 '올해의 동아리 활동'이라는 토의 주제를 제시하며 토의를 시작하고 있다.

② 부장은 첫 번째 발언에서 '먼저 활동에 대한 제안을 들은 후 부원

들의 질의를 받고, 투표를 통해 활동을 정하'겠다며 토의의 절차를 안내하고 있다.

③ 부장은 두 번째 발언의 '독서를 통해 환경 관련 공부를 하자는 의견과 운동장 옆 공터를 텃밭으로 가꾸자는 의견이 나왔습니다'에서 부원 1과 부원 2가 앞서 발언한 내용을 정리하고 있다.

④ 부장은 두 번째 발언에서 토의 참여자들에게 '다른 의견 없으십니까?'라고 물으며 올해의 동아리 활동에 대한 다른 제안이 있는지 확인하고 있다.

08 [D]에서 부원 1은 '독서가 동아리의 목적과 다소 거리가 있다는 점은 저도 인정합니다.'라고 말하며 부원 3의 의견을 일부 인정하고 있다. 그러나 뒤이어 독서 활동으로 환경에 대해 아는 것도 의미 있는 일임을 언급하고 있으므로 올해의 동아리 활동으로 교내 독서 활동을 제안한 자신의 의견을 수정한 것은 아니다.

오답 잡기

① [A]에서 부원 1은 작년에는 동아리 활동을 하기 위해서 학교 밖으로 먼 거리를 이동해야 했으며, 그만큼 실제로 활동할 수 있었던 시간도 부족했다는 문제점을 제기하고 있다. 그런 뒤 올해의 동아리 활동으로 환경과 관련된 공부를 할 수 있는 교내 독서 활동을 제안하고 있다.

② [B]에서 부원 2는 천연 비료를 사용하여 텃밭을 가꾸면 환경 문제와 관련된 관심을 높일 수 있다는 점과 학교도 깨끗해질 수 있다는 긍정적 기대 효과를 근거로 들어 학교 운동장 옆 공터를 텃밭으로 가꾸는 활동을 제안하고 있다.

③ [C]에서 부원 3은 동아리가 '우리가 직접 참여하고, 실천하는 환경 관련 활동'을 목적으로 만들어졌다는 점을 근거로 하여, 부원 1이 제안한 교내 독서 활동이 적절한지 의문을 제기하고 있다.

⑤ [E]에서 부원 4는 부원 1이 제안한 독서 활동을 할 때 부원마다 읽고 싶은 책과 읽는 속도가 달라서 같은 책을 동시에 읽기 어렵다는 문제점을 제기하며 이를 해결할 방법이 있는지 묻고 있다.

09 부원 2가 찾은 자료에서 환경 운동가는 텃밭을 가꾸기 위해서는 학생들이 책임감 있게 행동하고 다른 친구들과 협력해야 하며, 이 과정에서 많은 것을 배울 수 있다고 말했다. 이를 참고할 때, 텃밭 가꾸기 활동을 통해 배울 수 있는 점을 묻는 부원 4의 질문에 대한 답변으로 가장 적절한 내용은 ④이다.

오답 잡기

①, ⑤ 부원 2가 찾은 자료에 독립심과 주변 환경의 중요성에 관한 내용은 나타나지 않는다.

② 부원 2가 찾은 자료를 통해 텃밭을 가꾸는 과정에서 책임감과 협동심을 기를 수 있음을 알 수 있다. 그러나 공터를 텃밭으로 가꾸기 위해 교장 선생님께 허락을 받는 과정에서 책임감을 배울 수 있다는 내용은 자료의 내용과 관련 없다.

③ 부원 2는 첫 번째 발언에서 화학 비료 대신 천연 비료를 만들어 사용한다면 환경 문제와 관련된 관심을 높일 수 있다고 말하고 있다. 하지만 이는 부원 2가 찾은 자료의 내용과 관련 없으며, ⊙에 들어갈 내용으로도 적절하지 않다.

01~02

가 ● 토론 참여자 사회자, 찬성 측 토론자 1·2, 반대 측 토론자 1·2

● 토론 주제 질병 치료를 목적으로 하는 인간 배아의 유전자 편집 기술 허용에 관한 찬반 논의

● 담화 핵심 내용

논제
질병 치료를 목적으로 하는 인간 배아의 유전자 편집 기술은 허용해야 한다.

찬성 1의 입론	[주장] 인간 배아의 유전자 편집 기술은 허용해야 함. [근거] • 유전자 때문에 발생하는 질병에서 해방될 것임. • 질병에 따른 사회 경제적 비용을 감소시켜 사회 전체의 이익을 증진할 수 있음. • 인간 배아의 유전자 편집 기술은 생명 과학 연구를 더욱 발전시키는 바탕이 될 것임.
반대 2의 반대 신문	질병에 따른 사회 경제적 비용이 140조 원을 넘는다는 자료와 관련하여, 140조 원이 모두 유전자와 관련된 질병 때문에 발생한 비용이 아니라면 해당 자료는 근거로 적합하지 않음.
반대 1의 입론	[주장] 인간 배아의 유전자 편집 기술은 허용해서는 안 됨. [근거] • 인간 배아의 유전자 편집 기술은 아직까지 안전성이 확인되지 않았음. • 사회적 불평등이 심화될 수 있음. • 인간 배아의 유전자 편집 기술은 윤리적 문제에서 자유로울 수 없음.
찬성 2의 반대 신문	기술이 발전하여 유전자 편집 기술을 사용하는 데 드는 비용을 낮출 수 있다면, 많은 사람이 그 혜택을 누릴 수 있음.

나 ● 글의 종류 성찰하는 글

● 글쓰기 목적 인간 배아의 유전자 편집 기술에 대한 성찰과 생각 변화 표현

● 지문 핵심 내용

1문단	유전병을 앓는 소년을 주인공으로 하는 소설을 본 경험
2문단	유전자 편집 기술을 허용하는 것에 찬성했던 과거의 입장
3문단	토론을 통해 알게 된 사실과 유전자 편집 기술 허용과 관련된 생각 변화
4문단	과학 기술 발전과 관련하여 우리가 지녀야 할 비판적 태도

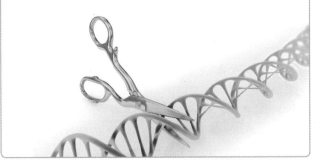

01 찬성 1은 입론에서 인간 배아의 유전자 편집 기술은 허용해야 한다는 주장의 두 번째 근거로, 유전자 편집 기술에 필요한 사회 경제적 비용이 아니라 질병에 따른 사회 경제적 비용을 감소시켜 사회 전체의 이익을 증진할 수 있음을 제시하고 있다. ②와 같은 내용은 위 토론에 나타나지 않는다.

오답 잡기

① 찬성 1은 입론의 '첫째, 유전자로 인한 질병으로부터 …… 극복할 수 있을 것입니다.'에서 인간 배아의 유전자 편집 기술을 허용하면 현재 이루어지고 있는 유전자 치료의 한계를 극복하여 유전자 때문에 발생하는 질병에서 벗어날 수 있음을 제시하고 있다.

③ 찬성 1의 입론 중 '셋째, 이 기술은 생명 과학 연구를 더욱 발전시키는 토대가 될 것입니다.'에서 확인할 수 있다.

④ 반대 1은 입론의 '첫째, 인간 배아의 유전자를 편집하는 기술은 …… 영향을 미칠 위험성이 있습니다.'에서 인간 배아의 유전자 편집 기술은 아직까지 안전성이 확인되지 않아 예상치 못한 유전자 변형 문제를 불러올 수 있으며, 그 영향이 미래 세대에게까지 이어질 수 있음을 제시하고 있다.

⑤ 반대 1의 입론 중 '둘째, 사회적 불평등이 심화될 수 있습니다. …… 소수의 사람만이 기술의 혜택을 받게 될 것입니다.'에서 확인할 수 있다.

02 (나)의 2문단 중 '나는 유전자 편집 기술이 …… 비판하는 입장에 대해 동의하기 어려웠다.'에는 유전자 편집 기술을 허용하는 것에 찬성했던 학생의 과거 생각이 드러나 있다. 그리고 그 이유를 '유전자 편집 기술을 잘 활용하면 유전병 치료의 한계를 극복할 수 있다고 생각했기 때문'이라고 밝히고 있다. 따라서 ②의 '유전자 편집 기술 허용을 찬성하는 입장에 동의할 수 없었던'은 유전자 편집 기술 허용에 대한 학생의 과거 입장과 일치하지 않으며, ②와 같은 글쓰기 계획은 (나)에 반영되지 않았다.

오답 잡기

① 1문단에서 유전병을 앓는 소년을 주인공으로 하는 소설을 본 경험과 토론에서 들은 인간 배아의 유전자 편집 기술을 관련짓고 있다.

③ '유추'란 두 대상이 여러 면에서 비슷하다는 것을 근거로 다른 속성도 유사할 것이라고 추론하는 일로, 서로 비슷한 점을 비교하여 하나의 사물에서 다른 사물로 추리한다. 2문단에서는 베르누이의 법칙을 이용해 만든 비행기가 먼 거리 이동의 한계를 극복했다는 점에 기초하여 유전자 편집 기술도 유전병 치료의 한계를 극복할 수 있는 기술이라고 생각했던 학생의 과거 입장을 제시하고 있다. 2문단에서는 이러한 유추의 방식을 통해 유전자 편집 기술을 활용해야 하는 필요성을 설명하고 있다.

④ 3문단의 '유전자 편집 기술은 아직 …… 사실을 알게 되었기 때문이다.'에서 학생이 토론을 통해 새롭게 알게 된 사실을 언급하고 있다. 그리고 '유전자 편집 기술이 …… 생각을 하게 되었다.'에서 유전자 편집 기술과 관련하여 학생의 변화된 생각을 서술하고 있다.

⑤ 4문단의 마지막 문장 중 '무조건 과학 기술을 찬양하는 것이 아니라'에서 우리가 경계해야 할 태도를 제시하고 있다.

가 ● 글의 종류 건의문

● 예상 독자 우리 시의 시장

● 글쓰기 목적 우리 시의 버스 정보 안내 단말기와 관련된 건의

● 지문 핵심 내용

1문단	인사말, 자기소개, 글을 쓴 목적
2문단	문제 상황
	• 우리 시는 버스 정보 안내 단말기의 설치율이 낮아 많은 시민이 버스를 이용하는 데 불편을 겪음. • 이미 설치된 버스 정보 안내 단말기의 화면이 손상되거나 작동이 멈춰 있는 경우가 많음. • 버스 정보 안내 단말기가 시각 정보만 제공하여 교통 약자층이 어려움을 겪음.
3문단	요구 사항 구체화
	• 버스 정보 안내 단말기의 설치율 높이기. • 버스 정보 안내 단말기의 점검과 수리 • 버스 정보 안내 단말기에 음성 정보 안내 서비스를 비롯한 다양한 기능 추가
4문단	기대 효과
	시민들의 편의와 복지가 크게 향상될 것임.

나 ● 담화 유형 회의

● 담화 참여자 학생 1, 학생 2, 학생 3

● 담화의 목적 시청에 제출할 건의문의 초고인 (가)를 검토하기 위함.

● 담화 핵심 내용

1문단에 관한 논의	예상 독자인 시장님에 대한 감사 인사를 추가하여 예의와 격식을 갖추고자 함.
▼	
2문단에 관한 논의	인근 도시에 비해 우리 시의 버스 정보 안내 단말기 설치율이 낮다는 통계 자료를 제시하여 문제 상황을 구체적으로 드러내기로 함.
▼	
3문단에 관한 논의	버스 정보 안내 단말기에 외국인들을 위한 외국어 안내 기능도 추가해 달라는 내용을 덧붙이기로 함.
▼	
4문단에 관한 논의	비유적 표현을 활용하여 버스 정보 안내 단말기의 필요성을 강조하며 글을 인상적으로 마무리하기로 함.

03 (가)의 3문단에서 버스 정보 안내 단말기의 고장과 오작동 문제를 신고할 수 있는 게시판 신설을 제안하고 있을 뿐, (가)에 버스 정보 안내 단말기 오작동에 따른 비용 손실을 언급한 부분은 나타나지 않는다.

오답 잡기

① 2문단의 '이미 설치된 …… 어려움을 겪고 있습니다.'에서 버스 정보 안내 단말기의 상태를 언급하여 버스 정보 안내 단말기 때문에 많은 시민이 버스를 이용하는 데 불편을 겪고 있다는 문제 상황을 구체적으로 제시하고 있다.

② 1문단의 '뉴스를 보면 …… 알 수 있습니다.'에서 중심 소재인 버스 정보 안내 단말기가 전국적으로 많이 설치되고 있는 추세라는 최근 현황을 제시하고 있다.

③ 3문단의 '시청 홈페이지에 …… 수리가 이루어질 수 있을 것입니다.'에서 문제 상황을 효과적으로 해결할 방안으로 시청 홈페이지에 관련 게시판을 신설할 것을 제안하고 있다.

④ 3문단의 '예산 문제로 …… 단계적으로 안내 단말기를 설치해 주셨으면 좋겠습니다.'에서 예산 문제라는 현실적인 어려움을 고려하여 버스 정보 안내 단말기를 단계적으로 설치해 줄 것을 제안하고 있다.

04 (가)의 2문단의 '또한 현재 버스 정보 안내 단말기는 …… 시각 장애인들이 어려움을 겪고 있습니다.'에서 버스 정보 안내 단말기가 시각 정보만 제공하고 있어 교통 약자층이 어려움을 겪고 있다는 내용을 이미 제시하고 있다. 또한 (나)에 나타난 학생 3의 세 번째 발언에서도 음성 정보 안내 서비스에 관한 내용이 (가)에 이미 나타나 있음을 알 수 있으며, 학생 1은 이에 대해 '교통 약자층을 위한다는 점에서 좋은 생각인 것 같아.'라고 평가하고 있으므로, ③의 수정 방안은 적절하지 않다.

오답 잡기

① (나)의 학생 3은 첫 번째 발언에서 첫째 문단에 '시장님의 노고에 감사하다는 인사를 추가해서 예의와 격식을 갖추'자는 의견을 제시하고 있고, 학생 2가 이를 반영하겠다고 이야기하고 있으므로, 적절한 수정 방안이다.

② (나)의 학생 3은 두 번째 발언에서 '통계 자료를 제시해서 인근 도시에 비해 우리 시의 안내 단말기 설치율이 낮다는 것을 보여 주면 좋겠'다는 의견을 제시하고 있고, 학생 1은 두 번째 발언에서 구체적인 수치를 드러내면 문제 상황을 효과적으로 보여 줄 수 있음을 언급하고 있다. 또한 학생 2가 이를 반영하겠다고 이야기하고 있으므로, 적절한 수정 방안이다.

④ (나)의 학생 1은 네 번째 발언에서 '우리 시에는 외국인이 많으니까 외국어 안내도 제공됐으면 좋겠'다는 의견을 제시하고 있고, 학생 2가 이를 반영하겠다고 이야기하고 있으므로, 적절한 수정 방안이다.

⑤ 선지에 제시된 문장을 살펴보면, '버스 정보 안내 단말기'를 '시민들의 삶의 질 향상으로 나아가는 문을 열기 위한 열쇠'에 빗대어 비유적으로 표현하고 있다. (나)의 학생 3은 마지막 발언에서 '마지막 문단에서 비유적 표현을 활용해 버스 정보 안내 단말기의 필요성을 강조'하자는 의견을 제시하고 있고, 학생 2 역시 이에 동의하고 있으므로, 적절한 수정 방안이다.

전편 마무리 전략

신유형·신경향 전략 | 64~69쪽

01 ④	**02** ②	**03** ⑤	**04** ⑤	**05** ⑤
06 ②	**07** ⑤	**08** ①	**09** ③	

01~03

● **발표자** QR 코드에 대해 발표하는 학생 ○○○

● **발표 주제** QR 코드의 특징과 구성

● **담화 핵심 내용**

1문단	• 발표 대상으로 QR 코드를 선정한 이유 • QR 코드의 특징과 구성에 관해 발표할 것임을 안내함.
▼	
2문단	• QR 코드와 바코드의 유사점과 차이점 • QR 코드의 다양한 용도
▼	
3문단	• QR 코드의 구성: 밝은색과 어두운색의 모듈들로 구성됨. • QR 코드의 구분: 인코드화 영역과 기능 패턴
4문단	• 인코드화 영역의 구성: 정보가 담긴 모듈들로 구성됨. • 인코드화 영역의 특징: 모듈 수가 늘어날수록 인코드화 영역에 더 많은 정보를 담을 수 있음.
5문단	• 기능 패턴의 기능: QR 코드가 효율적으로 인식될 수 있도록 도움. • 기능 패턴의 종류: 위치 탐지 패턴, 정렬 패턴, 타이밍 패턴
▼	
6문단	마무리

01 위 발표에 발표자가 대상과 관련된 청중의 이해도를 확인하는 부분은 나타나지 않는다. 3문단에서 발표자는 청중에게 '뒤에 계신 분들 잘 보이시나요?'라고 묻고 있는데, 이는 뒤에 있는 청중에게 사진이 잘 보이는지 확인하는 것일 뿐 청중의 이해도를 확인하려는 것이 아니다.

오답 잡기

① 1문단의 '최근 QR 코드가 많이 쓰이고 있는데요, 여러분도 사용해 보셨나요? …… 한 번쯤은 사용해 보셨을 텐데요.'에서 QR 코드와 관련된 청중을 경험을 환기하고 있다.

② 3문단의 첫 문장 '다음은 QR 코드의 구성에 대해 설명하겠습니다.', 5문단의 첫 문장 '다음으로 QR 코드가 효율적으로 인식될 수 있도록 돕는 기능 패턴들에 대해 설명하겠습니다.'에서 예고의 기능을 하는 담화 표지인 '다음은'과 '다음으로'를 활용하여 앞으로 설명할 내용을 제시하고 있다.

③ 1문단의 마지막 문장 'QR 코드는 주변에서 흔히 사용되고 있지만, QR 코드의 특징과 구성에 대해서는 잘 모르실 것 같아 발표를 준비했습니다.'에서 발표 대상으로 QR 코드를 선정한 이유를 언급하고 있다.

⑤ 마지막 문단의 '저의 발표를 통해 QR 코드에 대한 궁금증이 조금이나마 해소되었길 바랍니다.'에서 발표 내용이 청중에게 유익했기를 바라는 기대를 드러내며 발표를 마치고 있다.

02 2문단의 '(표를 보여 주며)' 뒤에 제시된 내용으로 보아, 발표자는 QR 코드와 바코드의 차이점을 보여 주기 위한 용도로 '표'를 제시했음을 알 수 있다. 그런데 2문단에 따르면 QR 코드는 명암에 따라 빛의 반사량이 다르다는 원리가 이용된다는 점에서 바코드와 유사하지만, 가로와 세로의 2차원적 구성이어서 이미지나 동영상과 관련한 정보까지도 담을 수 있다는 점에서 바코드와 다르다. 따라서 QR 코드와 바코드가 빛을 이용하는 원리가 다르다는 것을 비교하기 위해 표를 활용했다는 설명은 적절하지 않다.

오답 잡기

① 발표자는 1문단에서 최근 QR 코드가 많이 쓰이고 있다는 상황을 언급하며, 사진 1을 청중에게 보여 주고 있다. '(사진 1을 보여 주며)' 뒤에 이어지는 내용으로 보아 사진 1은 공공장소에 들어갈 때 QR 코드를 이용하는 장면을 담은 자료임을 알 수 있다. 따라서 발표자는 일상생활에서 자주 접할 수 있다는 QR 코드의 특성을 고려하여, 이를 보여 주기 위해 사진 1을 활용한 것이라고 할 수 있다.

③ 2문단의 '(동영상을 보여 주고)' 뒤에 이어지는 내용으로 보아, 동영상은 QR 코드가 상품 홍보, 결제, 웹 사이트 연결 등 다양한 용도로 활용되고 있음을 보여 주는 자료임을 알 수 있다. 따라서 QR 코드의 용도를 궁금해하는 청중을 고려하여 동영상을 활용했다는 설명은 적절하다.

④ 발표자는 3문단에서 '다음은 QR 코드의 구성에 대해 설명하겠습니다.'라고 말하며 사진 2를, 5문단에서 '다음으로 QR 코드가 효율적으로 인식될 수 있도록 돕는 기능 패턴들에 대해 설명하겠습니다.'라고 말하며 사진 3을 제시하고 있다. 사진 2와 사진 3은 모두 QR 코드의 구성을 효과적으로 설명하기 위한 자료이므로, QR 코드가 어떻게 구성되어 있는지 모르는 청중을 고려하여 두 사진 자료를 활용하고 있다는 설명은 적절하다.

⑤ 3문단의 '뒤에 계신 분들 잘 보이시나요? 안 보이시는 분이 있다고 하니 확대해 보겠습니다. (사진 2를 확대하며) 잘 보이시죠?'로 보아, 발표자는 교실 구조상 자료 화면이 뒤쪽까지 잘 보이지 않을 수 있다는 발표 장소의 특성을 고려하여 사진 2의 크기를 조절하여 활용하고 있다.

03 ⓐ는 위치 탐지 패턴, ⓑ는 타이밍 패턴, ⓒ는 정렬 패턴, ⓓ는 모듈에 해당한다. 5문단의 마지막 문장에 따르면 QR 코드의 버전을 확인할 수 있게 돕는 것은 타이밍 패턴(ⓑ)이다. 위 발표에 정렬 패턴(ⓒ)을 통해 QR 코드의 버전을 확인할 수 있다는 내용은 나타나지 않는다.

오답 잡기

① 5문단의 'QR 코드 상단 양쪽 끝과 왼쪽 하단을 보시면 큰 사각형 형태들이 보이는데요. 이 세 개의 형태들은 …… 위치 탐지 패턴이라고 합니다.'를 통해 ⓐ가 위치 탐지 패턴임을 알 수 있다. 5문단에

따르면 위치 탐지 패턴은 'QR 코드가 어떤 방향으로 놓여 있어도 쉽고 빠르게 인식될 수 있게' 해 주는 기능을 한다.

② 5문단의 '위치 탐지 패턴 사이의 밝은색과 어두운색 모듈이 하나씩 교대로 나타나는 부분을 타이밍 패턴이라고 하는데'를 통해 ⓑ가 타이밍 패턴임을 알 수 있다. 5문단에 따르면 타이밍 패턴은 '다른 모듈들의 위치 정보를 알려' 주는 기능을 한다.

③ 5문단의 '오른쪽 아래에 보이는 것과 같이 위치 탐지 패턴과 형태는 비슷하지만, 크기는 작은 사각형 형태를 정렬 패턴이라고 합니다.'를 통해 ⓒ가 정렬 패턴임을 알 수 있다. 5문단에 따르면 정렬 패턴은 'QR 코드가 곡면 등에 인쇄되어 일그러진 상태에서도 정상적으로 인식될 수 있게' 돕는 기능을 한다.

④ 3문단의 '우선 QR 코드는 밝은색과 어두운색 모듈들의 집합으로, 여기 가장 작은 한 칸의 사각형이 바로 모듈입니다.'를 통해 ⓓ가 모듈임을 알 수 있으며, QR 코드가 밝은색과 어두운색 모듈들로 이루어졌음을 확인할 수 있다.

04~06

가 ● 토론 참여자 사회자, 찬성 측 토론자 1, 반대 측 토론자 1·2

● 토론 주제 인공 지능을 활용한 면접에 관한 찬반 논의

● 담화 핵심 내용

논제
인공 지능을 면접에 활용하는 것이 바람직하다.

▼

찬성 1의 입론	[주장] 인공 지능을 면접에 활용하는 것은 바람직함. [근거] • 편리성 측면: 지원자가 시간과 공간에 구애받지 않고 면접에 참여할 수 있음. • 경제성 측면: 회사는 면접에 소요되는 인력을 줄여 비용을 절감할 수 있음. • 객관성 측면: 빅 데이터를 바탕으로 한 일관된 평가 기준을 적용할 수 있음.
반대 2의 반대 신문	적합한 인재 선발을 위해서는 면접관의 생각이나 견해가 중요한 판단 기준이 되어야 함.
찬성 1의 답변	오랜 기간 회사의 인사 정보가 축적된 데이터가 지원자의 잠재력을 판단하는 기준으로 더 적합함.

▼

반대 1의 입론	[주장] 인공 지능을 면접에 활용하는 것은 바람직하지 않음. [근거] • 편리성 측면: 기술적 결함이 발생할 수 있어 지원자들에게 불편을 줄 수 있음. • 경제성 측면: 미래에 더 큰 경제적 가치를 창출할 인재를 놓치게 되어 장기적으로 볼 때 경제적이지 않음. • 객관성 측면: 빅 데이터가 특정 대상과 사안에 치우친 것일 수 있으므로, 왜곡 가능성이 있음.
찬성 1의 반대 신문	통계 자료로 볼 때 인공 지능을 활용한 면접이 확대되고 있음.
반대 1의 답변	인공 지능을 활용한 면접의 한계가 드러나면 이를 폐지하는 기업이 늘어날 것임.

나 ● 글의 종류 논설문

● 글쓰기 목적 '인공 지능을 면접에 활용하는 것이 바람직하다.'라는 논제와 관련된 입장을 밝히고, '인간과 인공 지능의 관계'에 대해 주장함.

● 지문 핵심 내용

1문단	**논제와 관련된 입장** • 인공 지능을 면접에 활용하는 것은 바람직하지 않음. • 인공 지능 앞에서 면접을 보느라 진땀을 흘리는 인간의 모습을 상상하면 안타까운 마음이 듦.
2~4문단	**인간과 인공 지능의 관계에 대한 주장** • 인간이 만든 도구인 인공 지능이 인간을 평가하는 것은 부당함. • 인공 지능이 발전하더라도 인간과 같은 사고는 불가능함. • 의사소통 과정에서 축적된 인간의 경험이 바탕이 되어야 타인의 잠재력을 발견할 수 있음.

04 (가)의 반대 1은 입론에서 인공 지능의 빅 데이터는 사회에서 형성된 정보가 축적된 결과물로 특정 대상과 사안에 치우친 것일 수 있다는 점에서 왜곡될 가능성이 있다고 말하고 있다. 즉 반대 1은 인공 지능 개발자의 주관 개입이 아니라, 빅 데이터의 왜곡 가능성 때문에 인공 지능 면접이 객관적이지 않다고 지적하고 있다.

오답 잡기

①, ③, ④ (가)의 찬성 1은 입론에서 인공 지능을 활용한 면접은 지원자가 시간과 공간에 구애받지 않고 면접에 참여할 수 있는 편리성이 있어 면접 기회가 확대된다고 말하고 있다. 또한 회사 입장에서 면접에 소요되는 인력을 줄여 비용 절감 측면에서 경제성이 크다고 말하고 있다. 마지막으로 면접관의 주관이 개입될 가능성이 큰 기존 면접과 달리 빅 데이터를 바탕으로 한 일관된 평가 기준을 적용할 수 있어 객관적이라고 말하고 있다.

② (가)의 반대 1은 입론에서 인공 지능을 활용한 면접은 기술적 결함이 발생할 수 있으며 이 때문에 면접이 원활하지 않거나 중단되어 지원자들에게 불편을 줄 수 있다고 말하고 있다.

05 ㉠에는 찬성 1이 앞서 주장했던 내용과 다르지 않으면서 반대 2가 질문한 내용에 대한 답변이 들어가야 한다. 반대 2는 반대 신문에서 적합한 인재를 선발하려면 면접관의 생각이나 견해가 중요한 판단 기준이 되어야 하지 않을지 묻고 있다. ⑤는 이와 관련하여 면접관의 생각이나 견해보다 오랜 기간 회사의 인사 정보가 축적된 데이터가 지원자의 잠재력을 판단하는 기준으로 더 적합하다는 찬성 측의 의견을 제시하고 있으므로 ㉠에 들어갈 답변으로 적절하다.

오답 잡기

①, ③ 반대 2의 반대 신문과 관련 없는 내용이다.

② 반대 측에서 내세울 수 있는 내용이다.

④ 반대 2의 반박과 일치하는 내용이다.

06 (나)의 2문단은 인간이 만든 도구이자 객체인 인공 지능이 주체인 인간을 평가하는 것이 정당하지 않음을 강조하고 있다. (나)에 (가)의 반대 1이 입론에서 언급한 '기술적 결함'을 근거로 활용한 부분은 나타나지 않는다.

오답 잡기

① (나)의 1문단에서 인공 지능을 면접에 활용하는 것은 바람직하지 않다는 입장을 밝히며, 인공 지능 앞에서 면접을 보느라 진땀을 흘리는 인간의 모습에 대한 안타까움을 드러내고 있다.

③ (나)의 3문단에서 인공 지능은 겉으로 드러난 인간의 말과 행동을 분석하지만 인간은 그 이면의 의미까지 고려하여 사고하는 능력이 있음을 강조하고 있다.

④ (나)의 3문단에서 사회에서 형성된 정보가 축적된 결과물인 인공 지능은 빅 데이터를 바탕으로 결과를 도출해 내는 기계에 불과하므로 타당한 판단을 할 수 없음을 부각하고 있다.

⑤ (나)의 4문단에서 사회적 관계를 맺을 수 없는 인공 지능과 달리 인간은 사회적 의사소통 과정에서 축적된 경험을 바탕으로 타인의 잠재력을 발견할 수 있음을 제시하고 있다.

07~09

가 ● 대화 참여자 민지, 재민, 준수

● 대화 상황 '한 학기 한 권 읽기' 독후 활동 중 [활동 1]에 따라 〈레 미제라블〉에서 인상 깊은 인물을 선정하여 다양하게 이야기해 봄.

● 담화 핵심 내용

〈레 미제라블〉에서 인상 깊은 인물 선정
장 발장을 위기에서 구해 주고 장 발장이 새 삶을 찾게 되는 계기를 마련해 준 미리엘 주교를 인상 깊은 인물로 선정하기로 결정함.

▼

미리엘 주교의 행동에 대한 다른 관점 제시
정당한 법 집행이 이루어지지 못하도록 한 주교의 행동은 준법의 관점에서 바람직하지 않다고 볼 수 있음.

▼

서평 쓰기 준비
• 앞에서 이야기한 내용을 바탕으로 각자 서평을 쓰기로 함. • 민지가 재민에게 작가와 관련된 책이나 자료를 빌려줄 것을 부탁하고, 재민이 이를 수락함.

나 ● 글의 종류 서평

● 글쓰기 목적 〈레 미제라블〉에서 인상 깊은 인물을 중심으로 작품 평가하기.

● 지문 핵심 내용

	〈레 미제라블〉의 사회적 배경과 등장인물
1문단	• 제목 '레 미제라블'의 의미와 작품의 사회적 배경 • 가난한 장 발장과 은그릇을 훔친 장 발장의 죄를 덮어 준 미리엘 주교
2문단	주교의 행동 평가
	• 긍정적 관점: 주교의 사랑은 법이 교화하지 못한 장 발장을 바꾸어 놓음. • 부정적 관점: 주교의 행동은 법의 집행을 어렵게 하여 사회를 혼란에 빠뜨릴 수 있음. • 주교의 행동이 감동을 주는 이유: 법, 상식과 같이 일상적이고 예측 가능한 판단을 뛰어넘었기 때문임.
3문단	주교의 행동이 지닌 의의
	주교의 행동은 사회적 약자에 대한 인도주의적 애정이며 한 사람에 대한 이해를 바탕으로 한 종교적 용서임.
4문단	〈레 미제라블〉의 가치
	무지와 빈곤의 세상을 살아갈 수 있는 사랑의 힘을 전함.

07 ⑩에서 재민은 지금까지의 활동을 통해 주교의 행동과 작품에 대해 다양한 생각을 할 수 있어서 좋았다며 활동의 의의를 언급하고 있다. ⑩에서 재민이 대화의 화제를 전환하고 있다고 보기는 어렵다.

오답 잡기

① ㉠에서 재민은 '활동 1'과 관련하여 〈레 미제라블〉에서 가장 인상 깊은 인물이 누구였는지 묻는 민지의 질문에 주인공 장 발장이 인상적이었다는 자신의 생각을 밝히고 있다.

② ㉡에서 민지는 인상 깊은 인물과 관련된 준수의 의견을 들은 뒤, 질문의 형식으로 자신이 준수의 의견을 정확하게 이해했는지 확인하고 있다.

③ ㉢에서 재민은 미리엘 주교를 인상 깊은 인물로 정하자는 준수의 제안에 동의하고 있다.

④ ㉣에서 준수는 미리엘 주교의 행동을 다른 관점에서 생각해 볼 수 있음을 제시하고 있다.

08 요령의 격률은 대화할 때 상대방에게 부담이 되는 표현은 최소화하고, 이익이 되는 표현을 최대화하는 것을 말한다. [A]에서 민지는 '괜찮다면', '줄 수 있겠니?'라는 표현을 사용하여 재민에게 책이나 자료를 빌려 달라고 부탁하고 있는데, 이는 상대방이 느끼는 부담을 줄여 주는 표현에 해당한다. 따라서 [A]는 〈보기〉의 ⓐ(요령의 격률)와 관련 깊다.

09 (가)의 준수는 세 번째 발언에서 미리엘 주교의 행동을 정당한 법 집행의 관점에서 평가할 수 있음을 언급하고 있으며, 민지 역시 이에 동의하고 있다. (나)의 2문단은 이러한 의견을 활용하여, '한편 다른 관점에서 보면, 주교의 행동은 …… 바람직하지 않다고 주장할 수 있다.'와 같이 미리엘 주교의 행동이 지닌 한계를 제시하고 있다. 작가에 관한 내용은 (가)에 나타난 재민의 두 번째 발언에 제시되어 있는데, (나)에서는 3문단에서 그 내용을 활용하여 미리엘 주교의 모습에 작가의 생각이 담겨 있음을 제시하고 있다.

오답 잡기

① (가)의 민지는 첫 번째 발언의 '당시 프랑스 사회의 다양한 모습과 문제들'에서 작품의 사회적 배경을 간략히 언급하고 있다. (나)의 1문단은 '배경이 된 당시 프랑스는 국가 재정이 바닥났고, 흉작과 물가 폭등으로 사람들의 삶은 힘겨웠다.'에서 작품의 사회적 배경을 구체화하고, '가난한 장 발장의 모습은 시대 현실을 잘 보여 준다.'에서 이를 장 발장의 상황과 연결 지어 제시하고 있다.

② (가)에 작품 제목과 관련된 내용은 언급되지 않았다. (나)의 1문단은 ''레 미제라블'이라는 제목의 의미는 무엇일까? '불쌍한 사람들'이라는 뜻이다.'에서 작품 제목에 대한 정보를 추가하여 작품 제목과 그 의미를 문답의 방식으로 제시하고 있다.

④ (가)에 작품 서문과 관련된 내용은 언급되지 않았다. (나)의 4문단은 "지상에 무지와 빈곤이 존재하는 한, 이 책 같은 종류의 책들도 무익하지는 않으리라."라는 작품 서문의 내용을 추가하여 '무지와 빈곤의 세상을 살아갈 수 있게 하는 사랑의 힘'이라는 작품의 의미를 강조하며 글을 마무리하고 있다.

⑤ (나)의 2문단은 마지막 문장에서 주교의 행동이 감동을 주는 이유를 언급하고 있으며, 3문단은 첫 번째 문장 '주교의 행동은 …… 종교적 용서이다.'에서 주교의 행동이 지닌 의미를 제시하고 있다. 주교의 행동이 감동을 준다는 관점을 바탕으로 하여 그러한 행동이 지닌 의미를 서술한 것이므로, 3문단에서 '그럼에도 불구하고'라는 담화 표지를 사용하여 두 문단을 연결한 것은 적절하지 않다.

01 ②	02 ⑤	03 ③	04 ③	05 ③
06 ②	07 ③	08 ④	09 ⑤	10 ③
11 ③				

01~03

● 발표자 학생

● 발표 주제 운동화에 담긴 과학 기술과 스포츠에 과학 기술을 접목하는 것에 대한 상반된 관점

● 담화 핵심 내용

1문단	발표에서 다룰 '운동화'를 소개함.

▼

2문단	○○올림픽 육상 경기의 메달리스트들이 앞에서 소개한 운동화를 신은 이유에 대한 질문
3문단	앞에서 소개한 운동화의 중창에 넣은 탄소 섬유판의 기능
4문단	스포츠에 과학 기술을 접목하는 것에 대한 긍정적인 입장
5문단	운동 경기에서 기능성 운동화 착용을 규제한 국제 육상 경기 연맹의 입장

▼

6문단	스포츠에 과학 기술을 접목하는 것에 대한 상반된 관점을 정리하며 발표를 마무리함.

01 말하기 방식과 전략 파악하기

1문단의 '겉으로 보기에는 우리가 매일 신는 평범한 운동화와 다른 점이 눈에 띄지 않죠?', 2문단의 '선수들이 이 운동화를 신은 이유가 궁금하지 않으신가요?', 6문단의 '그렇다면 여러분의 생각은 어떠한가요?' 등에서 청중에게 질문을 던지며 청중의 반응을 유도하고 있다.

오답 잡기

① 3문단에서 탄소 섬유판을 넣은 운동화의 반발 탄성을 설명하며 구체적인 수치를 제시하고 있을 뿐, 위 발표에 통계 자료를 활용한 부분은 나타나지 않는다.

③ 위 발표에 특정 용어의 개념을 정의한 부분은 나타나지 않는다.

④ 6문단에서 '그렇다면 여러분의 생각은 어떠한가요?'와 같이 스포츠와 과학 기술의 접목에 대한 청중의 생각을 물으며 발표를 마무리하고 있을 뿐, 청중의 이해도를 확인하지는 않았다.

⑤ 위 발표에 발표 순서를 제시한 부분은 나타나지 않는다.

02 자료 활용 전략의 적절성 평가하기

발표자는 6문단에서 '자료 5'를 활용하여 운동 경기에서 사용이 금지된 제품의 구체적 사례를 제시하고, 운동 경기에서 기능성 운동화를 착용하는 것 역시 허용해서는 안 된다고 주장하는 사람들의 입장을 소개하고 있다. 위 발표에 발표 대상과 관련한 발표자의 견해는 드러나지 않으며, '자료 5'를 활용하여 그 견해를 뒷받침하고 있지도 않다.

오답 잡기

① 1문단에서 발표자는 발표 대상을 소개하며 △△사에서 만든 기능성 운동화 사진(자료 1)을 청중에게 보여 주고 청중이 발표에 집중

하도록 유도하고 있다.

② 2문단에서 발표자는 ○○올림픽에서 치러진 육상 남자 100m 결승 동영상(자료 2)을 보여 주고 있다. 그리고 이 경기의 금메달리스트와 은메달리스트가 모두 앞에서 소개한 기능성 운동화를 신고 있음을 언급하며 발표 대상에 대한 청중의 궁금증을 불러일으키고 있다.

③ 3문단에서 발표자는 앞에서 소개한 기능성 운동화의 단면도(자료 3)를 보여 주며 운동화의 바닥이 밑창, 중창, 깔창으로 구성되어 있으며, 해당 운동화의 중창에 탄소 섬유판이 들어 있음을 소개하고 있다. 그리고 이를 바탕으로 하여 기능성 운동화의 중창에 적용된 과학 기술에 대해 설명하며 발표 대상에 대한 청중의 이해를 돕고 있다.

④ 4문단에서 발표자는 중창에 탄소 섬유판을 세 장 넣은 운동화를 신고 마라톤 대회에 출전하여 우수한 기록을 세운 한 케냐 선수의 인터뷰 동영상(자료 4)을 보여 주며 과학 기술이 적용된 운동화에 대한 긍정적 관점을 보여 주고 있다.

함정문제 해결 전략

자료 활용 전략의 적절성 평가하기 유형의 문제를 해결하기 위해서는 우선 자료의 핵심 정보와 발표자가 자료를 활용한 목적을 파악하는 것이 중요합니다. 문제에서 이미 자료의 내용을 표로 정리하여 제시하고 있으므로, 이를 참고하여 위 발표에서 발표자가 자료 1~5를 제시하며 언급한 내용을 확인해 보세요. 그리고 선지에서 진술한 자료의 내용이 정확한지, 발표자의 자료 활용 전략이 적절한지 검토해 보세요.

03 듣기 전략과 반응의 적절성 평가하기

학생 2는 발표를 듣고 운동 경기에서 과학 기술이 적용된 첨단 장비 사용을 허용하는 문제에 대해 생각해 볼 수 있어 유익했다며 발표 내용의 효용성을 긍정적으로 평가하고 있다. 학생 2가 발표 내용을 통해 자신이 평소 생각하던 바를 수정하는 모습은 확인할 수 없다.

오답 잡기

① 학생 1은 발표를 듣고 과학 기술이 적용된 다른 스포츠 제품으로는 무엇이 있을지 궁금증을 느껴 그 구체적인 사례를 찾아보려는 계획을 세우고 있다.

④, ⑤ 학생 3은 '기술 도핑'과 관련된 배경지식을 떠올리고, 발표 내용을 자신의 배경지식과 연관 지어 이해하고 있다. 또한 발표 내용을 바탕으로 하여 기술 도핑을 바라보는 국제 육상 경기 연맹의 관점을 추론하고 있다.

가

- 회의 참여자 학생회장, 학생 1, 학생 2, 학생 3, 학생 4
- 회의 주제 우리 학교의 교실 환경 개선을 위한 방안 마련
- 담화 핵심 내용

주제
우리 학교의 교실 환경 개선 방안

개선이 필요한 교실 환경 선정
• 사물함: 크기가 작아 많은 물품을 보관하기 어렵지만 교실 여건을 고려할 때 사물함을 큰 것으로 교체하는 것은 불가능함. • 빔 프로젝터: 현재 교실에 있는 빔 프로젝터를 사용할 때 교실 전체를 소등해야 해서 교과서가 잘 보이지 않아 불편함. 인근 고등학교의 사례로 보아, 단초점 빔 프로젝터를 설치하면 이러한 불편을 해소할 수 있음.

단초점 빔 프로젝터 설치를 위한 구체적인 과정 논의
• 단초점 빔 프로젝터 설치와 관련하여 전교생을 대상으로 설문 조사를 시행한 뒤, 그 결과에 따라 건의 여부를 결정하기로 함. • 설문 조사 시행 전, SNS를 활용하여 학생들에게 단초점 빔 프로젝터의 장단점을 설명하기로 함.

마무리
토의 내용 정리

나 • 글의 종류 건의문

- 예상 독자 교장 선생님
- 글쓰기 목적 현재 교실에서 사용하고 있는 빔 프로젝터를 단초점 빔 프로젝터로 교체할 것을 건의하기 위함.
- 지문 핵심 내용

1문단	인사말과 글쓴이 소개, 예상 독자에 대한 감사 표현
2문단	건의 사항과 문제 상황
	• 건의 사항: 현재 교실에서 사용하고 있는 빔 프로젝터를 단초점 빔 프로젝터로 교체했으면 함. • 문제 상황: 현재 교실에 설치된 빔 프로젝터의 문제점 때문에 학생들이 불편을 겪음.
3문단	기대 효과
	• 학생들은 전등을 끄지 않아도 자료 화면을 잘 볼 수 있음. • 선생님은 자료 화면을 투사한 칠판에 직접 필기할 수 있음.
4문단	건의 사항 실행 과정에서 예상되는 어려움을 해결할 방안
	학년별 순차 설치를 통해 비용 부담을 줄일 수 있음.
5문단	설문 조사 결과
	설문 조사에 참여한 학생들 중 92%가 단초점 빔 프로젝터 설치에 찬성함.
6문단	건의 사항 수용에 대한 기대

04 말하기 방식과 전략 파악하기

ⓒ에서 학생 2는 현재 교실에 설치되어 있는 빔 프로젝터를 사용할 때 느끼는 불편을 해결할 수 있는 방법이 없을지 묻고 있다. 상대방의 제안에 대해 추가 설명을 요청한 것이 아니다.

오답 잡기

① ㉠에서 학생 2는 학생 1의 제안대로 교실 뒤편에 있는 사물함을 큰 사물함으로 교체한다면 책상 앞뒤 간격을 좁혀야 하고 교실 뒤편 공간도 좁아져서 학생들이 이동하는 데 불편을 겪을 것이라는 문제점을 거론하고 있다.

② ㉡에서 학생회장은 교실 환경 중에서 개선이 필요하다고 생각했던 부분이 잘 떠오르지 않는다면, 교실에서 생활하면서 불편을 느낀 점을 이야기해도 된다고 말하고 있다. 이는 회의 참여자가 회의 주제와 관련된 의견을 좀 더 쉽게 떠올릴 수 있도록 돕는 것이라고 볼 수 있다.

④ ㉣에서 학생 1은 단초점 빔 프로젝터를 설치한 인근 고등학교의 사례를 들어 현재 빔 프로젝터를 사용할 때 발생하는 문제를 해결할 방안을 제안하고 있다.

⑤ ㉤에서 학생회장은 앞으로 단초점 빔 프로젝터 설치를 실현하기 위한 구체적인 과정을 논의할 것임을 제시하고 있다.

05 담화의 내용과 특징 파악하기

학생 3이 학생 4의 발언에서 문제 삼고 있는 부분은 학생 4가 많은 학생이 단초점 빔 프로젝터 설치에 찬성할 것임을 전제하고 있다는 것이다. 학생 3은 설문 조사 결과가 어떻게 나올지 알 수 없다고 말하고 있을 뿐, 설문 조사 방법이 공정하지 않음을 지적한 것이 아니다.

오답 잡기

① 학생 4는 단초점 빔 프로젝터 설치라는 안건을 실현하기 위해 교장 선생님께 현재 교실에서 사용하고 있는 빔 프로젝터를 단초점 빔 프로젝터로 교체할 것을 건의하자는 구체적인 방안을 제안하고 있다.

② 학생 1은 단초점 빔 프로젝터 설치에 관한 학생 설문 조사 결과에 따라 건의 여부를 결정하자며 학생 4의 제안을 실행하기 위한 조건을 제시하고 있다.

④ 학생 2는 학생 4가 언급한 설문 조사를 실시할 때 충분히 많은 수의 학생을 대상으로 했으면 좋겠다고 언급하고 있는데, 이는 설문 조사의 신뢰성을 높일 수 있는 방법이다.

⑤ 학생 2는 학생 4가 말한 설문 조사를 실시하기에 앞서 SNS를 활용하여 학생들에게 단초점 빔 프로젝터의 장단점을 알리자고 말하고 있다.

06 내용 생성과 조직의 적절성 판단하기

(가)에는 현재 교실에 있는 빔 프로젝터를 사용할 때 학생들이 불편을 겪는다는 문제 상황과 현재의 빔 프로젝터를 단초점 빔 프로젝터로 교체한다는 문제 해결 방안이 제시되어 있다. (가)의 학생 4는 앞에서 나온 문제 해결 방안을 교장 선생님께 건의하자고 제안하고 있을 뿐, 현재의 빔 프로젝터를 단초점 빔 프로젝터로 교체하자는 문제 해결

방안을 제안한 것은 아니다. (가)에서 단초점 빔 프로젝터 설치라는 문제 해결 방안을 제안한 사람은 학생 1로, (나)의 2문단은 이러한 학생 1의 발언을 활용하여 문제 상황을 해결할 방안을 제시하고 있다.

오답 잡기

① (가)의 학생 2는 두 번째 발언에서 현재 교실에 있는 빔 프로젝터를 사용할 때 교실 전체를 소등해야 해서 교과서가 잘 보이지 않는다는 불편을 호소하고 있다. 이를 활용하여 (나)의 2문단에서는 현재 교실에서 사용하고 있는 빔 프로젝터 때문에 학생들이 불편을 겪고 있다는 문제 상황을 제시하고 있다.

③ (가)의 학생 1은 두 번째 발언에서 단초점 빔 프로젝터를 설치한 인근 고등학교의 사례를 제시하며 단초점 빔 프로젝터의 장점을 언급하고 있다. 또한 학생 3은 첫 번째 발언에서 단초점 빔 프로젝터를 설치하면 학생들뿐만 아니라 선생님들께도 좋을 것 같다고 말하고 있다. 이를 활용하여 (나)의 3문단에서는 현재 교실에 설치된 빔 프로젝터를 단초점 빔 프로젝터로 교체했을 때의 긍정적 효과를 제시하고 있다.

④ (가)의 학생 3은 첫 번째 발언에서 단초점 빔 프로젝터는 일반 빔 프로젝터보다 가격이 비싸다는 점을 언급하고 있다. 이를 활용하여 (나)의 4문단 '다만 알아본 바로는 가격이 다소 비싸다는 단점이 있습니다.'에서는 현재의 빔 프로젝터를 단초점 빔 프로젝터로 교체할 때 발생할 수 있는 현실적인 문제를 밝히고 있다.

⑤ (가)의 학생 1은 세 번째 발언에서 인근 학교에서 비용 문제 때문에 단초점 빔 프로젝터를 학년별로 순차적으로 설치했음을 언급하고 있다. 이를 활용하여 (나)의 4문단에서는 단초점 빔 프로젝터는 가격이 다소 비싸 설치에 어려움이 있을 수 있지만, 학년별 순차 설치를 통해 비용 부담을 줄일 수 있다는 대안을 제시하고 있다.

함정문제 해결 전략

(가)의 내용을 바탕으로 하여 (나)에서 생성한 내용과 내용 조직의 적절성을 판단할 수 있는지 확인하는 문제입니다. 선지를 '(가)에 나타난 …… 활용하여, / (나)의 …… 있다.'와 같이 두 부분으로 나누어 (가)에 나타난 학생들의 발언을 확인해 보고, 그 내용을 (나)에서 적절히 반영하여 내용을 생성·조직했는지 확인해 보세요.

07 글쓰기 계획의 적절성 파악하기

(나)에는 많은 학생이 빔 프로젝터 때문에 불편을 겪고 있다는 상황이 제시되어 있을 뿐, 글쓴이인 학생회장이 자신의 경험을 제시하거나 문제 해결의 시급성을 강조한 부분은 나타나지 않는다.

오답 잡기

① (나)의 1문단에서 예상 독자가 '교장 선생님'임을, 글쓴이는 '학생회장'임을 확인할 수 있다.

② (나)의 1문단 '교실 환경 개선을 위한 …… 학업에 임하고 있습니다.'에서 확인할 수 있다.

④ (나)의 5문단에서 전교생의 수, 설문 조사에 참여한 학생의 수, 찬성 비율 등의 구체적인 수치를 밝혀 설문 조사 결과를 정확하게 제시하고 있다.

⑤ (나)의 6문단 '학생들의 교육 환경 개선을 위해 …… 경청해 주실

것이라고 생각합니다.'에서 확인할 수 있다.

08 고쳐쓰기의 적절성 판단하기

(나)의 마지막 문단과 비교할 때, 〈보기〉에는 빔 프로젝터를 교체하여 교실의 환경이 개선된다면, 좋은 학업 분위기가 형성되어 학생들의 학업에도 긍정적인 영향을 미칠 것이라는 기대 효과가 추가되었다. 이때 '좋은 환경에서 식물이 잘 자라나듯'이라는 비유적 표현을 활용하여 표현 효과를 높이고 있으므로, 친구의 조언으로 가장 적절한 것은 ④이다.

오답 잡기

① 〈보기〉에 새로운 문제 해결 방안이 제시되어 있지 않으며, 또한 이를 통해 독자의 실천을 촉구하고 있지도 않다.

② 〈보기〉와 (나)의 마지막 문단 모두 예의 바르고 공손한 표현을 사용하고 있다.

③ 〈보기〉에 학업과 관련된 격언은 나타나지 않는다. 또한 '우리 교실의 환경이 개선된다면 …… 긍정적인 영향을 미칠 것입니다.'를 건의 사항의 장점으로 볼 수도 있겠으나, 건의 사항의 단점으로 볼 만한 내용은 나타나지 않는다.

⑤ 이력이란 지금까지 거쳐 온 학업, 직업, 경험 등의 내력을 말한다. 〈보기〉와 (나)의 마지막 문단에 '학생들의 교육 환경 개선을 위해 늘 힘써 주시는 교장 선생님'이라는 표현이 나타나 있기는 하나, 이를 예상 독자의 이력으로 볼 수 없다. 또한 〈보기〉의 '우리 교실의 환경이 개선된다면 …… 저희의 학업에도 긍정적인 영향을 미칠 것입니다.'에서 건의 사항의 실현이 글쓴이를 포함한 학생들에게 미치는 영향을 밝히고 있을 뿐, 예상 독자에게 미치는 영향을 강조한 부분은 나타나지 않는다.

개념 더 보기

격언
오랜 역사적 생활 체험을 통하여 이루어진 인생에 대한 교훈이나 경계 등을 간결하게 표현한 짧은 글

예 • 시간은 금이다.
　• 노동은 신성하다.

- **글의 종류** 설명문
- **예상 독자** 같은 학교 친구들
- **글쓰기 목적** 구독 경제에 대한 정보 전달
- **지문 핵심 내용**

1문단	구독 경제의 개념
	구독 경제란 구독료를 내고 제품이나 서비스를 정기적으로 이용하는 서비스 형태임.
2문단	구독 경제의 확대
	디지털 콘텐츠, 정기 배송, 서적 등 우리 생활 전반에서 구독 경제의 사례를 찾아볼 수 있음.
3문단	구독 경제가 활성화되고 있는 이유
	• 기업 측의 이점: 개인 맞춤화 서비스 제공을 통한 고객 유치, 안정적인 수입 확보 • 소비자 측의 이점: 제품 선택에 드는 시간과 노력 절약, 구독·해지의 편의성
4문단	구독 경제 이용 시 소비자가 주의할 점
	구독 서비스 결제를 적절하게 관리해야 함.
5문단	구독 경제를 이용하는 소비자의 올바른 태도
	자신에게 꼭 필요한 서비스를 선별하여 이용하는 합리적인 태도가 필요함.

09 작문의 맥락과 특성 이해하기

윗글은 1문단에서 구독 경제의 개념을 소개한 뒤, 2문단에서 구독 경제의 규모를 설명하고 있다. 그런 뒤 3문단에서 구독 경제가 활성화되는 이유를 중심으로 구독 경제의 특징을 설명하고, 4, 5문단에서 구독 서비스를 이용하는 소비자가 주의할 점과 소비자의 올바른 태도를 제시하고 있다. 각 문단의 중심 내용을 요약했을 때 윗글의 주제로 가장 적절한 것은 ⑤이다.

오답 잡기

① 구독 경제가 활성화되고 있는 이유를 설명하고 있을 뿐, 그 활성화 방안을 모색하고 있지는 않다.

② 구독 경제에 대한 사람들의 오해와 이를 정정하는 내용은 나타나지 않는다.

③ 구독 경제를 이용하는 소비자가 주의할 점을 제시한 4문단과 구독 경제를 이용하는 소비자의 올바른 태도를 제시한 5문단에 구독 경제의 문제점이 일부 나타나 있기는 하지만, ③은 글 전체의 내용을 포괄하는 주제로는 적절하지 않다.

④ 구독 경제의 역사나 앞으로 나아갈 방향은 윗글의 내용과 거리가 멀다.

10 글쓰기 방식과 전략 파악하기

윗글에 전문가의 의견을 활용한 부분은 나타나지 않는다.

오답 잡기

① '가랑비에 옷 젖는 줄 모른다.'는 가늘게 내리는 비는 조금씩 젖어 들기 때문에 여간해서도 옷이 젖는 줄을 깨닫지 못한다는 뜻으로, 아무리 사소한 것이라도 그것이 거듭되면 무시하지 못할 정도로 크게 됨을 비유적으로 이르는 속담이다. 5문단의 '옛말에 가랑비에 옷 젖는 줄 모른다는 말이 있다.'에서 속담을 인용하여 구독 경제를 이용하는 소비자의 합리적 태도의 필요성을 인상적으로 전달하고 있다.

② 3문단의 '그렇다면 구독 경제가 활성화되고 있는 이유는 무엇일까? 바로 구독 경제가 기업과 소비자 모두에게 큰 이점을 주기 때문이다.'에서 묻고 답하는 형식을 사용하여 구독 경제가 활성화되고 있는 이유를 강조하고 있다.

④ 1문단의 '구독료를 내고 제품이나 서비스를 정기적으로 이용하는 서비스 형태를 구독 경제라고 한다.'에서 중심 화제인 '구독 경제'의 개념을 정의하여 예상 독자의 이해를 돕고 있다.

⑤ 1문단의 '요즘 휴일이면 …… 친구가 많을 것이다.'에서 예상 독자인 같은 학교 친구들이 공감할 만한 경험을 언급하여 흥미를 유발하고 있다.

11 자료 활용 전략의 적절성 평가하기

ㄷ-(1)은 국내 기업에서 제공하는 구독 서비스의 해지 절차가 외국 기업에 비해 복잡하다는 내용을 다룬 신문 기사이다. 초고의 3문단은 구독 경제가 활성화되는 이유를 설명하고 있는데, ㄷ-(1)은 이러한 내용과 관련 없으므로 이를 구독 경제를 이용하는 소비자가 증가하는 이유를 뒷받침하는 자료로 사용한다는 방안은 적절하지 않다.

오답 잡기

①, ② 2문단은 구독 경제의 규모가 커지고 있으며 다양한 분야에서 구독 서비스가 이루어지고 있음을 설명하고 있다. 따라서 2문단에서 구독 경제 시장의 성장을 보여 주는 그래프 자료인 ㄱ을 활용하여 구독 경제 시장의 규모가 점차 커지고 있음을 뒷받침할 수 있다. 또한 꽃 정기 구독 광고인 ㄴ을 활용하여 구독 경제 서비스의 사례를 제시할 수 있다.

④ ㄷ-(2)는 구독 경제 서비스를 이용하는 소비자의 피해가 증가하고 있음을 제시한 신문 기사이다. 4문단에서 금융 위원회가 구독 경제 확대에 따라 증가하는 소비자 피해를 줄이기 위해 구독 경제 결제 관련 표준 약관을 마련했음을 언급하고 있으므로, ㄷ-(2)를 활용하여 구독 경제를 이용하는 소비자들의 피해가 증가하고 있다는 내용을 뒷받침할 수 있다.

⑤ ㄹ은 원하지 않는 유료 결제를 방지하기 위해 구독 경제 이용자가 갖추어야 할 태도를 언급한 전문가 인터뷰이다. 5문단은 구독 경제를 이용할 때 소비자가 갖추어야 할 올바른 태도에 관해 이야기하고 있으므로, ㄹ을 활용하여 구독 서비스를 무료 체험할 때에는 원하지 않는 유료 결제가 진행되지 않도록 이를 점검하는 태도가 필요하다는 내용을 추가할 수 있다.

후편

WEEK

1

작문 ❶

DAY

1 개념 돌파 전략 ① | 6~9쪽

01 ③	**02** (1) X (2) ○	**03** ③	**04** ③
05 정보	**06** (1) ○ (2) X	**07** (1) © (2) ⊙ (3) ⓛ	
08 (1) 분류 (2) 정의 (3) 유추		**09** (1) ○ (2) ○ (3) X	
10 진학이나 취업 등의 목적을 달성			

01 작문은 글을 통해 생각이나 느낌을 나누는 사회적 의사소통 행위이다. 글쓴이가 글을 쓰는 과정에서 독자를 고려한다는 점에서, 작문은 글쓴이의 일방적 행위가 아니라 글쓴이와 독자의 상호 작용 행위이다.

02 (1) 어떤 매체를 사용하느냐에 따라 의사소통 방식이 달라지므로, 매체 역시 작문 맥락을 구성하는 중요한 요소 중 하나이다.
(2) 작문 맥락으로는 글의 주제와 목적, 독자, 매체, 공동체의 가치와 신념, 작문 관습 등이 있다.

03 〈보기 1〉에서는 대부분의 응답자가 보행 중 스마트폰 사용의 위험성을 알고 있다는 내용의 문장과 많은 사람이 보행 중 스마트폰을 사용하고 있다는 내용의 문장을 '그러므로'라는 접속사로 연결하고 있다. '그러므로'는 앞의 내용이 뒤의 내용의 이유나 원인, 근거가 됨을 나타내는 접속사이므로 문장 간의 연결 관계를 고려할 때 적절하지 않다. 〈보기 2〉에서는 이를 고려하여 '그러므로'를 '그럼에도 불구하고'로 고쳐 쓰고자 하므로, 이와 가장 관련 깊은 고쳐쓰기 방법은 ③이다.

04 다른 사람의 저작물을 인용할 때에는 내용을 과장·축소·왜곡하지 않고 정확하게 인용해야 한다.

05 설명문은 정보를 전달하는 글로 어떤 대상, 사실, 현상 등에 대한 정보를 알리는 것을 목적으로 한다. 견해는 어떤 사물이나 현상에 대한 주관적인 의견이나 생각을 말한다.

06 (1) 정보를 전달하는 글 쓰기 과정에서 내용을 생성할 때, 수집해야 할 자료와 자료 수집 방법은 글을 쓰는 데 필요한 정보의 내용에 따라 달라질 수 있다.

(2) 정보를 전달하는 글은 새로운 정보를 정확하고 객관적으로 설명하는 글이다. 따라서 최근의 정보가 반영되지 않은 지나치게 오래된 자료는 정보로서의 효용과 신뢰성이 떨어질 수 있어 정보를 전달하는 글에 활용하기에 적절하지 않다.

07 (1) 나열 구조는 서로 대등한 관계의 여러 정보를 늘어놓는 내용 조직 방법이다.
(2) 인과 구조는 일이 일어난 원인과 결과에 따라 내용을 조직하는 방법이다.
(3) 비교·대조 구조는 대상 간의 공통점이나 차이점을 중심으로 하여 내용을 조직하는 방법이다.

08 (1) '소리를 내는 방법'이라는 기준으로 악기의 종류를 나누어 설명한 분류의 내용 전개 방법이 사용되었다.
(2) '메타버스'의 개념을 밝혀 규정한 정의의 내용 전개 방법이 사용되었다.
(3) 지구와 화성이 여러 점에서 유사하다는 사실을 바탕으로 화성에도 생물이 있을 것이라 추측하여 설명한 유추의 내용 전개 방법이 사용되었다.

09 (1) 보고서는 특정한 사안이나 현상에 대한 연구 과정과 결과를 독자에게 전달하기 위한 글이다.
(2) 보고하는 글을 쓸 때에는 연구 목적과 필요성, 연구 기간, 연구 대상, 연구 결과 등의 요소를 포함해야 하며, 연구 과정과 결과를 객관적이고 구체적으로 작성해야 한다.
(3) 보고하는 글을 쓸 때에는 연구 과정이나 결과를 거짓으로 꾸며서는 안 되며, 결과가 처음 의도와 다르게 도출되었더라도 그것을 있는 그대로 제시해야 한다. 연구 과정이나 결과를 글쓴이의 의도대로 조정해서는 안 된다.

10 자기소개서는 자신의 이력, 경험, 장점 등을 담아 자기를 잘 모르는 독자에게 자기에 대해 알려 진학, 취업, 동아리 가입과 같은 특정한 목적을 달성하기 위한 글이다. 자기소개서는 글을 쓰는 목적에 따라 독자가 달라지며, 독자가 요구하는 바를 고려하여 내용을 구성해야 한다. 자기소개서의 목적을 단순히 개인의 상황을 공유하는 것이라고 보기는 어렵다.

01 ③　　　**02** 분류　　　**03** ②　　　**04** 경험

01~02

● 지문 핵심 내용

1문단	글쓰기의 배경, 설명할 내용 제시 • 배경: 대부분의 친구가 식품 유형이 의미하는 바를 이해하는 데 어려움을 겪음. • 설명할 내용: 과일·채소류 음료를 중심으로 한 식품 유형의 종류와 특징
2문단	주원료에 따른 음료류의 분류
3문단	과·채즙의 함량에 따른 과일·채소류 음료의 분류
4문단	식품 유형과 특징을 알고 자신에게 맞는 제품을 선택하는 태도의 필요성과 가치

01 (나)에 대인 관계에서 발생하는 문제나 그에 따른 해결 방안은 나타나지 않는다.

오답 잡기

① (가)에 제시된 예상 독자, 배경, 목적, 자료 수집의 항목에서 작문 상황과 계획을 확인할 수 있다. (나)에서는 이러한 계획에 따라 식품 유형과 그 특징이라는 중심 내용을 구체화하고 있다.

② (나)의 마지막 문단에서 글쓴이는 식품 유형과 그 특징을 제대로 알고 제품을 선택하는 태도가 올바른 소비 생활의 시작이라고 이야기하며, 그러한 태도의 가치를 표현하고 있다.

④ (나)의 첫 문단에서 글쓴이는 대부분의 친구가 식품 유형이 의미하는 것이 무엇인지 이해하는 데 어려움을 겪는다는 문제 상황을 밝힌 뒤, 2, 3문단에서 이를 해결할 수 있는 정보를 제공하고 있다.

⑤ (가)에서 글의 목적(식품 유형의 특징을 알고 제품을 선택할 수 있도록 정보를 제공함.)과 예상 독자(학교 신문을 읽을 친구들)를 분명히 하고 있다. 그리고 (나)에서 정보 전달이라는 글의 목적과 예상 독자에 맞추어 내용을 전개하고 있다.

02 분류란 어떤 대상들을 일정한 기준에 따라 나누거나 묶어서 설명하는 방법이다. (나)는 3문단에서 과일·채소류 음료를 과·채즙의 함량에 따라 과·채주스와 과·채음료로 나누어 설명하고 있다. 이외에도 2문단에서 음료류를 주원료에 따라 과일·채소류 음료, 탄산음료류, 두유류 등으로 나누어 설명하고 있다.

03~04

● 지문 핵심 내용

1문단	청소년 참여 위원 모집에 지원한 동기
2문단	청소년 참여 위원으로서 자신이 갖춘 역량
3문단	청소년을 위한 정책인 '전공 체험 프로그램' 제안
4문단	지원 분야에 대한 포부

03 윗글에 글쓴이 성격의 장단점은 나타나지 않는다.

오답 잡기

㉠ 1문단에서 청소년 참여 위원 모집에 지원한 동기를 밝히고 있다.

㉢ 2문단에서 청소년 참여 위원이 갖추어야 할 자질로 창의적 능력을 언급한 뒤, 이러한 능력을 발휘하여 학급 프로그램을 운영한 경험을 제시하며 관련 분야에 대한 역량을 갖추었음을 드러내고 있다.

㉣ 4문단의 '저의 창의적 능력을 바탕으로 …… 노력하겠습니다.'에서 확인할 수 있다.

㉤ [청소년 참여 위원 모집 공고문]에 제시된 선발 방법을 보면, 자기소개서에 '청소년을 위한 정책 제안'이 포함되어야 함을 알 수 있다. 이를 반영하여 3문단에서 △△시 청소년을 위한 정책으로 '전공 체험 프로그램'을 제안하고 있다.

04 글쓴이는 2문단에서 청소년 참여 위원이 갖추어야 할 자질로 창의적 능력을 들고 있다. 그런 뒤 창의적 능력을 발휘하여 '마음을 전해요'라는 학급 프로그램을 운영한 경험을 제시하여 자신이 청소년 참여 위원이 될 수 있는 역량과 자질을 갖추었음을 드러내고 있다.

DAY
2 필수 체크 전략 ①　　　　　│12~15쪽

1 ⑤　　　**1-1** ①　　　**2** ②　　　**2-1** ②

대표 유형 1

● 지문 핵심 내용

Ⅰ. 조사 동기 및 목적	• 조사 동기: ○○숲 공원을 이용하는 지역 주민의 수 감소 • 조사 목적: ○○숲 공원 이용에 대한 지역 주민들의 인식을 알아보기 위함.
Ⅱ. 조사 계획	조사 대상, 조사 기간, 조사 내용
Ⅲ. 조사 결과	지역 주민들의 ○○숲 공원 이용 현황과 ○○숲 공원에 대한 인식을 조사한 결과
Ⅳ. 결론	• 설문 조사 결과 요약 • 문제 해결 방안 모색의 필요성 제시

1 윗글은 특정한 사안이나 현상에 대한 조사 과정과 결과를 독자에게 전달하기 위한 보고서로, 보고서에는 조사 목적, 조사 계획, 조사 결과 등이 포함되어야 한다. 윗글에서는 보고서라는 글의 유형을 고려하여 조사 동기 및 목적, 조사 계획, 조사 결과, 결론이 잘 드러나도록 항목별로 소제목을 달아 정보를 정리하여 제시하고 있다.

오답 잡기

① 윗글은 같은 학교 학생들을 대상으로 하여 작성한 보고서로, 보고서의 형식에 맞추어 격식체(해라체)를 사용하고 있다.

② 글의 유형을 고려하여 내용을 항목별로 정리하고 있을 뿐, 서술 대상의 특징을 유형별로 분류하여 설명한 것이 아니다.

③ 윗글이 교지에 실린다는 점을 고려할 때, 예상 독자를 같은 학교 학생들로 특정하고 있음을 알 수 있다. 그러나 윗글에서는 ○○숲 공원을 이용하는 지역 주민의 수가 감소한다는 문제 상황과 이를 해결할 방안을 모색할 필요가 있다는 내용만을 제시하고 있을 뿐, 문제 해결 방법을 제안한 것은 아니다. 작문 목적을 고려하여 독자를 특정하고 문제 해결 방법을 제안하는 것은 일반적으로 건의문에 대한 설명이다.

④ 윗글이 실릴 매체는 교지이다. 교지는 지면을 매개로 하여 시간과 공간이 일치하지 않는 독자에게 내용을 전달하는 매체이므로, 필자와 독자 간의 즉각적인 소통이 이루어지기 어렵다. 따라서 윗글에서 즉각적인 소통 방식을 사용하고 있다고 보기 어렵다.

1-1 윗글은 ○○숲 공원에 대한 지역 주민들의 인식을 조사한 내용을 독자에게 알리기 위해 조사 계획과 결과를 일목요연하게 정리하여 전달하고 있다. 이러한 점에서 작문이 특정한 목적을 이루기 위한 표현 행위임을 알 수 있다.

오답 잡기

② 윗글이 실릴 매체가 교지임을 고려할 때, 예상 독자는 지역 주민이 아니라 같은 학교 학생들이다. 또한 친교적 관계 형성은 윗글의 목적과는 거리가 멀다.

③ 윗글은 조사한 내용을 객관적으로 전달하고 있을 뿐, 윗글에 필자의 주장과 이에 대한 독자의 비판적 의견을 구하는 부분은 나타나지 않는다.

④ 윗글에 필자 자신의 삶에 대한 반성이나 필자의 주관적 정서는 나타나지 않는다.

⑤ 'Ⅳ. 결론'에서 '○○숲 공원을 이용하는 지역 주민의 수가 감소하고 있는 문제의 해결 방안을 모색할 필요'가 있음을 언급하고 있을 뿐, 문제 상황을 해소할 방안을 마련한 것은 아니다.

개념 더 보기

격식체

종결 표현을 통해 실현되는 상대 높임법의 하나로, '하십시오체, 하오체, 하게체, 해라체'를 사용하여 상대를 높이거나 낮추는 방법을 말한다. 높임의 정도에 따라 '하십시오체(아주높임), 하오체(예사 높임), 하게체(예사 낮춤), 해라체(아주낮춤)'로 나뉜다. 심리적인 거리감을 나타내지만 격식을 차린 표현이다.

예 · 안녕히 계십시오. (하십시오체)
· 빨리 나오시오. (하오체)
· 김 군. 이것 좀 연구해 보게. (하게체)
· 지아야, 빨리 자라. 내일 새벽에 운동해야 한다.(해라체)

비격식체

종결 표현을 통해 실현되는 상대 높임법의 하나로, '해요체, 해체'를 사용하여 상대를 높이거나 낮추는 방법을 말한다. 높임의 정도에 따라 '해요체(두루높임), 해체(두루낮춤)'로 나뉜다. 부드럽고 주관적인 느낌을 주며, 친밀하고 정감 있게 느껴지지만 격식을 덜 차린 표현이다.

예 · 안녕히 계세요. (해요체)
· 지아야, 이리 와서 사과 먹어. (해체)

대표 유형 ②

● 지문 핵심 내용

1문단	사물 인터넷의 개념
2문단	사물 인터넷의 경제적 가치
3문단	국내 사물 인터넷 산업의 현황
4문단	국내 사물 인터넷 산업의 활성화 방안
5문단	사물 인터넷의 의의와 기대 효과

2 '작문 계획'에 따르면 글의 처음 부분에는 사물 인터넷의 개념과 사례가 제시되어야 한다. 그러나 초고의 1문단에서는 사물 인터넷에 대한 사람들의 관심이 늘고 있는 추세와 사물 인터넷의 개념을 제시하고 있을 뿐, 사물 인터넷의 사례는 언급하지 않았다.

오답 잡기

① 1문단의 두 번째 문장에서 확인할 수 있다.

③ 2문단에서 확인할 수 있다.

④ 3문단에서 확인할 수 있다.

⑤ 4문단에서 확인할 수 있다.

2-1 초고의 2문단에서 선진국들이 에너지, 교통 등 다양한 분야에 걸쳐 사물 인터넷에 투자하고 있다는 사실을 언급하고 있을 뿐, 초고에 사물 인터넷을 적극적으로 활용하는 선진국의 사례는 나타나지 않는다.

오답 잡기

① 5문단에서 사물 인터넷을 '세상을 연결하여 소통하게 하는 끈'에 비유하여 그 의의를 제시하고 있다.

③ 2문단에서 구체적인 통계 수치를 활용하여 사물 인터넷의 경제적 가치를 설명하고 있다.

④ 5문단의 마지막 부분에 사물 인터넷의 기대 효과를 제시하며 글을 마무리하고 있다.

⑤ 4문단에서 국내 사물 인터넷 산업의 활성화 방안을 관련 정책과 제도 정비, 관련 기업에 대한 경제적 지원책 마련이라는 정부 차원의 노력과 기술력 확보라는 기업 차원의 노력으로 나누어 설명하고 있다.

01 ⑤	**02** ⑤	**03** ③	**04** ②

01~02

- **글의 종류** 보고서
- **예상 독자** 같은 학교 학생들
- **글쓰기 목적** 학교 급식의 음식물 쓰레기를 줄이기 위해 시행한 연구 결과 보고
- **지문 핵심 내용**

Ⅰ. 연구 동기와 목적	• 연구 동기: 우리 학교의 음식물 쓰레기 처리 비용이 인근 학교보다 많으며, 이는 사회적 비용 증가로 이어질 수 있어 대책 마련이 시급함. • 연구 목적: 별도의 잔반 처리 구역을 운영하여 학생 개개인의 급식 잔반 횟수와 학교 전체의 음식물 쓰레기 양을 줄일 수 있는지 확인하기 위함.
Ⅱ. 연구 방법	연구 대상, 연구 기간, 연구 설계(그린 존 제도 실시)
Ⅲ. 연구 결과	'그린 존 제도'를 실시한 후 한 달 평균 잔반 횟수와 학교 전체의 급식 잔반량이 감소함.
Ⅳ. 결론	연구 결과 요약

01 윗글은 학교의 음식물 쓰레기 처리 비용과 관련된 문제 상황을 배경으로 하여 별도의 잔반 처리 구역을 운영하는 것이 학교 전체의 음식물 쓰레기양을 줄이는 결과를 불러올 수 있는지 확인하기 위해 진행한 연구의 과정과 결과를 담은 보고서이다. 'Ⅳ. 결론'에서 이번 연구 의의를 제시하고 있기는 하나, 연구 방법을 개선하기 위한 방안을 모색한 부분은 윗글에 나타나지 않는다.

오답 잡기

①, ② 보고서는 특정한 사안이나 현상에 대한 연구의 과정과 결과를 독자에게 전달하는 것을 목적으로 하며, 대체로 '서론-본론-결론'의 구조를 갖춘다. 윗글에서는 이러한 작문 맥락을 고려하여 연구 동기와 목적, 연구 방법 등을 항목별로 정리하여 구체적으로 제시하고 있다.

③ 'Ⅰ. 연구 동기와 목적'에서 우리 학교의 음식물 쓰레기 처리 비용이 사회적 비용 증가로 이어질 수 있다는 공동의 문제 상황을 밝히고 이에 대한 해결책을 마련하고자 본 연구를 진행한다는 배경을 언급한 뒤, 이에 이어 '그린 존 제도'를 시행한 결과를 제시하고 있으므로 적절한 설명이다.

④ 'Ⅲ. 연구 결과'에서 구체적인 수치가 나타난 통계 자료와 그래프를 제시하여 예상 독자인 같은 학교 학생들이 연구의 결과를 이해할 수 있도록 돕고 있다.

02 선생님은 연구 결과를 고려하여 학교 급식 운영 방법을 보완할 제도와 관련된 의견을 덧붙일 것을 요구하고 있다. '그린 존 제도'를 실시하여 학교 전체 급식 잔반량이 감소했음을 언급한 결론의 내용을 고려할 때, 학생들 스스로 잔반을 줄여 나가도록 유도하는 제도를 마련하여 실시할 필요성이 있다는 ⑤의 내용을 제언으로 덧붙일 수 있다.

03~04

- **글의 종류** 설명문
- **글쓰기 목적** 루틴과 징크스와 관련된 정보 전달
- **지문 핵심 내용**

1문단	라파엘 나달의 행동에 나타난 루틴의 사례
2문단	루틴의 개념
3문단	루틴의 종류인 행동적 루틴과 인지적 루틴
4문단	징크스의 개념과 사례
5문단	루틴과 징크스의 유사점과 차이점

03 유래란 사물이나 일이 생겨난 바를 의미한다. 윗글의 4문단에서 징크스의 의미와 사례를 제시하고 있을 뿐, 윗글에 징크스라는 용어를 사용하게 된 유래를 언급한 부분은 나타나지 않는다.

오답 잡기

① 1문단에서 테니스 선수인 라파엘 나달이 수행하는 루틴의 구체적인 사례를 제시하고 있다. 그리고 4문단의 두 번째 문장에서 징크스의 구체적인 사례를 제시하고 있다.

② 2문단의 '한 스포츠 심리학자는 …… 동작이나 절차라고 설명한다.'에서 루틴의 정의를 설명한 전문가의 말을 간접적으로 인용하고 있다.

④ 3문단에서 루틴을 행동적 루틴과 인지적 루틴으로 나누어 각각의 의미를 설명하고 있다.

⑤ 5문단의 두 번째 문장에서 '그렇다면 루틴과 징크스는 어떤 점에서 다를까?'라고 물은 뒤, 다음 문장에서 루틴과 징크스의 차이를 설명하고 있다.

04 2문단에서는 여러 운동선수가 루틴을 수행하는 이유가 무엇일지 질문을 던진 뒤, 루틴의 개념을 제시하고 있다. ㄱ은 루틴의 역할과 효과를 설명하는 자료이므로, ㄱ을 활용하여 운동선수들이 루틴을 수행하는 이유가 불안을 해소하고 집중력을 높여 자신의 운동 능력을 최대로 발휘하기 위함임을 설명할 수 있다.

오답 잡기

① 1문단에서는 루틴의 구체적인 사례를 제시하고 있으므로, 1문단에서 루틴과 운동 수행 능력의 상관관계를 설명한다는 방안은 적절하지 않다.

③ ㄱ에서 인지적 루틴의 사례는 확인할 수 없다.

④, ⑤ ㄴ은 징크스가 형성되는 이유를 설명하는 자료이므로, ㄴ을 활용하여 징크스의 부정적 영향이나 징크스를 극복하는 방법을 제시한다는 방안은 적절하지 않다.

3 ④   3-1 ②   4 ②   4-1 ②

대표 유형 ③

● 지문 핵심 내용

본문 1문단	오투오 서비스의 개념, 이용 현황과 사례
본문 2문단	오투오 서비스 도입에 따른 장점
본문 3문단	오투오 서비스 시장이 성장함에 따라 발생하는 여러 가지 문제
본문 4문단	오투오 서비스 시장의 성장에 따른 문제점을 해결하기 위해 필요한 노력
본문 5문단	오투오 서비스 시장 규모에 대한 전망

3 초고의 '본문' 1문단에서 오투오 서비스의 사례로 '스마트폰에 설치된 앱으로 택시를 부르거나 배달 음식을 주문하는 것'을 제시하고 있다.

오답 잡기

① '표제'인 '오투오 서비스의 개념과 이용 현황'은 '본문'의 1문단에 제시된 내용만을 다루고 있다.

② '본문'의 2문단은 오투오 서비스 도입에 따른 장점, 3문단은 오투오 서비스 시장이 성장함에 따라 발생하는 여러 가지 문제, 4문단은 오투오 서비스 시장의 성장에 따른 문제점을 해결하기 위해 필요한 노력을 중심 내용으로 한다. '전문'인 '최근 오투오 서비스 산업이 급속하게 성장하고 있다.'에는 이러한 '본문'의 핵심 내용이 담겨 있지 않다.

③ '본문'의 1문단에서 오투오 서비스의 개념을 제시하고 있다.

⑤ '본문'의 5문단 '앞으로 오투오 서비스 시장 규모는 더 커질 것으로 예상된다.'에서 오투오 서비스 시장의 전망을 제시하고 있다.

3-1 '전문'은 기사의 핵심 내용을 요약하여 제시하는 부분이다. 초고의 '전문'에는 '누가'(오투오 서비스 산업이), '언제'(최근), '어떻게'(급속하게 성장하고 있다.)와 관련된 내용만이 나타나 있어, 육하원칙을 지켜 서술되었다고 보기 어렵다.

오답 잡기

① 학교 신문 편집부가 요구한 '표제-전문-본문'이라는 기사문의 형식에 따라 내용을 전개하고 있다.

③ 초고의 '본문'에 자료의 출처를 제시한 부분은 나타나지 않는다.

④ 학교 신문 편집부의 요청 사항에 따라 사회적 관심이 높은 '오투오 서비스'를 제재로 선정하여 기사문을 작성했다.

⑤ '본문'의 1문단에서 오투오 서비스의 개념을 정의하여 예상 독자인 학교 학생들의 이해를 돕고 있다.

대표 유형 ④

● 지문 핵심 내용

I. 조사 동기 및 목적	• 조사 동기: 걷기에 대한 우리 학교 학생들의 관심이 낮아 보임. • 조사 목적: 학생들이 걷기를 어떻게 생각하는지 조사하고자 함.
II. 조사 계획	조사 대상, 조사 기간 및 방법, 조사 내용
III. 조사 결과	설문 조사 결과를 활용하여 걷기 실태와 걷기 가치 인식을 제시함.
IV. 결론	• 조사 결과 요약·정리 • 학생들이 걷기의 다양한 가치를 깨달았으면 한다는 제언을 덧붙임.

4 'III. 조사 결과-1'에서는 ○○공원에서 만난 성인 중 44.0%가 이동 수단으로서의 걷기를 제외하고 30분 이상 걷기를 주 1회 이상 한다는 설문 조사 결과를 '학생과 달리 성인은 대부분 걷기를 실천하고 있었다.'와 같이 해석하고 있다. 여기서 '44.0%'라는 수치를 '대부분'이라고 해석한 것은 조사 결과를 과장한 것이므로, ⓒ을 위반한 사례에 해당한다. 또한 윗글에서는 'IV. 결론' 뒤에 보고서에 인용한 모든 자료를 명시한 '참고 문헌'을 제시하지 않았는데, 이는 ⓔ을 위반한 사례에 해당한다.

오답 잡기

㉠ 'II. 조사 계획'에 조사 대상, 조사 기간, 조사 방법을 기술하고 있다.

ⓒ 'III. 조사 결과-2-나'에서 다른 사람의 글에 나타난 "발로 사색하는 것"이라는 내용을 인용하며 그 출처를 밝히고 있다.

4-1 '걷기 실태' 항목에서 성인의 응답 '44.0%'를 '대부분'이라고 해석한 것은 설문 조사 결과를 과장한 것이므로 개인적 차원의 윤리를 위반한 사례에 해당한다. 한편 '걷기의 가치 인식 비교' 항목에서 "발로 사색하는 것"이라는 내용을 인용하며 그 출처를 밝히고 있는데, 이는 사회적 차원의 윤리를 준수한 사례에 해당한다.

개념 더 보기

저작물의 올바른 이용 방법

• 원칙적으로 그 자료를 만든 사람인 저작자에게 자료의 제목과 이용 방식 등을 자세히 알려 이용에 대한 허락을 받아야 한다.

• 저작자가 자료 이용을 허락했더라도, 허락을 받은 범위 내에서 저작권법에서 허용되는 방식으로 자료를 이용해야 한다.

• 자료의 출처를 반드시 밝혀야 한다.

표절

저작권을 지키지 않고 다른 사람의 글이나 자료, 아이디어의 일부 또는 전체를 그대로 베끼는 행위로, 저작권법에 따라 처벌을 받을 수 있다.

01 ③　　　**02** ⑤　　　**03** ⑤　　　**04** ④

01~02

● 글의 종류 기사문

● 예상 독자 같은 학교 학생들

● 글쓰기 목적 교내 체험 활동인 '갯벌 생태 체험'과 관련된 정보 전달

● 지문 핵심 내용

본문 1문단	갯벌 생태 체험 활동 프로그램 소개
본문 2문단	갯벌 탐구 보고서 쓰기 대회의 진행 과정과 결과
본문 3문단	갯벌 생태 사진 촬영하기 활동의 진행 과정과 결과
본문 4문단	갯벌 생태 체험 활동에 참여한 학생들의 만족도 조사 결과 및 개선 방안과 관련된 의견

01 '본문'의 2문단에서 체험 활동 중 하나인 갯벌 탐구 보고서 쓰기 대회가 과학 탐구 능력을 기르기 위한 목적으로 실시되었다는 내용을 제시하고 있기는 하나, '전문'에 이러한 체험 활동의 목적은 나타나지 않는다.

오답 잡기

① '표제'에 '1학년 학생들'이라는 참여 대상과 '갯벌 생태 체험'이라는 체험 활동 명칭을 명시하고 있다.

② '부제'에 행사 장소는 명시하지 않았다.

④ '본문'의 2문단과 3문단에서 갯벌 탐구 보고서 쓰기 대회와 갯벌 생태 사진 촬영하기 활동의 구체적인 내용을 제시하고 있다.

⑤ '본문'에 체험 활동 인솔 교사의 의견을 인용한 부분은 나타나지 않는다.

02 ㄷ은 갯벌 생태 체험 활동에 참여한 학생의 인터뷰로, 체험 활동의 긍정적인 측면을 언급하고 있다. '본문'의 4문단은 체험 활동에 참여한 학생의 84%가 이번 체험 활동 전반에 매우 만족했다는 조사 결과를 제시하고 있으므로, ㄷ을 활용하여 이러한 조사 결과를 뒷받침할 수 있다.

오답 잡기

① ㄱ은 과학 탐구 능력을 갖춘 인재를 육성하기 위해 우리 학교에서 개최하는 다양한 활동을 소개하는 인터뷰이다. 학생의 초고는 '갯벌 생태 체험' 활동을 중심 화제로 다루고 있으며, 그중 '본문'의 1문단은 갯벌 생태 체험 활동 전반을 소개하고 있으므로, ㄱ을 기사문에 활용한다는 방안은 적절하지 않다.

③, ④ '본문'의 3문단은 갯벌 생태 체험 활동 중 갯벌 생태 사진 촬영하기 활동과 관련된 내용을 다루고 있을 뿐, 3문단에 체험 활동 시 기나 갯벌 생태 체험의 필요성과 관련된 내용은 나타나지 않는다. 또한 ㄴ과 ㄷ은 모두 갯벌 탐구 보고서 쓰기 대회와 관련된 인터뷰 내용으로, 3문단의 내용과는 관련이 없다.

03~04

● 글의 종류 자기소개서

● 예상 독자 ○○대학교의 입학 사정관

● 글쓰기 목적 유아 교육학과에 진학하기 위해 지원 동기와 자신의 장점을 포함하여 자기를 소개함.

● 지문 핵심 내용

1문단	어린 시절의 경험을 바탕으로 하여 지원 동기를 밝힘.
2문단	고등학교 때의 경험을 사례로 들어 자신의 장점인 책임감 있는 태도를 드러냄.
3문단	유아 교육 관련 서적의 글귀를 인용하여 자신의 포부를 밝힘.

03 2문단에서 고등학교 때 학생회장을 맡아 독서 활성화 사업을 추진한 경험을 사례로 들어 책임감 있는 태도를 드러내고 있다.

오답 잡기

① 1문단에서 글쓴이는 자신에게 긍정적인 영향을 미친 유년기의 경험을 들어 지원 동기를 밝히고 있다. 윗글에 글쓴이의 태도 변화는 나타나지 않는다.

② 3문단의 마지막 문장에서 유아 교육학과에 합격한다면 진심을 다해서 책임감 있는 태도로 아이들을 돌보는 교사가 되기 위해 노력하겠다는 포부를 드러내고 있을 뿐, 관용 표현을 활용하고 있지 않다.

③ 2문단에서 문제 상황을 극복한 경험을 제시하고 있기는 하나, 이를 유사한 상황에 빗대어 표현하지 않았다.

④ 2문단에서 고등학교 시절의 경험을 들어 자신의 책임감 있는 태도를 제시하고 있을 뿐, 윗글에 어린 시절의 경험을 활용하여 자신의 장점을 나열한 부분은 나타나지 않는다.

04 3문단에서 유아 교육 관련 서적의 글귀를 인용하면서 그 출처를 정확하게 밝혀 적지 않았으므로, ㉣의 쓰기 윤리를 준수하지 않았다.

오답 잡기

㉠ 자신의 경험을 들어 지원 동기와 자신의 장점을 구체적으로 제시하고 있다.

㉡, ㉢ 윗글에 가벼운 표현이나 비속어, 상대방을 배려하지 않은 표현은 나타나지 않는다.

㉤ 3문단에서 유아 교육 관련 서적의 글귀를 인용하면서 큰따옴표를 사용하여 해당 내용이 인용문임을 밝히고 있다.

01~02

- 글의 종류 설명문
- 예상 독자 '게임화'가 생소한 같은 학급 학생
- 글쓰기 목적 '게임화'에 대한 정보 전달
- 지문 핵심 내용

1문단	게임화와 게임의 개념
2문단	게임화의 효용적 측면과 한국사 수업 시간에 활용된 게임화의 사례
3문단	게임화가 활용되고 있는 다양한 분야
4문단	게임화의 활용 방향에 관한 고찰의 필요성

01 학생의 초고에 대상 간의 차이점을 제시한 부분은 나타나지 않는다. 정보를 전달하는 글에서 정보의 속성에 따라 내용을 조직하면 독자가 글의 내용을 좀 더 쉽게 이해할 수 있다.

오답 잡기

② 2문단의 첫 번째 문장과 두 번째 문장에서 게임화의 효용적 측면을 밝힌 뒤, 이에 이어 한국사 수업 시간에 게임화를 활용한 사례를 소개하며 게임화의 특징을 설명하고 있다.

③ 3문단에서 보건, 기업의 마케팅 분야에서 게임화가 활용된 사례를 제시하고 있다.

④ 1문단에서 게임화의 개념을 설명하고 있다.

⑤ 2문단에서 필자와 예상 독자가 공유한 한국사 수업 시간의 경험을 사례로 들어 게임화의 특징을 설명하고 있다.

02 〈보기〉에는 게임화에 따른 과도한 경쟁심 때문에 같은 모둠의 친구를 다그친 학생의 경험이 제시되어 있다. 이러한 경험을 고려할 때 초고의 마지막 문단에는 게임화에 따른 과도한 경쟁이 참여자 간의 관계에 부정적인 영향을 줄 수 있다는 내용을 추가하여 게임적 요소를 적절히 활용하는 지혜가 필요함을 강조할 수 있다.

03~06

- 글의 종류 기사문
- 예상 독자 같은 학교 학생들
- 글쓰기 목적 마을 축제 때 우리 학교 ○○동아리가 운영한 체험 부스 활동에 대한 정보 전달
- 지문 핵심 내용

본문 1문단	○○동아리의 활동 취지와 마을 축제에 참여한 ○○동아리의 활동 내용
본문 2문단	○○동아리의 체험 부스 활동에 참여한 마을 주민들의 반응
본문 3문단	체험 부스를 준비한 ○○동아리 회장과 체험 부스 활동에 참여한 마을 주민의 소감
본문 4문단	○○동아리의 향후 활동 계획

03 '본문'의 1문단에서 '건강한 우리 마을 만들기'라는 마을 축제의 주제를 언급하고 있다.

오답 잡기

①, ② 윗글에 이끼 필터의 장점을 나열하거나 이끼 필터를 넣은 공기 청정기의 작동 원리를 설명한 부분은 나타나지 않는다.

④ '본문'의 3문단에 ○○동아리가 수업 시간에 배운 내용을 활용하여 체험 프로그램을 준비했다는 내용이 나타나 있기는 하나, 이를 체험 부스 운영을 계획한 배경으로 보기는 어렵다.

⑤ '본문'의 2문단에서 마을 주민들에게 좋은 반응을 얻었다는 내용을, 3문단에서 마을 주민의 체험 소감을 제시하고 있을 뿐, 체험 부스에 참여한 마을 주민들의 만족도 조사를 진행하여 그 결과를 제시한 부분은 나타나지 않는다.

04 '본문'의 4문단에서 ○○동아리가 다음 달에 개최되는 이웃 마을 축제에 초청되어 참여할 것이며, 지식 나눔을 계속해서 실천해 나갈 예정이라는 향후 계획을 언급하고 있다.

오답 잡기

① '본문'의 1문단 '우리 학교 ○○동아리는 지식 나눔이라는 동아리의 활동 취지를 살려'에서 ○○동아리의 활동 취지가 '지식 나눔'이라는 점을 확인할 수 있다. '표제'인 '학교에서 배운 지식, 우리 마을과 함께 나눠요.'에는 이러한 동아리의 활동 취지가 잘 나타나 있다.

②, ③ '전문'은 ○○동아리의 활동 내용을 요약하여 제시하고 있을 뿐, 체험 부스 운영 기간은 제시하지 않았다.

④ '본문'의 3문단에서 마을 주민 김△△ 씨의 체험 소감을 직접 인용하고 있다.

05 제시된 〈조건〉에 따르면 '부제'에 해당하는 @는 '표제'의 내용을 구체화해야 하고, ○○동아리가 마을 축제에서 실시한 활동 내용을 잘 드러내야 한다. ⑤는 이끼 필터를 넣은 공기 청정기를 만들어 보는 체험 부스를 운영한 ○○동아리의 활동 내용이 잘 드러나 있으며, '마을 주민들과 함께하는'에서 학교에서 배운 지식을 마을 주민들과 함께 나눈다는 '표제'의 내용을 구체화하고 있다.

①, ③ 마을 축제 때 ○○동아리가 실시한 활동 내용과 부합하지 않으며, 표제의 내용을 구체화하고 있지도 않다.

② ○○동아리의 활동 취지만이 나타나 있어 〈조건〉에 부합하지 않는다.

④ ○○동아리의 체험 부스 운영 소감만이 나타나 있어 〈조건〉에 부합하지 않는다.

06 ㉣에는 어떤 행동이 미치는 대상을 나타내는 격 조사인 '에게'를 사용해야 한다. '에'는 앞말이 부사어임을 나타내는 격 조사로, ㉣에 쓰이기에 적절하지 않다.

07~09

㉮ ● 글의 종류 보고서

● 예상 독자 같은 학교 학생들

● 글쓰기 목적 수면에 대한 우리 학교 학생들의 인식과 수면 실태를 조사한 내용 보고

● 지문 핵심 내용

Ⅰ. 서론	조사 동기, 조사 대상, 조사 방법, 조사 기간
Ⅱ. 본론	• 수면에 대한 인식: 85%의 학생이 수면이 중요하다고 생각하고 있으며, 그중 48%가 수면이 중요한 이유를 '피로를 풀기 위해'라고 응답함. • 수면 실태: 수면이 중요하다고 응답한 학생 중 61%가 하루에 6시간 이상 잠을 자지 않는다고 응답함. 또한 6시간 이상 잠을 자는 학생 중 75%가 수면 후에도 피로가 충분히 풀리지 않았다고 응답함.
Ⅲ. 결론	조사 결과 요약

㉯ ● 글의 종류 설명문

● 예상 독자 같은 학교 학생들

● 글쓰기 목적 수면의 양 부족과 수면의 질 저하에 따른 문제와 그 해결 방안에 관한 정보 전달

● 지문 핵심 내용

1문단	설문 조사 결과로 알 수 있는 우리 학교 학생들의 수면 실태
2문단	수면의 양이 부족하거나 수면의 질이 낮을 때의 문제점
3, 4 문단	수면의 양 부족과 수면의 질 저하에 따른 문제의 해결 방안 • 최소 6시간 이상의 충분한 수면 시간을 확보해야 함. • 수면 환경을 개선하여 수면의 질을 높여야 함.
5문단	수면의 양과 질의 중요성과 적절한 수면 습관 형성의 필요성

07 (가)는 조사 과정과 결과를 독자에게 전달하기 위한 보고서로, (나)와 달리 '서론-본론-결론'의 구조로 내용을 제시하고 있다. 또한 'Ⅱ. 본론'에서 '1. 수면에 대한 인식, 2. 수면 실태'와 같이 항목별로 소제목을 달아 정보를 제시하고 있다.

---

①, ③ (가)는 우리 학교 학생들의 수면에 대한 인식과 수면 실태를 조사한 내용을 보고하는 글이고, (나)는 수면의 양 부족과 수면의 질 저하에 따른 문제와 그 해결 방안에 관한 정보를 전달하는 글이다. (가)와 (나) 모두 공동체 문제의 해결 가능성을 강조하거나 수면에 대한 인식 변화 필요성을 드러내고 있는 것은 아니다.

④ (가)는 교지, (나)는 학교 신문에 쓴 글이므로 (가)와 (나)의 작문 매체는 모두 인쇄 매체이다. 인터넷 매체를 활용할 때와 달리, 인쇄 매체는 글을 작성하여 대중에게 노출한 뒤에는 수정이 자유롭지 않다.

⑤ (가)와 (나) 모두 수면 문제와 관련된 구체적인 사례는 나타나지 않는다.

08 'Ⅱ. 본론-1'에 따르면 수면이 중요하다고 생각하는 학생 중 48%가 수면이 중요한 이유를 묻는 질문에 '피로를 풀기 위해'라고 응답했다. 그런데 이어지는 내용에서 과반수의 학생이 피로 회복을 수면의 목적으로 인식하고 있다며 조사 결과를 과장하여 해석하고 있다(ⓑ). 또한 (가)에 다른 사람의 글이나 자료를 인용한 부분은 나타나지 않으며(ⓒ), 'Ⅲ. 결론' 뒤에 참고 문헌을 제시하지 않았다(ⓓ).

ⓐ 'Ⅰ. 서론'에서 '우리 학교 학생들 전체'라는 조사 대상, '설문 조사'라는 조사 방법, '2021년 3월 11일부터 3월 17일까지'라는 조사 기간을 기술하고 있다.

09 '충분한 시간 동안 깊이 자는 잠'을 '건강한 삶을 위한 지름길'에 비유하여 수면의 양과 질의 중요성을 강조하고 있다.

① 달을 의인화한 비유적 표현을 사용하긴 했으나, 수면의 양과 질의 중요성과 관련된 내용을 포함하지 않았다.

② 수면의 양과 질의 중요성을 제시하고 있으나, 비유적 표현을 활용하지 않았다.

④ 수면의 양과 질의 중요성을 제시하고 있지 않으며, 비유적 표현 역시 활용하지 않았다.

⑤ 수면 부족의 문제점을 제시하고 있을 뿐, 수면의 양과 질의 중요성은 제시하지 않았으며 비유적 표현 역시 활용하지 않았다.

01~02

가 ● 담화 유형 인터뷰(면담)

● 담화 참여자 학생 1, 학생 2, 발명가

● 담화 주제 발명과 아이디어 창출을 중심으로 한 질의응답

● 담화 핵심 내용

학생 1, 2의 질문	발명가의 답변
발명의 개념	전에 없던 기술이나 물건을 새롭게 생각하여 만들어 내는 것
발명가가 만든 발명품	통의 뚜껑과 본체를 여러 개로 나눈 양념통
아이디어 발상에 도움이 될 만한 것	체험 단계, 인지 단계, 발명 단계로 구성된 아이디어 창출 중심 모형
아이디어 창출 중심 모형에 관한 추가 설명	• 필기구를 예로 들어 각 단계를 설명함. • 체험 단계: 필기구를 분해하며 호기심을 가짐. → 인지 단계: 필기구에 담긴 과학적 원리를 공부함. → 발명 단계: 필기구를 개선할 아이디어를 창출함.
미래의 발명가 후배들에게 전하고 싶은 말	주변 사물에 호기심을 갖고, 과학적 원리를 바탕으로 사물의 개선 방법을 찾다 보면 좋은 아이디어가 떠오를 것임.

나 ● 글의 종류 설명문

● 예상 독자 같은 학교 학생들

● 글쓰기 목적 아이디어 창출 중심 모형의 각 단계와 이를 통한 아이디어 창출 방법 설명

● 지문 핵심 내용

1문단	중심 화제 소개
	아이디어 창출 중심 모형은 발명을 어려워하는 학생들에게 도움을 줄 수 있음.
2문단	아이디어 창출 중심 모형의 단계 ①
	물건을 탐색하며 발명에 대한 호기심을 유발하는 체험 단계
3문단	아이디어 창출 중심 모형의 단계 ②
	물건에 적용된 과학적 원리를 학습하는 인지 단계
4문단	아이디어 창출 중심 모형의 단계 ③
	물건에 대한 이해를 바탕으로 그것의 개선 방안을 생각하는 발명 단계

01 학생 2의 문자 메시지에 따르면, 학생 1은 학생 발명가인 선배의 말을 활용해서 (나)를 쓰려고 하므로, ㉠에는 발명가의 말 중 (나)에 활용하려는 내용과 이를 통해 (나)에서 제시할 내용이 들어가야 한다. (가)의 발명가는 세 번째 발언에서 물건을 개선할 아이디어를 창출할 때 '도움을 얻기 위해 기존의 다른 발명품들을 참고할 수 있'다고 했다. 학생 1은 이러한 내용을 활용하여 (나)의 4문단에서 개선 방안을 생각할 때 기존의 다른 발명품을 참고할 수 있으며, 그 예로 자동으로 공기가 채워지는 튜브를 참고해 물에 뜨는 자전거라는 아이디

어를 창출할 수 있음을 언급하고 있다. 따라서 ㉠에 들어갈 적절한 내용은 ④이다.

오답 잡기

① (가)에 발명가가 발명품을 만드는 데 어려움을 겪었다고 말한 부분은 나타나지 않는다. (나) 역시 글쓴이가 발명 도중에 겪었던 어려움을 언급한 내용은 나타나지 않는다.

② (가)에 나타난 발명가의 마지막 발언에서 주변 사물에 호기심을 갖고 개선할 점이 있는지 살펴보라는 내용을 확인할 수 있다. 하지만 (나)에 개선이 필요한 주변 사물의 문제점은 언급되지 않았다.

③ (나)에서 학생 1이 다른 물건인 자전거를 예로 들어 아이디어 창출 중심 모형의 각 단계를 설명하고 있는 것은 맞지만, (가)의 발명가는 양념 담는 통이 아니라 필기구를 예로 들어 모형의 각 단계를 설명하고 있다. 양념 담는 통은 발명가의 발명품으로, 모형의 각 단계와는 관련 없다.

⑤ (가)에 나타난 발명가의 첫 번째 발언에서 발명이 아이디어를 통해 새로운 물건을 만드는 것이라는 내용을 확인할 수 있다. 하지만 (나)에는 '물에 뜨는 자전거'라는 아이디어를 창출할 수 있다는 내용만 나타나 있을 뿐, 이 아이디어를 이용하여 실제로 물건을 제작·완성하는 과정은 나타나지 않는다.

02 (나)의 중심 화제는 '아이디어 창출 중심 모형'으로, (나)에서는 '자전거'를 예로 들어 체험·인지·발명의 각 단계에서 아이디어 창출 중심 모형이 어떻게 적용될 수 있는지 설명하고 있다. 이 과정에서 비교의 방법은 사용하지 않았다.

오답 잡기

① 3문단의 '이때 자전거를 탔던 즐거운 추억을 떠올려 감상문을 써 보는 것도 좋다.'는 글의 주제와 관련 없는 내용으로, 글의 통일성을 해치는 문장이다.

② 4문단은 사연스러운 내용 전개를 고려하여 두 번째 문장과 세 번째 문장의 순서를 뒤바꾸는 것이 적절하다.

③ 2문단의 '직접 자전거를 타 보이기도 하고, 자전거를 분해해 보이기도 하면서 탐색된다.'는 피동 표현을 잘못 사용한 문장으로, '보이기도'는 '보기도'로, '탐색된다'는 '탐색한다'로 수정해야 한다.

④ 2문단에서는 '먼저', 3문단에서는 '그 후', 4문단에서는 '마지막으로'라는 담화 표지를 사용하여 글의 흐름을 효과적으로 드러내고 있다.

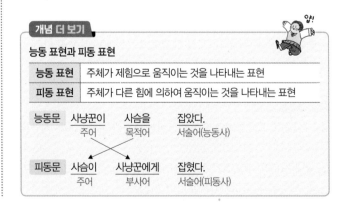

개념 더 보기

능동 표현과 피동 표현

능동 표현	주체가 제힘으로 움직이는 것을 나타내는 표현
피동 표현	주체가 다른 힘에 의하여 움직이는 것을 나타내는 표현

능동문	사냥꾼이	사슴을	잡았다.
	주어	목적어	서술어(능동사)

피동문	사슴이	사냥꾼에게	잡혔다.
	주어	부사어	서술어(피동사)

형식을 사용하여 회의에 대한 학생과 교사의 기대감을 드러내고 있다.

④ 4문단에서 앞으로 실시될 회의의 결과를 연재 기사 형태로 실어 학교 구성원들에게 전달할 예정임을 밝히고 있다.

⑤ 기사문은 정보 전달을 목적으로 하는 글이다. (가)는 이를 고려하여 2문단에서 학급 수가 감축되어 생긴 빈 교실 두 칸의 활용도가 낮아 이를 개선해야 한다는 요구 제기로 학교 공간 개선 지원 사업을 신청했다는 배경에 관한 정보를 전달하고 있다.

04 (나)의 교사 위원은 두 번째 발언에서 유휴 교실을 북 카페 형태로 구성하면 교과와 연계된 독서 교육 프로그램을 운영하는 공간으로 활용할 수 있다고 밝히며 유휴 교실을 북 카페로 만들 것을 제안하고 있다. 이에 학부모 위원은 북 카페를 학부모 독서 모임 공간으로도 활용할 수 있다며 교사 위원의 제안에 동의하고 있을 뿐, 유휴 교실이 북 카페가 되면 교과 연계 독서 활동이 가능하다고 말한 것은 아니다.

오답 잡기

① (나)의 사회자의 마지막 발언 중 '유휴 교실을 북 카페로 활용하는 것으로 의견이 모아진 것 같습니다.'에서 회의 결과를 확인할 수 있다. ㉠은 회의 내용과 그 결과를 간결하게 나타내고 있으므로, 기사문의 표제로 적절하다.

② (가)의 3문단의 '제1차 유휴 교실 활용 위원회 회의는 오는 ××일에 학생 자치실에서 열린다.'에서 (나)의 회의가 열린 날짜와 장소를 확인할 수 있다. 또한 (나)의 사회자의 마지막 발언에서 회의 결과를 확인할 수 있다.

③ (나)에서 학생 위원은 유휴 교실을 학생들을 위한 휴게 공간으로 만들자고 제안했고, 교사 위원은 해당 사업이 교육청의 지원을 받아 이루어진다는 점을 고려하여 유휴 교실을 교육 활동 공간으로 만들자고 제안했다.

⑤ (나)의 사회자는 마지막 발언에서 내부 디자인 설계 때 학생들의 의견을 반영해 주었으면 하는 학생 위원의 제안을 수용하여, 제2차 회의에서는 디자인 전문가와 함께 내부 디자인 설계 방법을 협의할 예정임을 안내하고 있다.

03~04

가 ● **글의 종류** 기사문

● **예상 독자** 학교 구성원

● **글쓰기 목적** 유휴 교실 활용 위원회 회의를 통해 유휴 교실 활용 방안을 논의할 예정임을 알리기 위함.

● **지문 핵심 내용**

표제	새로운 모습으로 탈바꿈하게 될 유휴 교실
전문 (1문단)	• 우리 학교가 교육청의 학교 공간 개선 지원 사업의 대상 학교로 선정됨. • 유휴 교실 활용 위원회 회의를 통해 유휴 교실 활용 방안을 논의할 예정임.
본문 (2~4문단)	• 학교 공간 개선 지원 사업 신청의 배경 • 유휴 교실 활용 위원회의 구성 • 제1차 유휴 교실 활용 위원회 회의 날짜와 장소 • 회의에 대한 학교 구성원의 기대감 • 앞으로 유휴 교실 활용 위원회 회의 결과를 연재 기사 형태로 실을 예정임을 언급함.

나 ● **회의 참여자** 사회자, 학생 위원, 교사 위원, 학부모 위원

● **회의 주제** 유휴 교실의 공간 활용 방안

● **담화 핵심 내용**

유휴 교실의 공간 활용 방안	
학생 위원	유휴 교실을 학생 모두가 마음 편히 이용할 수 있는 휴게 공간으로 활용할 것을 제안함.
교사 위원	교육청 지원 사업임을 고려하여 유휴 교실을 교육 활동을 위한 공간으로 활용할 것을 제안함.
학부모 위원	유휴 교실을 교육적인 활동이 이루어지는 스터디 카페로 활용할 것을 제안함.

▼

휴게 공간과 교육 공간의 성격을 아우를 수 있는 공간 활용 방안	
교사 위원	유휴 교실 두 칸을 통합하여 북 카페 형태로 공간을 구성할 것을 제안함.
학부모 위원	교사 위원의 제안에 동의함.
학생 위원	교사 위원의 제안에 동의함. 단, 내부 디자인 설계 때 학생들의 의견을 반영할 것을 제안함.

03 기사문의 전문에서는 기사의 핵심 내용을 압축하여 요약적으로 제시해야 한다. (가)는 전문인 1문단에서 우리 학교가 '학교 공간 개선 지원 사업'의 대상 학교로 선정되었다는 내용과 '유휴 교실 활용 위원회' 회의를 통해 유휴 교실 활용 방안을 논의할 예정이라는 내용을 요약하여 제시하고 있다. '유휴 교실 개선의 필요성'은 기사문 본문인 2문단의 '우리 학교는 학급 수 감축으로 생긴 빈 교실 두 칸의 활용도가 낮아, 이를 개선해야 한다는 요구가 계속 제기되어 왔다.'에서 언급하고 있다.

오답 잡기

① 기사문이 지닌 공적인 성격을 고려하여 격식체(해라체)를 사용하고 있다.

② 교내 신문의 예상 독자가 학교 구성원임을 고려하여 3문단의 '이와 관련해 김○○ 학생은 …… 기대감을 드러내었다.'에서 인터뷰

01 설득하는 글은 자신의 주장을 논리적으로 펼치는 글이다. 보고 문은 특정한 사안이나 현상에 대한 연구의 과정과 결과를 독자에게 사실대로 전달하는 글이므로, 설득하는 글에 해당하지 않는다.

02 설득하는 글을 쓸 때 수집한 논거를 선별하는 기준으로는 타당 성, 공정성, 신뢰성이 있다. 이를 판단하기 위해서는 논거가 주장을 뒷받침할 수 있는 합리성을 갖추었는지(타당성), 글쓴이의 선입견이 나 편견이 들어가지 않았는지(공정성), 출처가 분명한지(신뢰성) 등 을 확인해야 한다. 논거가 창의적인 내용을 제시하고 있는지는 논거 의 선별 기준과 관련이 없다.

03 건의하는 글은 글쓴이가 제안한 문제 해결 방안이나 요구 사항 을 상대방이 수용하도록 설득하는 것을 목적으로 한다. 따라서 건의 하는 글이 글쓴이의 주관이 개입되지 않아 객관적이라는 설명은 적절 하지 않다.

04 건의하는 글에는 문제 상황을 해결할 수 있는 구체적이고 실현 가능한 방안이나 요구 사항을 제시해야 한다.

05 어떤 사물이나 현상에 대해 옳고 그름, 아름다움과 추함 등의 가치를 논하는 글은 비평하는 글이다.

06 비평문은 어떤 사물이나 현상에 대해 옳고 그름, 아름다움과 추 함 등의 가치를 논하는 글이다. 정서를 표현하는 글에는 일상 속에서 의미 있는 체험을 하거나 사물을 발견하고 그것에 대한 정서를 진솔 하게 표현한 수필과 문학, 연극, 영화, 미술, 음악 등의 대상에 대한 글쓴이의 주관적인 생각이나 느낌을 표현한 감상문, 여행하면서 보 고 듣고 느끼고 생각한 것을 기록한 기행문 등이 있다.

07 (1) 자기를 성찰하는 글로는 일기, 자서전, 회고문 등이 있다. 논 설문은 어떤 문제에 대한 자신의 주장을 논리적으로 펼쳐 쓴 글로,

자기를 성찰하는 글에 해당하지 않는다.

(2) 자기를 성찰하는 글을 쓸 때에는 자신의 감정에 지나치게 치우치 지 않고 진술하고 담담하게 표현해야 한다.

01~02

● 지문 핵심 내용

1문단	문제 상황
	스포일러에 대한 누리꾼들의 부정적 인식 심화
2문단	스포일러에 따른 피해 사례
3문단	문제 해결 방안
	• 자신의 행위가 스포일러가 될 수 있음을 인식해야 함.
	• 지속적인 캠페인 활동을 통해 누리꾼들의 윤리 의식을 고취 해야 함.
4문단	글쓴이의 주장
	스포일러의 폐해에 관심을 지니고 스포일러 방지를 위해 노력 해야 함.

01 1문단의 '영화, 방송, 소설 등의 줄거리나 …… 스포일러라고 한 다.'에서 '스포일러'라는 용어의 개념을 명확히 제시하여 독자의 이해 를 돕고 있다.

오답 잡기

① 1문단에서 설문 조사 결과를 제시하여 누리꾼들 사이에 스포일러 에 대한 부정적 인식이 심화되고 있다는 문제 상황을 드러내고 있 을 뿐, 권위자의 말을 인용한 부분은 나타나지 않는다.

③ 윗글에 기존 이론의 문제점을 비판한 부분은 나타나지 않는다.

④ 3문단의 '그렇다면 이러한 문제는 어떻게 해결할 수 있을까?'에서 질문의 방식을 사용하고 있다. 그러나 도입부에서 질문의 방식을 사용한 부분은 나타나지 않는다.

⑤ 윗글의 화제는 '스포일러'이며, 글쓴이는 4문단에서 '스포일러의 폐해에 관심을 갖고 스포일러 방지를 위해 노력해야 한다'는 주장 을 내세우고 있다. 윗글은 '스포일러'와 관련한 문제 상황과 이를 해결할 방안을 제시하고 있을 뿐, 스포일러에 대한 긍정적 전망을 제시한 것은 아니다.

02 ㉠의 '영화 전문 예매 사이트 ○○가 지난달 …… 설문 조사 결과'에서 설문 조사 자료의 정확한 출처와 설문 조사가 최근에 실시된 것임을 밝히고 있으므로, ㉠은 신뢰성을 갖춘 논거로 볼 수 있다. 신뢰성은 주장을 뒷받침하는 근거의 내용이 믿을 만한 것인지를 말하는 것으로, 신뢰성을 판단하기 위해서는 출처가 정확한 자료인지, 그 출처가 권위 있는 것인지, 최신의 자료인지 등을 살펴봐야 한다.

● 지문 핵심 내용

1문단	건의 사항
	실내에서 실내화를 착용할 것을 건의함.
2문단	문제 상황과 그 영향
	• 문제 상황: 실내에서 실외화를 착용하는 학생이 많음. • 문제 상황이 미치는 영향: 교실 청결과 학생들의 호흡기 건강에 나쁜 영향을 미치고, 계단과 복도 청소가 힘들어짐.
3문단	설문 조사 결과
	학생 대부분이 실내화 착용의 필요성을 인식하고 있지만, 귀찮다는 이유로 실내화를 착용하지 않음.
4문단	요구 사항의 구체화, 기대 효과
	• 요구 사항의 구체화: 실내화 착용을 위해 노력할 것, 실내화 착용을 서로 권유할 것 • 기대 효과: 깨끗한 환경이 조성되어 건강을 염려하지 않아도 되고, 계단과 복도 청소가 수월해질 것임.
5문단	건의 사항 강조, 마무리

03~04

● 지문 핵심 내용

1문단	• 복원과 보존의 개념 • 우리 지역의 탑을 보존하는 것이 적절하다는 글쓴이의 관점 제시
2, 3 문단	글쓴이가 선택한 관점의 근거 • 탑에 담긴 역사적 의미를 온전하게 전달할 수 있어 진정한 역사 교육이 가능함. • 정확한 자료 없이 탑을 복원하는 것은 결국 탑을 훼손하는 것임.
4문단	글쓴이의 관점 정리와 강조

03 (나)의 3문단은 우리 지역의 탑을 건축할 당시 사용한 재료와 건축 과정을 알 수 있는 정확한 자료가 현재 소실된 상황임을 언급하고 있다. 3문단에서 탑의 건축 과정을 설명한 내용은 확인할 수 없다.

오답 잡기

① ㉠에서 예상 독자가 문화재 복원과 보존에 대해 잘 모른다는 것을 고려하여, (나)의 1문단에서 복원과 보존의 의미를 설명하고 있다.
② ㉡에서 예상 독자가 우리 지역 탑의 현재 상태를 궁금해한다는 것을 고려하여, (나)의 1문단에서 탑의 상층부 대부분이 훼손되었음을 제시하고 있다.
③ ㉡에서 예상 독자가 우리 지역 탑을 복원하거나 보존하려는 이유를 궁금해한다는 것을 고려하여, (나)의 2문단에서 탑을 보존했을 때 탑에 담긴 역사적 의미를 온전하게 전달할 수 있어 진정한 역사 교육이 가능하다는 효과를 제시하고 있다.
⑤ ㉢에서 탑을 복원하자는 견해를 가진 예상 독자가 있음을 고려하여, (나)의 4문단에서 건축 문화재의 복원보다 보존을 중시하는 국제적인 흐름을 언급하여 탑을 보존하는 것이 문화재로서의 가치를 지키고 계승할 수 있는 바람직한 방법임을 강조하고 있다.

04 (나)의 글쓴이는 탑을 보존하면 탑에 담긴 역사적 의미를 온전하게 전달할 수 있어 진정한 역사 교육이 가능하다는 점과 정확한 자료 없이 탑을 복원하면 결국 탑을 훼손하는 것이므로 탑이 문화재로서의 가치를 잃게 된다는 점을 근거로 들어 우리 지역의 탑을 보존하는 것이 바람직하다는 자신의 관점을 드러내고 있다.

05 3문단은 학생들을 대상으로 한 '실내화 착용에 대한 설문 조사 결과'를 활용하여 실내화 착용 현황과 실내화 착용의 필요성에 대한 학생들의 인식을 구체적인 수치로 제시하고 있다. 이러한 설문 조사 결과는 실내에서 실내화를 착용하자는 건의 내용의 신뢰성을 높여 주고 있다.

오답 잡기

① 2문단에 실외화를 신고 다니는 학생들 때문에 계단이나 복도를 청소하는 학생들이 고생한다는 상황이 언급되어 있을 뿐, 윗글에 청소하는 학생들의 말을 인용한 부분은 나타나지 않는다.
③ 윗글에 실내화 착용의 이점에 대한 전문가의 견해를 제시한 부분은 나타나지 않는다.
④ 윗글에 실내화 착용에 반대하는 학생들의 의견과 사례는 나타나지 않는다.
⑤ 4문단에서 문제 상황을 해결하기 위해 학생 차원에서 실천할 수 있는 방안을 제시하고 있을 뿐, 윗글에 학교 차원의 지원책은 나타나지 않는다.

06 4문단에서 학생들이 실내에서 실내화를 착용했을 때의 기대 효과로, 깨끗한 환경이 조성되어 학생들이 건강을 염려하지 않아도 되고 계단이나 복도 청소가 수월해질 수 있다는 긍정적인 효과를 제시하고 있다.

● 지문 핵심 내용

1문단	• 빠르게 스쳐 가는 버스를 보고 평소 느긋함을 느끼지 못했음을 떠올림. • 이전에 주목하지 못했던 새소리를 듣고 뿌듯한 마음에 발걸음이 가벼워짐.
2문단	• 아침 햇살을 받으며 반짝이는 나뭇잎들을 보고 아름답다고 느낌. • 다양한 빛깔의 나뭇잎들이 서로 조화를 이루고 있는 모습에서 다양성의 가치를 발견함.
3문단	• 친구들과 지내며 생각의 차이를 받아들이지 않았던 자신의 모습을 성찰함. • 다양성을 인정하는 삶을 살아갈 것을 다짐함.

07 글쓴이는 2문단에서 가을에 나무가 아름다운 이유는 다양한 빛깔의 나뭇잎들이 조화를 이루고 있기 때문이라고 언급하고 있다. 이는 글쓴이가 가을날 '나뭇잎들'을 보고 떠올린 생각으로, 윗글에 '가을'이라는 특정 소재와 관련된 글쓴이의 생각은 드러나 있지 않으며 아름다움을 위해서 인내가 필요하다는 생각 역시 나타나지 않는다.

오답 잡기

① 1문단에서 글쓴이가 빠른 속도로 자신을 스쳐 가는 버스를 보고 어제까지 자신도 버스를 타고 오가느라 느긋함을 느끼지 못했다는 생각을 떠올렸음을 확인할 수 있다.

② 1문단에서 글쓴이가 새들이 지저귀는 소리를 듣고 걸어서 등교하지 않았다면 그 소리를 듣지 못했을 것이라고 생각하며 뿌듯함을 느꼈음을 확인할 수 있다.

③ 2문단에서 글쓴이가 나뭇잎들의 빛깔이 다른 것을 보고 나무가 아름다운 것은 다양한 빛깔의 나뭇잎들이 조화를 이루고 있기 때문이라는 점, 즉 다양성의 가치를 발견했음을 확인할 수 있다.

⑤ 3문단에서 글쓴이가 자신의 생활을 돌아보며 생각이 다른 친구들과 함께 있으면 불편했던 일, 자신의 의견에 반대하는 친구들에게 반감을 느꼈던 일을 떠올렸음을 확인할 수 있다.

08 글쓴이는 다른 날보다 일찍 일어나 걸어서 등교하며 마주친 대상들을 통해 자신의 삶을 돌아보게 되었다. 그리고 친구들과의 생각 차이를 받아들이지 않았던 자신의 모습을 성찰하며 사람들이 살아가는 모습이 다른 것은 삶의 빛깔이 조금씩 다르기 때문이며 서로 다른 삶의 빛깔을 인정하며 살아야겠다는 깨달음을 얻게 되었다.

---

5 ④	5-1 ③	6 ④	6-1 ②

대표 유형 5

● 지문 핵심 내용

1문단	물티슈의 무분별한 사용 때문에 문제가 발생하고 있음.
2문단	물티슈의 무분별한 사용 때문에 발생하는 문제점과 그 원인 • 환경 오염 유발 • 인체 부작용 유발 • 불필요한 사회적 비용의 과다한 발생
3문단	문제를 해결하기 위해 필요한 학교·제조 회사·학생·학생회 차원의 노력

5 '물티슈의 무분별한 사용은 개인과 사회, 나아가 환경까지 병들게 한다.'에서 환경을 생명이 있는 대상처럼 나타낸 비유적 표현을 활용하여 물티슈의 무분별한 사용에 따른 문제점을 드러내고 있다. 그리고 '물티슈에 대해 제대로 알고 올바르게 사용하자.'에서 글의 주제를 강조하고 있다.

오답 잡기

①, ② 각각 '우리 모두는 환경의 파수꾼'과 '편리함이라는 선물'이라는 비유적 표현을 활용했으나, 이를 통해 물티슈의 무분별한 사용에 따른 문제점을 드러내지 않았다.

③, ⑤ 문제점을 드러내고 있기는 하나, 비유적 표현을 활용하지 않았다.

5-1 '변기에 버린 물티슈, 허공에 버린 사회적 비용'에서 문장 구조가 서로 같거나 비슷한 구절을 짝지어 배열한 대구를 활용하여 물티슈의 무분별한 사용 때문에 사회적 비용이 과다하게 발생할 수 있다는 문제점을 드러내고 있다. 그리고 '물티슈는 휴지통에!'에서 이러한 문제점을 해결하기 위한 방안을 제시하고 있다.

오답 잡기

①, ⑤ 대구를 활용했으나 무분별한 물티슈 사용 때문에 발생하는 문제점을 포함하지 않았다.

②, ④ 무분별한 물티슈 사용 때문에 발생하는 문제점이 드러나지 않으며, 대구를 활용하지도 않았다.

개념 더 보기

대구법
같거나 비슷한 문장 구조를 짝을 맞추어 나란히 배열하는 표현 방법으로, 문장의 의미를 강조해 주는 효과가 있다.
예 • 낮말은 새가 듣고 밤말은 쥐가 듣는다.
　　• 콩 심은 데 콩 나고, 팥 심은 데 팥 난다.

● 지문 핵심 내용

1문단	퓨전 한복을 입고 고궁을 찾는 사람이 증가함.
2~4문단	퓨전 한복의 문제점 • 퓨전 한복이 늘어나 전통 한복의 훼손이 심해짐. • 한복에 대한 잘못된 인식이 생길 수 있음. • 전통 한복 산업이 위축될 수 있음.
5문단	고궁 무료 관람 혜택 대상에서 퓨전 한복을 제외해야 함.

6 ㄱ-1은 연령에 따른 한복 종류의 선호도를, ㄷ은 품질이 낮은 퓨전 한복 때문에 발생하는 문제점을 보여 주는 자료이다. (가)에 전통 한복은 가격 경쟁에서 퓨전 한복에 밀린다는 내용이 제시되어 있기는 하지만, ㄱ-1과 ㄷ의 자료 모두 전통 한복의 가격과 관련 없는 내용이므로, ④의 자료 활용 방안은 적절하지 않다.

[오답 잡기]

① ㄱ-1은 연령대가 낮을수록 전통 한복에 비해 퓨전 한복을 선호하는 경향이 뚜렷함을 보여 주는 자료이다. 따라서 이를 활용하여 (가)의 1문단 마지막 문장의 근거를 제시할 수 있다.

② ㄴ은 외국인 관람객들이 퓨전 한복을 전통 한복으로 잘못 소개하는 경우가 많음을 제시하는 자료이다. 따라서 ㄴ을 활용하여 (가)의 3문단에 나타난 문제 상황의 사례를 제시할 수 있다.

③ ㄷ은 품질이 낮고 불편한 퓨전 한복 때문에 전통 한복에 대한 부정적 이미지가 생기고 있음을 제시하는 자료이다. 따라서 ㄷ을 활용하여 퓨전 한복 때문에 발생하는 문제점을 추가할 수 있다.

⑤ ㄱ-2는 전통 한복에 대한 외국인 관람객의 만족도가 매우 높음을 보여 주는 자료이다. ㄴ의 마지막 문장에는 전통 한복을 체험한 외국인 대다수가 전통 한복에서 한국적인 아름다움을 느꼈다고 말한다는 내용이 제시되어 있으므로, 이 두 자료를 활용하여 전통 한복을 입도록 장려하는 것이 외국인들에게 한국적인 아름다움을 알리는 것에 도움이 된다는 내용을 추가할 수 있다.

6-1 ㉡은 2015년과 2017년에 한복을 입고 궁궐을 찾은 외국인 관광객의 수치를 비교하여 제시하고 있다. (가)의 1문단에서 2013년부터 퓨전 한복이 본격적으로 증가하기 시작했음이 나타나 있지만, ㉡에서는 이러한 내용을 확인할 수 없으므로 ②의 자료 활용 방안은 적절하지 않다.

[오답 잡기]

① ㉠에는 제작비를 낮추기 위해 해외 시장에서 무분별하게 퓨전 한복을 생산한다는 내용이 제시되어 있다. (가)의 4문단에는 전통 한복이 퓨전 한복과의 가격 경쟁에서 밀리는 원인으로 퓨전 한복은 저가 원단과 값싼 장식을 사용하여 가격이 저렴한 편이라는 점이 제시되어 있으므로, ㉠의 내용을 활용하여 전통 한복이 퓨전 한복과의 가격 경쟁에서 밀리는 원인을 추가할 수 있다.

③ ㉢은 한복을 입고 궁궐을 찾은 외국인 관광객들이 SNS에 올린 사진에서 한복 고유의 흔적을 찾아보기 어렵다는 내용을 제시하고 있다. (가)의 3문단은 외국인들이 퓨전 한복을 전통 한복으로 오해

할 수도 있다는 내용을 제시하고 있으므로, ㉢을 활용하여 이러한 내용을 뒷받침할 수 있다.

⑤ ㉢-2는 퓨전 한복의 모습을 보여 주는 시각 자료이다. (가)의 2문단에 전통 한복에서 멀어진 형태의 퓨전 한복이 늘어나 전통 한복의 훼손이 심해지고 있다는 내용이 제시되어 있으므로, ㉢-2를 활용하여 전통 한복의 형태에서 멀어진 퓨전 한복의 사례를 제시할 수 있다.

DAY 2 필수 체크 전략 ② | 44~45쪽

| **01** ④ | **02** ⑤ | **03** ② | **04** ⑤ |

01~02

● 글의 종류 논설문

● 예상 독자 같은 학교 학생들

● 글쓰기 목적 기부에 대한 학생들의 인식을 바꾸기 위한 노력의 필요성 제시와 그 방안 마련

● 지문 핵심 내용

1문단	기부에 대한 통념과 기부의 진정한 의미
2문단	기부에 대한 학생들의 인식
3, 4문단	학생들의 인식을 바꾸기 위한 방안 • SNS를 활용한 온라인 기부 방법을 안내하여 학생들의 기부 참여를 유도함. • 목표 달성형 모바일 앱을 활용한 캠페인을 진행하여 기부를 독려함.
5문단	온라인 기부 방법의 특징과 의의

01 윗글은 우리나라 기부 문화가 직면한 문제점을 언급하고 있지 않으며, 이를 논의의 바탕으로 삼고 있지 않다.

[오답 잡기]

① 2문단의 '그런데 학생들은 …… 기부를 어렵게 느끼는 경향이 있다.'에서 학생들이 기부에 대해 갖고 있는 인식을 제시하고 있다.

② 5문단의 '이러한 기부 방법은 …… 인기를 얻고 있다.'에서 온라인 기부 방법이 간편하게 참여할 수 있다는 점에서 사람들에게 인기를 얻고 있음을 설명하고 있다.

③ 1문단의 '흔히 사람들은 기부를 …… 내놓는 것으로만 알고 있다.'에서 기부에 관한 통념을 언급하고 있으며, 그다음 문장에서 기부의 진정한 의미를 제시하고 있다.

⑤ 3문단에서 SNS를 활용한 온라인 기부 방법을 안내하여 기부 참여를 유도할 수 있음을 언급하며 전교생의 SNS 사용 실태를 설문 조사한 결과를 활용하고 있다.

02 윗글의 5문단은 전통적인 방식에서 벗어나 웹이나 모바일 애플리케이션 등을 통해 기부에 간편하게 참여하여 큰 보람을 느낄 수 있

다는 온라인 기부의 특징을 언급하고 있다. 역설은 이치에 맞지 않고 모순되는 진술이지만 그 속에 진실을 담고 있는 표현 방법으로, '작지만 큰 기부'에서 온라인 기부의 특징을 역설의 방법으로 표현하고 있다. 또한 '이제 손쉽게 …… 동참해 보는 것은 어떨까?'에서 질문의 형식을 사용하여 기부를 권유하고 있다.

오답 잡기

① '비울수록 가득 차는 기쁨'에서 역설적 표현을 사용하고 있기는 하나, 윗글에 나타난 온라인 기부의 특징을 드러낸다고 보기 어렵다. 또한 질문 형식이 아닌 청유형 표현을 사용하여 기부를 권유하고 있다.

②, ④ 질문 형식으로 기부를 권유하고 있기는 하나, 역설적 표현을 사용하여 온라인 기부의 특징을 드러내고 있지 않다.

③ 첫 번째 문장에서는 질문 형식을, 두 번째 문장에서는 청유형 표현을 사용하여 기부에 동참할 것을 권유하고 있을 뿐 역설적 표현을 사용하여 온라인 기부의 특징을 드러내고 있지 않다.

03~04

가 ● 글의 종류 비평문

● 글쓰기 목적 팩션에 대한 긍정적 관점 제시

● 지문 핵심 내용

1문단	팩션의 개념과 최근 동향
2, 3문단	• 팩션의 긍정적 영향 • 팩션에 대한 필자의 긍정적 관점: 팩션을 다양한 역사적 상상력을 구현하고 역사에 대한 관심을 불러일으키는 발판으로 보아야 함.

나 ● 글의 종류 비평문

● 글쓰기 목적 팩션에 대한 부정적 관점 제시

● 지문 핵심 내용

1문단	• 팩션의 개념 • 팩션에 대한 필자의 부정적 관점: 팩션은 대중성에 치중하고 철저한 고증을 거치지 않았다는 점에서 여러 가지 문제점을 동반함.
2~4문단	• 팩션의 부정적 영향 • 팩션에 대한 규제의 필요성

03 (가)와 (나) 모두 1문단에서 '팩션'의 개념을 정의하여 독자의 이해를 돕고 있다(㉠). (가)의 3문단과 (나)의 3문단에서 팩션에 대한 필자의 관점과 반대되는 관점을 제시한 뒤, 그를 반박하고 있다(㉣).

오답 잡기

㉡ (가)와 (나) 모두 전문가의 견해를 인용한 부분은 나타나지 않는다.

㉢ (가)의 3문단 마지막 문장에서 팩션을 '다양한 역사적 상상력을 구현하고 역사에 대한 관심을 불러일으키는 발판'에 비유하여 필자의 관점을 드러내고 있다. 그러나 (나)에는 비유적 표현이 나타나지 않는다.

---

04 ⓑ는 관람객의 81%가 팩션 영화의 내용을 역사적 사실로 인식한다는 점을 보여 주는 자료이다. 따라서 (나)의 4문단에서 이를 활용하여 역사적 지식을 풍부하게 갖추지 못한 대중은 팩션의 허구를 사실로 받아들여 잘못된 역사관을 형성할 수 있다는 내용을 뒷받침할 수 있다.

오답 잡기

① ⓐ는 팩션 영화 관람이 역사에 관한 흥미를 불러일으킬 수 있음을 보여 주는 설문 조사 결과이다. (가)의 2문단에서 팩션이 대중문화를 활성화한다는 점을 언급하고 있지만, ⓐ에는 이와 관련된 내용이 나타나지 않으므로 ⓐ를 통해 이러한 내용을 뒷받침할 수 없다.

③ (나)의 3문단에서 팩션을 통해 생겨난 역사적 관심을 긍정적으로 볼 수만은 없다는 내용을 언급하고 있지만, ⓐ에는 이와 관련된 내용이 나타나지 않으므로 ⓐ를 통해 이를 뒷받침할 수 없다.

④ (나)의 3문단에서 대부분의 팩션이 이분법적 구조로 이야기를 전개하여 역사를 단편적으로 인식하게 한다는 내용을 언급하고 있다. ⓑ는 팩션 영화 관람객의 81%가 영화의 내용을 역사적 사실로 인식한다는 점을 보여 주는 설문 조사 자료일 뿐 역사의 단편적 인식과는 관련 없으므로 ⓑ를 통해 이러한 내용을 뒷받침할 수 없다.

DAY 3 필수 체크 전략 ① | 46~49쪽

7 ②	**7-1** ⑤	**8** ③	**8-1** ①

대표 유형 7

가 ● 지문 핵심 내용

글쓴이의 체험	텃밭을 정리하고 옥수수 씨앗을 심음.
▼	
성찰의 계기	하나의 생명을 심을 때는 심는 사람의 마음도 함께 심는 것이라는 선생님의 조언
▼	
성찰의 내용	당장의 어려움 때문에 시작할 때의 마음을 잊었던 자신을 돌아봄. 옥수수 씨앗을 심는 과정에서 사람의 마음이 중요하다는 깨달음을 얻음.

나 ● 지문 핵심 내용

글쓴이의 체험	선배와 학교 텃밭에 옥수수 씨앗을 심음.
▼	
성찰의 계기	때가 되면 싹이 돋아날 테니 너무 조급해하지 말라는 선배의 조언
▼	
성찰의 내용	평소 결과가 빨리 나오기를 바라며 조급해한 자신의 모습을 돌아보고, 이를 친구들을 대할 때의 태도와 연결 지음. 기다림의 시간을 소중히 여기며 성급한 마음을 먹지 말아야 한다는 깨달음을 얻음.

7 (나)에서 학생 2는 옥수수 싹이 나오기를 기다리며 조급해했던 자신의 태도를 반성하고 기다림의 자세가 필요하다는 새로운 의미를 발견하고 있다. 그러나 (가)의 학생 1은 옥수수 씨앗을 심는 과정에서 사람의 마음이 중요하다는 점을 깨달았으므로, 식물이 자라는 모습에서 새로운 의미를 발견했다고 볼 수 없다.

오답 잡기

① 학생 1은 선생님의 조언을, 학생 2는 선배의 조언을 성찰의 계기로 삼고 있다.

③ 학생 1은 '당장의 어려움 때문에 시작할 때의 마음을 잊었던 것은 아닐까?'에서, 학생 2는 '왜 그렇게 조급해했던 것일까?'에서 스스로에게 질문을 던지며 자신을 돌아보고 있다.

④ 학생 1은 선생님의 조언을 다시 인용하며, 학생 2는 옥수수 싹이 어느새 올라와 있는 상황을 제시하며 글을 마무리하고 있다.

⑤ 학생 1은 감정 변화(설렘 → 후회 → 반성)를 중심으로, 학생 2는 자신의 태도를 친구들과의 관계와 연결 지어 내용을 전개하고 있다.

7-1 (나)의 학생 2는 '때가 되면 싹이 돋아날 테니까 너무 조급해하지 말고 기다려 보자'고 한 선배의 조언을 통해 평소 결과가 빨리 나오기를 바랄 때가 많고, 친구와 빨리 친해지고 싶은 마음에 조급함과 서운함을 느꼈던 자신의 태도를 돌아보고 있다. 그리고 이를 바탕으로 하여 기다림의 시간을 소중하게 여기며 성급한 마음을 먹지 말아야겠다는 깨달음을 이끌어 내고 있다.

대표 유형 8

● 지문 핵심 내용

1문단	인사말, 자기소개, 요구 사항
2문단	문제 상황과 해결 방안 • 문제 상황: 담장에 칠한 페인트 색이 바래고, 페인트가 벗겨진 부분이 많음. • 해결 방안: 공공 벽화 그리기 사업 추진
3문단	학생회의 노력 • □□학교 학생회에 관련 자료를 요청함. • △△구청에 예산 지원 가능 여부를 문의함.
4, 5문단	기대 효과 • 학생들: 자신의 재능을 나누는 경험을 할 수 있음. 지역 공동체를 위해 봉사하는 기회를 얻고 보람을 느낄 것임. • 학생회: 사업 추진 과정을 통해 자율성과 책임감을 배울 수 있을 것임.
6문단	건의 내용 강조

8 〈보기〉의 학생은 초고에서 3문단의 위치를 옮길 것과 예산 지원을 받지 못할 때의 대비책을 추가할 것을 제안하고 있다. 5문단에서는 공공 벽화 그리기 사업을 진행하기 위한 학생회의 노력을 알아줄 것을 당부하고 있으며, 3문단에서는 그 노력의 구체적인 내용을 언급하고 있으므로, 3문단을 5문단 뒤로 옮겨 그 내용을 부각하는 것이 적절하다. 또한 구청에서 예산 지원을 못 받게 되었을 때를 대비하여, 추후 학교의 예산 지원이 필요할 수도 있다는 대안을 추가했으므로, @에 들어갈 내용으로는 ③이 적절하다.

오답 잡기

④ 공공 벽화 그리기 사업이 지역 공동체를 위한 활동임을 부각하는 것은 학생이 제시한 조건에 해당하지 않는다.

⑤ 3문단의 내용이 교장 선생님의 우려에 대한 대책이 될 수 있으나, 구청에 예산 지원을 신청했다는 내용을 삭제하는 것은 적절하지 않다.

8-1 '바래다'는 '볕이나 습기를 받아 색이 변하다.'를, '바라다'는 '생각이나 바람대로 어떤 일이나 상태가 이루어지거나 그렇게 되었으면 하고 생각하다.'를 의미한다. 따라서 ㉠은 '바랐고'가 아니라 '바랬고'가 적절하다.

오답 잡기

② 2문단은 학교 담장에 칠한 페인트 색이 바래고 페인트가 벗겨진 부분이 많다는 문제 상황을 제시하고 이를 해결할 방안으로 공공 벽화 그리기 사업을 제안하고 있다. 공공 벽화에 그릴 그림의 내용과 관련된 학생들의 의견은 2문단의 중심 내용과 관련이 없어 통일성을 해치므로 삭제하는 것이 적절하다.

③ '기간'은 '어느 때부터 다른 어느 때까지의 동안'을 뜻하는 단어로, '동안'과 의미가 중복된다. 따라서 ㉢은 '동안'으로 고치는 것이 적절하다.

④ ㉣의 앞뒤 문장은 공공 벽화 그리기 사업을 진행할 때의 장점을 다루고 있다. '하지만'은 서로 일치하지 않거나 상반되는 사실을 나타내는 두 문장을 이어 줄 때 쓰는 접속 부사이므로, ㉣은 '그리고'와 같은 접속 부사로 고치는 것이 적절하다.

⑤ '-요'는 '이것은 말이요, 그것은 소이다.'와 같이 어떤 사물이나 사실 등을 열거할 때 사용하는 연결 어미이다. ㉤에서는 높임 표현을 사용하여 문장을 끝맺어야 하므로, ㉤은 정중한 권유를 나타내는 종결 어미인 '-십시오'를 사용하여 '주십시오'로 수정하는 것이 적절하다.

01 ② **02** ② **03** ⑤ **04** ⑤

01~02

● 글의 종류 건의문

● 예상 독자 △△아파트 관리소장님

● 글쓰기 목적 △△아파트 단지 내 테니스장의 철망 교체 또는 보수 요청

● 지문 핵심 내용

1문단	인사말, 자기소개, 건의 배경
	아파트 내에 주민의 안전을 위협하는 위험한 환경이 있어 그러한 문제 상황을 해결하기 위해 건의함.
2문단	문제 상황
	테니스장 둘레의 철망이 훼손되어 주민의 안전을 위협함.
3문단	요구 사항
	테니스장의 철망을 교체하거나 보수해야 함.
4문단	건의 사항 강조, 끝인사

01 윗글은 문제 상황을 해결하기 위한 건의문으로, 필자는 아파트 관리소장님에게 테니스장의 철망을 교체하거나 수리해 줄 것을 건의하고 있다. 윗글에 예상 독자인 관리소장님과의 관계를 개선하려는 목적은 나타나지 않는다.

오답 잡기

①, ④ 건의문은 예상 독자가 분명히 정해진 글이다. 윗글의 예상 독자는 △△아파트 관리소장님으로, 필자가 관리소장님에게 아파트 단지 내 테니스장의 철망을 교체하거나 보수해 줄 것을 건의하고 있다는 점에서 작문이 필자와 독자의 사회적 의사소통 행위이며, 특정한 목적을 이루기 위한 표현 행위임을 확인할 수 있다.

③ 작문 관습이란 글의 종류에 따른 전형적인 구조나 전개 방식, 표현 방식 등을 말한다. 건의문은 글을 읽는 독자가 명확하여 대체로 편지 형식으로 쓰며, 시작 부분에는 인사말과 자기소개 등을 포함한다. 윗글이 이러한 글의 형식을 고려하여 인사말과 자기소개로 글을 시작하고 있다는 점에서 작문이 언어 공동체의 작문 관습을 고려한 표현 행위임을 확인할 수 있다.

⑤ 필자가 아파트 내의 문제 상황을 발견하고 이를 해결하기 위해 윗글을 작성했다는 점에서 작문이 일상의 문제를 해결하기 위한 표현 행위임을 확인할 수 있다.

02 '위험한 환경'이 '주민의 안전'을 위협하는 것이므로, ㉠은 '위협하는'으로 수정하는 것이 적절하다(ㄱ). 윗글은 주민의 안전을 위해 아파트 단지 내 테니스장의 철망을 교체하거나 수리해 줄 것을 건의하는 글이다. 아파트 단지에 시각 장애인을 위한 운동 시설이 더 많이 필요하다는 내용의 ㉢은 글의 주제에서 벗어난 내용이므로 삭제하는 것이 적절하다(ㄷ).

오답 잡기

ㄴ. '그런데'는 화제를 앞의 내용과 관련시키면서 다른 방향으로 이끌어 나갈 때 쓰는 접속 부사이다. ㉡의 앞뒤 문장을 살펴보면 테니스장 철망의 기능을 언급한 것과 관련하여 현재 철망의 상태와 문제점을 제시하고 있으므로, ㉡에는 원래의 글처럼 '그런데'가 들어가는 것이 적절하다.

ㄹ. 4문단에서는 건의 사항을 강조하며 글을 마무리하고 있다. 아파트 주민의 생활 만족도 설문 조사 결과는 4문단의 내용뿐 아니라 윗글의 내용과도 관련 없으므로 ㄹ의 고쳐쓰기 방안은 적절하지 않다.

03~04

● 글의 종류 감상문

● 글쓰기 목적 밀레의 〈만종〉에 대한 감상 내용과 깨달음 표현

● 지문 핵심 내용

1문단	미술관을 찾아간 계기
2문단	미술관에서 미술 작품을 감상하며 밀레의 〈만종〉을 발견함.
3문단	〈만종〉의 내용 묘사
4문단	〈만종〉에 나타난 두 부부의 모습을 보며 할아버지와 할머니를 떠올림.
5문단	〈만종〉을 감상한 경험을 통해 행복은 마음가짐에 달렸다는 것을 깨달음.

03 윗글에 필자가 미술 작품에 대해 사전에 조사한 내용은 나타나지 않는다. 필자는 작품을 감상하며 미술 시간에 배운 내용을 떠올렸다고 했는데, 이를 사전에 조사한 내용으로 보기는 어렵다.

오답 잡기

① 1문단에서 최근 부모님의 사업이 어려워지면서 심란해하던 필자가 근처 미술관에 가서 기분 전환을 해 보라는 친구의 권유를 받고 미술관에 방문하게 되었음을 제시하고 있다.

② 3문단에서 밀레의 〈만종〉에 나타난 인물과 사물의 모습, 배경을 구체적으로 묘사하고 있다.

③ 5문단에서 '행복이란 …… 마음가짐에 달렸다는 것'이라는 깨달음을 제시하며 글을 마무리하고 있다.

④ 4문단에서 할아버지와 할머니의 말씀 "이렇게 사는 것도 얼마나 행복한데?"를 인용하며 현재의 상황보다는 그 상황을 대하는 마음가짐이 중요하다는 삶의 태도를 알게 되었음을 제시하고 있다.

04 고쳐 쓰기 전과 고쳐 쓴 후의 내용을 비교해 보면 ㉠ 뒤에 '그림 속 부부 또한 …… 알려 주는 듯했기 때문이다.'라는 문장이 추가되었다. 〈보기〉에 따르면 필자가 〈만종〉 앞에서 오랜 시간 동안 발을 뗄 수 없었던 이유는 작품 속 부부가 현재의 상황보다는 그 상황을 대하는 마음가짐이 중요함을 알려 주는 듯했기 때문인데, 이는 필자가 할아버지와 할머니의 삶을 통해 배운 깨달음이다. 따라서 필자가 작품 속 부부의 모습과 할아버지와 할머니의 삶의 태도를 관련지은 내용을 추가하여 초고를 수정했음을 알 수 있다.

01 ② **02** ② **03** ⑤ **04** ③ **05** ③
06 ② **07** ⑤ **08** ⑤ **09** ③

01~03

나 ● 글의 종류 논설문

● 예상 독자 같은 학교 학생 전체

● 글쓰기 목적 '채식하는 날' 도입에 대한 학생들의 부정적 인식 해소

● 지문 핵심 내용

1문단	• '채식하는 날'의 운영 주기와 식단에 포함되지 않는 식재료 • '채식하는 날' 도입 여부에 관한 설문 조사 결과 • '채식하는 날' 도입에 대한 필자의 입장
2, 3문단	'채식하는 날' 도입이 필요한 이유 • 학생들의 채소류 섭취가 늘 것 • 육류 소비 과정에서 발생하는 온실가스 배출을 줄여 기후 위기 방지에 기여함.
4문단	'채식하는 날' 도입의 긍정적 효과 강조, 필자의 입장 정리

01 2문단에서 채소류 음식을 즐기면 몸이 건강해진다는 영양 선생님의 말씀을 인용하고 있을 뿐, 그와 관련된 연구 결과를 제시한 것은 아니다.

오답 잡기

① 2문단에서 영양 선생님의 말씀을 인용하여 다양한 방식으로 조리한 맛있는 채소류 음식을 제공할 것을 언급하고 있다.

③ 2문단에서 우리 학교 학생들은 육류를 중심으로 음식을 골라 먹는 경향이 강하고 잔반에서 채소류의 비중이 높다는 급식 실태를 서술하며 '채식하는 날' 도입의 필요성을 제시하고 있다.

④ 1문단에서 '채식하는 날'을 도입하면 매주 월요일에 육류와 계란 등을 제외한 채식 중심의 급식이 제공된다고 밝히고 있다.

⑤ 3문단에서 '채식하는 날'을 도입하면 육류 소비 과정에서 발생하는 온실가스 배출을 줄여 지구의 기후 위기를 막으려는 노력에 동참할 수 있다고 밝히고 있다.

02 〈보기〉의 자료는 축산 분야를 통해 배출되는 온실가스 비율이 가장 큼을 보여 준다. 이를 활용하여 '채식하는 날' 도입으로 육류 소비를 줄여 온실가스를 감축할 수 있다는 점을 강조할 수 있다. 그러나 [A]에는 온실가스 감축을 위한 개인의 노력이 중요하다는 내용이 나타나지 않으며, 〈보기〉의 자료 역시 이와 무관하므로 ②의 자료 활용 방안은 적절하지 않다.

오답 잡기

① 〈보기〉에 제시된 자료의 출처는 유엔 식량 농업 기구 보고서이다. 유엔 식량 농업 기구는 국제적으로 공신력 있는 단체이므로, 이를 활용하면 글의 신뢰성을 높일 수 있다.

③ 통계 결과를 그래프 같은 시각 자료로 제시하면 독자가 그 내용을 한눈에 쉽게 파악할 수 있다.

④, ⑤ [A]에는 전 세계 온실가스 배출원 중 축산 분야가 가장 높은 비율을 차지한다는 통계의 내용만이 언급되어 있을 뿐, 그 구체적인 수치는 제시되지 않았다. 〈보기〉의 자료를 활용하여 전 세계 온실가스 배출원 중 축산 분야가 차지하는 비중을 구체적인 수치로 제시하면 글의 설득력을 높이고, 축산 분야가 가장 높은 비율을 차지한다는 내용을 뒷받침할 수 있다.

03 (나)의 1문단 '하지만 나는 학생들이 학교 급식을 통해 …… 도입해야 한다고 생각한다.'에서 '채식하는 날' 도입의 목적이 학교 급식을 통해 학생들이 건강에 필요한 영양소를 골고루 섭취하도록 하는 데 있음을 알 수 있다. 〈보기〉에서는 이러한 목적을 고려하여 제도 도입 목적이 학생들의 채소류 섭취를 늘려 건강에 필요한 영양소를 골고루 충족시키는 데 있음을 분명히 밝히고 있으므로, ⓐ를 〈보기〉와 같이 수정한 이유로 적절한 것은 ⑤이다.

오답 잡기

①, ② 공공 급식소 홍보, 학교 급식 잔반 감소는 (나)에 나타난 '채식하는 날' 도입 목적과는 관련이 없다.

③ '채식하는 날'을 도입하면 육류 소비 과정에서 발생하는 온실가스 배출을 줄여 지구의 기후 위기를 막으려는 노력에 동참할 수 있다는 내용이 나타나 있지만, 〈보기〉의 수정 내용과는 관련이 없다.

④ '채식하는 날'을 도입하면 채소류 음식에 대한 학생들의 인식을 바꾸는 데 도움이 된다고 볼 수도 있으나, (나)와 〈보기〉의 내용을 고려할 때 이를 '채식하는 날'을 도입하는 궁극적인 목적으로 볼 수 없다.

04~07

● 글의 종류 건의문

● 예상 독자 교장 선생님

● 글쓰기 목적 학교 도서관 이용에 관한 건의

● 지문 핵심 내용

1문단	인사말, 자기소개, 글을 쓴 목적
2문단	문제 상황 학교 도서관이 별관에 있어 학생들이 도서관을 이용하는 데 불편을 겪음.
3문단	해결 방안과 건의 사항 • 학교 도서관을 본관으로 옮길 것을 건의함. • 도서관 위치 변경이 어렵다면 본관에 생활 도서관을 만들어 줄 것을 건의함.
4문단	기대 효과

04 2문단에서 전교생 중 80%가 넘는 학생이 도서관을 이용하는 데 불편을 겪는다는 설문 조사 결과를 제시하여 문제 상황의 심각성을 드러내고 있다.

오답 잡기
① 1문단에서 예상 독자가 '교장 선생님' 한 명임을 알 수 있다.
② 윗글에 필자와 상반된 관점은 나타나지 않는다.
④ 2문단에서 문제 상황의 원인으로 학생들이 쉬는 시간이나 점심시간 동안 이용하기에 도서관이 너무 멀리 떨어져 있음을 제시하고 있다. 도서관이 낡고 오래되었다는 내용이나 도서관이 지어진 시기는 윗글에서 확인할 수 없다.
⑤ 3문단에서 생활 도서관을 운영하는 인근 학교의 사례를 언급하고 있기는 하나, 그 비율을 제시하고 있지는 않다.

05 ㄴ에는 생활 도서관이 설치된 다른 학교의 학생들이 생활 도서관 이용에 만족하는 이유가 나타나 있다. 따라서 이를 활용하여 본교에서 생활 도서관을 운영할 때 나타날 수 있는 기대 효과를 제시할 수 있을 것이다.

오답 잡기
①, ② ㄱ은 생활 도서관의 필요성에 대한 설문 조사 결과로, 생활 도서관의 설치 장소나 생활 도서관을 운영할 때 생길 수 있는 어려움과는 관련 없다.
④ ㄴ은 타교생을 대상으로 한 생활 도서관 이용 관련 설문 조사 결과이므로, 본교생의 입장을 나타내는 자료로 사용할 수 없다.
⑤ ㄴ에서 타교와 연계하여 운영할 수 있는 독서 프로그램과 관련된 내용은 확인할 수 없다.

06 윗글은 학교 도서관을 본관으로 옮기거나 본관에 생활 도서관을 설치할 것을 건의하는 학생의 글로, 윗글에 사회적 문제를 둘러싼 다양한 쟁점은 나타나지 않는다.

오답 잡기
① 윗글의 예상 독자는 교장 선생님으로, 필자는 예의를 갖춘 경어체와 정중한 표현을 사용하고 있다.
③ 건의문은 일반적으로 인사말과 자기소개를 하며 글을 시작한다. 윗글의 필자 역시 건의문이라는 글의 유형을 고려하여 '교장 선생님, 안녕하세요?'에서 예상 독자에게 인사를 건넨 뒤 '저는 ······ ○○○라고 합니다.'와 같이 말하며 자신을 소개하고 있다.
④ 2문단에서 학생들이 별관에 있는 도서관 때문에 불편함을 겪는 공동의 문제 상황을 제시하고, 3문단에서 이를 해결하기 위한 방안으로 도서관을 본관으로 옮기거나 본관에 생활 도서관을 설치할 것을 제시하고 있다.
⑤ 3문단에서는 도서관을 본관으로 옮기는 방안이 예산 문제 등으로 실현되기 어렵다면, 본관 중앙 계단 옆의 빈 교실들을 활용하여 생활 도서관을 만들어 줄 것을 구체적으로 요구하고 있다.

07 '학교 도서관을 ······ 설치한다면'에서 3문단에서 언급한 건의 사항을 다시 한번 제시하고, '학생들이 책을 쉽고 ······ 생활화할 수

있을 것입니다.'에서 건의 사항이 실현되었을 때의 기대 효과를 언급하고 있다.

오답 잡기
① 건의 사항의 수용을 촉구하고 있을 뿐, 구체적인 건의 사항과 건의 사항이 실현되었을 때의 기대 효과는 나타나지 않는다.
② 교내 독서 행사의 활성화에 따른 기대 효과를 제시하고 있지만, 교내 독서 행사는 교장 선생님이 추진 중인 행사로 학생의 건의 사항과 관련이 없다.
③ 생활 도서관의 서가 확충과 도서 검색 시스템의 도입은 윗글의 건의 사항과 관련이 없다.
④ 점심시간을 늘려 책을 읽을 수 있는 시간을 확보할 때의 기대 효과를 제시하고 있지만, 이러한 내용은 윗글의 건의 사항과 관련이 없다.

08~09

가 ● 글의 종류 자기를 성찰하는 글

● 지문 핵심 내용

경험
달리기에서 목표했던 거리를 달리지 못하고 지쳐서 주저앉음.

▼

깨달음
공부뿐만 아니라 어떤 일을 끝까지 마무리하기 위해서는 계획을 세우고 나에게 맞는 속도를 찾아 꾸준히 해 나가야 함.

나 ● 글의 종류 자기를 성찰하는 글

● 지문 핵심 내용

경험
마라톤 대회에서 잠시 멈춰 있을 때 한 무리의 사람들을 만나 서로 격려하며 함께 달림.

▼

깨달음
서로 의지하며 함께했을 때 더 큰 성취감을 느낄 수 있음.

08 (나)에서 학생 2는 달리기를 잠시 멈추었을 때 만난 한 무리의 사람들과 '계속 격려의 말을 나누면서' 달렸다고 이야기하고 있다. 그러나 이때 건넨 격려의 말의 구체적인 내용은 (나)에 나타나지 않는다.

오답 잡기
① (가)의 '체력을 기르기 위해 달리기를 시작했다.'에 학생 1이 달리기를 시작한 이유가 나타나 있다.
② (가)의 '나는 평소에도 무언가를 할 때 급한 마음에 처음부터 모든 힘을 쏟다가 금방 지쳐서 포기하는 경우가 많았다.'에 학생 1이 평소 어떤 일을 하다가도 금방 지치는 이유가 나타나 있다.
③ (나)의 '나는 어떤 일이든 ······ 생각을 하며 달리기 시작했다.'에서 대회 출발선에 섰을 때 학생 2가 한 생각이 나타나 있다.
④ (나)의 '호흡이 가빠지고 다리가 무거워져서'에 학생 2가 달리기를 멈춘 이유가 나타나 있다.

09 (가)의 학생 1은 달리기를 한 경험을 통해 나에게 맞는 속도를 찾아 일을 해 나가야겠다는 깨달음을, (나)의 학생 2는 마라톤을 한 경험을 통해 서로 의지하며 함께했을 때 더 큰 성취감을 느낄 수 있다는 깨달음을 얻게 되었다. 학생 1과 학생 2는 모두 글의 마지막 문장에 이러한 깨달음을 제시하며 글을 마무리하고 있다.

오답 잡기

① (가)는 체력을 기르기 위해 달리기를 한 경험을, (나)는 마라톤 대회에 참가한 경험을 제시하고 있다. (가)와 (나)는 모두 다양한 경험을 나열하지 않았다.

② (가)와 (나)는 모두 경험과 깨달음의 과정을 중심으로 내용을 전개하고 있다. (가)는 달리기를 시작했다가 지쳐서 주저앉은 경험에서, (나)는 마라톤 대회의 출발선에서 시작하여 한 무리의 사람들을 만나 함께 달린 경험에서 시간의 흐름과 공간의 이동이 나타난다고 볼 수 있으나 (가)와 (나) 모두 공간의 이동을 중심으로 내용을 전개하고 있다고 볼 수는 없다.

④ (가)의 학생 1은 '공부뿐만 아니라 …… 꾸준히 해 나가야겠다는 생각을 했다.'에서 경험을 통해 깨달은 점을 학업과 일상생활에 적용하고 있다. (나)의 학생 2는 서로 의지하며 함께했을 때 더 큰 성취감을 느낄 수 있다는 깨달음을 제시하고 있을 뿐, 학생 2가 이러한 깨달음을 교우 관계 개선에 적용하는 모습은 나타나지 않는다.

⑤ (가)의 '무엇이 그렇게 급했던 것일까?'에서 질문을 던지는 방식이 나타날 뿐 묻고 답하는 방식은 나타나지 않는다. (나)에서 인물 간의 대비를 활용한 부분은 나타나지 않는다.

창의·융합·코딩 전략 ①, ②

| 56~59쪽

01 ①　　**02** ③　　**03** ④　　**04** ③

01~02

가 ● 글의 종류 건의문

● 예상 독자 토론 한마당 행사를 담당하는 학생회 운영진

● 글쓰기 목적 토론 한마당 행사의 예선 방식 개선에 관한 건의

● 지문 핵심 내용

1문단	인사말, 자기소개, 글을 쓴 목적
2, 3 문단	문제 상황 • 예선을 위한 시간과 공간 부족, 운영 인원과 심사자 확보 곤란 등의 어려움이 발생하여 작년부터 토론 한마당 행사의 예선 참가 인원을 학급당 한 팀으로 제한했음. • 예선 참가 기회가 제한되는 현행 예선 방식 때문에 토론 한마당 행사에 대한 학생들의 불만이 매우 높아졌음.
4문단	해결 방안 더 많은 학생이 참가할 수 있도록 예선 방식을 개선해야 함. • 대면 토론을 유지하려면 예선 기간을 연장할 것 • 예선 기간을 연장하지 않는다면 토론 개요서 평가 방법을 도입할 것
5문단	기대 효과 현행 예선 방식을 개선하면 학생들이 더 많이 토론 한마당 행사에 참가할 수 있어 불만이 해소될 것임.

나 ● 대화 참여자 학생회 운영진(학생 1, 학생 2, 학생 3)

● 대화 주제 토론 한마당 행사의 예선 참가 인원을 늘릴 수 있는 방안 마련

● 담화 핵심 내용

문제 인식
• 토론 한마당 행사의 예선 방식 개선을 요구하는 건의문이 학생회 누리집 게시판에 올라옴. • 현행 예선 방식의 문제점을 고려할 때 대면 토론을 대신할 방안을 찾을 필요가 있음.

▼

대안 생성과 검토
• 대안 ①_토론 개요서 평가 ➡ 장점: 현행 방식에 비해 더 많은 학생이 예선에 참가할 수 있음. 시간이나 장소에 구애를 덜 받음. 대면 토론 운영 위원이나 심사자 섭외 부담이 줄어듦. ➡ 단점: 참가자들의 소통 과정을 평가하기 어려움. • 대안 ②_동영상을 활용한 토론 과정 평가 ➡ 장점: 토론 시간이나 장소를 참가자들이 자율적으로 정할 수 있음. 참가자들의 소통 과정을 평가할 수 있음. ➡ 단점: 참가 팀들이 별도의 촬영 장비를 준비해야 함. 많은 팀이 참가한다면 심사자의 평가 부담이 커짐.

▼

최선의 대안 선택
토론 개요서 평가 방법 도입

01 (가)는 토론 한마당 행사의 예선 방식 때문에 행사에 대한 학생들이 불만이 높아졌다는 문제 상황을 제시하며, 행사를 담당하는 학

생회 운영진에게 이러한 문제를 해결해 줄 것을 요구하는 내용을 담은 건의문이다. 즉 (가)의 예상 독자는 공동체의 문제를 해결할 수 있는 학생회 운영진이다.

오답 잡기

② (가)는 토론 한마당 행사의 현행 예선 방식이 지닌 문제점과 개선 방안을 주제로 하는 글로, 글쓴이는 토론 한마당 행사의 예선 기간 연장이나 토론 개요서 평가 방법 도입을 문제 해결 방안으로 제시하고 있다. (가)에 공동체 구성원 개개인의 인식 개선이 필요하다는 내용은 나타나지 않는다.

③ (가)는 토론 한마당 행사의 예선 방식 개선을 건의하여 공동체의 문제를 해결하는 것을 목적으로 한다. (가)에 글쓴이의 가치 있는 경험이나 깨달음은 나타나지 않는다.

④ (가)는 어떤 현안을 분석하여 쟁점을 파악하고 그 현안을 해결할 방안을 담은 건의문으로, '인사말과 자기소개(1문단) → 문제 상황 제시(2, 3문단) → 해결 방안 제시(4문단) → 기대 효과 제시(5문단)'의 순서에 따라 내용을 전개하고 있다. 공동체의 문제를 조사하고 분석한 절차와 결과가 잘 드러나도록 보고하는 형식을 갖춘 글은 보고서이다.

⑤ (가)의 작문 매체는 학생회 누리집 게시판(인터넷 매체)이다. 학생회 누리집 게시판은 학교 구성원들이 함께 이용하는 매체로 공적인 성격을 띠고 있다. (가)의 글쓴이는 공적인 성격이 강한 작문 매체를 선택하여, 공동체의 문제와 그에 대한 해결 방안을 제시하고 있다.

02 (가)는 토론 한마당 행사의 예선 방식 개선을 위한 방안으로 예선 기간 연장과 토론 개요서 평가 방법 도입을 제시하고 있다. 하지만 (나)의 학생 1은 첫 번째 발언에서 일정상의 문제로 예선 기간 연장은 불가능하다며 이를 논의 대상에서 제외하고 있다.

오답 잡기

① (가)는 토론 한마당 행사 예선에 참가할 수 있는 인원을 제한하면서 학생들의 불만이 매우 높아졌다는 문제 상황을 제시하고 예선 방식 개선을 건의하고 있다. (나)의 학생 1은 첫 번째 발언에서 (가)에서 토론 한마당 행사의 예선 방식 개선을 요구한 것을 논의의 계기로 삼아 대화를 시작하고 있다.

② (가)의 2문단에서 토론 한마당 행사 예선에 참가하는 팀이 늘면서 예선을 위한 시간과 공간 부족, 예선 운영 위원과 심사자 확보 곤란 등의 어려움이 발생하여 작년부터 예선 참가 인원을 학급당 한 팀으로 제한했다는 배경을 제시하고 있다. (나)의 학생 1은 두 번째 발언에서 이러한 예선 참가 인원 제한의 배경을 언급하며 현행 대면 토론을 대신할 방안을 찾을 필요가 있음을 밝히고 있다.

④ (가)의 2문단에서 토론 한마당 행사의 예선과 본선은 항상 많은 청중이 참여한 가운데 대면 토론으로 진행되어 현장감이 넘친다는 장점이 있음을 제시하고 있다. (나)의 학생 1은 네 번째 발언의 '청중이 모인 가운데 진행되는 대면 토론만큼의 현장감 있는 토론을 경험하기는 어려울 테니 그것 말고 얘기해 줄래?'에서 (가)에 나타난 현행 예선 평가 방법의 장점과 관련된 내용은 발언에서 제외할 것

을 언급하고 있다.

⑤ (가)의 5문단에서 토론 한마당의 예선 방식을 개선하면 더 많은 학생이 예선에 참가할 수 있게 되어 불만이 해소될 것이라는 기대 효과를 제시하고 있다. (나)의 학생 1은 마지막 발언에서 이러한 내용을 언급하며 토론 개요서 평가 방법을 도입하자는 논의의 결론을 제시하고 있다.

03~04

가 ● 대화 참여자 지민, 홍철, 윤주

● 대화 주제 책을 읽고 인상적이었던 내용

● 담화 핵심 내용

책에서 흥미로웠던 내용
• 윤주: 배가 정박할 때 닻을 펼에 박아 두면 일정 범위를 벗어나지 못하는 것처럼, 우리도 주어진 기준에 얽매여 폭넓게 사고하지 못한다는 '정박 효과'와 관련된 내용
• 홍철: 우주 왕복선 챌린저호의 폭발 사고와 같이 보고 싶은 것만 보고 받아들이고 싶은 것만 받아들이는 성향이 특정한 판단을 강화하여 유용한 정보를 놓치고 오류를 범하게 만든다는 '확신의 덫'과 관련된 내용
• 지민: 책의 서문에서 "그 누구도 정답만을 말할 수는 없다."라고 한 작가의 말

▼

교훈을 주는 글을 쓰기 위한 논의
• 지민: 정박 효과나 확신의 덫을 일으키는 사고 경향의 문제점을 설명하고 우리가 지녀야 할 바람직한 자세를 서술하자고 제안함.
• 홍철: 책에서 언급하고 있듯이, 그러한 사고 경향이 나쁜 것만은 아니라고 이야기함.
• 윤주: 참고 문헌에 나와 있는 책에도 홍철이 말한 점이 언급되어 있음을 이야기함.
→ 홍철과 윤주가 말한 점을 초고에 언급하기로 함.

나 ● 글의 종류 교훈을 주는 글

● 글쓰기 목적 책을 읽고 인상적이었던 부분을 바탕으로 한 교훈 전달

● 지문 핵심 내용

1문단	• 정박 효과란 닻을 펼에 박아 두어 일정 범위를 벗어나지 못하는 배처럼 초기에 제시된 기준이나 상황을 쉽게 벗어나지 못하는 사고 경향임. • 정박 효과는 첫인상 판단과 같이 우리의 일상생활에서 흔히 일어남.
2문단	• 자신의 판단이 옳다는 것을 확인시켜 주는 정보만을 받아들이려는 사고 경향은 확신의 덫에 빠지는 문제를 일으킴. • 우주 왕복선 챌린저호의 폭발 사고는 전문가들조차 확신의 덫에 빠져 발생한 문제의 사례임. • '답정너'라는 신조어를 통해 확신의 덫에 빠져 있는 것의 의미를 쉽게 이해할 수 있음.
3문단	• 정박 효과나 확신의 덫과 같은 문제를 일으키는 직관적 판단과 자기 확신은 터무니없거나 편향된 판단을 이끌어 낼 수 있음. • 터무니없거나 편향된 판단을 예방하기 위해서는 자신이 내린 판단의 오류 가능성을 인정하고 다른 사람의 말을 경청해야 함.

03 지민은 (가)의 세 번째 발언에서 "그 누구도 정답만을 말할 수는 없다."라고 한 작가의 말을 언급하고 있다. (나)의 3문단에 '그 누구도 정답만을 말할 수는 없다.'라는 문장이 제시되어 있기는 하나, 이를 직접 인용의 형식으로 제시하지 않았으며 이를 통해 시간 제약이 있는 상황에서 합리적 판단을 이끌어 내는 방법을 제시한 것도 아니다.

오답 잡기

① (가)에 첫인상 판단에 대한 내용은 언급되지 않았다. (나)의 1문단에서는 정박 효과에 관해 설명하며, 이는 소비의 측면뿐만 아니라 우리의 일상생활에서 흔히 일어나는 것이라고 했다. 그런 뒤 '우리는 일상에서 어떤 사람의 첫인상을 통해 그 사람의 성격을 판단해 버리는 일이 많'음을 제시하여 정박 효과가 일상생활에서 흔히 일어난다는 점을 부연하고 있다.

② 홍철은 (가)의 두 번째 발언에서 책의 내용 중 우주 왕복선 챌린저호의 폭발 사고에 대한 내용이 기억에 남는다고 말했다. (나)의 2문단에서는 챌린저호의 폭발 사고에 대한 정보를 추가하여 확신의 덫에 빠지는 문제를 구체적으로 설명하고 있다.

③ (가)에 신조어는 언급되지 않았다. (나)의 2문단에서는 '답정너'라는 신조어를 예로 들어 독자가 확신의 덫에 빠져 있는 것이 어떤 것인지 쉽게 이해할 수 있도록 도왔다.

⑤ (가)에 경청의 중요성에 대한 내용은 언급되지 않았다. (나)의 3문단에서는 '내 생각과 다른 생각도 수용할 수 있는 개방적인 자세는 경청에서부터 나온다.'라며 경청의 중요성을 밝히고 있다. 그런 뒤 개방적인 자세를 통해 '더욱 합리적인 판단을 할 수 있고 나 자신과 타인, 세계를 올바르게 이해할 수 있다'며 개방적인 자세의 필요성을 강조하고 있다.

04 (나)는 1, 2문단에서 정박 효과와 확신의 덫에 대해 설명한 뒤, 3문단에서 누구든지 자신의 판단의 오류 가능성을 인정할 수 있어야 한다고 말하고 있다. 하지만 (나)에 판단의 오류를 인정하지 않으려고 하는 사회적 이유를 분석한 내용이나 이를 통해 독자가 자신의 문제 상황을 알 수 있게 한 부분은 나타나지 않는다.

오답 잡기

① '우리'는 말하는 이가 자기와 듣는 이, 또는 자기와 듣는 이를 포함한 여러 사람을 가리키는 일인칭 대명사이다. (나)에서는 '우리'라는 1인칭 대명사를 사용하여 필자와 독자의 거리감을 좁히는 전략을 사용하고 있다.

② (나)의 1문단 '10만 원이라는 가격표가 붙은 물건을 3만 원에 살 수 있다면 우리는 이 물건을 사야 할까, 말아야 할까?'에서 확인할 수 있다.

④ (나)의 3문단 '아마 누군가는 …… 직관적 판단과 자기 확신을 긍정적으로 볼 수도 있다.'에서 예상되는 독자의 반응을 언급하고, '그러나 이러한 사고 경향은 터무니없거나 편향된 판단을 이끌어 낼 수 있다.'에서 직관적 판단과 자기 확신의 긍정적 측면에 내재된 문제점을 언급하여 예상되는 독자의 반응에 대응하고 있다.

⑤ (나)의 3문단에서는 터무니없거나 편향된 판단을 예방하기 위해 필요한 태도로 '누구든지 자신의 판단의 오류 가능성을 인정할 수 있

어야 한다'는 것과 '다른 사람들의 말을 경청할 줄 알아야 한다'는 것을 제시하여 독자에게 문제 해결 방법을 알려 주고 있다.

개념 더 보기

인칭 대명사
사람을 가리키는 대명사

제1인칭	말하는 사람이 자기 또는 자기의 동아리를 이르는 인칭 예 나, 저, 우리
제2인칭	듣는 사람을 이르는 인칭 예 너, 너희, 자네
제3인칭	화자와 청자 이외의 사람을 가리키는 말 예 이, 그, 저, 이이들, 그이들, 저이들
미지칭	모르는 사물이나 사람을 가리키는 대명사 예 누구, 어디, 무엇
부정칭	정해지지 아니한 사람, 물건, 방향, 장소 등을 가리키는 대명사 예 아무, 아무개

후편 마무리 전략

신유형·신경향 전략 | 62~65쪽

01 ③ **02** ④ **03** ③ **04** ④ **05** ②
06 ⑤

01~03

- **글의 종류** 논설문
- **예상 독자** 같은 학교 학생들
- **글쓰기 목적** 지역 방언 보호에 대한 관심 촉구
- **지문 핵심 내용**

1문단	우리나라 지역 방언이 사라져 가고 있는 현황
2문단	지역 방언이 사라져 가고 있는 원인 • 서울로 인구가 집중되면서 지역 방언을 사용하는 인구가 감소함. • 대중 매체의 영향으로 표준어가 확산됨.
3문단	지역 방언 보호에 관심을 지녀야 하는 이유(지역 방언의 가치) • 지역 방언은 표준어만으로는 표현하기 어려운 감정과 정서 표현을 가능하게 함. • 지역 방언은 우리말 어휘를 더욱 풍부하게 만드는 바탕임.

01 1문단에서 세계적으로 권위 있는 기구인 유네스코에서 제주 방언을 소멸 위기 언어로 등록한 사실을 언급하여 지역 방언이 사라져 가는 문제 상황의 심각성을 드러내고 있다(ⓒ). 3문단에서 '일부 학생들 …… 말할 수도 있다.'와 같이 예상되는 반론을 제시한 뒤, 지역 방언의 가치를 설명하며 지역 방언 보호에 관심을 지녀야 하는 이유를 강조하고 있다. 이는 지역 방언의 가치에 대한 인식이 부족한 독자를 고려한 글쓰기 계획으로 볼 수 있다(ⓔ).

오답 잡기

ⓐ 2문단에서 지역 방언이 사라져 가는 원인 중 하나로 '서울로 인구가 집중되면서 지역 방언을 사용하는 인구가 감소하였'음을 제시하고 있다. 하지만 도시 경제의 성장과 도시화로 농촌 인구가 도시로 이동하는 이촌향도 현상이 지역 방언의 소멸 위기에 가장 큰 영향을 미쳤다는 내용은 윗글에 나타나지 않으며 이는 지역 방언이 사라져 가는 실태를 잘 모르는 독자를 고려한 글쓰기 계획과도 관련이 없다.

ⓑ 1문단에서 우리 지역 초등학생과 중학생을 대상으로 한 조사 결과를 제시하고 있을 뿐, 윗글에 우리 지역 학생들과 성인들의 지역 방언 사용 실태를 비교한 내용은 나타나지 않는다.

ⓓ 윗글에 실제로 소멸된 지역 방언의 사례는 나타나지 않는다. 3문단에 제시된 '올갱이, 데사리, 민물고동'은 '다슬기'를 다르게 표현하는 지역 방언의 사례로, 우리말 어휘를 풍부하게 만들어 주는 지역 방언의 가치를 보여 주고 있다.

02 [자료 2]는 방언을 사용하는 지역에서 공식적인 상황뿐만 아니라 일상생활에서도 표준어를 사용하는 경향이 확대되었음을 나타낸다. [A]에서는 지역 방언이 사라져 가는 원인을 분석하고 있으므로, [자료 2]를 활용하여 '방언을 사용해도 되는 상황에서도 표준어를 사용하려는 태도'를 그 원인으로 추가할 수 있다.

오답 잡기

① [자료 1]에 따르면 2010년과 비교해서 2015년에는 지역 방언에 대한 긍정적 느낌의 비중은 감소한 반면, 부정적 느낌의 비중은 증가했다. 그러나 이 결과가 지역 방언에 대한 무관심을 나타낸다고 보기 어려우며, 이를 지역 방언이 사라져 가는 원인으로 추가하기에도 적절하지 않다.

② [자료 1]에서 표준어 사용자가 지역 방언 사용자와 대화할 때 받는 느낌의 순위는 변화가 없음을 확인할 수 있지만, 이러한 사실과 '시대의 변화상', '지역 방언 교육 정책'과의 관련성은 알 수 없다.

③ [자료 2]에서 표준어와 지역 방언을 구분하여 사용해야 한다는 인식 부족과 관련된 내용은 확인할 수 없다. 또한 '공식적 상황에서의 표준어 사용 교육 부재'라는 내용은 지역 방언이 사라져 가는 원인으로 추가하기에도 적절하지 않다.

⑤ [자료 1], [자료 2]에서 지역 방언에 대한 표준어 사용자와 지역 방언 사용자의 인식 차이는 확인할 수 없다. 또한 '대중 매체의 지역 방언에 대한 편향성'은 지역 방언이 사라져 가는 원인으로 추가하기에도 적절하지 않다.

03 조언에 따르면 [가]에는 앞에서 언급한 지역 방언의 가치를 정리해서 제시해야 하고, 비유법을 활용해서 필자의 주장을 전달해야 한다. 윗글의 3문단은 표준어만으로는 표현하기 어려운 감정과 정서의 표현을 가능하게 하며, 우리말 어휘를 더욱 풍부하게 만드는 바탕이 된다는 지역 방언의 가치를 제시하고 있다. 이와 관련하여 ③에서는 지역 방언의 가치를 '지역의 고유한 문화와 정서를 담고 있는 우리의 소중한 언어문화'와 같이 정리하여 제시하고 있다. 그리고 지역 방언을 '지역의 뿌리'에 비유하여 이를 보호하기 위해 관심을 가져야 한다는 필자의 주장을 인상 깊게 전달하고 있다.

오답 잡기

① 지역 방언이 우리의 언어문화를 전 세계에 알릴 수 있는 문화유산이라는 내용은 윗글에 나타나지 않는다. 비유적 표현 역시 활용하지 않았다.

② 지역 방언을 '연결 고리'에 빗댄 비유적 표현을 활용했으나, 지역 방언이 사람들 간의 소통을 원활하게 해 준다는 내용이나 일상 속 지역 방언의 사용을 늘려야 한다는 내용은 윗글에 나타나지 않는다.

④ 지역 방언이 우리말 어휘를 풍부하게 하는 바탕이라는 가치를 제시하고 있지만, 비유적 표현을 활용하지 않았다. 또한 윗글의 필자는 지역 방언 보호에 관심을 지녀야 함을 주장하고 있는 것이지, 지역 방언을 활성화하기 위해 관심을 지녀야 함을 주장한 것이 아니다.

⑤ 지역 방언의 가치를 제시하지 않았으며, 비유적 표현 역시 활용하지 않았다. 또한 '지역 방언이 소멸되지 않도록 정부 차원에서 제도를 마련해야' 한다는 내용은 필자의 주장과 관련 없다.

가 ● 담화 유형 대화

● 담화 참여자 학생 1, 학생 2, 작가

● 담화 목적 작가의 책과 관련하여 질의응답하고, 인간과 자연이 공존하는 법에 대한 조언을 구하고자 함.

● 담화 핵심 내용

학생의 질문	작가의 답변
책을 쓴 계기	모든 생명은 마땅히 존중받아야 함을 말하고자 멸종 위기에 처한 동물의 이야기를 다룸.
멸종 위기종이 자신의 속마음을 이야기하는 설정의 의도	독자가 멸종 위기종도 인간과 동등한 존재임을 깨닫기 바람.
멸종 위기종 중 마음에 특별히 남는 동식물	○○갯벌의 매립 사업 진행 때문에 산란지를 뺏긴 저어새
생태 통로의 개념	로드킬을 방지하기 위해 야생 동물이 안전하게 다닐 수 있도록 인공적으로 만든 길
인간과 자연의 공존 방법	인간과 자연의 공존을 위해 적극적으로 목소리를 내야 함.

나 ● 글의 종류 건의문

● 예상 독자 우리 시의 시장

● 글쓰기 목적 야생 동물 로드킬을 방지하기 위한 생태 통로 설치와 관리 건의

● 지문 핵심 내용

1문단	인사말, 자기소개, 글을 쓴 목적
2문단	문제 상황
	한 해 로드킬 사고의 절반이 우리 지역에서 발생함. 이러한 사고는 생태 통로가 없거나, 유도 울타리가 없어 생태 통로가 제 기능을 다하지 못하기 때문임.
3문단	건의 내용, 요구 사항 구체화
	생태 통로 설치, 유도 울타리 설치와 관리를 건의함.
4문단	기대 효과
	• 야생 동물의 로드킬 사고가 감소함. • 동물 사체를 피하려다 생기는 2차 사고가 감소함. • 사고 수습 등에 소요되는 사회적 비용이 감소함.
5문단	즉각적인 대책 마련 당부

▲ 충청남도 공주시에 위치한 생태 통로인 우금티터널

04 책에 소개하지 못해 아쉬운 멸종 위기종에 대한 질문은 (가)에 나타나지 않는다.

오답 잡기

① 학생 1의 첫 번째 발언 중 '우선 멸종 위기종의 이야기를 쓰시게 된 계기가 무엇인가요?'에서 확인할 수 있다.

② 학생 2의 첫 번째 발언 중 '멸종 위기종이 자신의 속마음을 이야기한다는 설정이 신선했는데, 특별한 의도가 있나요?'에서 확인할 수 있다.

③ 학생 2의 세 번째 발언 중 '소개하신 멸종 위기종 중에 작가님 마음에 특별히 남는 동식물이 있다면 무엇인가요?'에서 확인할 수 있다.

⑤ 학생 2의 마지막 발언 중 '자연과 공존하기 위해 저희가 할 수 있는 일은 없을까요?'에서 확인할 수 있다.

05 ⓒ에서 학생 2는 멸종 위기종인 반달가슴곰이 웅담 채취용으로 사육되었다는 이야기가 충격적이었다며 책 내용과 관련된 생각과 감상을 이야기하고 있다. ⓒ에 상대방의 발언과 관련된 유사한 사례나 상대방의 발언을 보충하는 내용은 나타나지 않는다.

오답 잡기

① 학생 1은 대화를 시작하며 '작가님 책에 대해 여쭙고, 인간과 자연이 공존하는 법에 대한 조언도 구하고자 찾아뵙게 되었다'는 대화 목적을 분명히 밝히고 있다.

③ 학생 2는 인간의 갯벌 매립 사업 때문에 저어새가 산란지를 잃었으며, 갯벌은 수많은 생명의 보금자리라는 작가의 답변을 듣고 그 내용을 자신이 이해한 바에 따라 재진술하고 있다.

④ 학생 1은 작가가 인간과 다른 생명이 공존하기 위한 최소한의 장치로 '생태 통로'를 사례로 들자 작가에게 생태 통로와 관련된 추가적인 설명을 요구하고 있다.

⑤ ⓜ에 앞서 작가는 자연과 인간이 공존하기 위해서는 인터넷에 댓글 하나를 다는 것도 큰 도움이 되며, 웅담 채취용으로 사육되었던 반달가슴곰의 사례도 사람들이 지속적으로 문제를 제기하고 해결책을 건의했기 때문에 이를 해결하기 위한 정부 정책을 끌어낼 수 있었다고 발언하고 있다. 학생 1은 작가의 이러한 발언을 듣고 ⓜ에서 질문의 형식으로 자신이 작가의 발언 의도를 정확하게 파악했는지 확인하고 있다.

06 (나)의 5문단에 정부 정책으로 웅담 채취용 사육 곰이 고통에서 벗어난 사례가 언급되어 있지만, 이를 바탕으로 하여 즉각적인 생태계 보존 정책 마련을 당부하는 내용은 나타나지 않는다. (나)의 5문단에서는 반달가슴곰과 저어새의 상황을 대조하여 우리 지역의 로드킬 문제를 해결하기 위한 대책 마련을 당부하고 있다.

오답 잡기

① (가)의 작가는 첫 번째 발언에서 모든 생명은 마땅히 존중받아야 한다는 것을 말하고 싶어 책을 쓰게 되었음을, 두 번째 발언에서 멸종 위기종도 우리와 동등한 존재임을 독자들이 깨닫기 바라는 의도에서 멸종 위기종이 자신의 속마음을 이야기한다는 설정을 취했음을 언급하고 있다. (나)의 1문단에서는 (가)에서 작가가 말한 멸

종 위기종에 대한 생각과 생명 보호의 당위성을 바탕으로 하여 '우리 시의 야생 동물 보호와 관련된 건의'라는 화제를 제시하고 있다.

② (가)의 학생 2는 마지막 발언에서 우리 지역의 ◇◇천 앞 도로에서 수달이 로드킬 사고를 당했다는 뉴스를 본 경험을 언급하고 있다. (나)의 2문단에서는 이를 바탕으로 하여 수달의 사고 내용과 함께 한 해 로드킬 사고의 절반이 우리 지역에서 발생한다는 통계를 추가하여 문제 상황을 제시하고 있다.

③ (가)의 작가는 여섯 번째 발언에서 생태 통로란 야생 동물이 안전하게 다닐 수 있는 길을 인공적으로 만든 것임을 설명하고 있다. (나)의 3문단에서는 이를 바탕으로 하여 우리 시에서 조사가 필요한 장소인 '◇◇천과 △△터널 부근'을 언급하며 생태 통로의 설치와 관리를 구체적으로 건의하고 있다.

④ (가)의 작가는 여섯 번째 발언에서 생태 통로 설치로 로드킬 사고가 꾸준히 감소했다는 국립 공원 관리 공단의 발표 내용을 언급하고 있다. (나)의 4문단에서는 이러한 내용을 바탕으로 하여 우리 시에 생태 통로를 설치하여 제대로 관리한다면 도로 위에서 죽음을 맞는 야생 동물의 수를 줄일 수 있을 것이라는 기대 효과를 제시하고 있다.

1·2등급 확보 전략

66~71쪽

01 ③	02 ①	03 ⑤	04 ③	05 ③
06 ④	07 ④	08 ②	09 ③	10 ⑤
11 ②				

01~03

- 담화 유형 강연
- 담화 참여자 강연자, 미술 동아리 학생들
- 담화 주제 도슨트의 업무와 〈모나리자〉의 특징
- 담화 핵심 내용

1문단	도슨트가 하는 일, 강연 주제
2문단	다빈치의 대표 작품인 〈모나리자〉의 특징
3문단	다빈치가 이용한 표현 기법인 공기 원근법
4문단	모나리자의 표정에서 생동감이 느껴지는 이유
5문단	공기 원근법을 이용한 다빈치의 다른 작품

◀ 레오나르도 다빈치,
〈모나리자〉(1503~1506)

▲ 레오나르도 다빈치, 〈최후의 만찬〉(1495~1497)

01 말하기 방식과 전략 파악하기

1문단에서 강연자는 '도슨트는 어떤 일을 할까요?'라며 청중에게 질문을 던지고 이에 대한 청중의 대답을 들은 뒤, 그 내용을 '전시회를 기획하는 일이요?'와 같이 의문형 문장으로 재진술하고 있다. 또한 2문단에서도 강연자는 청중에게 모나리자의 표정에 대해 질문을 던지고, 대답을 들은 뒤 '행복한 표정이요? 아, 슬퍼 보이나요?'라며 청중의 대답을 의문형 문장으로 재진술하고 있다.

정답과 해설 59

① 위 강연에 통계 자료를 사용하거나 이를 바탕으로 강연 내용을 뒷받침한 부분은 나타나지 않는다.

② 1문단에서 강연자는 먼저 청중에게 인사를 건넨 뒤, 자신을 소개하며 도슨트와 큐레이터의 차이를 아는지 질문하고 있다. 위 강연에 청중을 대상으로 강연하게 된 소감은 나타나지 않는다.

⑤ 3문단과 4문단에서 〈모나리자〉에 적용된 공기 원근법을 설명하고 있을 뿐, 위 강연에 〈모나리자〉의 미래 가치와 관련된 내용은 나타나지 않는다.

02 말하기 계획의 적절성 평가하기

1문단에서 강연자는 청중이 한 달 뒤에 미술관에 방문한다는 사실을 전해 들었음을 언급하고 있다. 하지만 위 강연에 미술관에서 지켜야 할 규칙을 안내하는 내용은 나타나지 않는다.

② 2문단의 '(그림을 보여 주며) 다빈치의 대표 작품인 〈모나리자〉입니다.'를 통해 확인할 수 있다.

③ 2문단의 '행복한 표정이요? 아, 슬퍼 보이나요?'를 통해 청중마다 모나리자의 표정을 보고 느낀 감상이 다름을 알 수 있다. 그런 뒤 강연자는 〈모나리자〉가 사랑받는 이유가 '작품을 감상할 때마다 살아 있는 사람마냥 모나리자의 표정이 바뀌는 것처럼 보이는 생동감 때문'임을 제시하고 있다. 이 부분에서 강연자는 〈모나리자〉의 특징을 관람자의 감상과 연결 지어 설명하고 있다.

④ 1문단에서 강연자는 도슨트와 큐레이터의 차이를 아는지 질문한 뒤 '큐레이터와 달리 도슨트는 관람객에게 전시물을 설명하는 일을 하고 있습니다.'에서 도슨트가 하는 일을 큐레이터가 하는 일과 비교하여 설명하고 있다.

⑤ 5문단에서 미술 교과서에 실린 다빈치의 또 다른 작품 〈최후의 만찬〉을 언급하며, 강연에서 설명한 공기 원근법이 이 작품에도 적용되었음을 소개하고 있다.

03 듣기 전략과 반응의 적절성 평가하기

ⓔ에서 학생은 강연 내용과 관련된 궁금증을 떠올리고 있을 뿐 강연 내용의 논리적 모순을 비판한 것이 아니다. 학생은 빛 외에 모나리자의 표정을 감상하는 데 영향을 미치는 또 다른 요소가 있지 않을지 궁금해하고 있으므로, 난반사된 빛이 모나리자의 표정을 감상하는 데 영향을 준다는 강연 내용을 수용하고 있다고 볼 수 있다.

① 2문단에서 강연자는 〈모나리자〉에서 생동감이 느껴지는 이유가 눈과 입의 표현에 있음을 강조하고 있다. 그런 뒤 3문단과 4문단에서 눈과 입의 표현에 사용된 공기 원근법을 설명하고 있으므로, ⓐ에 나타난 강조 표시를 통해 학생이 강연에 제시된 정보의 중요도를 구분하며 들었음을 알 수 있다.

② 3문단에서 강연자는 다빈치가 과학에 관심이 많았다는 정보를 제시하고 있다. ⓑ는 이와 관련된 추가적인 정보를 수집하려는 계획이므로, 학생이 강연 내용과 관련하여 더 알고 싶은 점을 떠올렸다고 볼

수 있다.

③ ⓒ에서 학생은 공기 원근법을 미술 시간에 배운 수묵화의 표현 기법과 관련지어 이해하고 있다. 강연 내용에 수묵화와 관련된 정보는 나타나지 않으므로 ⓒ는 학생이 강연 내용을 자신의 배경지식과 관련지어 이해한 활동에 해당한다.

④ 4문단에서 강연자는 다빈치가 공기 원근법을 적용하여 모나리자의 눈과 입술의 윤곽선을 흐릿하게 처리했고, 그 결과 빛의 각도와 세기에 따라 눈과 입술의 윤곽선 위치가 다르게 보인다고 설명했다. 따라서 ⓓ에 사용한 화살표는 표현 기법의 적용과 그에 따른 효과 간의 인과 관계를 나타낸다고 볼 수 있으므로, 학생이 세부 정보 간의 관계를 파악하며 들었다고 할 수 있다.

 **함정문제 해결 전략**

> 담화와 관련된 청자의 듣기 활동을 적절하게 파악할 수 있는지 확인하는 문제로, 보통 화법 단독 지문에서 출제되고 있습니다. 이러한 유형의 문제에 제시되는 듣기 반응으로는 담화 내용의 정확성·타당성·신뢰성 등을 평가하며 듣기, 담화 내용을 사실과 의견으로 구분하며 듣기, 담화 내용과 관련하여 더 알고 싶은 점을 떠올리며 듣기, 배경지식을 활용하며 듣기, 화자가 언급하지 않은 내용을 추론하며 듣기, 담화 내용의 효용성을 점검하며 듣기 등이 있습니다. 평소 수능 화법을 공부할 때 이와 관련된 예시를 익혀 두면 실전에서도 문제를 쉽게 해결할 수 있습니다.

04~08

가 ●글의 종류 답사 보고서

●예상 독자 같은 학교 학생들

●글쓰기 목적 담양군 일대의 정자를 답사하며 알게 된 내용 보고

●지문 핵심 내용

1문단	전라남도 담양군에 있는 정자를 답사하게 된 배경과 목적, 답사 전 조사한 정보
2문단	첫날, 면앙정과 광풍각에 방문하여 살펴본 정자의 모습과 새롭게 알게 된 정보
3문단	이튿날, 환벽당에 방문하여 살펴본 정자의 모습과 새롭게 알게 된 정보
4문단	답사 내용 요약

나 ●담화 유형 회의

●담화 참여자 학생 1, 학생 2, 학생 3

●담화 주제 답사 보고서 초고 검토와 수정할 내용 논의

●담화 핵심 내용

1문단에 관한 논의	• 답사 목적과 기간 중 빠진 내용을 추가해야 함. • 조사한 자료의 내용을 언급한 부분에서 참고 자료의 출처를 밝혀야 함.
2, 3문단에 관한 논의	• 광풍각의 복원 과정을 구체적으로 알려 주었으면 함. • 환벽당 현판을 쓴 사람이 송시열임을 밝혀야 함. • 환벽당에 얽힌 정철의 일화를 추가하면 좋겠음.
4문단에 관한 논의	답사 보고서의 마지막 부분에 다음 답사 계획을 언급하기로 함.

04 글쓰기 계획의 적절성 파악하기

1문단에서 수업 시간에 전라남도 담양군은 예로부터 정자 문화가 발달해 왔다고 들은 경험을 제시하며 정자의 모습과 특성을 살펴보기 위해 전라남도 담양군을 답사한다는 내용을 언급하고 있을 뿐, 윗글에서 예상 독자인 같은 학교 학생들의 흥미와 관심을 고려하여 답사 장소를 선정했다는 내용은 확인할 수 없다.

오답 잡기

① 1문단의 '수업 시간에 …… 들은 적이 있다.'에서 수업 시간에 배운 내용이 답사의 동기로 작용했음을 언급하고 있다.

② 2, 3문단에서 답사 첫날과 이튿날에 나누어 정자를 방문한 순서에 따라 내용을 전개하고 있다.

④ 1문단의 '사전에 조사한 자료에 따르면 …… 건립되었다고 한다.'에서 사전에 조사한 내용을 제시하고 있다. 2문단과 3문단에서는 답사 장소인 면앙정, 광풍각, 환벽당에서 답사 장소에서 새롭게 알게 된 정보를 제시하고 있다.

⑤ 3문단의 '환벽당은 앞서 본 두 정자와 같이 …… 점에서 차이가 있었다.'에서 환벽당과 면앙정, 광풍각을 비교하여 공통점과 차이점을 제시하고 있다.

05 고쳐쓰기의 적절성 판단하기

(나)에 나타난 학생 2의 두 번째 발언에 따르면 현재의 광풍각은 양산보가 아니라 양산보의 후손들이 복원한 건물이다. 따라서 ③의 고쳐쓰기 계획은 적절하지 않다.

오답 잡기

① 학생 1의 두 번째 발언과 세 번째 발언에 따르면 참고 자료를 활용할 때에는 자료의 출처를 밝혀야 하므로, 이를 반영하여 ①과 같이 고치는 것은 적절하다.

② 학생 1의 두 번째 발언에 따르면 답사 보고서에는 답사 목적과 기간이 들어가야 한다. (가)에는 답사 기간이 제시되어 있지 않으므로, 이를 추가하여 ②와 같이 고치는 것은 적절하다. 답사 목적은 1문단의 마지막 문장인 '이에 우리 동아리는 …… 정자의 모습과 특성을 직접 확인하기로 했다.'에 나타나 있다.

④ 학생 1은 마지막 발언에서 어린 정철이 김윤제를 스승으로 삼아 10년간 환벽당에서 공부했다는 내용을 추가하자고 제안하고 있다. (가)의 3문단에서 환벽당에 관한 내용을 다루고 있으므로, 학생 1의 제안을 반영하여 ④와 같이 고치는 것은 적절하다.

⑤ 학생 2의 두 번째 발언에 따르면 환벽당 현판은 송시열이 쓴 것이므로, (가)에서 김윤제가 현판을 썼다는 내용을 사실에 맞게 수정해야 한다. 이를 반영하여 ⑤와 같이 고치는 것은 적절하다.

🔍 함정문제 해결 전략

학생이 작성한 초고와 초고의 내용을 검토한 회의를 바탕으로 하여 초고를 적절하게 고쳐 쓸 수 있는지 확인하는 문제입니다. 회의 내용을 살펴보며 초고의 수정 방안을 문단별로 정리하고, 이를 근거로 하여 선지에 제시된 고쳐쓰기 계획이 적절한지 판단해야 합니다.

06 내용 생성과 조직의 적절성 판단하기

(나)의 [가]에서 학생들은 (가)의 마지막 부분에 다음 답사 계획을 덧붙이기로 논의했다. [가]에 나타난 학생 1의 마지막 발언에 따르면 다음번에는 일정상 들르지 못했던 나머지 정자에 방문해 보기로 했으므로, 이를 고려할 때 (가)의 ⓐ에 들어갈 내용으로 가장 적절한 것은 ④이다.

오답 잡기

①, ②, ⑤ (나)에서 학생들이 언급한 다음 답사 계획과 다른 내용이다.

③ 다음 답사 계획이 나타나지 않았다.

07 말하기 의도와 목적 파악하기

ⓓ에서 학생 3은 (가)의 네 번째 문단의 내용 보완과 관련된 학생 1의 질문을 듣고 해당 문단을 수정하기 위한 방안을 제안하고 있다. 따라서 학생 3이 상대방의 의견에 의문을 제기했다거나 화제를 전환하기 위한 의도로 ⓓ과 같이 발언했다고 볼 수 없다.

오답 잡기

① 학생 2는 자신이 알고 있는 답사 보고서 마감일을 언급하며 그 정보가 맞는지 물음의 방식으로 확인하고 있다.

② 학생 3은 첫 번째 문단에서 조사한 자료의 내용을 언급한 부분에 문제가 있다는 학생 1의 발언을 듣고 그와 관련된 추가적인 설명을 요청하고 있다.

③ 학생 3은 정자를 방문한 순서에 따라 글을 구성했음을 언급한 뒤, '어때?'라고 물으며 글의 구성과 관련된 상대방의 생각을 확인하고 있다.

⑤ 학생 1은 수업 시간에 배운 보고서의 일반적인 특징을 언급하며 보고서에 주관적인 감상을 표출하는 것이 어울리지 않는다는 학생 2의 의견에 동의함을 드러내고 있다.

08 말하기 방식과 전략 파악하기

준언어적 표현(㉮)이란 언어적 요소에 덧붙여 의미를 전달하는 것으로, 어조·강세·말의 빠르기·목소리 크기·억양·장단 등이 있다. 비언어적 표현(㉯)이란 언어적 표현과 준언어적 표현 이외의 방법으로 의미를 표현하는 것으로, 시선·표정·동작·신체 접촉 등이 있다. [A]에서 '(머리를 긁적이며)'는 비언어적 표현(㉯)에 해당한다. 또한 학생 1의 칭찬을 듣고 '내가 글솜씨가 부족해서 남아 있었던 건데 뭐.'와 같이 자신을 낮추어 겸손하게 말하고 있으므로, 이는 Ⓐ의 원리를 적용한 말하기이다. [B]에서 '(부드러운 목소리로)'는 준언어적 표현(㉮)에 해당한다. 또한 '수정 사항이 많아서 부담스럽겠지만'에서 상대방의 처지를 고려하고 있으며 '하나 더 제안해도 될까?'에서 상대방이 부담스럽지 않게 말하고 있으므로, 이는 Ⓑ의 원리를 적용한 말하기이다.

09~11

- 글의 종류 논설문
- 예상 독자 같은 학교 학생들
- 글쓰기 목적 노 키즈 존 확산의 문제점을 밝혀 독자를 설득하고자 함.
- 지문 핵심 내용

1문단	노 키즈 존의 정의와 최근의 추세
	최근 노 키즈 존을 도입하는 상점이 늘고 있음.
2, 3 문단	노 키즈 존의 확산에 따른 문제점
	• 노 키즈 존은 육아를 부모에게만 전가하는 문제를 낳을 수 있음.
	• 노 키즈 존은 아동과 부모의 기본권을 침해함.
	• 노 키즈 존이 계속 확산되면 이러한 차별에 점점 더 무감각해지는 결과가 나타날 수 있음.
4문단	근본적인 문제 해결 방법
	• 부모는 자녀에게 공공 예절을 잘 가르쳐야 함.
	• 사업주는 손님 간의 갈등을 줄여 나가는 방법을 찾아야 함.
5문단	주장의 요약·정리

09 글쓰기 계획의 적절성 파악하기

윗글에 필자와 독자가 공유하는 경험을 제시한 부분은 나타나지 않는다.

오답 잡기

① 1문단에서 노 키즈 존이 어린이의 출입을 금지하는 장소를 가리키는 신조어임을 제시하고 있다.

② 2문단의 '○○대학교 사회복지학과 박□□ 교수는 …… 라고 한 바 있다.'에서 전문가의 견해를 인용하여 주장을 뒷받침하고 있다.

④ 2문단에서 '첫째', 3문단에서 '둘째'와 같은 표지를 사용하여 독자가 글의 내용을 구조적으로 파악하도록 돕고 있다.

⑤ 2문단의 '노 키즈 존은 육아를 부모에게만 전가하는 문제를 낳을 수 있다.'와 3문단의 '노 키즈 존은 아동과 부모의 기본권을 침해한다.', '노 키즈 존이 계속 확산된다면 이러한 차별에 점점 더 무감각해지는 결과가 나타날 수 있다.'에서 노 키즈 존 확산에 따른 문제점을 제시하고 있다. 또한 4문단에서 문제 상황의 근본적인 해결책이 필요함을 언급한 뒤 그 해결책을 이야기하고 있다.

10 내용 생성과 조직의 적절성 판단하기

선생님의 조언에 따르면 [가]에는 말하고자 하는 바를 강조할 수 있는 속담이나 관용어가 사용되어야 하고, 필자의 주장을 요약·정리한 내

용이 들어가야 한다. '언 발에 오줌 누기'는 언 발을 녹이려고 오줌을 누어 봤자 효력이 별로 없다는 뜻으로, 임시변통은 될지 모르나 그 효력이 오래가지 못할 뿐만 아니라 결국에는 사태가 더 나빠짐을 비유적으로 이르는 속담이다. ⑤의 첫 번째 문장에서는 '언 발에 오줌 누기'라는 속담을 활용하여 노 키즈 존 도입이 문제를 해결하는 근본적인 대책이 될 수 없음을 강조하고 있다. 또한 두 번째 문장에서는 문제를 해결하기 위해서는 어린이를 동반한 고객과 사업주 모두의 노력이 필요하다는 주장을 요약·정리하고 있다.

오답 잡기

① '불난 집에 부채질한다.'는 남의 재앙을 점점 더 커지도록 만들거나 화난 사람을 더욱 화나게 함을 이르는 속담으로, 윗글에 제시된 문제 상황과 어울리지 않는다. 또한 '어른들에게 책임을 물어야' 한다는 내용 역시 필자의 주장으로 보기 어렵다.

② 속담이나 관용어를 사용하지 않았으며, 각자의 상황을 이해해야 한다는 내용 역시 윗글에 나타나지 않았다.

③ 부모가 자녀에게 공공 예절을 가르쳐야 한다는 해결책과 관련된 내용을 일부 언급하고 있기는 하나, 세대 간의 갈등 해소는 윗글의 내용과 관련이 없으며 속담이나 관용어를 사용하지도 않았다.

④ '손 안 대고 코 풀기'는 손조차 사용하지 아니하고 코를 푼다는 뜻으로, 일을 힘 안 들이고 아주 쉽게 해치움을 비유적으로 이르는 속담이다. 필자는 노 키즈 존 도입에 부정적인 입장을 취하고 있으므로 이러한 속담을 활용하여 노 키즈 존 도입과 관련된 주장을 나타내는 것은 적절하지 않다.

함정문제 해결 전략

제시된 조건에 따라 글의 내용을 생성할 수 있는지 확인하는 문제입니다. 글의 내용을 생성할 때 고려해야 할 조건을 분석하여 이를 모두 충족하는 선지를 찾아야 합니다. 이때 문제에는 글의 내용 자체와 관련된 것, 비유와 같은 표현 방법과 관련된 것, 비교·대조와 같은 내용 조직 방법과 관련된 것 등의 조건이 제시됩니다. 단, 이는 글에 대한 이해를 바탕으로 하므로 글의 주제나 글쓴이의 주장을 중심으로 글의 내용을 정리해 두는 것이 좋습니다. 또한 대표적인 표현 방법이나 내용 조직 방법을 숙지해 두면 문제를 해결하는 데 도움이 됩니다.

11 자료 활용 방안의 적절성 판단하기

ㄱ-2는 성인 고객을 대상으로 한 설문 조사 결과이다. 4문단에서는 대부분의 사업주가 어린이에게 주의를 기울이지 않는 부모의 태도를 문제 삼는다는 내용이 제시되어 있을 뿐, 손님이 부모의 태도를 문제 삼는다는 내용은 나타나지 않으므로 ②의 활용 방안은 적절하지 않다.

오답 잡기

① ㄱ-1은 성인 고객을 대상으로 한 설문 조사 결과로, 응답자의 79.1%가 공공장소에서 아동 때문에 불편을 느낀 적이 있음을 보여 준다. 이를 활용하여 1문단에서 실제로 어린이들 때문에 불편을 느낀 고객이 많다는 점을 들어 이러한 이유로 노 키즈 존을 도입하는 상점이 늘고 있음을 설명할 수 있다.

③ ㄴ은 2017년도보다 2020년도에 노 키즈 존 식당이 늘었음을 구체적인 수치를 활용하여 보여 주고 있다. 이를 활용하여 최근 노 키즈

존이 늘어나고 있다는 1문단의 내용을 보강할 수 있다.

④ ㄴ은 '키즈 존'을 설치한 식당의 사례를 소개하며, 식당을 이용하는 고객들의 만족도가 높아졌다는 내용을 제시하고 있다. 사업주의 노력을 통해 어린이를 동반한 고객 때문에 발생할 수 있는 불편을 방지한 ㄴ의 사례를 활용하여 사업주 역시 문제를 해결하기 위해 노력해야 한다는 4문단의 내용을 보충할 수 있다.

⑤ ㄷ은 모든 국민은 모든 영역에 있어 차별받지 않아야 함을 보여 주는 헌법 조항이다. 이를 활용하여 3문단에서 노 키즈 존이 아동과 부모의 기본권을 침해한다는 점에서 문제가 있음을 뒷받침할 수 있다.

개념 더 보기

관용어(관용구)
두 개 이상의 단어로 이루어져 있으면서 그 단어들의 의미만으로는 전체의 의미를 알 수 없는, 특수한 의미를 나타내는 어구

예 • 손이 크다: 씀씀이가 후하고 크다.
　 • 발이 넓다: 사교적이어서 아는 사람이 많다.
　 • 손발을 맞추다: 함께 일을 하는 데에 마음이나 의견, 행동 방식 등을 서로 맞게 하다.

memo